Murav'eva, Iri

Ia Vas Liubliu

ЛЮБОВЬ К ЖИЗНИ

ИРИНА МУРАВЬЁВА

Я ВАС ЛЮБЛЮ

МОСКВА
2015

УДК 821.161.1-31
ББК 84(2Рос=Рус)6-44
М91

Художественное оформление серии *А. Старикова*

Муравьева, Ирина.

М 91   Я вас люблю / Ирина Муравьева. — Москва : Эксмо,
2015. — 640 с. — (Любовь к жизни. Проза И. Муравьевой).

ISBN 978-5-699-83317-7

Они — сестры. Таня, вчерашняя гимназистка, воздушная барышня,
воспитанная на стихах Пушкина, превращается в любящую женщину и
самоотверженную мать. Младшая сестра Дина, наделенная гордостью, силой и дерзостью, околдовывает мужчин, полностью подчиняя их своей
власти. Страшные 1920-е годы играют с девушками в азартные игры. Цель
их — выстудить из души ее светоносную основу, заставить человека до-
носительствовать, предавать, лгать, спиваться. Для семейной жизни сестер
большие исторические потрясения начала XX века — простые будни, когда
смерть — обычное явление; когда привычен страх, что ты вынешь из конверта письмо от того, кого уже нет. И невозможно уберечься от страданий.
Но они не только пригибают к земле, но и направляют ввысь.

УДК 821.161.1-31
ББК 84(2Рос=Рус)6-44

БАРЫШНЯ

Художественное оформление серии А. Старикова

В этот день, то есть седьмого февраля 1914 года, в Москве была сильная метель. Всё двигалось под серебром и если замирало, то на секунду, а через секунду опять вспыхивало, рвалось снизу вверх, откуда валило, слепило, откуда неистово жгло белым ветром.

Дом на Плющихе, в котором жил доктор Лотосов, был двухэтажным деревянным домом, зимой в нем топили кафельные печи, а лестница черного хода вся благоухала промерзшей капустой, дровами, смолою и запахом снега.

Вряд ли я успею одолеть это расстояние — от метели 1914 года до пасмурного июня 2009-го, — хотя там, наверху, верно, скажут, что это и не расстояние вовсе. Тогда шел, шел снег и стучали пролетки, а нынче оплакивают Майкла Джексона, который был маленьким черным мальчишкой и звонко пел песни, потом вдруг явился неведомо кто — наверное, ночью явился, украдкой, — убил первым делом мальчишку, перед смертью наобещав ему молочные реки, сахарные горы, дома из попкорна и много игрушек, — убил, закопал, где нога человека отнюдь не ступала (а зверя — подавно!), и вместо убитого вырос костлявый, белей алебастра, с приклеенным носом. Сказал, что он — Майкл, фамилия — Джексон. И стали вокруг бесноваться и хлопать.

А так всё на свете. Все были детьми, попадали под дождик, все рвали цветы и орали от боли. Потом всех убили и всех закопали. Остались деревья и виды предместий. И главное, так удивительно скоро!

В феврале 1914 года, за много лет до того, как отправили в пустоту и там, в пустоте, умертвили несчастных: животное

Белку, животное Стрелку, — за много лет до того, как началась война в Афганистане, вышел на экраны фильм «Анна Каренина» и начали сперму вливать из пробирок в чужое покорное женское лоно, короче, задолго до всех наших бедствий — задолго до бомб, лагерей, трансплантаций — был дом на Плющихе.

Александр Данилыч Алферов, муж Александры Самсоновны Алферовой, чье имя носила женская гимназия, в которой училась Таня Лотосова, преподавал литературу в старших классах, и барышни тихо его обожали.

— Дело в том, — сказал Александр Данилыч, — что Пушкин перед смертью очень сильно страдал. Я надеюсь, что никому из нас, — он оглядел бледных от зимнего света, прелестных своею застенчивой молодостью гимназисток, — надеюсь, что никому из нас не выпадет того физического страдания, через которое он прошел.

И кивнул на портрет великого поэта работы Тропинина, в стекле которого ритмично отражался падающий снег.

— Он был открытым человеком, — сказал Александр Данилыч, — гениальные люди открыты и просты душою. В ранней своей молодости он ходил к гадалке Александре Филипповне Киргхоф, которая нагадала ему смерть «от белой головы», поэтому он всегда опасался блондинов и был суеверен до крайности. В таком случае, зачем же ему было возвращаться обратно за шубой, когда он ехал на Черную речку? Ведь это плохая примета! Он вышел в бекеше и вдруг возвратился. Велел подать себе в кабинет большую шубу и, надевши ее, пошел пешком до извозчика. Зачем же? Ведь он не искал себе смерти. Я очень прошу вас не верить, что Пушкин искал себе смерти. Я думаю вот что: он просто решил не бояться. Высокие душою люди часто осознают, что жизни бояться не стоит. Грешно. И это, я думаю, есть вера в Бога.

Александр Данилыч вопросительно приподнял брови, но в классе была тишина.

— Да, это есть вера. Поэтому, когда вам будут говорить, что он не справился со своим африканским темпераментом, я очень прошу вас заткнуть себе уши.

Он потер лоб и снял очки. Без очков глаза его стали немного испуганными.

— Когда человек проходит через душевные страдания, он приобретает опыт смерти. А когда он проходит через страдания физические, то опыт жизни.

Перед ним сидели бледные от снежного света девушки с погрустневшими лицами. Они его не понимали.

— Представьте себе, — сказал Александр Данилыч и снова надел очки, — весь снег был пропитан кровью. Тянулся густой красный след от вмятины на снегу, которая образовалась, когда Пушкин упал, и до самых саней.

Гимназистки вздрогнули, у многих из них увлажнились ресницы.

— Его везли с Черной речки до Мойки не менее часа, в полусидячем положении, и часто останавливались, поскольку он все время терял сознание. Никаких приготовлений к тому, чтобы доставить раненого, не было произведено. Носилок и щита не было, поэтому поначалу Пушкина с раздробленным тазом просто волокли по снегу, как раненого зверя, затем положили на шинель. Но долго нести его в таком положении не смогли. Тогда секунданты и извозчики разобрали забор из тонких жердей и подогнали сани.

Александр Данилыч тяжело вздохнул и еле заметно всхлипнул, как это иногда случалось с ним от сильного волнения. Гимназистки под партами сжали руки на коленях.

— Он сильно страдал, — продолжал Александр Данилыч, нимало не заботясь о том, что школьный урок превращается в проповедь. — Сохранилось официальное донесение о дуэли, и я вам его прочитаю: «Полициею узнано, что вчера в пятом часу пополудни, за чертою города позади комендантской дачи происходила дуэль между камер-юнкером Александром Пушкиным и поручиком Кавалергардского Ее Величества полка Геккерном, первый из них ранен пулею в нижнюю часть брюха, а последний в правую руку навылет и получил контузию в брюхо. Господин Пушкин при всех пособиях, оказываемых ему его превосходительством господином лейб-медиком Арендтом, находится в опасности жизни...»

Барышни переживали не столько за Пушкина, раненного в брюхо, что было давно, и он не испытывал больше ни боли, ни страха, сколько за самого Александра Данилыча с его темно-рыжей кудрявой бородкой и испуганными глазами.

— Но дело совсем не в стихах! — таким тоном, словно с ним кто-то спорил, сказал Александр Данилыч. — Литература есть не что иное, как верная догадка о жизни. Вы можете и вовсе забыть о стихах! Но я бы просил вас запомнить *страдания*...

Если бы залетела в натопленную классную комнату — в гимназии Алферовой не экономили на дровах — чудом выжившая в суровое время года пушистая, черная с золотом муха и сладко бы стала жужжать и кружиться, то всякий услышал бы это жужжанье: такая была тишина.

— Хотел вам еще один портрет показать, — вздохнул Александр Данилыч, доставая из своего потрепанного портфеля небольшой холст без рамки. — Я заказал копию, а оригинал поступил в музей Александровского лицея лет двадцать назад, может, даже и больше. Подписано странно: «И. Л.». Считается, что живописцем был некто Линев Иван Лонгинович.

На темном холсте изображался Пушкин со взглядом страдальческим и обреченным, которым он видел, как всё это будет: и снег, пропитавшийся красною кровью, и тяжелое дыхание секундантов, которые затаскивали его на мерзлую шинель, а кровь заливала их руки, и бешеные глаза лошади, рванувшейся в сторону, когда его стали усаживать в сани и шубу, намокшую кровью, набросили на ноги...

* * *

Давали прекрасную оперу Глинки «Руслан и Людмила». Что может быть лучше театра, Большого театра, когда всё завалено снегом, и черное небо чудесно мерцает, и все эти слабые дымные звезды, наверное, знают какую-то тайну, но всё на другом языке, не на нашем... Что может быть лучше театра с его бархатными ложами, внутри которых белеют открытые спины с угловато выступающими лопатками, вспыхивает изредка маленький перламутровый бинокль, поднесенный к глазам, или особенно крупное драгоценное украшение на вытянутой, как у лебедя, шее? А запах в фойе шоколада Сушар? А запах мороза, врывающегося с улицы в открытую лакеем дверь, если какой-нибудь особенно нетерпеливый зритель вдруг покидает представление и устремляется в темноту? Пахнёт снежной пылью, и дверь затворится. И нет человека, растаял.

Татьяне Лотосовой, молодой, только окончившей гимназию барышне, было немного неловко оказаться в театре одной, без подруги, которая, будто назло, заболела и кресло которой теперь пустовало. Но постепенно она освоилась, поправила косу с черным бантом и стала внимательно следить за оперой. Когда во втором акте на сцене появилась огромная голова и начала дуть на витязя с такой силой, что волосы женщин, сидящих в первых рядах партера, слегка разлетелись, Татьяна Лотосова почувствовала, что на нее кто-то смотрит. Она скосила глаза. Между нею и незнакомым господином с открытым высоким лбом и мелкими, как у ягненка, кудряшками над ним стояло пустое тяжелое кресло. На левой ручке кресла почти невесомо лежал девически-острый локоть Татьяны Лотосовой, на правой — рука господина с худыми и длинными пальцами. Он заметил, что она перехватила его взгляд, и вдруг улыбнулся, спокойно и вежливо. Она растерялась сначала, но тут же подумала, что если тебе улыбается сосед, с которым вы вместе слушаете оперу, отвернуться от него, изобразив удивление, есть верх неприличия, ибо ничто не сближает незнакомых людей так сильно, как музыка. И Таня сама улыбнулась соседу — с испуганной робостью, но улыбнулась. Когда полногрудая, пышноволосая, в больших жемчугах и рубинах Людмила допела всю оперу вместе с Русланом и с шумом, похожим на шум океана, задвинулся занавес, незнакомый господин, похожий немного на Пушкина с портрета живописца Линева, пересел на пустое кресло рядом с Таней и что-то спросил у нее. Вокруг громко хлопали, трещали веерами, переговаривались, и Таня его не расслышала. Она покраснела почти до слез.

— Прекрасная опера! — близко наклоняясь к ней, сказал он. — Давно так прекрасно не пели!

— Да, — хрипло от волнения ответила она. — Мне тоже понравилось.

Вместе они вышли в фойе, вместе отразились в большом и тоже как будто взволнованном зеркале и, наконец, когда Таня Лотосова продела руки в узкую, с белыми хвостиками, муфту, а господин, не отстающий от нее ни на шаг, надел теплое пальто с меховым воротником, они вместе вышли из театра.

Выталкивая колкое от холода дыхание, незаметно дошли до Плющихи, и меховой воротник на пальто господина — как было положено — засеребрился сквозящей морозною пылью. Таня узнала, что нового знакомого ее зовут Александром Сергеевичем Веденяпиным, он служит врачом в психиатрической лечебнице Алексеева, имеет сына, чуть помоложе, чем Таня, и по роду своей деятельности нередко сталкивается с молодыми людьми, решившими по той или иной причине добровольно уйти из жизни. Почему Александр Сергеевич вдруг начал посвящать ее в подробности своей медицинской практики, она догадалась не сразу, но слушала с очень большим интересом, нисколько не меньшим, чем оперу Глинки. Александр Сергеевич объяснил ей, что если родственникам или друзьям удается спасти такого молодого человека, вынув его из петли или ухватив за полу пальто, когда он останавливается на самом краю обрыва, желая шагнуть и погибнуть в пучине, — то роль Александра Сергеевича не заключается только в том, чтобы напичкать спасенного порошками и пилюлями, а в том, чтобы, поговорив с ним наедине, раскрыть осторожно смятенную душу, как какой-нибудь скользко-загорелый, с острыми ребрами и большими зубами островитянин, нырнув глубоко в океан, раскрывает опутанную водорослями почерневшую раковину в надежде увидеть жемчужину.

Александр Сергеевич относился к своим обязанностям ответственно и в первый же вечер знакомства признался Тане, что ни опыт его грустной, хотя и весьма однообразной работы, ни долгие годы одних и тех же разговоров не убили в нем сострадания к безумцам, попадающим в городскую лечебницу

Алексеева, и потому он всякий раз с любопытством и добротою выслушивает сидящего перед ним на казенной койке пациента. Хотя — если честно признаться — хорошего тут не услышишь, одна чепуха и расстройство рассудка.

Восемнадцать лет назад, когда он только начинал свою практику, в больницу была на извозчике доставлена молодая девушка, отравившаяся спичками.

— Я увидел ее, — сказал Александр Сергеевич Веденяпин, и снежный сгусток, сбитый с дерева порывом ветра, опустился на его плечо, подобно убитому голубю, — и... Этого не скажешь словами! Вот говорят, что можно полюбить с первого взгляда. Это чепуха. Можно другое: потерять себя. Вот, скажем, ты жил, дышал, бегал, занимался своими делами, и вдруг тебя как будто схватили за руку. Стой и смотри. А всё остальное неважно. Вот так и со мной: я стоял и смотрел. Она спала, бледная, губы запеклись, руки — тоненькие-тоненькие, а сколько при этом детской свежести, сколько беззащитности было в ней! И жилка на шее. Я на какую-то секунду вообще перестал различать всё остальное, только эту синюю жилку...

Он замолчал и вытер лоб под шапкой.

— Не скучно вам? Вы не замерзли?

Она затрясла головой.

— А снегу-то сколько! — пробормотал Александр Сергеевич. — Вам нравится снег?

— Мне — снег? Нет, не очень. А что было дальше?

Александр Сергеевич вдруг весь осветился вспыхнувшей улыбкой.

— Через неделю я предложил ей свою руку. У нее незадолго до этого умер отец, и она была влюблена в молодого человека, который довел ее до попытки самоубийства. У них были отношения, и ей показалось, что она беременна. А когда она сказала ему об этом, он ответил, что может найти хорошего доктора, чтобы тот освободил ее от плода. Тогда она решила отравиться, но ее вовремя спасли.

— Если она влюблена была в другого, так как же она вышла за вас? — испуганно спросила Таня, оторопев от всех этих произнесенных им подробностей.

13

— О, это прекрасный вопрос! Не в бровь, а вот именно в глаз! Почему она вышла за меня? Потому что я умолял ее об этом. Многие считают, что после занятий в анатомическом театре все романтические призраки улетучиваются, но это не так, они ошибаются: со мной, во всяком случае, этого не случилось. Я был и, боюсь, остался законченным романтическим идиотом. А вот приятель мой — тот действительно перестал даже смотреть на женщин после того, как мы произвели в морге несколько первых резекций. В каждой хорошенькой барышне ему начали мерещиться будущие покойницы. Вы спрашиваете, почему она согласилась? А как же ей было не согласиться? Любовник ее исчез, курс она кончила, деньги, которые оставил отец, оказались ничтожными. И тут появляюсь я. Молодой врач, с неплохой уже практикой, влюбленный к тому же без памяти. Рыцарь, короче. Что ж было не выйти?

— Она совсем-совсем не любила вас? — сильно покраснев в темноте, спросила Таня.

— Н-н-не знаю... До самой свадьбы она не разрешала мне даже поцеловать себя, только руку... И то как-то с болью, как будто насильно...

Тут Александр Сергеевич вспомнил, что разговаривает с молодой девушкой, и осекся. У Тани, несмотря на холод, горело лицо так, как это бывало только после долгого катания на коньках под громкие вальсы закоченевшего оркестра.

— Ну, что говорить! Через полтора года у нас родился сын, и она, несмотря на свою нервность и непомерное воображение, оказалась хорошей, заботливой, хотя, к сожалению, слишком заботливой матерью.

— Что значит — слишком?

— Она постоянно боялась. Всякий раз, когда мы уходили в гости или в театр, становилась сама не своя, подъезжая обратно к дому. Ей все время казалось, что в наше отсутствие с ребенком должно было произойти несчастье. Она совершенно забывала о себе, когда он, например, заболевал, и могла встретить доктора в ужасном, растерзанном виде... Успокоить ее было почти невозможно. Но главное — ревность. С самого первого дня она начала ревновать сына ко мне, и, чем больше он подрастал, тем ужаснее становилась эта ревность. Я всё время проводил в больнице, даже по ночам меня таскали к больным, и сын, для которого почти не оставалось времени, очень радовался, когда я урывал минутку, чтобы поиграть с ним. А у жены началась какая-то прямо мания, что я отбираю у нее ребенка и даже настраиваю его против нее. Ему было, кажется, одиннадцать или двенадцать лет, когда я взял его с собой в поездку по Волге. Собралось несколько моих коллег, и мы отправились. Заняло это неделю, если не меньше. На следующий день после нашего возвращения жена закатила мне дикую сцену. Она кричала, что Васю нельзя узнать, он грубит, не дает прикоснуться к себе, обнять, и всё это сделано специально мной, и вся поездка была придумана только для того, чтобы отвратить его от матери.

Александр Сергеевич опять вдруг замолчал.

— Замучил я вас, — прошептал он, близко наклоняясь к ней и всматриваясь в ее лицо.

— Нет, что вы! — сказала она.

— Конечно, замучил. Потерпите немножко, история не особенно длинная. С прошлого лета в нашем доме стало просто нечем дышать. Она следила за Васей, следила за нами обоими, выкрала даже Васин дневник, потом, правда, очень сама переживала, проплакала несколько дней.

— Бедная! — вздохнула Таня.

— О, да! Кто же спорит! В конце концов, она потребовала, чтобы я снял ей квартиру, куда она намеревалась перевезти Васю и спасти его от моего ужасного влияния. Страшный это был разговор... Сначала она кричала, нападала на меня, потом стала упрашивать, упала на колени... Я, разумеется, отказал ей решительно и предложил ехать за границу лечиться... Но тут выяснилось еще одно грустное обстоятельство...

Он снял перчатку и стряхнул с плеча снег. Таня почти перестала дышать.

— Выяснилось, что она и в самом деле больна, тяжело больна. Она и раньше уже кашляла, но тут ей стало совсем плохо. Внезапно похудела так, что узнать нельзя. Я пригласил своего коллегу, замечательного диагноста. Он установил у нее рак правого легкого. Запущенная опухоль, оперировать поздно, и жить ей осталось недолго.

— О господи! Что же вы сделали?

— Я пообещал, что сниму ей квартиру, но с одним условием... Не знаю, может быть, именно это и было моей ошибкой... Какие условия можно ставить умирающему человеку? А я потребовал, чтобы она немедленно ехала лечиться в Германию и находилась там до полного выздоровления.

— Но вы же сказали, что она не может выздороветь!

— Я обманул ее. Мне важно одно: чтобы она уехала.

— Но как же? Ведь это жестоко?

Александр Сергеевич опять улыбнулся сквозь снег.

— Жестоко! А что это значит — жестоко?

— Это когда кому-то больно, а ты виноват, — пролепетала Таня.

— А всем всегда больно, и все виноваты, — оборвал ее Александр Сергеевич, но тут же опять улыбнулся. — До этих вещей дорастают, поверьте.

— Неправда! Что это вы такое говорите!

— Ну, дай бог, чтобы я ошибался, — коротко согласился он.

— Где она сейчас, ваша жена? Она еще жива?

— Жива, разумеется. Я снял ей квартиру в Мерзляковском переулке. Василий наотрез отказался жить с ней. Я просил ее, чтобы она уехала не позднее начала января. Она до сих пор не сказала мне ни «да», ни «нет». Не знаю, как долго всё это продлится... Хотя мне и стыдно того, что я думаю об этом... Ну, как объяснить вам? Бессердечно, наверное...

— Вы что, не встречаетесь с нею?

— Теперь она уже и сама не хочет видеть ни меня, ни его. Сын позвонил ей несколько дней назад по моему настоянию. Она кричала, что ненавидит нас обоих, что я всегда был чудовищем и мне удалось вырастить такое же чудовище из него... После этого он несколько ночей не мог спать...

Таня прижала ладони к горячим щекам.

— Прошу об одном: чтобы Господь дал ей умереть спокойно, — сказал Александр Сергеевич.

— Вам жалко ее?

Он удивленно приподнял брови:

— Иногда смерть есть не только единственный, но и самый лучший выход.

— Неправда! — возразила Таня. — Как можно сказать за кого-то другого, что ему лучше умереть? Когда он не хочет?

— Ну, это вопрос философский... — Он опять стряхнул снег, не глядя на нее.

Она притихла.

— А можно мне будет увидеть вас завтра? — вдруг спросил он после паузы.

Таня растерялась.

— Не бойтесь меня, — усмехнулся Александр Сергеевич, — у меня и в мыслях нет обидеть вас.

— Мне кажется, это неловко, — с заминкой сказала она. — Как это — увидеть?

— В кофейне Филиппова, — просто сказал Александр Сергеевич. — Вы любите горячий шоколад? Я очень люблю. Особенно когда на улице зима. А чтобы вам было спокойнее, я приведу своего Васю. Он милый парнишка, дичится немного...

Они стояли перед ее домом. В ватной темноте одна за другой гасли лампы. Таня наконец спохватилась, что опера давно закончилась и отец должен волноваться.

Ночью она долго не могла заснуть, всё мешало ей: и влажное бормотание няни, спавшей в соседней маленькой комнате, и шаги отца, которыми он отмерял расстояние от двери до окна, и даже бесшумный, сияющий снег, засыпавший тихую улицу. История, рассказанная только что Александром Сергеевичем, вызывала у нее животный страх.

* * *

У матери Тани давно была другая семья и другая дочка, которую Таня ни разу не видела. Из тех осторожных объяснений, которые несколько лет назад предложил отец, Таня поняла, что мать вышла за ее отца с горя, любя другого человека, который не захотел жениться на ней против воли своих очень упрямых родителей. Но через три года упрямые родители умерли один за другим, и тут нерадивый влюбленный явился к ним в дом, на Плющиху. Он прошел к отцу, заперся с ним в его кабинете, потом прислуга и няня слышали, как он рыдал там, за запертой дверью, и отец терпеливо просил его успокоиться, а он всё рыдал, объясняя свое невыносимое положение, признаваясь, что Танину мать любит очень давно и эта любовь их взаимна, поэтому просит простить, дать развод, но тут он совсем задыхался, пил воду и кашлял.

Развод состоялся, но Таня осталась с отцом. Это было условием.

Лет в тринадцать какой-то бес словно обуял ее: она стала приставать к отцу, требуя от него объяснений, почему мать ушла и бросила их, задавала нелепые вопросы, мучилась сама и мучила отца, который повторял одно и то же: всё правильно, всё произошло так, как нужно, ведь брак без любви вызывает болезни, и он это знал еще раньше, когда был простым медицинским студентом.

— Но почему она бросила *меня*? *Меня-то* как она могла бросить?

— Но как же ей было уйти и одновременно остаться с тобой? — Отец так сильно морщился, что на его лбу собирались розовые бульдожьи складки. — Ты после поймешь, когда вырастешь.

Она почувствовала, что ничего не добьется от него, и перестала спрашивать. И перестала думать о матери, но иногда на нее наплывало какое-то не воспоминание даже, но запах цветочных духов, или она вдруг чувствовала в руке что-то гладкое, круглое и вспоминала, что это, должно быть, та пуговица, в которую она, уже лежа в кровати и засыпая, крепко вцепилась однажды, чтобы не дать матери уйти, и в конце концов оторвала ее вместе с куском ткани.

Еще вспоминался другой эпизод.

Отец снимал дачу в Царицыне, где Таня жила с няней и с гувернанткой. Он сам приезжал к ним в четверг поздно вечером, а днем в воскресенье опять уезжал. Стояло прекрасное время — середина июля, — когда некто Коля Бабаев, соседский ребенок, вдруг умер. Он умер в субботу, а в четверг, за два дня до этого, к ним прибежала прислуга с той дачи, где жили Бабаевы, и отец, только что с поезда, схватил свой докторский чемоданчик, надкусил яблоко, но тут же и бросил его прямо на пол. А няня и Таня смотрели с балкона, как он торопливо бежит по песку, мокрому от недавнего дождя и сильно хрустящему под его тяжелыми шагами.

Вернулся он в пятницу после полудня, когда оглушительно пахло жасмином, а няня варила малину и косынкой отмахивалась от ос, — вернулся измученным, но оживленным, как будто пытаясь их всех обмануть, уныло взглянул в таз с кипящим вареньем, сказал, что он сыт, и уснул на террасе. Вечером снова прибежала прислуга с Колиной дачи, отец моментально вскочил и, умывшись, ушел со своим чемоданчиком.

Тогда Таня начала с ненавистью думать об этом ушастом и вежливом Коле в его накрахмаленной белой сорочке, вспомнила, как они ловили стрекоз на болоте и он всё время промахивался, нелепо хлопал сачком мимо прозрачной стрекозы, которая со своим помертвевшим от страха лицом сперва повисала над их головами, не веря свободе и празднику жизни, а после взмывала наверх с дикой силой... Этого жалкого восьмилетнего Колю Таня страстно проненавидела всю ночь, ревнуя отца, который возился с чужим и ушастым, как будто бы рядом и не было Тани, но утром заснула так крепко и сладко, что не услышала ни того, как вернулся отец, как пил с няней чай на террасе, а няня кряхтела и плакала тихо.

Колю отпевали в деревенской церкви. В разгаре цветущего лета с его этим зноем и светом, росою в траве, ночными зарницами в небе, мокрыми лепестками, засыпавшими садовую скамейку так густо, что издали было похоже на облако, в разгаре цветущего сонного лета внесли на руках — было много народу, и пахло свечами, и многие плакали, — внесли на руках желтый новенький ящик, поставили его на возвышение, и Таня, которую отец крепко держал за плечо, увидела, как с громким стуком на ящик упала вся черная — в таком неопрятном и жеваном платье, как будто она в нем спала целый месяц, — лохматая старая дама...

Через два дня Таня и сама заболела скарлатиной, начала гореть, задыхаться, во сне ей казалось, что с Колей они снова ловят стрекоз и Коля зачем-то всё время смеется. Ненависть опять охватывала ее, Таня сбрасывала с себя одеяло, плакала, кричала, что Коля живой, он обманщик и просто лежит сейчас в новеньком ящике...

На третий день температура спала, и Таня увидела спальню, столб светящейся солнечной пыли над ковром, отца, взъерошенного, в раскрытой на груди рубашке, и рядом с ним незнакомую женщину. У женщины были темные, очень густые волосы, просто зачесанные назад, и нежная желтизна под глазами, от которой она казалась особенно красивой.

— Проснулась, — бодро сказал отец и, наклонившись, пощупал Тане лоб, — теперь всё в порядке.

Женщина стояла у окна, спиной к очень яркому саду, и ветка зеленой сияющей вишни как будто росла у нее из затылка.

— Узнала меня? — спросила она, сделав шаг к кровати, и наклонилась так же, как отец, приглаживая Танины вспотевшие волосы.

Это была мать, которую она не видела бог знает сколько времени, потому что мать уехала за границу, и там у нее родилась слабая и чем-то больная девочка, и девочку стали лечить на курорте, поэтому мать не вернулась в Россию. Изредка от нее приходили письма, которые отец, насупившись, читал вслух неестественным и громким голосом. Мать называла ее «Татушей» и всё обещала, что скоро приедет.

Теперь, когда она наклонилась над Таней, оказалось, что мать существует так же ясно, как все остальные вокруг: отец, птицы, няня. Она приоткрыла рот, и Таня вдруг вспомнила, что между передними зубами у матери была узкая полоска немного припухшей и розовой кожи. Она и сейчас там была. Тогда она выскользнула из-под материнской руки, оттолкнула ее и бросилась бежать. Ее не успели поймать. Скатившись по лестнице, босая, с исказившимся от громкого плача красным лицом, Таня пересекла террасу и, не угадав, что перед нею закрытая стеклянная дверь, налетела на нее. Боли не чувствовалось, но щипало и жгло, когда отец, морщась от сострадания, смазывал йодом ее очень сильно разрезанный лоб, и всё было густо испачкано кровью, особенно волосы. Остались два крошечных шрама: один на скуле и другой — рядом с бровью. Они ее вовсе не портили.

* * *

В кофейне Филиппова пахло свежим хлебом, а пол был в коричневых от растаявшего снега лужах, похожих по цвету на пролитый кофе. С сильно колотящимся сердцем, стараясь казаться независимой и взрослой, она села за мраморный столик и принялась ждать. Вошла очень худая большеглазая дама с требовательным и жалким лицом. Потом, разрумяненные, переговариваясь деревянными от холода голосами, громко хлопнув дверью, ввалились два гимназиста, потом молоденькая няня с закутанным ребенком в коляске, которая приложила большие красные руки к кипевшему на стойке самовару и тут же со смехом отдернула их. Тане надоело ждать, и она встала, потуже завязала вязаный шарф под подбородком и, чувствуя себя оскорбленной, пошла к выходу. На пороге они столкнулись. Александр Сергеевич смешно отпрыгнул от нее, придерживая тяжелую дверь.

— Прошу простить, — заговорил он, сверкая знакомой улыбкой, от которой у Тани вдруг сжалось внутри живота и в глазах потемнело. — Извозчик попался не самый проворный.

Рядом с Александром Сергеевичем стоял худой и нескладный молодой человек лет шестнадцати, если не меньше. Кирпичный румянец уходил под его рыжие мелкие кудри, которые на висках были ярко-красными, как будто румянец пропитал их изнутри, как вода пропитывает мох на лесной поляне.

— Вот, Татьяна Антоновна, прошу любить и жаловать: Василий, мой сын и наследник.

Василий кивнул ей небрежно, и Таня совсем потерялась. Сели за столик, не глядя друг на друга. Александр Сергеевич, придвигая стул, ненароком дотронулся до ее локтя. Им принесли три чашки горячего шоколада, от которого поднимался волнистый, похожий на тюлевый, пар. Няня с закутанным спящим ребенком неторопливо доедала калач и дула на чай, подкладывая в него кусочки колотого сахару. Василий сидел неподвижно и прямо.

— Вы в какой гимназии учитесь? — спросила Таня.

— Сейчас я перешел в гимназию Ямбурга, — темно покраснев, с надменностью растягивая слова, ответил Василий и вытер крупный пот, выступивший на лбу. — Там и гуманитарные, и естественные предметы очень хорошо преподаются.

Каждое слово доставляло ему страдание. В замешательстве Таня начала быстро пить шоколад, но он обжигал язык, и она отодвинула чашку. Хотела подуть и смутилась, не стала. Александр Сергеевич вдруг начал рассказывать, какая замечательная у них лечебница, названная в честь своего основателя, бывшего губернатора Москвы Алексеева, который особо жалел сумасшедших и не хотел, чтобы их по обычаям старого времени держали в смирительных рубашках и лили им воду на бритые головы. Просвещенный гуманист, Алексеев собрал богатое московское купечество на обед, описал, каким оскорблениям незаслуженно подвергаются тяжело больные люди, и попросил помочь ему в постройке хорошей современной больницы. Тогда, заскрипев стулом, поднялся купец Ермаков, огромный, налитый тяжелой купеческой кровью, однако в прекрасной английской одежде, сощурил калмыцкие желтые глаза и сказал так: «Поклонишься в пол здесь, на людях, и дам миллион». А не успел он закончить, как белый, хуже зубного порошка, Алексеев вышел из-за стола, сорвал с себя хрустящую салфетку, которую заложил за воротничок, приступая к обеду, и низко поклонился купцу Ермакову. И тот дал ему миллион.

— А что потом было? — спросила Таня, стараясь не смотреть на Василия, который краснел всё сильнее.

— А то, что обычно бывает, — нервно дернув щекой, ответил Александр Сергеевич. — Построили лечебницу, закупили новейшие ванны, постельное белье, халаты для больных, шкафчики. Лечили по всем требованиям цивилизованного мира. Никаких побоев. Старались подолгу беседовать с пациентами, ловили, так сказать, искорку неомраченного сознания.

Сам Алексеев очень этим увлекся, пропадал в клинике днями и ночами, пока его, бедного, не зарезали.

— Как так зарезали? — вскрикнула она.

— Ну, просто, как курицу, — усмехнулся он. — Сидел в сумерках с одним больным, на которого возлагал особые надежды, увещевал. А тот схватил бритву и изо всей силы полоснул его по горлу. Весь сумасшедший дом просился присутствовать на отпевании, и в клинике долго был траур.

— Почему вы сказали, что так всегда бывает? — насупилась Таня.

— А как же иначе? — засмеялся он, но не успел договорить.

Из дамской комнаты к их столику быстро подходила та самая, очень худая, с разгневанным и жалким лицом женщина, которая пришла в кофейню почти одновременно с Таней. У женщины горели щеки, в уголках губ запеклась пена.

— Ах, вот они где! — сказала она, так сильно выкатив блестящие глаза, что всё остальное на ее истощенном лице стало почти незаметным. — Нашел себе новую куклу?

Василий вскочил и, застонав, словно у него разом заболели все зубы, выбежал из кофейни. Няня, хлопая своими растаявшими ресницами, испуганно открыла рот и начала быстро качать коляску.

— Я знала, что всё этим кончится! Знала! Но я не позволю! Клянусь, завтра я подниму все газеты!

— Какие газеты? — побледнев так, что на кончике его прямого носа стали заметны редкие черные точки, спросил Александр Сергеевич. — Ты, Нина, себя не слышишь!

— Я слышу! Ты хочешь жениться — женись! Только Васю не трогай!

— А, это уже что-то новое, — буркнул Александр Сергеевич. — Пойдемте, Татьяна Антоновна, здесь нам не дадут поговорить спокойно.

Тане хотелось провалиться сквозь землю. Александр Сергеевич осторожно взял ее под руку. Набросив на голову шарф, в незастегнутом пальто, она прошла мимо жены Веденяпина, боясь случайно дотронуться до нее, и перевела дыхание, только оказавшись за порогом кофейни.

Лицо Александра Сергеевича было несчастным и постаревшим.

— Ну, видите, видите? Что я мог сделать?

— Мне всё-таки лучше уйти, — пробормотала Таня, сгорая от стыда и неловкости.

— Вам гадко здесь с нами! — Александр Сергеевич наклонился, стараясь поймать ее взгляд. — Еще бы не гадко! Но это продлится недолго, ведь вы же всё видели...

— Как вам не стыдно! — расплакавшись, закричала Таня. — Вы ждете ее смерти? Ах, как вам не стыдно!

— Бывает, что смерть-то и есть лучший выход...

— Вы это вчера говорили! Вы говорите ужасные вещи, я даже и слушать не стану!

— Я буду молчать, если вам это лучше.

— Оставьте меня, пожалуйста! — взмолилась Таня. — Я не знаю, как отвечать вам, подождите... Даю слово, что я сама позвоню вам.

— Даете мне слово?

— Да, я позвоню.

Нужно было, чтобы он как можно быстрее отпустил ее.

За обедом отец молча протянул ей распечатанное письмо.

— Что это? Мне?

— Твоя мама вернулась в Москву.

— Как — мама вернулась?

— Соскучилась, — с ядом в голосе ответил отец.

— А я не хочу! — зло и возбужденно заговорила Таня, отталкивая от себя тарелку и расплескивая суп по скатерти. — Я не хочу ее видеть! Зачем она мне?

— Она родила тебя, — негромко сказал отец.

— Никто не просил! Она и потом тоже вроде рожала! Ведь там еще девочка, верно?

— Девочка-то уж совсем ни при чем... Она тебе ничего плохого не сделала.

Тут только Таня заметила, что письмо распечатано.

— Ты что? Ты прочел?

— Бог знает, что она могла написать тебе. Я ей не слишком доверяю.

«Татуша! — писала мать. — Понимаю, как тебе больно вспоминать обо мне, как сильно я виновата перед тобой. Но теперь, когда ты становишься взрослой, тебе, может быть, будет легче понять меня. Мы с Диной вернулись в Россию после двенадцати лет жизни в Европе. Это очень большой срок. Я много рассказывала ей о тебе, и она знает все смешные словечки, которые ты говорила, когда была маленькой, и смеется твоим детским шалостям».

Сквозь злые горячие слезы Таня удивленно посмотрела на отца:

— Каким моим шалостям она смеется?

— Были, наверное, какие-то шалости. Ей теперь кажется, что и она, как любая мать, должна помнить, каким был ее ребенок в детстве... Чувствительный самообман.

— Не хочу! — Она бросила письмо на пол и изо всех сил сжала голову руками. — Одни сумасшедшие рядом!

— О чем ты? — нахмурился отец. — Какие рядом с тобой сумасшедшие?

Она прикусила язык.

— Красивая зима! — Отец посмотрел за окно, где голубовато и нежно сверкало. — Почему ты перестала ходить на каток?

Он всегда переводил разговор, когда ей нужно было отдышаться и сообразить, что к чему.

— Папа! — Таня всхлипнула. — Я не стала тебе рассказывать, потому что я не знала, как... Вчера меня проводил из театра один человек. Он доктор, работает в больнице... У него сын, гимназист. Еще и гимназии даже не кончил.

Отец еще больше нахмурился:

— Почему ты позволяешь незнакомому человеку провожать тебя из театра?

— Он рядом сидел, и мы с ним познакомились. Потом он пошел провожать. У него жена, которая больна и скоро умрет. Сегодня мы были в Филипповской, она ворвалась и устроила сцену. Он очень несчастный...

Слезы затопили ее, но они же оказались и той спасительной смазкой, которая помогала словам протискиваться сквозь горло.

— А ты здесь при чем? Какое тебе дело до чужого мужчины и его жены?

В том, как отец произнес слово «мужчина», сверкнула обозленность. Он резко встал и, обойдя стол, подошел к ней.

— Смотри на меня, я хочу видеть твои глаза.

Она подняла заплаканные глаза.

— Ты очень красивая молодая девушка, — твердо выговорил отец. — Ты росла без матери, а я не сумел подготовить тебя к жизни. Ты не понимаешь, что это значит, когда не старый еще мужчина, — опять он неприятно и обозленно надавил на это слово, — сколько, кстати, ему лет?

— Не знаю. Лет сорок, а может быть, больше...

Отец весь темно покраснел:

— Лет сорок! Тебе восемнадцать! Лет сорок! Ты не знаешь, что это значит, когда мужчина в театре знакомится с молоденькой девушкой, а потом провожает ее домой и рассказывает ей о своих драмах!

— А что это значит? — хрипло спросила она.

— Это значит, что в следующий раз он пригласит тебя в номера! Не думай, что в жизни одни только розы!

— А я и не думаю, — прошептала Таня. — Ты же сам говоришь, что я росла без матери.

Отец покраснел еще больше:

— Разве это я виноват в том, что ты росла без матери?

Таня вскочила. Теперь они стояли лицом к лицу, и оба тяжело дышали.

— Никто из вас не виноват! — закричала она, жалея отца и одновременно наслаждаясь его растерянностью. — Я не виновата в том, что вы сначала женились, а потом разженились! Я только знаю, что меня бросила мать, а теперь ты упрекаешь меня, что я пожалела кого-то, кого тоже бросила жена! А я ни на секунду не забывала, что моя мама сделала с нами! Со мной и с тобой! Помнишь, как мне однажды приснилось, что мы идем по лесу и снег вокруг? И кто-то лежит в этом снегу, совсем маленький, как ребенок. А потом мы наклоняемся и видим, что это мама. И ты говоришь: «Она заблудилась. Сейчас отнесем ее домой и отогреем». Не помнишь?

Таня с размаху уткнулась в отцовскую шею, где между накрахмаленными отворотами воротничка перекатывалось адамово яблоко, которое было еще горячее ее собственного лица.

— Ну, хватит, — забормотал отец, целуя и приглаживая ее волосы. — Если этот господин позвонит, я попрошу его оставить тебя в покое. А с мамой я сам разберусь... Скажу, что тебе нужно время...

Опять она не могла заснуть. Мысли о матери перебивались мыслями об Александре Сергеевиче, потом о его сыне, который сбежал из кондитерской, потом она начинала представлять себе, какая у матери младшая дочка, но тут ее прожигали слезы и рот наполнялся соленой слюною.

* * *

Под утро она заснула и проснулась далеко за полдень.

— Папаша велел, чтоб тебя не будили, — шамкая сухими коричневыми губами, сказала нянька. — Вставай и иди хоть позавтракай, поздно. Уж скоро обедать.

На улице таяло, и оползший за утро сугроб напоминал огромную неуклюжую птицу, у которой одно крыло нагромоздилось на другое.

— Весна, стало быть, — вздохнула нянька. — Вот как припечет, так и лету недолго! Глядишь, и согреемся. А то прям хоть плачь: сыпет, сыпет!

— Папа не сказал, когда придет?

Нянька глотнула чаю из стакана, обожглась и помахала ладонью перед раскрытым ртом.

— С мамашей сегодня встречаются, вот как, — не сразу ответила она. — Звонил ей с утра, сговорились. При мне дело было.

— Зачем? — ахнула Таня.

Няня развела тускло-красными, в мелкий горошек рукавами кофты, и ярко начищенный самовар повторил ее движение: раздвинулся медленно и покраснел.

— Ну, как? Ты сама-то подумай! Приехала мать в кои веки, а ты что? Метлою, что ль, гнать?

В дверь столовой засунулся дворник Алексей Ермолаич, розовый от холода, худенький и даже в тулупе похожий на кузнечика своими слишком длинными и слишком прямыми ногами. Он вежливо кашлянул.

— Там, это, цветы вам прислали, барышня.

К букету очень длинных, молочно-белых роз была приложена записка: «Еще раз прошу простить меня за вчерашнюю историю. Напоминаю о Вашем обещании и жду звонка. А.В.».

— Ты что, кавалера себе завела? — нахохлилась няня. — А папа что скажет?

— Нет, это знакомый, — вспыхнув, пробормотала она. — Тебя не касается!

Схватила букет, побежала к себе.

— Воды хоть налей! — крикнула ей вдогонку няня. — Цветочков-то жалко!

Таня сорвала серебряную бумагу с букета и бросила рассыпавшиеся цветы на кровать. Одна, самая большая роза оказалась наполовину раскрытой, красная сердцевина ее была испещрена черными точками.

Она подошла к зеркалу и приподняла руку. Рука тоже была белой, по-зимнему бескровной, худой, но крепкой, подмышка золотилась пушком, и там, внутри пушка, темнела родинка. На теле ее было много родинок, особенно на спине. На левой лопатке их было три, но маленьких, а одна, покрупнее, находилась на месте последнего шейного позвонка, и всякий раз, когда она наклоняла голову, казалось, что по ее шее скатывается черная лесная ягода.

Она не позвонила Александру Сергеевичу. Он должен был ждать. Он должен был ждать очень долго, потому что в ней проснулась сила, о которой раньше никто не подозревал. А всё эти розы. Как папа сказал? «Не думай, что в жизни одни только розы». Но папа ошибся. Он просто боится, чтобы она не

28

сделала какую-нибудь глупость. Он вечно боится. Какая же глупость? Когда ей прислали *такие* цветы? Она вспомнила, как улыбается Александр Сергеевич Веденяпин, и ее бросило в жар.

Отец вернулся домой поздно, уставший, с сильной головной болью. Она решила не спрашивать больше о матери, а он не спросил, откуда взялись эти розы, которые своей райской красотой преобразили комнату. Отец на них бегло взглянул, слегка покраснел, но и только.

«Да он ведь всё понял!» — ужасаясь тому, что у нее появились секреты, подумала Таня.

* * *

Утром, идя на курсы, она нарочно замедляла шаги и все время оглядывалась: казалось, что Александр Сергеевич должен непременно попасться ей на пути. Она старалась идти особенно легко и, сколько могла, выгибала спину, как это делают танцовщицы, но вдруг чей-то голос, показавшийся знакомым, сказал прямо над ухом:

— Мадемуазель Лотосова!

Таня испуганно оглянулась. Перед ней, задыхаясь от быстрой ходьбы, стояла жена Александра Сергеевича в зимнем каракулевом жакете и шапочке, отороченной пушистым серым мехом, с маленькой вуалеткой, которая все время плотно прилипала к лицу, так что Веденяпиной приходилось сдувать ее в сторону оттопыренными губами.

— Простите меня, — тяжелым, растерзанным голосом заговорила Веденяпина. — Мне пришлось немножко последить за вами. Вчера проводила вас до самого дома, а вы ничего не заметили. Вы, ради всего святого, простите меня!

— Зачем?

— Пойдемте! — сверкнула глазами Веденяпина. — Вы ведь шли куда-то? Ну, вот и пойдемте.

И обе пошли быстро, словно убегали от кого-то. Шелестящие от ветра верхушки сугробов вспыхнули розово-красным.

— Он вас не отпустит, — сказала Веденяпина. — Я вам прямо сейчас могу рассказать, как это всё будет.

— О ком вы? — прекрасно понимая, о ком она говорит, пробормотала Таня.

— У вас эти ямочки! — перебила ее Веденяпина и так же растерзанно-натужно засмеялась. — У вас ямочки на щеках, оказывается, не только когда вы улыбаетесь, но даже когда вы просто говорите! И дело всё в ямочках!

Таня со страхом смотрела на нее.

— Боитесь? — Веденяпина перестала смеяться под своей прилипшей вуалеткой. — И правильно делаете. Он любит не всю женщину, понимаете меня? Он любит какую-нибудь одну черту в женщине. С ума начинает сходить. Вы думаете, отчего он в свое время женился на мне? Ему понравилось, что у меня на шее была какая-то тоненькая синенькая жилка! Кому рассказать, не поверят! Он взял и женился.

— А я здесь при чем?

— Я просто предупреждаю вас, чтобы вы не попались. — Веденяпина, оттопырив губы, сдула вуалетку. — Он лакомка. Увидел ваши ямочки и тут же почувствовал голод.

«Она сумасшедшая!» — быстро подумала Таня.

— Вы только не думайте, что я сумасшедшая, — усмехнулась Веденяпина. — Я всего этого сама очень долго не понимала. Да и что мы понимаем с нашими куриными мозгами? Читали вы графа Толстого? «Крейцерову сонату»?

Таня отрицательно покачала головой.

— Там многое — правда. Но муж мой пошел еще дальше. Уж лучше зарезать, чем так издеваться!

— А он издевался?

— Ох, да! — как-то даже весело, словно ей приятно вспоминать об этом, ответила Веденяпина. — Ведь срам какой, господи! И эти бог знает какие слова! И эти укусы везде! На всем теле!

— Зачем же вы это терпели? — боясь смотреть на Веденяпину, не удержалась Таня.

— А мне просто некуда было деваться. Он был моим мужем, законным, обвенчанным. На улицу разве сбежать? И что тогда дальше? Потом я привыкла. Я могла, скажем, приказать, чтобы он налил себе кофе в мой ботинок и выпил. И он наливал и не брезговал. Я могла сказать: «Пойди на двор, принеси снегу». И он шел, в одном белье, даже не накинув пальто, и приносил. Мне тоже хотелось иногда его помучить. Прямо до боли какой-то. Хотелось смешного, ужасного. Но он всё равно был сильнее меня. Я всё принимала за чистую монету, а он играл со мной, как с котенком. Встану, бывало, липкая, вся в красных пятнах. Посмотрю утром в зеркало: «Ой, господи! Ктой-то?»

Она засмеялась.

— Он бил вас? — ужаснулась Таня.

— Не бил, а терзал. Это хуже гораздо.

— Зачем мне всё знать? — закричала Таня. — Зачем вы всё это рассказали?

— Да жалко мне вас! Очень жалко! Я увидела у Филиппова: сидит девочка, розовая, пушистая, как хризантема, брови нахмурила, волнуется. И вдруг — этот старый развратник. И сын рядом с ним, совершенный ягненок. Ах, боже мой! — Она резко побелела под своей вуалеткой. — Всё ямочки ваши!

— Довольно... — прошептала Таня. — Пустите меня, я пойду.

— Он, верно, сказал вам, что я умираю? Сказал ведь? Признайтесь!

Таня кивнула.

— Он всем говорит. Уж, поди, сколько заупокойных назаказывал! Торопится очень. А вы не верьте: больна я совсем неопасно. Он меня хочет за границу отправить, а я всё не еду. И я не поеду, пока он мне сына не даст.

— Так сын же не хочет...

— Да кто вам сказал-то? — возмутилась Веденяпина, и слезы наполнили ее глаза. — Он с Васей хитрит. Откуда же Васе понять?

— Не ходите за мной больше! — взмолилась Таня. — Кто вам позволил следить за мной?

Веденяпина усмехнулась презрительно:

— Не так у меня много времени осталось, чтобы следить за вами, мадемуазель Лотосова. Живу здесь поблизости, вот и столкнулись.

— Да это неправда!

— Прощайте! — растерзанно засмеялась Веденяпина и сморгнула слезы.

Краешек вуалетки забился ей в рот от сильно подувшего снежного ветра.

* * *

С этого дня прошло несколько недель. Александр Сергеевич больше не посылал Тане цветов, не звонил. Если бы не розы, которые все еще стояли в гостиной, засохшие, с опущенными головами, как будто знали за собой тяжелую вину, то можно бы было подумать, что ничего и не было: ни оперы Глинки, ни шоколадного запаха в красном бархатном фойе, ни того, как они с Александром Сергеевичем шли по уснувшей Плющихе, и он близко наклонялся к самому ее лицу, смотрел очень странно и вдруг улыбался. Теперь по утрам начиналась тоска.

Тоска наполняла дом, и во всем, на чем случайно останавливался Танин взгляд, от голубиного помета на промороженном полене, принесенном дворником из сарая в гостиную, до вспышки заката на талом снегу, была сильная, но тихая тоска, а любая ерунда, вроде резкого скрипа саней на повороте или глухого хлопка форточки, вызывала слезы. Чем больше времени проходило с их встречи в кондитерской, тем острее вспоминалось его лицо и, главное, эта насквозь прожигающая, яркая улыбка. Она изо всех сил старалась не думать о нем, но всякий раз, когда чья-то высокая мужская фигура в длинном пальто мелькала перед ее глазами на улице, она останавливалась на ходу и невольно зажимала рукою то место между горлом и сердцем, которое сразу начинало гореть и колотиться внутри, как будто под кожу запрятали птицу.

Прошел февраль, март, наступил апрель — земля стала теплой, пахучей и пестрой, — и вдруг рано утром, десятого, лежа в постели и медленно освобождаясь от только что приснившейся чепухи, где основное место занимала темная, в павлиньих разводах вода, Таня вдруг ощутила себя свободной. Она не ждала больше, что он позвонит или встретится ей на улице. В душе как будто отпустили тугую резинку, и Александр Сергеевич вышел из памяти так, как выходят из комнаты. С уходом его всё вернулось: подружки, уроки, часы у портнихи, театр, концерты... А дни становились длиннее, светлее. Муфта была давно пересыпана нафталином и спрятана няней в коричневую коробку из-под туфель, днем в доме становилось солнечно, жарко, и пьяный от радости воздух влетал с легким стуком в открытые форточки.

Отец вдруг сказал за обедом, что завтра придет ее мать. Причем не одна, а с сестрой. Таня опустила глаза так низко, что закружилась голова.

— Их нужно принять, — сдержанно пояснил отец. — Посуди сама: она подумает, что я не передал тебе ее просьбу.

«Какая тебе разница, что она подумает?» — сверкнуло в Таниной голове, но она посмотрела на ставшее жалким отцовское лицо и ничего не сказала.

* * *

Назавтра вечером раздался звонок. Отец высунулся из кабинета, почему-то вытирая пальцы полотенцем, и громко сказал на весь дом:

— А вот и они!

И пошел открывать.

Таня скользнула в его кабинет, быстро выключила лампу, села в кресло и сквозь дверную щель принялась наблюдать. Вслед за взволнованным и неестественно жестикулирующим отцом в гостиную вошла мать, слегка пополневшая за эти годы, но все еще очень красивая, со своими блестящими сизо-голубыми глазами, которые она, как фамильную драгоценность, передала обеим дочерям. Таня тотчас узнала собственные глаза на лице у размашисто вошедшей за матерью девочки, которая от неловкости сделала слишком широкий шаг, запнулась, остановилась и ярко вспыхнула. Краска, как тень покрывшая ее лицо, была знакома до отвращения: Таня и сама вспыхивала точно так же. На девочке были белые чулки и клетчатое широкое пальто, которое выдавало в ней иностранку.

— Ну, где же... — начала мать своим сильным, переливающимся голосом, который Таня сразу вспомнила и ужаснулась, что даже голос у матери не изменился. — Ну, где же...

Тогда она вскочила и, щурясь, вышла к ним из темноты в ярко освещенную гостиную. Мать быстро всплеснула руками.

— Большая! — шепнула она. — Какая я дура, о господи! Я думала, что ты так и осталась маленькой и кудрявой.

— Да, кудри состригли! — скороговоркой и очень громко объяснил отец. — Состригли, как с пуделя. У нее инфлуэнца была два года назад — помнишь, я писал? — в жару провалялась весь месяц, потом было не расчесать. Обстригли всю голову. Зато теперь выросли — видишь? — нормальные косы.

Мать усмехнулась и тихо обняла ее. Таня продолжала стоять как стояла, она не сделала ни одного движения, не сказала ни слова, только отвернулась, когда мать попыталась поцеловать ее, и от этого душистый материнский поцелуй пришелся не в щеку, а в ухо. Отец громко кашлянул.

— Сестра твоя, Дина, — почти с угрозой произнес он, стыдясь и, видимо, сильно страдая за Таню. — Я рад, что теперь вы знакомы.

Дина быстро сняла красные кожаные перчатки и решительно, но неловко, ладонью вверх, протянула руку. Рука была маленькой, крепкой, горячей. Таня так же неловко пожала ее. Мать и отец переглянулись, и на красивом лице матери появилось тоскливое беспокойство.

— Скажи няне, чтобы поставили самовар, — попросил отец. — Сейчас будем чай пить.

Боясь встретиться глазами с матерью, Таня поспешно вышла из комнаты и долго стояла на кухне, борясь с желанием убежать на улицу через черный ход. Когда она вернулась, мать и отец сидели рядом на диване, а Дина в своем коротком клетчатом пальто стояла у окна спиной к ним и смотрела на улицу.

— Так что: ревматизм прошел окончательно? — уже другим, обычным, успокоившимся голосом спрашивал отец.

— Всё эти курорты, — быстро ответила мать. — Они мертвецов воскрешают! Я раньше не верила...

Она оглянулась на вошедшую Таню и замолчала.

— Сейчас принесут самовар, — почти грубо сказала Таня. — Ведь вы вроде чаю хотели?

Она посмотрела прямо в глаза матери и вдруг испугалась, что разрыдается.

— Таня! — Мать поднялась с дивана. — Я хотела объяснить тебе, прямо сейчас, при Дине и папе, почему это всё так вышло, что мы долго не виделись с тобой...

Таня крест-накрест обхватила себя руками и изо всех сил впилась ногтями обеих рук в плечи.

— Ну, что ты молчишь! — повелительно, как показалось Тане, воскликнула мать. — Скажи, что ты всё понимаешь! Ведь ты же большая!

Тане хотелось ответить именно так, как она в воображении своем столько раз отвечала ей. Всё так и случилось, как Таня ждала. Мешала, правда, эта девочка в белых чулках. Должны были быть только Таня и мать. Мать приходила к ней — одна, без отца и без девочки. Жалкая, очень красивая, она стояла перед Таней на коленях и просила прощения. Сколько раз, лежа без сна, Таня видела, как мать опускается перед ней на колени, и сколько доходящего до зуда наслаждения было в том, чтобы отвернуться от нее!

...В комнате при этом всегда было темно, горячая темнота колыхалась перед глазами, как под яркими звездами колыхаются песчаные морские отмели, если долго, не мигая, смотреть на них. Сжавшись под одеялом так, что ноги начинало сводить, Таня повторяла, что этого нельзя простить, но мать умоляла ее, клялась, что никого она не любила так, как Таню, и нет никаких других дочек...

Теперь же, когда она и в самом деле пришла, стояла так близко, что можно было протянуть руку и потрогать ее, на Таню нашло оцепенение. Мать не опускалась на колени и даже не плакала. К тому же и Таня не нравилась ей: она давно выросла, кудри состригли. Но, главное, рядом была ее дочка, из-за которой матери пришлось двенадцать лет прожить за границей, и там, за границей, лечить эту дочку, возить по курортам, купать в разных ваннах...

Таня отвела глаза от матери, увидела, что на улице уже вспыхнул фонарь и что-то везде желто-синее...

— Боюсь, что она не готова. — Отцовская знакомая ладонь легла ей на затылок, слегка пропустив сквозь пальцы Танины волосы, как он это делал обычно.

— Какая вы злая, недобрая! — вдруг очень громко закричала девочка и, размахивая руками в красных перчатках, выбежала на самую середину комнаты. — Ну, разве так можно, когда все вас просят!

На ее лице под похожими на парик пепельными густыми волосами, которые начинали расти очень низко, чуть ли не с середины лба, появилось то паническое изумление, которое бывает у новорожденных и ошибочно считается непроизвольным сокращением младенческих мышц, в то время как это всего лишь волна застрявших в душе прежних страхов и боли, которую каждый, родившись, приносит с того, неизвестного, света на этот.

И тут Таня словно очнулась.

— Пойдемте пить чай, — прошептала она, проглотив соленый сгусток, который давил на нёбо. — Уже заварили.

Она уперлась кончиком языка в острый край недавно отломившегося сбоку зуба, который своим болезненным прикосновением вдруг словно добавил ей силы.

— Нет, я ухожу! — затрясла головой Дина. — Мне так всё противно!

Мать покраснела. Дина взяла ее за руку и, как маленькая, потянула к двери. Тогда мать сделала какой-то торопливый и беспомощный жест, показывающий, что с Диной нельзя спорить, и обе они ушли. Отец бросился догонять. Таня услышала, как он в дверях сказал громко:

— Не бойся, я очень стараюсь.

Таня догадалась, что это о ней. Отец вскоре вернулся. Она стояла у окна, смотрела, как мать и ее дочка, взявшись под руки, переходят улицу и уменьшаются в почти фиолетовом, темном апрельском воздухе, принявшем над крышами домов красноватый оттенок.

— Не надо... — пробормотал отец. — Ты знаешь: чего не бывает...

* * *

Утро начиналось с пастушьего рожка — из ближней деревни гнали стадо на луга, и пастушок, мальчик лет пятнадцати, как будто сошедший с какой-то картины со своими белыми кудрями под огромной растрепанной шапкой, у которого только-только начал ломаться голос, и поэтому, когда он окликал своих коров, по лесу неслось то звенящее девичье «э-э!», то грубое, крякающее, как у утки, «эхе-х!», — этот пастушок в красном нитяном пояске поверх рваной рубашки исполнял роль дачных часов, потому что после его рожка одно за другим распахивались окна, к заспанным кухаркам на верандах подплывали полные румяные молочницы со своими бидонами, вытирали пот со лба, заправляли под косынку влажные сбившиеся волосы... Молоко, когда его начинали разливать большими кружками из бидонов, всегда сильно пенилось, было горячим.

На дачах веселилось и скучало много девушек и молодых людей, приехавших на каникулы, уставших за зиму, раздраженных своей голодной до всех удовольствий, забывчивой молодостью, готовых и к флирту, и к легким знакомствам, и к той неизвестности, которая всегда вдохновляет человека в начале пути и так, к сожалению, мучает после. Тут же начались романы, свидания в березовой, точно хрустальной (настолько нежны были эти стволы, настолько прозрачны зеленые листья), молоденькой роще вблизи от купальни, прогулки на велосипедах — причем далеко и всегда под луною, чтоб пахнущий медом и клевером ветер дурманил лицо, и так сильно дурманил, что даже хотелось, зажмурившись, мчаться, мелькая колесами, не разбирая, дорога ли это, земля или небо...

В это лето Таня оказалась полностью предоставлена самой себе: гувернантка, поскользнувшись на мокрой траве, упала и сломала руку, лежала в качалке под вытертым пледом, за Таней уже не смотрела. Няня только шамкала своим теплым коричневым ртом, беспокоилась, готов ли обед, вернулся ли папа из города. Мать с этой девочкой, Диной, не появлялась больше, отец ничего не рассказывал. Возможно, они снова были в Европе, лежали в горячих целительных ваннах. Ее это всё не касалось.

Вставала она, как и в городе, рано и, напившись чаю с деревенскими сливками, уходила гулять куда-нибудь подальше, на плотину или в поле, где травы наплывали на нее серебристыми волнами и низко над этими травами сверлили воздух стрижи. По вечерам собирались на какой-нибудь из дач, ставили самовар, раскладывали конфеты, баранки, купленные на станции, плотные, золотистые от света лампы, потом появлялась гитара, и плечистый, огромного роста Петруша Василенко, похожий при этом на девушку своими тонкими, как паутинка, светлыми волосами и густыми загнутыми ресницами, усевшись на верхней ступени террасы, принимался петь романсы. Ему подпевали, и соловей, сперва изумленно замолкавший от этих пустых человеческих звуков, вскоре опоминался и, с новой, удвоенной силой рассыпав по саду горячие трели, доказывал скучным старательным людям, что значит жить в небе и быть просто птицей.

В самом начале июня в Царицыно приехал молодой, но очень известный уже актер Владимир Шатерников. Он оказался невысок ростом, слегка коренаст, с очень легкой походкой, брови его были темными, густыми, подвижными, выражение лица, когда он находился на людях, постоянно менялось, словно он всё время следил за тем, чтобы не показаться однообразным. Шатерников был женат на актрисе, но они уже «простили» друг друга, как иногда с усмешкой объяснял он свое нынешнее положение, и после того как, сыграв роль писателя Толстого в фильме Якова Протазанова «Уход великого старца», Шатерников уехал из Петербурга, они с Маргаритой, женой, даже и не встречались. Что касается этой нашумевшей фильмы, то после нее началось столько сплетен, столько слухов поползло и на актера Шатерникова, и на режиссера Якова Протазанова, и особенно на оставшуюся после смерти Толстого измученную семью его, что прокат был временно запрещен. Когда стало известно, что какая-то петербургская кинематографическая компания в погоне за дешевой сенсацией инсценировала интимную сторону жизни графини Софьи Андреевны с великим ее мужем графом Львом Николаевичем, причем были воспроизведены совершенно неправдоподобные сцены, а все мало-мальски правдоподобные представлены лживо, нахально, курьезно, графиня, едва оправившаяся от затяжного воспаления суставов, полученного в результате погружения в холодную воду яснополянского озера, сама побывала в Москве у очень влиятельных административных лиц, которые пообещали ей всячески воспрепятствовать появлению безобразия на российских экранах.

Фильму, однако же, не уничтожили, и режиссеру Якову Протазанову с помощью пятерых актеров, самым талантливым из которых являлся Владимир Шатерников, удалось-таки представить на суд особенно жадных до разных сенсаций любителей нового вида искусства ряд сцен. Сами их названия говорили за себя: «Мрачное состояние духа писателя перед совершившейся трагедией», «Покушение графа Толстого на самоубийство», «Душевный перелом», «Уход из Ясной Поляны», «Симулирование графиней Толстой самоубийства», «Возмутительные планы графини Толстой и Черткова».

Граф Лев Львович Толстой, сын писателя, выступивший от лица своей большой осиротевшей семьи, сообщил корреспонденту газеты «Русское слово», что, «к великому сожалению, слухи о безобразном надругательстве над именем покойного отца являются чистой правдой», но он с уверенностью заявляет, что больше в России ужасная лента показана вовсе не будет. Нервное родственное заявление, конечно, выслушали и дружески поддержали огорченно покашливающего, с бурыми пятнами волнения на короткой шее Льва Львовича, однако пришлось принять к сведению, что фильма стоила баснословных денег, а именно сорок тысяч рублей, и вовсе рукою махнуть на расход совсем никому не хотелось даже из жалости к заболевшей графине и всем ее кровно обиженным детям. Тем более что грим, который накладывался на двадцативосьмилетнее лицо Владимира Шатерникова, был просто шедевром искусства, не хуже нисколько романов Толстого. Мастерство скульптора Кавалеридзе и пьющего, правда, но ловкого гримера Солнцева, который под наблюдением Кавалеридзе налепил на молодом и румяном лице Шатерникова надбровные дуги и скулы, оправдало высокие требования Якова Протазанова, и он в отместку всем сплетням и наговорам сообщил журналистам из газеты «Утро России», вечно соперничавшей с газетой «Русское слово» (куда обратился взбешенный Лев Львович), что целью его новой фильмы было отнюдь не оскорбление памяти великого писателя, а трепетное желание сказать о его страдальческой жизни и, кроме того, о страдальческой смерти последнюю и благородную правду. Единственное, от чего по требованию цензуры пришлось отказаться Якову Протазанову, — это очень даже неплохо снятое посмертное свидание графа Льва Николаевича с Христом, роль которого исполняла молодая, но подающая виды — с большими, как звезды на небе, глазами — артистка Уварова. Про Шатерникова рассказывали, что он, огорченный обещанным запрещением картины, расхаживал по монастырям в облике «великого старца», то есть налепивши с помощью Кавалеридзе и вечно хмельного, но ловкого Солнцева толстовские брови и вдвое раздвинувши нос, который у самого Шатерникова был узким и нежным, с заметной горбинкой. Расхаживал, страшно пугая монахов, которые вовсе не желали встречи с отлученным от церкви и преданным анафеме покойным писателем.

Теперь заслуживший большую известность, расставшись с женою и снова свободный, Шатерников приехал в Царицыно, где летом на даче жила его тетка, старуха веселая и не без средств.

Вокруг знаменитого артиста составился небольшой кружок. Во-первых, кузен самого Черткова, отношение которого к фильме «Уход великого старца» было весьма неоднозначным: графиня Толстая, выпившая столько крови из его родственника и столько ему истрепавшая нервов за ту идеальную чистую дружбу, которая связывала покойного графа с Чертковым, слава богу, изображена так, как она того и заслуживает, но, к сожалению, сам Чертков и вся его семья, столь близкие графу по духу, представлены были неясно и бегло. Кузену, человеку вспыльчивому и гордому, хотелось, чтобы Яков Протазанов продолжил работу над судьбой Льва Николаевича, и он через дружбу с актером Шатерниковым намеревался вступить в приятельские отношения с заносчивым Протазановым и всё рассказать о семействе Чертковых. Кроме кузена, вслед за знаменитым артистом приехал из Питера совсем еще молодой, только начинающий театральный режиссер Дерюгин, очень худенький и белобрысый, в узеньких брючках юноша, исполненный самых что ни на есть величественных планов. Вскоре к ним прилепился репетитор Леонидов, тоже совсем молодой, с ясными карими глазами, большеусый, у которого из-под закатанных рукавов рубашки блестел, словно мех, темно-русый волосяной покров.

Первые дни эти трое держались особняком и мало интересовались дачными развлечениями. К тому же Леонидов занимался воспитанием маленьких князей Головановых, одному из которых было девять, а другому — семь лет. Но тут зарядили дожди, длинные, хотя и теплые, с рассвета до глубокой ночи, а ночью особенно пьянящие запахи стали доноситься из садов, словно это пахла разбуженная дождями зеленая, сильная кровь всех деревьев, всех сладких, гниющих, незрелых плодов, всей мокрой листвы, всей земли, всего лета.

Тогда и затеяли ставить спектакль. Роман «Анна Каренина» выбрали по двум причинам. В октябре минувшего года на экраны вышел фильм режиссера Владимира Гардина под тем же названием. Шатерников сыграл Алексея Александровича, хотя поначалу Гардин обещал ему Вронского. Нужно было восстановить справедливость и сыграть все-таки — пусть даже на дачных подмостках — того, кого очень хотелось. А кроме того, трудолюбивый Дерюгин, у которого руки давно чесались подправить Толстого, пообещал за несколько дней переделать этот очень затянутый роман в современную пьесу. Решено было совершенно пренебречь всем, что касалось Константина Левина, как самого неинтересного и тусклого, по мнению Дерюгина, характера, зато показать самого Каренина, Анну и Вронского так, что даже Толстому не снилось. Первым делом по сцене договорились запустить электрический игрушечный поезд, который будет сопровождать всё действие своим безостановочным бегом. Регулировать движение этого поезда должна фигура одиноко и молча стоящего на краю сцены стрелочника, того самого, который был так ужасно раздавлен в самом начале романа и после тревожил во снах Анну с Вронским нелепым французским своим бормотанием. Кроме того, в последнем акте, когда уже нет в живых ни Анны, ни Вронского (Дерюгин ни секунды не сомневался, что Вронского убили в Турции), нужно было познакомить Сережу Каренина, превратившегося из восьмилетнего мальчика в мужественного и прогрессивного молодого человека, с родною его черноглазой сестрицей, которая стала сестрой милосердия и вечно стремилась на поле сражений. Короче, Толстого решили улучшить, поэтому дела хватало.

Собрались на первое чтение. Владимир Шатерников, слегка всё-таки ироничный по отношению к затеянному дилетантству, обратил внимание на худенькую, но с весьма грациозными и женственными формами барышню, которая как-то очень ярко блестела сизо-голубыми глазами и всякий раз, улыбаясь, показывала такие смугло-розовые ямочки на обеих щеках, что просто хотелось потрогать их пальцем. Барышня назвалась Татьяной Лотосовой. Шатерников немедленно предложил ее на роль Анны Карениной. Девически-нежного, но большого и неуклюжего Петра Василенко решили назначить Карениным. Начались репетиции. Поначалу Таня смущалась и постоянно забывала текст, написанный самолюбивым Дерюгиным, который не пожалел времени и как следует поработал над устаревшим романом. Дерюгин, например, уверял, что, увидев Вронского на обратном пути из Москвы, Анна должна броситься к нему и с криком: «Я тоже люблю вас!» — повиснуть на шее. По мнению режиссера, такая открытость чувств современной женщины очень способствует динамичному развитию действия.

— Ну, что же, приступим? — обратился Шатерников к Тане и вдруг покраснел и смутился. — Бросайтесь ко мне!

Она нерешительно переступила на месте.

— Бросайтесь! Быстрее! — приказал щуплый Дерюгин. — Бросайтесь на шею!

Шатерников одобрительно, слегка насмешливо улыбался.

— Да что вы стоите? — клокотал Дерюгин. — Взялись, так давайте!

— Нет, я не могу так, — решительно сказала Таня. — Мне кажется, это неверно, не нужно.

— Неверно? — Дерюгин по-женски всплеснул руками. — А что же, по-вашему, верно?

— Мне кажется, лучше как в книге.

Дождь закончился, и вдруг охватившее целое небо парное и жгучее солнце так сильно зажгло каждый лист и так — ослепительно-красным — пронзило всю траву, что показалось нелепостью оставаться на террасе, где было натоптано грязными ботинками и накурено, и нужно немедленно выйти на воздух.

— А ну ее, право, Каренину эту! — пробормотал мощный Василенко и с серебряным хрустом потянулся. — Сейчас бы чего-нибудь этого... Водки...

— Я провожу вас, — сказал Тане Вронский-Шатерников, — а лучше — пойдемте куда-нибудь... К полю, хотите?

Почти не разговаривая, они быстро дошли до поля, где дач уже не было, а только одна синева и птицы с алмазными черными клювами.

— Это стрижи? — спросила Таня.

Шатерников засмеялся:

— Я играл Хлестакова в Питере. Там Марья Антоновна говорит: «Что это за птица такая полетела? Сорока?» А Хлестаков целует ее в шею и отвечает: «Сорока».

— Так это стрижи? — повторила она, и поле вдруг стало качаться.

— Конечно, — ответил Шатерников-Вронский. — Стрижи, я уверен.

И обнял ее нерешительно.

— Поцелуйте меня! — попросила Таня. И вдруг покраснела, смеясь. — Вам по роли положено.

Шатерников осторожно поцеловал ее в уголок рта и отодвинулся.

— Боитесь? — спросила она, чуть не плача от волнения.

— Боюсь. — Он впился в ее губы с такой силой, что она чуть не вскрикнула. — Влюбитесь в меня, голову потеряете. А что старик скажет?

— Какой старик?

— А граф-то! — застонал Шатерников и жадно покрыл быстрыми поцелуями Танино лицо. — Граф Лев Николаич. Мы с ним породнились, следит за мной в оба...

Ей не понравилось, что он шутит, и она рывком откинулась внутри его рук, выгнулась всем телом, чтобы увидеть, не смеется ли он.

Ночью поехали кататься на лодке. И опять были эти поцелуи, к которым она уже привыкла, отвечала ему так же страстно и так же, как он, вдруг иногда отрывалась, переводила дыхание и снова прижималась пылающим лицом и мокрыми от слез ресницами к его лицу.

— Танечка, — повторял он, опрокидывая ее голову и целуя шею и начало груди, отсвечивающей молочным теплом в полной звезд темноте. — Какая ты чудная, Танечка, если б ты знала!

Вдруг она сжалась, почувствовав, что его руки расстегивают ей блузку.

— Зачем? Что ты делаешь?

— Боишься? Не хочешь? — пробормотал он, отдергивая руки. — Конечно, не надо, какой я мерзавец...

Но она уже сама целовала его.

— Танечка, мы с ней не живем давно, уже почти два года, но мы женаты, она не дала мне развода, я права сейчас не имею... Ведь ты почти девочка...

— Так ты что? Уедешь? А я тогда как же?

— Как скажешь, так сделаю, — обеими руками обхватив ее лицо и всматриваясь в мокрые, блестящие от страха глаза, прошептал он. — Ты *этого* хочешь? Не сердишься? Правда?

Лодка мягко уткнулась в берег, Шатерников подхватил Таню на руки и выпрыгнул из нее. Полоска прибрежной травы была как в дыму от сияния месяца. У Тани сильно билось сердце, и, когда он опустил ее на землю, она крепко сжала его руку обеими руками.

— Ты *этого* хочешь? — повторил он, дрожа крупной дрожью, которая передалась ей.

Она кивнула, не сводя с него расширенных глаз. Он быстро снял рубашку и, белея своим молодым, плотным и горячим телом, осторожно положил ее на траву и лег рядом с ней. Боли не было, и крови почти не было поначалу, но когда через час, держась за руки, они молча подходили к ее даче и внутри неба начало дрожать какое-то расплывающееся младенческое лицо, Таня почувствовала щекочущую струйку, побежавшую по ноге, и приостановилась. Низкорослая ромашка, стебель которой был криво и жалко прибит к земле, окрасилась кровью и стала горячей и яркой от этого.

— Завтра первое августа, — сказал Шатерников. — Через две недели жена возвращается в Петербург из Финляндии. Я поеду к ней и потребую развода. Даю тебе слово: не позже зимы мы венчаемся, слышишь?

Назавтра — первого августа — началась война.

Утром приехал отец, привез пачку свежих газет, но вокруг и без того говорили только о войне, и стало казаться, что всё изменилось: как будто и лес, и земля, и трава вдруг стали другого, сиротского цвета. Отец, насупившись, сидел на террасе, шуршал своими газетами, хмурился и, громко прихлёбывая, пил чай, который ему только что заварили, как он того требовал, до черноты. На дорожке, ведущей к крыльцу, появился Шатерников, и Таня, глядя, как он быстрыми шагами подходит к их дому, вдруг испугалась, как будто она совсем и не хотела видеть его.

Разговор сразу пошёл о войне.

— Я поражаюсь, — сказал отец, — что вы, человек не военный, артист по профессии, стремитесь принять в этой бойне участие. Вам что, разве нечего делать?

Таня вдруг словно очнулась: оказывается, впитывая Шатерникова глазами и при этом незаметно для самой себя зажимая обеими руками под скатертью слегка ноющий низ живота, она пропустила самое важное.

— Вы называете это «бойней», — говорил Шатерников. — Какая же бойня, когда я тороплюсь на *защиту* Отечества. И я всегда хотел убедиться в том, что, *несмотря* на свою профессию, я могу сделать что-то важное и послужить моему Отечеству не только тем, что прыгаю по сцене и изображаю чужие подвиги. Сейчас нужны солдаты, а не артисты, — твёрдо добавил он и покраснел, встретившись глазами с Таней.

Она поняла, что он принял решение, и чуть не заплакала прямо при папе.

Ночью они встретились там же, где и вчера. Лодка постукивала о берег, и лебедь с перебитым крылом, подплывший к ней, сделал было движение, пытаясь забраться на лодку, но заметил огорченную парочку и, торопливо подгребая своим больным крылом, уплыл в темноту, растворился, растаял.

— Я не могу поступить иначе, — дыша в её шею, бормотал Шатерников. — Поймите меня.

— Хорошо, — с отчаянием отвечала Таня. — Тогда сделайте так, чтобы я смогла приехать к вам. Я буду там, с вами...

Стыдно было зарыдать при нём, но всё содрогалось внутри, и, чтобы заглушить рыдание, Таня засунула в рот кончик своей большой ярко-русой косы.

— Война не продлится больше двух, от силы трёх месяцев. Я сразу вернусь, мы с тобой обвенчаемся...

— А если тебя там убьют? — И она еще крепче прижалась к нему, притиснула его к себе обеими руками.

Он вздрогнул всем телом.

— Граф Лев Николаевич не одобрил бы моего поступка, — пробормотал он, глядя поверх ее головы на светло-зеленое в неровном освещении раннего летнего утра небо. — Но он забывал, что сначала нужно пережить всё это, на собственной шкуре попробовать... Как он пережил в Севастополе. Иначе нельзя. Это трусость и подлость, поскольку другие пойдут и другим будет плохо.

Таня поняла, что его не переспоришь, и тут же, обдав ее всю сладким ужасом, в голову пришла мысль, от которой она начала торопливо расстегивать свое чесучовое платье. Не может же быть, чтобы *это* не заставило его одуматься!

Шатерников отрицательно покачал головой.

— Я не имею права рисковать тобой... Нельзя ведь оставить тебя так... с ребенком. А если родится ребенок? Так как же тогда?

— Но ты сказал, что война будет идти от силы три месяца... — сгорая от стыда, прошептала она.

Он по-вчерашнему отогнул ее голову и начал медленно и осторожно целовать шею и ключицы.

— Меня не убьют, мы с тобой повенчаемся...

Через неделю он уехал, еще через четыре недели его ранило, и два месяца, которые он пролежал в госпитале, остались в ее жизни пачкой слегка пожелтевших от времени писем.

Первое письмо Владимира Шатерникова

Уже больше десяти дней, как я в этом госпитале. Тебе нечего беспокоиться за меня, это один из лучших здешних госпиталей. Вечером в нашу большую палату, словно воронье, собираются все костыльные, безногие и однорукие поиграть на балалайках, попеть и посмешить друг друга несмешными анекдотами. Особенно чудесно двое одноруких играют на одной гармонике — настоящие артисты!

По окончании музыкальной части начинаются бесконечные военные рассказы. Тут уж всякий старается как может. Все, если им верить, режут проволоку простым перочинным ножом, наперебой берут немецкие окопы, обходят фланги, бьют неприятеля в лоб и т.д. Я слушаю их и не перестаю удивляться тому, с какой, иногда восторженной даже, любовью эти люди говорят о том, что причинило им недавно боль и страдание и что неизбежно еще скажется на всей их жизни. Ты не поверишь, но эта привязанность к фронту, как я заметил, присутствует даже у умирающих. В одной палате со мной лежит совсем молодой и очень красивый поручик, который вот уже почти полгода умирает медленною и тяжелою смертью. У него прострелен позвоночник, поэтому обе ноги парализованы. Лежит он на водяном матраце, весь в пролежнях, не может без посторонней помощи ни привстать, ни перевернуться. При этом нисколько не ноет и не жалуется. Целыми днями играет в преферанс, не выпуская изо рта папиросы. А когда говорит, то говорит только о фронте, при этом без злости, без ненависти, говорит как о самых лучших своих днях и не связывает их ни со своим увечьем, ни со своею, судя по всему, уже близкою смертью.

Я постепенно прихожу к мысли, что в нашем фронтовом опыте есть что-то очень духовно значительное, как будто бы ось всей жизни переходит из горизонтального положения в вертикальное и всё обыденное становится ярким и необычайным. Это как равнодушному и уставшему человеку вдруг полюбить. Иногда мне кажется, будто войну и любовь роднит их общая близость к чему-то самому главному, вечному. Как бы ни страшна казалась нам сама смерть, но звуки немецких и наших снарядов — это ведь и есть те разговоры, которые ведет с нами вечность, и даже я, новичок в этом деле, почти научился прислушиваться к ним не только со страхом, но и с каким-то переворачивающим всю мою душу сильным наслаждением.

* * *

Дачи наскоро заколачивались, дачники разъезжались. Вокруг еще царило лето, и млели стрекозы на солнце, и птицы всё пели и пели, но астры, которые и в прежние времена начинали тихо умирать с самого своего рождения и сладким настойчивым запахом смерти подзывать к себе пушистых, как вербы, и черных, как уголь, раскормленных гусениц, — астры этим августом запахли сильнее обычного, их головы были густыми, мясистыми. После отъезда Шатерникова Таня заявила отцу, что возвращаться на курсы сейчас, когда идет война, нелепость, что даже императрица и ее дочери работают простыми медсестрами и она должна поступить так же, как поступает большинство девушек.

— Всё это, конечно, похвально, — хмуро ответил отец. — Но ты не рисуй себе эти картинки... всеобщей гармонии. Я вот со всех сторон слышу, что дети, мальчишки, толпами побежали на фронт. Патриоты! А вернутся — если Бог даст, вернутся! — покалеченными, без рук и без ног, пьяницами, неврастениками! На что они жизни положат?

— Но разве защита Отечества...

— Похвально, похвально, — так же хмуро и с оттенком насмешки перебил отец. — Ты только поверь мне: война — это древний и кровожадный инстинкт человечества, не более. В старые времена она и велась так же просто: за земли, за власть, за богатства. Красивые слова появились не сразу. А вот когда они появились, то все стали умными и благородными: война — это уже не страсть к убийству, упаси боже! Она вся облеплена красивыми словами, куда ни посмотришь, кругом одни лозунги! А суть та же самая: кровь и грабеж.

— Нет и еще раз нет! — вскрикнула Таня и ладонью зажала ему рот. — Ты всё видишь в одном мрачном свете! Ты хочешь, чтобы я сидела на диване и читала книжку! Когда все вокруг помогают, все жертвуют...

— Ну, как же! Еще бы! Императрица, дай ей Бог здоровья, подходит к солдату и спрашивает: «Пузо болит?» Солдат лежит под простыней, глаза закатил. А там уж ни пуза, ни ног... одно месиво. Знаю, что я тебя не удержу. Ты меня и маленькой не очень-то слушалась, а теперь и подавно. Но ты еще вот что учти: ты женщина, а они, эти раненые, — все сплошь мужчины. Ты ведь уже взрослая, догадываешься, о чем я говорю. Особенно те, которые понимают, что чудом выкарабкались. Это тоже инстинкт, не менее сильный, чем инстинкт войны, и даже намного сильнее. Нужно правильно вести себя. Очень нужно правильно себя вести. Тут особая игра. Понимаешь меня?

Таня стала огненной, платье прилипло к спине.

— Ты хочешь сказать, что я... Что они...

Отец погладил ее по голове и, как он делал это обычно, пропустил через пальцы ее волосы.

— Мне бы ото всего уберечь тебя хотелось, — пробормотал он, и Таня вдруг заметила, какие черные и набухшие у него подглазья. — А то тут такое начнется...

Второе письмо Владимира Шатерникова

Вчера вечером я разговорился с одним раненым офицером, который рассказал мне, что ему довелось присутствовать при том, как московские артисты собирали деньги в помощь «бедным солдатам». Веришь ли, меня всего перевернуло! Всё это происходило на Кузнецком Мосту. Он очень живо описал мне, как нарядная, разодетая толпа густо струилась вверх и вниз по улице, яблоку негде было упасть. В толпе мелькали бритые актерские физиономии. И я ведь знаю этих людей, ведь это всё братья по цеху! На углу Кузнецкого и Неглинной стоял Качалов и за большие деньги продавал свои огненные взоры и пару актерских «рыков» проходящим мимо дамочкам. Массалитинов шутками вымогал у собравшихся деньги, восседая при этом на очень нарядной птице-тройке и слегка похлестывая вожжами неподвижных орловских рысаков. Москва, как говорит этот офицер, превратилась в какую-то почти Венецию, на улицах, примыкавших к Кузнецкому, кипел настоящий карнавал, мальчишки торговали цветами, везде пестрели конфетные обертки, дамы, как всегда, заливались глупым смехом, мужчины острили. Короче, гульнули на славу! Не знаю, слышала ли ты об этом событии, но на меня рассказ произвел самое болезненное впечатление. Все газеты тут же рассюсюкались на тему «бедного солдатика» и «отзывчивого сердца работника сцены». Боже мой! Где же стыд у этих людей? Что бы им хотя бы в мыслях сопоставить то, как скрипит зубами от боли русский солдат, умирая в каких-нибудь бурых болотах, с шуточками этих бритых, напудренных, пьяных сценических «гениев»!

* * *

По дороге в госпиталь — стояло начало зимы, и одна только липа на углу Ордынки и Пятницкой еще удержала несколько дрожащих листьев, таких ярко-черных, как будто обугленных, — Таня лицом к лицу столкнулась с Александром Сергеевичем. От неожиданности она вся залилась густой краской. Александр Сергеевич очень похудел за прошедший год, шея его была почему-то открыта, без шарфа, и выступала из-под мехового воротника пальто нежно и хрупко.

— Ну вот! Наконец-то! — воскликнул Александр Сергеевич и быстро приподнял руки, как будто собираясь обнять ее. — Я ждал вас всё время.

— Как вы поживаете? Как ваш Василий? — испуганно спросила она.

— Красавица вы. Даже лучше, чем были, — медленно сказал Александр Сергеевич, пожирая ее глазами. — А я ведь без вас тосковал.

— Что ваша жена? — перебила Таня.

— Жена умерла. — Он вздохнул. — Она очень сильно болела, вы помните?

— И как вы теперь? — глотнув серебристого ветра, спросила она.

— Жены больше нет. А сын мой на фронте. Я не смог его удержать. А как вы сама?

— Работаю в лазарете у великой княгини Елизаветы Федоровны, устала, совсем мало сплю...

— Как странно, что раньше мы с вами не встретились...

— Сейчас очень много работы, у Елизаветы Федоровны не хватает сестер, поэтому там особенно нужны...

— Да, много работы, я знаю, — кивнул он. — Прекрасная женщина эта княгиня! А Вася почти мне не пишет, волнуюсь всё время.

— Давно ваша жена умерла?

— Перед самым началом войны, на водах.

— Уехала всё-таки? — ахнула Таня. — Она не хотела...

— Это было нашим последним шансом, — быстро ответил Александр Сергеевич. — Ей нужно было принять курс тамошних вод, лечиться... Я сделал, что мог...

Таня почти перестала дышать и со страхом смотрела на него, пытаясь понять, что это она сейчас слышит: ведь это всё ложь? Он лжет ей?

— Что вы так смотрите? — усмехнулся он. — Думаете, я вам неправду говорю?

— Я думаю, да. Вы сами хотели, чтобы она уехала, и там... Только чтобы подальше. Она следила за вами, вы так говорили... Ведь это вы мне говорили?

— Ну, мало ли что я говорил! — Он вздохнул и отвел глаза. — Тогда многое представлялось в неверном свете. Все эти супружеские споры, скандалы, кто прав, кто не прав — всё это, ей-богу, к делу не относится. Тут черт ногу сломит, поверьте... Зачем мы об этом сейчас говорим? Я счастлив тому, что вас встретил.

— Мне в госпиталь, — заторопилась она. — И вы, пожалуйста, не нужно ничего такого... Я обручена, у меня жених ранен, и мне совсем не до этого...

Он весь просиял своей обжигающей знакомой улыбкой.

— У вас жених ранен, а у меня сын на фронте. Мы с вами друзья, разве это не правда? А Нина уже ни при чем. Когда человек умирает, вся его жизнь уходит вместе с ним. Нет человека — и ничего нет. А что с ним и где он — это неведомо.

«Зачем он так говорит?» — подумала она, опять чувствуя страх от его особенного голоса и улыбки.

— Вы, значит, невеста? — Александр Сергеевич перестал улыбаться. — И кто же счастливец?

— Владимир Шатерников, известный артист.

— Ну, как же! «Уход великого старца»? Так он ведь старик, или я ошибаюсь?

— Ему двадцать восемь лет, — вспыхнула Таня. — А это всего только навсего грим.

— И что это вас занесло на актера! Они ведь играют не только на сцене, это особая людская порода: не могут они *не играть*. Я вас от души уверяю, что актер, случись ему, скажем, оказаться где-нибудь в пустыне, где нет никого, кроме верблюдов, — он и там будет играть какую-нибудь роль, ему и зрители не нужны...

— Перестаньте! — попросила Таня. — Вы-то не поехали сражаться! Как же вы говорите такое?

— Да я и не мог бы «сражаться». Куда мне... — Александр Сергеевич иронически приподнял брови. — Простите. Всё это от ревности.

— Какой еще ревности? Прощайте! — Она отвернулась и, не рассчитав, шагнула прямо в снег. В ботинки сразу набился обжигающий холод. — Я очень тороплюсь.

— Куда вы торопитесь, Таня! — Он загородил ей дорогу. — Куда вы всё время бежите и рветесь? Хотите в синематограф? Вы любите фильмы?

— Я правда не знаю, — прошептала она, чувствуя, как коченеет нога. — Сейчас не до этого.

— Во сколько вы завтра свободны? — Александр Сергеевич близко наклонился к ней. — Заеду за вами, когда вам удобно.

Третье письмо Владимира Шатерникова

Сегодня весь день лил дождь, но при этом было тепло. Не скажешь, что осень. К вечеру небо расчистилось и переполнилось звездами. Вспомнил, как в детстве я до страсти любил смотреть на звезды, давал им человеческие имена. Не так давно, при отъезде из Питера, стал разбирать фотографии, хотел взять с собою на память штук двадцать, особенно больно было расставаться с теми, где родители. Посмотрел и на себя самого. Вот мне четыре года, вот я младенец в коляске, и няня стоит рядом — гордая, что ее снимают, — вот я гимназист, уши оттопырены, глаза нагловатые, а вот я на съемках «Великого старца». И знаешь, что поразило меня? Ведь это всё — разные люди. Что общего у гимназиста с оттопыренными ушами и человека, который пытается изобразить графа Толстого, горбится перед зеркалом в крестьянской рубахе и двигает только что наклеенными бровями? Что общего между малышом в матроске, сидящим, как кукла, на руках у матери, и тем юнцом, которым я был еще недавно, когда собирался на фронт? В голову мне при-

шла странная, может быть, но до удивления ясная мысль: а не проще ли предположить, что всякий из нас проживает здесь, на земле, не одну, как нам кажется, а несколько жизней? Не знаю, смогу ли объяснить тебе, насколько эта мысль вдруг перевернула меня всего. Ведь я, который был малышом на материнских руках, давно исчез, и только память роднит меня, сегодняшнего, с ним, так же, как когда-нибудь исчезну тот «я», который сейчас пишет тебе это письмо, и появится кто-то другой, которого я сейчас не знаю и даже не могу догадаться, как он будет выглядеть. А что же такое тогда смерть? Что происходит с этим самым «последним» человеком, которым станет каждый из нас? Он уйдет и закроет дверь за всеми — малышом, подростком, стариком и, наконец, умирающим. И тут же я подумал: разве это верно — сказать «закроет»? Разве не наоборот? Со смертью этого последнего «я», может быть, дверь-то и открывается, наконец, по-настоящему?

Видишь, каким философом становлюсь я от нашего госпитального безделья. Скорее всего, это происходит потому, что и там, на фронте, и здесь, в больнице, смерть слишком уж близко подступила ко мне, она подошла вплотную, и только надежда, что Бог не захочет разлучить меня с тобою так скоро, спасает от страха, неизбежного сейчас. Ведь здесь над каждым из нас, как ястреб над цыпленком, висит опасность, что рана в любой момент может оказаться смертельной, начнется нагноение, подымется жар, пойдет заражение и т.д. Иногда, когда я смотрю на особенно тяжелых больных, мне начинает казаться, что они уже и не люди, а просто придатки к своим кровоточащим, раздробленным конечностям. Каждый из них, засыпая вечером, боится, что завтра утром, когда доктор на осмотре откинет одеяло и принюхается к зловонию, которое сочится из-под бинтов, отдаст приказание на операцию, и тогда раненого положат на стол, натянут на лицо удушливую маску и, превратив его в онемевшую тушу, отрежут эту загнившую ногу или заново раздробят череп.

Прости, что пишу тебе всё это. Но я ведь знаю, какая ты, я не ошибаюсь в тебе. Даже в твоей очаровательной хрупкости чувствуется присутствие той душевной силы, которая поразила меня в первую минуту, когда я только увидел тебя. Если бы *ты знала, как я всю тебя помню: твои глаза, когда ты сказала «женитесь на мне, и я буду там, с вами», и то, как ты вся побелела, узнав, что я ухожу на фронт, и как ты крепко, до боли, обняла меня, когда мы прощались. Ты лучшая на земле, самая сильная, самая прекрасная. Я не должен умереть, так я хочу снова обнять тебя, почувствовать твои губы.*

* * *

Василий Веденяпин, сын доктора Александра Сергеевича Веденяпина, уходя на фронт, стремился не только к защите Отечества, но и к тому, чтобы как можно быстрее забыть свой последний год в родительском доме. Известие о смерти матери пришло через три дня после объявления войны, и если бы не война, это известие должно было убить его, потому что страшная вина перед матерью, которую он знал за собой, не могла быть исправлена теперь, раз матери нет больше. Отец много раз объяснял ему, что мать заболела не только болезнью легких, он объяснял, что рассудок ее пострадал в результате этого легочного заболевания, мать начала совершать одну ошибку за другой, и даже любовь ее к сыну дошла до полного абсурда. Василий старался прислушаться к тому, что говорил ему отец, но внутри себя не соглашался с ним. Теперь, когда матери не стало, она всё чаще и чаще приходила ему на память не той, какой была в последний год, когда, если верить отцу, рассудок ее был уже болен, а той светловолосой и голубоглазой мамой, которая учила его плавать в Коктебеле, и волны накатывали на них обоих, накрывали с головой, и мамино смеющееся и испуганное лицо вдруг крепко прижималось к его лицу под водой, а ее длинные волосы расползались во все стороны, как водоросли, пока они вместе, отхлебываясь и хохоча, выныривали на поверхность. Или он вдруг вспоминал, как она, поручив его няне, когда у него была высокая температура во время очередной болезни, уезжала куда-то на час с небольшим и возвращалась, запорошенная снегом, в большом заиндевевшем капоре, входила к нему в комнату с красивой коробкой, перевязанной синими или розовыми блестящими лентами, и лукавая, радостная от того волнения и счастья, которое сразу же освещало и его красное от жара лицо, вынимала из этой коробки чудесный подарок: клоуна с раскрашенными фарфоровыми щеками, у которого руки и ноги приводились в движение с помощью особого устройства, вставленного внутрь его опилочного живота, или красивый поезд с закутанным в белый тулуп стрелочником.

Еще и раньше Василий замечал, что стоило им — ему, маме и отцу — остаться втроем, как родители тут же начинали ссориться, и он неизменно оказывался причиной их ссор и скандалов. Он редко видел отца, который постоянно пропадал на работе, и поэтому, когда тот ненадолго оказывался дома, хотелось приласкаться к нему, взобраться на колени и изо всех сил надышаться запахом крепкого, вкусного, щекочущего ноздри одеколона, идущего от впалых отцовских щек. У мамы же, напротив, при виде отца почти всегда изменялось лицо: оно становилось напряженным и немного капризным, как будто мама не хотела, чтобы отец хоть на секунду забыл о том, что ей плохо с ним и даже ее улыбка есть не что иное, как результат тяжелой внутренней борьбы. Иногда Василий пытался понять, что же на самом деле происходит внутри родительской жизни, но каждый раз заходил в тупик: он любил отца — он точно знал, что любил его, — но маму он не просто любил, он обожал ее почти до страха, и когда она раз в месяц объясняла, что больна, и по нескольку дней не выходила из своей комнаты, он чувствовал такую тоску, от которой ничто не спасало, даже отец с его вкусно пахнущими впалыми щеками.

После того, как всё это началось: мамина слежка за ними обоими, её крики, исступленные требования и то, что отец в конце концов снял ей квартиру, и наступила зима, за время которой Василий видел маму всего два-три раза, пока она не уехала за границу лечиться, — после всего этого объявление войны, на три дня опередившее телеграмму о маминой смерти, было подобно тому, как если бы во всем мире вдруг погас свет. Всё разом потеряло смысл. Незачем стало учиться, например, или заботиться о будущем. Зато теперь он, по крайней мере, знал, что ему делать. На похороны они с отцом не поехали, отец выслал деньги, и маму похоронила ее кузина, жившая на юге Франции.

Последнее свидание с матерью, случившееся в кофейной Филиппова, мучило его до отчаяния. Эта русоголовая барышня, с которой отец повел его знакомиться, вызвала в нем доходящее до стыда восхищение и одновременно ненависть, которую он не мог объяснить себе. Она была похожа на знаменитую балерину Клео де Мерод, фотографии которой украшали журналы и витрины: те же яркие глаза, те же длинные брови и густые волосы, разделенные пробором так, что по обе стороны щек гладкие пряди, низко опускаясь на уши, образовывали что-то похожее на шапочку. Красота ее полудетского и очень серьезного лица поразила его, но то ледяное спокойствие, с которым она смотрела на него, и та высокомерная вежливость, с которой она слушала отца, бормочущего какую-то чушь, и, главное, презрение, которое появилось в ее глазах, когда мама, спрятавшаяся в дамской комнате, вдруг вышла оттуда и начала нести бог знает что, — всего этого он не мог вынести, и даже сейчас, хотя прошло уже полгода, чем чаще вспоминалась ему эта барышня, тем ужаснее, доходя до какого-то мучительного сияния внутри мозга, становилась ненависть, которую он испытывал к ней.

Вчера к прапорщику, с которым он сдружился недавно, приехала жена, сняла комнату у здешней хозяйки. Прапорщик, узкоплечий, носящий знаменитую фамилию Багратион, человек очень выносливый, хвастун и прекрасный рассказчик, опоздал к учениям и весь день ходил сам не свой.

— Я тебя, Васька, не понимаю, — сказал он во время обеда и вдруг побелел весь, как будто от боли. — Без женщины жить — это ад. Как ты терпишь?

Василий опустил глаза.

— Да, ад, — сурово повторил прапорщик. — Ты, Васька, наверное, девственник, иначе б не выдержал.

— Какой я девственник! — пробормотал Веденяпин. — Ничуть я не девственник!

— Да ладно! — крепким, сочным смехом засмеялся Багратион. — А то я не вижу! Пора это дело заканчивать, Вася. Тут девок наехало окопы рыть, выбирай любую!

— Каких еще девок?

— Ась? — еще сочнее расхохотался прапорщик и приложил сложенную ковшиком ладонь к уху. — Не знаешь, каких, Васька, девок? Да беженки больше, и много молоденьких. Хорошеньких много. Они соглашаются быстро, берут, Васька, дешево. Ищи молодайку, солдатку, да только бездетную. С детьми погоришь на гостинцах.

— А где их найти, этих девок? — набравшись духу, спросил Василий.

— Да здесь они, рядом. Вон, видишь, бараки? Вот там и живут, хлеб жуют, окопницы наши. Вчера, говорят, только с поезда.

— Откуда ты знаешь? Ходил ты к ним, что ли?

Багратион замахал на него длинными руками.

— Да тьфу на тебя! Ко мне Машенька приехала. Ты Машу мою видел? Ну, и смотреть нечего. Так и заруби на носу: захочешь полюбоваться — подкрадусь и зарежу. Я тебе это как другу говорю. Вот она пугает, что всего на шесть дней приехала. А я ее шесть дней из кровати-то и не выпущу!

Под глазами у прапорщика разлилась синеватая чернота, ноздри раздулись.

— Не выпущу, Вася. Я правду сказал. Жить без нее не могу. Как вчера вошла она, распустила волосы, так я весь зашелся! Могли ведь убить меня. А? Ведь могли же! И не было бы ничего: ни волос этих, ни губок ее... А плечики какие! Сожмешь — как зефир! Правду говорю! В руках тает. Теперь и помирать не страшно. Ведь вот она уедет, так это всё равно что смерть. Хуже смерти.

Он махнул рукой и быстро пошел прочь. Василий посмотрел на его сутулую худую спину, и вдруг словно молния пробежала внутри: почувствовал чужую любовь.

Во избежание беспорядка среди солдат окопницы работали по ночам. Веденяпину не спалось. Он по привычке подумал о маме, и мамино лицо с готовностью вспыхнуло перед глазами, как будто она только того и ждала, чтобы он позвал ее. Он вспомнил, что мама почему-то не любила ночевать в спальне и часто оставалась до утра в своем маленьком кабинете, где стоял ее письменный стол, массивное кресло, на котором всегда лежало что-то начатое, шитье или вязанье, и узкая, очень неудобная изогнутая кушетка с шелковыми подушками. Мама засыпала на этой кушетке, хотя папа был в спальне и, может быть, ждал ее. Один раз Василий сам видел сцену, которая только сейчас стала понятна ему.

Приближалось Рождество, и он знал, что мама, отправив его в детскую, уже положила под елку подарки. Трудно было заснуть, если там, в припудренной снегом, пахнущей хвоей темноте, перевязанные лентами, в синих, розовых и золотых коробках томятся подарки, поэтому он вылез из кровати и побежал в гостиную, где горела только настольная лампа под сиреневым абажуром и до одурения, всё сильнее и сильнее, пахло зимним еловым лесом. Но, очутившись в коридоре, он вдруг остановился. Дверь в мамин кабинет приоткрылась, и там, в кабинете, очень тускло горел торшер, слегка освещая спящую на кушетке маму, которая показалась изогнутой, как гусеница, и была такой же мохнатой, как гусеница, потому что завернулась в мохнатый коричневый плед. Над спящей мамой стоял отец, очень бледный, в большом ночном халате, который Василий, совсем маленьким, часто использовал, чтобы устроить себе пещеру, из которой можно караулить разбойников.

Папа стоял над спящей (или она не спала, а притворялась?) мамой, разглядывая ее так, как будто он собирается навсегда уйти из дома или умереть и поэтому старается напоследок запомнить ее. Один раз он даже наклонился к ней и понюхал ее лицо и волосы. Странно, что мама не проснулась даже от этого. Потом отец повернулся и пошел к себе, в спальню, так и не заметив Василия. А только за ним захлопнулась дверь, как мама села на кушетке и зажала ладонями рот, как будто ее душил смех.

Тогда он был еще слишком мал, но испугался так сильно, что даже забыл про подарки, вернулся в детскую, забрался под одеяло и долго стучал зубами от холода, хотя в комнате было очень тепло.

Подрастая, он старался не вспоминать об этой ночи, но иногда, засыпая, вдруг видел самого себя, спрятавшегося под папин халат, внутри которого пахло так же, как пахли папины щеки. Невидимый в этом огромном халате, он пробирался в кабинет, где на маминой кушетке лежала большая гусеница, которую он знал, потому что когда-то они с мамой загнали ее в спичечный коробок, чтобы рассмотреть получше, и она сначала притворилась мертвой, как это делают все звери, когда им грозит опасность, а потом, поняв, что смерть не помогает, начала извиваться, протирая свою шоколадную, с желтыми пятнышками, бархатную спинку о стены коробка.

Теперь мамы не было больше, а он стал солдатом, стал воином и пошел защищать Отечество. Барышня, похожая на балерину Клео де Мерод, портреты которой украшали витрины дамских магазинов, почти не тревожила его больше, и даже если бы она сейчас сидела на коленях у его отца и целовала (Василия передергивало от отвращения!) отцовские впалые щеки, до этого воину не было дела.

Под легким, светло-бирюзовым внутри быстро наступающего вечера дождем он подошел к бараку, где жили окопницы, и заглянул внутрь. В бараке, несмотря на растопленную печь, было еще холодно, воздух, видимо, не успел прогреться. На грубо сколоченном столе горела керосиновая лампа, освещая несколько крупно порезанных кусков серого от соли хлеба и чугунок, завернутый в большой деревенский платок. Рядом с печкой, на топчане, накрытая таким же платком, лежала женщина. Из-под платка торчали маленькие ноги в пестрых шерстяных носках. Василий испуганно кашлянул. Женщина приподнялась, и он увидел совсем молодое, черноглазое и ярко разрумянившееся от сна лицо. Черных волос было так много, что они накрыли не только ее голые плечи, но и грудь, быстро приподнявшуюся и задышавшую под сорочкой.

— Чего тебе? — хриплым, непроснувшимся голосом спросила она. — Иди, пока цел!

Но по ее тону, а больше всего по любопытно и лукаво заблестевшим глазам он догадался, что она не только не прогоняет его, а, напротив, радуется ему, и хитрая улыбка, появившаяся на ее румяных губах, пока она говорила, подтверждали это.

— А ты что, одна? — волнуясь, спросил он.

— А как же? Одна. Две ночи копала, сказали: поспи. Я печь-то зажгла, а сама задремала. Картошки вон им напекла. Поутру придут, так голодные будут...

Она подняла с пола упавший платок и, не сводя с Василия своих лукаво и очень ярко блестевших глаз, туго завернулась в него. Василий близко подошел к топчану.

— Чего гуляешь по ночам? — засмеялась она. — Прошпектов тут нет для гулянок!

— Зовут тебя как? — с заминкой спросил он.

— Ариной зовут, — ответила она и вдруг так сильно закусила губу, что выступила вспухшая полоска. — Ты дверь-то прихлопни!

Он прихлопнул дверь, набросил крючок задрожавшими руками.

— Замерз? — деловито спросила она.

Василий кивнул.

— Ну, что с тобой делать? — Она, посмеиваясь и словно недоумевая, покачала своей растрепанной головой. — Ложись, раз замерз.

Сначала ему показалось, что он ослышался, но Арина, вздохнув, освободила ему место на топчане рядом с собой и исподлобья посмотрела на него ставшими вдруг ласковыми и успокаивающими глазами.

— Ложись, покалякаем.

Дрожа, он улегся рядом с ней и неловко закинул руку ей за голову, сразу же начав задыхаться от запаха ее волос и влажной горячей шеи, шелковисто скользнувшей по его руке.

— Молоденький ты! — зашептала Арина. — Годков восемнадцать-то будет?

— А как же! — сквозь дрожь бормотал он. — Постарше тебя...

— Ну вот! Скажешь тоже! — И она вдруг крепко поцеловала его в переносицу пухлыми горячими губами. — Я уж и замужем побывала, и дитё у меня в деревне осталось, а ты говоришь, что постарше!

— Что я говорю? — Он тянулся к ней всем телом, но что-то как будто мешало ему.

Нужно было раздеться самому и, главное, скорее снять с нее эту большую горячую сорочку, но руки его оказались заняты: обеими ладонями он держал ее пышно-черноволосую голову и не знал, что делать с ней, как будто боясь, что, как только он выпустит из рук эту голову, Арина исчезнет. Она вывернулась и прижалась лбом к его кадыку. Он услышал ее тихий, влажный щекочущий смех. Он вдруг перестал дрожать, и всё, что случилось, случилось внезапно, но так, как положено, даже не стыдно. Арина гладила его по животу горячей тяжелой ладонью, и от этого ему больше всего на свете захотелось спать.

— Поспи, золотой мой! — тягуче пробормотала она и вдруг, как кошка, лизнула его в уголок закрытого левого глаза. — Поспи на дорожку.

— Ты завтра здесь будешь? — спросил он спустя двадцать минут, одевшись и стоя уже в дверях.

— Иди, иди! — не отвечая на его вопрос, засмеялась она. — Завтра я работаю всю ночь, а днем тут нельзя, бабы будут.

— Так как же тогда? — испугался он.

— А так. Сговоримся. Ты мне сахарку принесешь? А то не с чем чаю попить...

Он покраснел и радостно закивал головой.

— Тогда часов в восемь, в лесочке. За полем лесочек есть, видел, наверное?

Она быстро поцеловала его в щеку, вытолкнула из барака и захлопнула дверь. Он услышал, как ее ноги в шерстяных носках энергично простучали по крепко утоптанному земляному полу, потом шаги затихли: она, наверное, снова улеглась на топчан.

Василий закинул голову. Дождя больше не было, и редкие звезды, стыдясь, что им всё чаще приходится становиться

свидетелями того, как людей убивают даже ночью, выгляды-
вали из-под облаков и наивными глазами следили за тем, как
Василий — отныне не мальчик, не отрок, но воин — идет по
земле и, свободный от страха, от мыслей про маму и мамину
смерть, вдыхает в себя запах мощного ветра.

Четвертое письмо Владимира Шатерникова

*Такое количество раненых поступает с фронта, что нас,
выздоравливающих, перевели в другой госпиталь, пониже рангом.
Мы шли через улицу в своих желтых халатах из главного здания
в небольшой деревянный барак. Прошли мимо часового у ворот,
который посмотрел на нас, как мне показалось, с какой-то
брезгливой жалостью. Палата на сорок коек, сбитые матрасы,
пахнет соломой, накурено, наплевано. Через пять минут нас
уже нещадно поедали клопы, жарко. На койке у окна кто-то
вскрикивает всё время пронзительным и бессмысленным голосом.
В таких бараках война, как я понял, совсем непопулярна. Солдаты так прямо и говорят: «Нам всё равно, кому служить: немцу
или Николаю. У немца, говорят, кормят лучше». Сказать по
правде, этого я не ожидал. Офицерские разговоры тоже мрачные
и безнадежные. Пехоты у нас нет. Пополнение с каждым разом
всё хуже и хуже. Наши желторотые прапорщики шестинедель-
ной выпечки совсем никуда не годятся. У них молоко на губах не
обсохло, такие офицеры никогда не будут пользоваться у солдат
авторитетом. Они умеют одно: героически погибать, но воевать
хоть сколько-нибудь разумно они не в состоянии.*

*Очень нелестные отзывы услышал я и о сестрах милосердия,
попавших на фронт, и о тех женщинах, которых набирают,
чтобы рыть окопы. Да это и понятно: солдаты, конечно, из-
голодались, они уже себя не помнят. «Как увижу бабу, — сказал
мне один солдат, — так и давай жеребцом ржать. Тут уж одно
в башке: лишь бы не упустить».*

*Витебский губернатор издал приказ: не брать на работу
беженок, потому что начинается настоящее разложение армии и взрыв венерических болезней. В районе расположения
3-го конного полка, особенно в местечке Новоселице, много
австрийскоподданных проституток, которые скрываются под*

видом сестер милосердия и полковых дам в трауре. На них идет целая «охота». Русские солдаты и офицеры не считаются ни с классом, ни с возрастом. Случаются иногда и разные курьезы. Двое наших казаков стояли на квартире. Пока они там стояли, хозяйка родила без мужа. Староста пошел к командиру полка и сказал, что это они, то есть казаки, виноваты. Они говорят: «Да мы ни при чем! Мы на этой хате всего три недели стоим!» Но командир полка приказал им взять младенца с собой, и они его сейчас возят с одного места на другое и нянчатся с ним. Приспособили ему вместо люльки сундучок для перевозки канцелярии, младенец теперь там и спит: в сундучке на официальных документах. Смешно, Танечка, родная моя, смешно и грустно.

Вчера видел сон, который никак не выходит из памяти. Сначала мне всё казалось, что я лежу в каюте и на море поднялась буря. Потом буря немного утихла, я выбрался из каюты и поднялся наверх, на палубу. Там было много людей, которые, как я подумал сначала, спят в шезлонгах, прикрыв свои лица кто чем: кто шляпой, кто газовым шарфом. Я наклонился над одной из таких шляп и вдруг понял, что человек не дышит, он мертв, потом наклонился над другой — то же самое. Я обошел всю палубу — до сих пор чувствую, как сильно колотилось мое сердце, — отдергивая шарфы и сбрасывая шляпы, но живых среди этих людей не было. Вдруг я услышал какой-то хлюпающий звук, похожий на то, как кошка лакает из миски молоко. Оглянулся и увидел совсем маленькую девочку, которая сидела на корточках, прижимая к груди тарелку с чем-то красным, и жадно лакала из этой тарелки. Я спросил ее, что она пьет, и девочка ответила по-немецки, что пьет она клюквенный сок. Красные струйки текли у нее по лицу, капали на белый передник. Мне стало дурно, и, наверное, от этого я и проснулся. Весь день думаю, что может значить такой сон, и личико маленькой немки вижу перед глазами так ясно, как будто бы всё это вправду случилось.

* * *

Закат, очень сильный, хотя и короткий, каким бывает только ранний зимний закат, несущий внезапную память о лете, прожег верхние окна домов и выкрасил малиново-синим костлявые ветки деревьев.

Великой княгине Елизавете Федоровне успели уже нашептать, что в народе болтают, якобы она, Елизавета Федоровна, лечит исключительно немецких военнопленных, будучи сама по крови немкой Алисой Луизой Дармштадской. Весь день Елизавета Федоровна была особенно грустна и сосредоточенна, не разжимала скорбно опущенных губ, тихо молилась над умирающими, делала перевязки живым и только совсем уже вечером вдруг сказала Тане, которая только что собрала в кучу засохшие кровью бинты и собиралась вынести их на заднее крыльцо, где стоял бак с дезинфицирующим раствором:

— Ах, боже мой, что они делают!

— Они? — не поняла Таня.

— Они, эти люди, — прошептала Елизавета Федоровна, резко побледнев под белой косынкой сестры милосердия, которая оставляла открытым ее сухой гладкий лоб с нахмурившимися бровями. — Ах, боже мой, что это будет! — И тут же спохватилась: — Идите, идите, пора отдыхать.

Таня глубоко вздохнула, не зная, что ответить, но что-то сильно насторожило ее в словах великой княгини, и по дороге домой — она шла пешком через всю Ордынку — думала о том, что Александр Сергеевич, встретившийся вчера случайно, может только еще больше запутать ее и без того непростую и безрадостную жизнь.

Дома было холодно, с дровами начались перебои, и няня в двух вязаных кофтах и платке ждала ее с чаем и ужином.

— Вот ведь и рядом с лесами живем, — пробормотала няня, — а дров нету! Говорят, ежели бы начальники во всё свой нос не совали, так дров бы хватало. Яиц по пятку дают, а целый поезд с яичками на станции стоит. Что он там стоит, когда разгрузить не разгружают? Совсем одурели!

В прихожей зазвонил телефон.

— Тебя, — сказала няня и укоризненно посмотрела на Таню из-под низко повязанного платка. — Уж раз позвонил, тебя не было.

— Кто?

— А мне не докладывал. Вежливый, умный: благодарствуйте, говорит, буду ей еще звонить. Беги! То-то ждешь не дождешься!

— Татьяна Антоновна? — сказал негромко Александр Сергеевич, и Таня почувствовала, как он усмехнулся одними губами. — Простите, что поздно. Я видел, как вы шли с работы, и, правду сказать, всё время шел за вами, но вы были такой невеселой, что я не решился побеспокоить. Сейчас вот не выдержал, впрочем...

— Не нужно звонить мне, — оглянувшись на няню, зашептала она. — Я объяснила вам вчера: у меня жених, Александр Сергеевич! Чего же вам еще?

— Таня! — Она увидела, что он уже улыбается страшной для нее улыбкой. — Ведь я не опасен нисколько. Я просто одинокий старый человек, жена умерла, сын воюет. Вы мне симпатичны, мне с вами легко. Что ж дурного, если мы посидим, пообедаем в каком-нибудь приличном месте, и я вам пожалуюсь на свои грустные обстоятельства?

— Хорошо, — убито согласилась Таня, чувствуя, что ухо с телефонной трубкой и прядь волос, прилипшая к ней, становятся мокрыми. — Я завтра попробую освободиться пораньше.

Отец пришел поздно.

— Немцев высылают, — сказал он. — Купцы, говорят, разъярились. Им-то патриотизм только на руку: раз бойкот немецким магазинам объявили, значит, русским магазинам одно раздолье! Слухи пошли, что немцы отравляют колодцы, пускают в них холерные бациллы. Бред какой-то. Так и до погромов недалеко.

— Папа, — Таня прижала к щекам ладони, — у этой... у мамы ведь немецкая фамилия! Они же ведь — Зандер!

Отец огорченно отвел глаза.

— Да, Зандер. Папаша ее мужа был немцем. Но обрусевшим, разумеется, православным. Сейчас это, впрочем, не так уж и важно.

Лицо отца приобрело знакомое Тане выражение: оно герметически закрылось изнутри, и только глаза, которые остались открытыми, беспокойно заблестели при упоминании о матери, словно в отцовской душе был спрятан какой-то находящийся в состоянии постоянной неустойчивости снаряд, с которым он так и не научился обращаться.

— Надеюсь, не дойдет до большой крови, — добавил он. — Хотя с этим диким народом... Иди, Таня, спать. Сама на ногах не стоишь...

В комнате было холодно, но она сбросила с себя одеяло, села на постели в ночной сорочке и, чувствуя себя так, как будто она вся нарывает, принялась думать. Владимир Шатерников был ее мужем, они соединились тогда, на берегу спящего пруда, так, как соединяются только муж и жена, и, если бы не война, у них уже мог бы родиться ребенок. Сейчас Шатерников далеко, в Галиции, и ранен. Она с жадностью читала его письма, но мучилась, что не понимает его. Его рассуждения о войне, о жизни пугали ее. Между строк она угадывала, что он и обращается-то словно не к ней, а к той девушке, которая существует в его воображении. Он был актером и привык, чтобы люди смотрели на него, слушали, что он говорит, и любили его. Теперь, когда не было сцены, сама его жизнь, даже болезнь и госпиталь, в котором он задыхался от запаха ран и видел столько крови и смерти, стали чем-то вроде огромного, раскрывшегося во всей силе театра, в котором он продолжал чувствовать себя на виду у других людей и обращаться к ним. Таня не могла объяснить, что это она вдруг угадала внутри его писем, но знала, что то, что она угадала, есть чистая правда. Он любил ее, но Танина роль в его жизни рисовалась ему чем-то грандиозным и тоже почти театральным, не имеющим ничего общего с ее простым нетерпеливым ожиданием. Чем больше времени проходило с их последней встречи и последнего горячего поцелуя, тем дальше от него становилась та девушка, которая действительно была ею, но и тем отчетливее вырисовывался образ той, которая с полуслова понимала его философские мысли, была тверда духом и ничего не боялась. Таня хотела, чтобы он писал ей просто о своей любви и неустанно ободрял ее, а получилось, что сама их любовь стала частью войны, и в конце концов от этой любви остался только страх, что Владимира убьют или что он вернется к ней таким же обрубком, которых она каждый день видела в госпитале. Запах гниющего тела преследовал ее даже на чистом хрустящем морозе, и по дороге домой она старалась очень глубоко дышать, потому что, когда очень глубоко, всей грудью дышишь, этот запах, которым, казалось, успело пропитаться всё: и небо, и снег, и мороз, и деревья — понемногу выветривается.

Александр Сергеевич был влюблен в нее, и так открыто влюблен, что всё, что он делал: смотрел, улыбался, задумывался, чертил по снегу носком ботинка, и особенно то, как он весело и настойчиво, понизив голос, сказал сегодня по телефону, что он «не опасен», — всё это раздражало, затягивало, отнимало силы, но тут же и прибавляло их, и она становилась другой. Теперь — при одной мысли об Александре Сергеевиче — Таня чувствовала, как много в ней крови, тяжелой, дрожащей, горячей и сильной, раскачивающей тело из стороны в сторону, шумящей в ушах, застилающей зрение...

К тому же она поняла, что наступили совсем другие времена и всех теперь могут убить. Перед глазами мелькал кудрявый мальчик Веденяпин, выскочивший на мороз из кондитерской. И Васю убьют. Его *можно* убить.

«А раньше мы все просто *жили*. И было очень хорошо, пока я не пошла в театр и не встретила его».

Ей вдруг стало казаться, что и война, и раны, которые она промывает и перевязывает, и общий озлобленный страх, и усталость — всё это началось не в августе, а гораздо раньше, и началось только оттого, что она встретила в театре Александра Сергеевича.

«У Волчаниновой убили одного брата, а другой вернулся слепым, и папа сегодня сказал, что мою мать могут выселить из Москвы, потому что у них немецкая фамилия. А няня сказала, что немцы отравляют в деревнях колодцы, и хотя она сама не верит этому, но люди, которые это говорят, не станут врать, и в городе скоро совсем не останется дров, а раненых только привозят, привозят...»

Истинная причина того, что всех теперь можно убить и всё так запуталось, была та, что Александр Сергеевич пошел провожать ее из театра и всю дорогу пожирал ее своими темными глазами, и плыл этот робкий, задумчивый снег, а она слушала, боясь не понять, сказать что-то не то, разочаровать его, и чуть не запрыгала от радости, когда он попросил ее прийти завтра в кондитерскую, где и случился самый что ни на есть безобразный скандал, и его жена, которая следила за ними, выскочила из дамской комнаты с криками и оскорбленьями. Потом были мама и Дина, вернувшиеся с заграничных курортов, и у нее чуть не разорвалось сердце, когда мама попыталась обнять ее своими чужими холодными руками. Но это не всё! Самое ужасное случилось потом, когда по дороге на курсы ее догнала жена Веденяпина и, отдувая вуалетку прыгающими губами, начала объяснять ей ужасные вещи про свою жизнь с Александром Сергеевичем. Про то, как она поднималась с постели наутро и вся была «липкой». О господи!

Таня рывком выдвинула ящик тумбочки и из коробки, в которой когда-то были конфеты и потому она и сейчас еще пахла, слабо, но неотвязно, шоколадом, высыпала фотографии Шатерникова и все его письма. Жених ее смотрел куда-то в сторону, мимо Тани, словно он тоже знал, что не будет ничего хорошего, и соглашался с этим.

— Не думать, не думать! — прошептала она в ночную темноту, где что-то назревало внутри снега, волновалось, двигалось и было намного темнее ночной темноты, потому что родилось не в природе, где Бог приказал нарождаться живому, а в гуще людей, в гуще снов человеческих. — Не думать об этом!

Пятое письмо Владимира Шатерникова

Рана моя почти зажила, и очень может быть, что начальство даст мне короткий отпуск, тогда я смогу хоть на неделю вырваться к тебе в Москву. Только что мне рассказали, как по-

гиб мой товарищ по гимназии Алешка Свиридов, добрый, умный, смешной малый, который жил неподалеку от нас на Фонтанке и славился тем, что и летом, и зимой разгуливал без пальто.

Дело было так: на рассвете первого сентября он вышел на разведку со взводом партизан. Часть людей послал в обход немецкого расположения, а с оставшимися пошел в атаку. Говорят, перед ним неожиданно оказалась рота немцев, ринувшаяся на него в штыки. Он не успел даже скомандовать, как тут же упал. В него одновременно попали две пули. Через час Алешка Свиридов умер от потери крови.

Я возвращаюсь на фронт с тяжелыми сомнениями: должны ли мы воевать? В госпитале познакомился с одним типично русским характером, который многое мне объяснил в нашей национальной истории. Представь себе человека, вечно как бы слегка хмельного — хотя что он тут пьет, где достает спиртное, уму непостижимо! — маленького, но крепенького, как лесной гриб, с редкими курчавыми волосами и быстрыми, часто почему-то рассеянными глазами. Образования почти никакого: выгнали его из третьего класса губернского реального училища за то, что он подговорил пьяного вдрызг ямщика вломиться в директорскую квартиру и крепко, по-русски выругать насмерть перепуганную директоршу. После этого эпизода Никанорыч (так мы зовем его) считает себя социалистом. На фронте он оказался по самой простой причине: с детства испытывает лютую ненависть к неведомым немцам. Окажись наши сегодняшние неприятели французами, англичанами, итальянцами — да кем угодно, хоть жителями Новой Зеландии! — он питал бы к ним те же самые чувства. Что такое, почему? Видит бог, никогда я не понимал этого и никогда не пойму. Во многих людях, похоже, коренится какое-то особое свойство, которое забивает все остальные нормальные человеческие чувства. Свойство это — нелюбовь к инородцам, какими бы они ни были. Может быть, это что-то атавистическое? Племенное разделение на своих и чужих, идущее с тех времен, когда нужно было оберегать свое и грабить чужое? Никакого другого объяснения не приходит мне в голову.

Утро наше в палате начинается с того, что хмельной, но

уже аккуратно расчесанный на пробор Никанорыч хватает свою гитару и голосом, не лишенным приятности, начинает петь про Волгу, где он, кстати сказать, отродясь не бывал, потому что вообще нигде, кроме своего городишки, не бывал: «Она ми-и-ила-ая мо-о-оя! Волга-а-а ма-а-атушка!»

Работать он никогда не хотел и не любил, но всё повторяет, что ему нужно как можно скорее жениться на богатой и, как он говорит, «сытой» женщине, которая и его будет кормить до самой могилы. При этом он совершенно не боится смерти, вернее сказать, смерть не присутствует в его сознании, и он, говоря о ней, только отшучивается: «живы будем — не помрем», «умирает не старый, а поспелый», «не в горку живется, а под гору», «смерть придет — и на печи найдет». Не знаю, сможет ли Россия, в которой, как я теперь догадываюсь, огромное число таких «никанорычей», когда-нибудь дорасти до своей неопознанной духовной сути? И в чем она, эта ее суть? Может быть, ничего того, о чем так любят рассуждать наши славянофилы и прочие философы, не было и нет, а есть только глухие одинокие вспышки какого-то необузданного духовного подполья? И хаос, и бешенство, и лень, и эта кроткая и одновременно бесшабашная смелость, типичная для русского солдата, который сам не знает, за что воюет, но воюет на совесть, «раз начальство приказало», — всё это я понимаю теперь совсем иначе, чем раньше, и мне было бы, о чем поговорить и даже поспорить с «великим старцем», которого я еще недавно играл с налепленным носом и приклеенными бровями.

При этом я рад, что вырываюсь наконец из госпиталя. Сил больше нет терпеть этот едкий человеческий запах, испарения плевков (как ни моют наш пол, он всё равно всегда заплеван!), запах недоеденных щей, сброшенных сапог, топот по коридору больных и раненых, которые всю ночь ходят в отхожее место, стоны, бред, выкрики, душу выматывающий храп, то звонкий, то густой, то сплошной, то прерывистый, храп изо всех углов...

Прости мне, что пишу это. Если я, даст бог, доберусь до тебя, клянусь всем на свете: ни о чем таком мы не станем с тобой говорить.

* * *

Александр Сергеевич ждал ее у госпиталя. Было холодно, снег, начавший таять вчера вечером, покрылся сверкающей коркой. Улицы едва освещались, и сине-черные тени прохожих, отбрасываемые на ледяную поверхность, напоминали черные стволы обрубленных деревьев.

Александр Сергеевич осторожно взял Таню под руку.

— Тут два шага до «Праги». Прогуляемся?

Она молча кивнула.

— Я еще вчера хотел вам заметить, как вы изменились, — сказал Александр Сергеевич, подстраивая свой широкий шаг под Танин. — Вы уже не девочка, как были год назад, и мне это нравится. Я чувствую себя гораздо спокойнее и проще с вами.

Она не нашлась, что ответить на это. Вечер, только что тихий, хотя и холодный, вдруг разволновался, поднялся ветер, зашуршал замерзшими листьями, собранными в кучу под фонарем, и принялся дуть так, как будто пытался напомнить о море: протяжно и гулко, то нарастая в шипящем звуке, то вновь затихая...

Шли быстро и не успели замерзнуть, как уже дошли до «Праги», тускло по военному времени освещенной двумя неоновыми фонарями. У подъезда ресторана стояли извозчики, их лошади с седыми ресницами прямо смотрели перед собой. Тяжелые, гладкие спины казались сиренево-черными.

В зале было прохладно, клиентов немного: несколько военных сидели у окна и очень громко разговаривали, видимо, горяча себя этими разговорами, и нахмуренный господин, который мрачно и неторопливо ел суп, не обращая внимания на перегнувшуюся к нему через весь стол женщину, гибкую, очень худую и похожую на ящерицу своим темно-зеленым, переливающимся платьем.

Таня и Веденяпин сели в углу, подскочивший официант ловким движением поменял скатерть, до блеска протер бокалы.

— Вы ведь здесь, наверное, тоже сухой закон соблюдаете? — спросил у него Веденяпин.

— Соблюдаем-с, — быстро усмехнулся официант. — Однако шампанского можно. Шампанское под закон не подпадает.

— Ну, что же, — вздохнул Александр Сергеевич. — Неси нам бутылку шампанского, братец. «Абрау-Дюрсо».

Официант убежал.

— Смешное у нас начальство, — заметил Александр Сергеевич. — Ну вот, ввели они сухой закон. Сначала все вроде с восторгом приняли: «Война! Воевать нужно трезвыми!» И что? Двух недель не прошло, и начались безобразия. Кто денатурату хватит, кто от столярного лака воем воет! А спекуляция спиртом? Бог знает чего они туда подливают! Вам батюшка не рассказывал, сколько у него в больнице народу от сухого закона на тот свет отправилось?

— Нет, он не рассказывал, — тихо ответила Таня.

Официант примчался с бутылкой шампанского на подносе, стал в позу, осторожно освободил пробку от фольги и, крепко сжимая обмотанную проволокой пробку, начал тихо поворачивать бутылку по ходу часовой стрелки. Пробка осторожно выскользнула, бутылка издала легкий и жалобный вздох, как будто ее кто-то сильно обидел. Шампанское было ледяным, сладковатым и сразу ударило в голову. Таня вдруг почувствовала себя веселой и свободной. У Александра Сергеевича нежно заблестели глаза.

— Ну, что же? — Он приподнял брови. — Давайте заказывать. Чертовски я голоден нынче! А вы?

— Нет, я не чертовски, — ответила Таня и снова покраснела до слез.

— Но нужно поесть, — пробормотал он, вглядываясь в меню. — Здесь повар хороший, отлично готовит.

— Осмелюсь рекомендовать суп тортю с пирожками, а также цыплаток кокет Моне-кар, — осторожно улыбаясь, вмешался официант. — Коронные блюда.

— Да, это прекрасно! — кивнул Александр Сергеевич. — Прекрасно, хотя недостаточно. Еще принесешь перепелок, есть ведь у вас жаркое из перепелок? Салату «Латуг», пирожков. Ну, и сыр. Хотя нет, постой! Ликеру и сыру подашь в кабинет. Попозже, когда отобедаем, понял?

— Всё понял, — сдержанно наклонил голову официант и снова умчался.

— Ну, чокнемся? — спросил Александр Сергеевич, внимательно и серьезно глядя ей в глаза. — Чужая невеста, любовь моя с первого взгляда...

— Ой, нет! — прошептала Таня. — Не шутите так!

— Какие тут шутки? — Он засмеялся. — Всё — чистая правда! Да вы не пугайтесь! Прекрасное «Абрау-Дюрсо»! Нравится вам?

Она выпила целый бокал, опустив ресницы, и только потом взглянула на Александра Сергеевича. Голова закружилась еще больше.

— Знаете, что самое хрупкое на свете? — спросил он. — Тело! Да, наше с вами тело. А люди носятся с телом, как с писаной торбой, кормят, поят, лечат! Ради него убивают ближних, идут на преступления, лгут, прелюбодействуют! А ведь на самом-то деле что такое тело? Коробка для души, вроде дупла или норы. Вот возьмите что угодно, ну, руку хотя бы. — Он осторожно накрыл ладонью Танину руку и слегка потянул ее к себе. — Сломать можно очень легко. — Он слегка приподнял и отогнул ее кисть. — Нажал — и ломается. Отрезать легко. Вообще, всё, чем можно навредить телу, всё делается до ужаса легко! И вот вам: война. Что такое война? Желание накрошить как можно больше людей, то есть опять-таки — чужих и слабых тел. Ответьте: зачем?

Таня смотрела на него во все глаза, стараясь понять, что это он говорит сейчас и, главное, нужно ли отвечать ему.

— Давайте-ка выпьем за душу, — Александр Сергеевич перестал смеяться. — Ведь это как сказано? «И создал Господь Бог человека из праха земного и вдунул в лицо его дыхание жизни, и стал человек душою живою». Ну, выпьем?

Он разлил остатки шампанского по бокалам.

— Не нужно, — пробормотала Таня, — я больше не буду.

— Дорогая моя! — Александр Сергеевич снова накрыл ее руку своей легкой и горячей ладонью. — Вы только не бойтесь меня. Всё будет, как скажете. Беда в том, что я и сам давно живу в постоянном страхе.

— Вы? В страхе?

— И в каком! Мне иногда начинает казаться, что всё, что я вижу и знаю, всё это неправда. Я вот знаю, например, что Нина, жена моя, уже полгода как умерла. А мне вдруг приходит в голову, что это не так, что она жива. И знаю, что чушь, а не могу избавиться! То же и с Василием. Проснусь, бывает, посреди ночи в холодном поту: а не пришло ли мне вчера извещение, что его убили? А я забыл? Встаю, иду в столовую, выпиваю рюмку водки, отпускает. Потом самому же и становится стыдно. Сейчас вот смотрю на вас, а в башке такое, знаете, противное шуршание: а вдруг вы мне снитесь?

Он медленно поднес ее руку к губам и поцеловал. Официант ловко водрузил на стол белую, в голубых цветочках супницу. Снял крышку.

— Еще нам бутылку шампанского, братец, — попросил Александр Сергеевич, не отнимая от губ Таниной руки и удивленно приподнимая брови.

— Зачем вы спросили еще бутылку? — начиная дрожать, пробормотала она. — Ведь я пить не буду!

— Пускай принесет, — пробормотал он, крепче надавливая поцелуем на костяшку ее мизинца. — Я вам не противен?

— Вы мне? Почему?

— Старик! — засмеялся он. — Вон лысина. Видите? Без очков ни строчки не могу прочесть. — Он помолчал. — А это и в самом деле вы? — И перевернул ее ладонь в своих пальцах, поцеловал то место, где бьется пульс. — Не снитесь вы мне? Я не грежу?

— Александр Сергеевич! Давайте уйдем отсюда! Я не знаю, как объяснить, но это неправильно, что я здесь с вами... не нужно...

— А вы, барышня, оказывается, ногти грызете?

Она вспыхнула и отдернула руку.

— Пальчики детские. Любите ногти грызть?

— Я?

— Ну, не я же. Хотите, я вас полечу?

— Нет! — вскрикнула Таня. — Я ничего не хочу от вас! Я хочу уйти. Больше ничего!

Александр Сергеевич кивнул насторожившемуся официанту.

— Счет мне, пожалуйста.

— А как же цыплят? Не желаете разве? — вскинулся официант.

— Ну, Таня, решайте! — спокойно, словно она была маленькой девочкой, сказал Александр Сергеевич. — Желаем мы кушать цыплят или нет?

Женщина в зеленом платье, виляя бедрами и от этого еще больше переливаясь, пошла к выходу, сопровождаемая нахмуренным господином. Александр Сергеевич внимательно посмотрел им вслед. Теперь во всем зале остались только военные у окна и Таня с Веденяпиным.

— Так что? Остаемся? — спросил он.

Таня чувствовала, что, чем дольше она сидит здесь и смотрит на него, чем дольше он держит в руках ее руку, тем безвольнее она становится, но объяснить, почему это так, не могла: ощущение нарастающей слабости, сопряженное с тихим восторгом, от которого всё время хотелось смеяться, напоминало те минуты, когда пора было просыпаться, идти в гимназию, а на улице снег, темень, ветер, и она пряталась под одеяло, зажимала уши, чтоб только продлить замирание ночи, блаженство тепла, темноту, шум мягко горящих поленьев из печки...

Она кивнула в ответ на его вопрос и чуть не всхлипнула вслух от волнения, когда он раскрытыми губами снова прижался к ее мизинцу и, едва дотрагиваясь, несколько раз медленно провел по нему кончиком языка. Она выдернула руку.

— Пойдемте отсюда. Здесь слишком накурено, — сказал он спокойно.

В кабинете, куда официант принес кофе, корзинку с пирожными и новую бутылку шампанского, Александр Сергеевич осторожно погладил ее по щеке. Она отшатнулась.

— Милая, — отводя глаза, пробормотал он. — Вы разве боитесь меня? Что вы, право...

Она забилась в угол дивана, стиснула руки.

— Вы сейчас похожи на птенца, — мягко сказал Александр Сергеевич, — на большого, уже выросшего птенца, который еще не знает, что он уже умеет летать. А когда он узнает, у него сразу же расправятся крылья и он станет сильной, прекрасной птицей. Давайте пить кофе.

— Нет, лучше поедем, — всё больше краснея, решительно сказала она и тут же как будто проснулась. — Отвезите меня домой, я очень устала.

Он не сделал даже движения, чтобы приподняться с дивана. Сидел и спокойно смотрел, как она, пылая, натягивает жакет, набрасывает шарф на растрепанные волосы.

— Иди ко мне, девочка, — негромко сказал он.

Она покорно опустилась на краешек его выставленного колена, как будто на краешек стула.

— Боже мой, какая легкая! — Он вдруг побледнел. — Какая ты легкая, нежная, милая...

Таня попыталась вскочить, но он удержал ее за талию обеими руками.

— Я же сказал: не бойся меня. Я тебе ничего не сделаю.

Она не могла говорить, губы ее прыгали. Александр Сергеевич побледнел еще больше. Потом притянул ее к себе и поцеловал в шею. Обеими руками она уперлась ему в грудь и сквозь выступившие на глазах слезы посмотрела на него.

— Ну, что? Очень страшно? — спросил он.

— Не страшно. А просто — нельзя.

— Нельзя — так не будем, — покорно сказал он и улыбнулся насмешливо, словно передразнивая кого-то. — Мы — люди с понятием.

* * *

Василий Веденяпин только что узнал, что 20-й корпус, про который думали, что он весь погиб, оказывается, жив, но понес огромные потери у деревень Богатыри и Волкуши и просит помощи. Это известие всех очень взбодрило. В штабе началось волнение. Все заговорили о том, что нужно немедленно идти на выручку, раз корпус так близко от наших передовых линий и до него всего-навсего шесть верст.

— История, Васька! — крикнул пробежавший мимо Веденяпина Багратион и с силой ударил его по плечу. — Своих будем спасать! Помогай Бог! Через час выступаем!

Через полчаса казаки донесли, что 20-й корпус, расстреляв все патроны, закопал орудия и знамена и сдался в плен. Наступление приостановилось, и было приказано отвести войска назад за форты. Около десяти часов вечера в штаб прибыл поручик 113-го Старорусского полка, остатки которого пробивались к своим. По его словам выходило, что 20-й корпус, не переставая, вел бой, взял в плен полторы тысячи немцев, одиннадцать орудий и всё еще отбивается. В штабе начались разногласия. Большинство утверждало, что своих бросать нельзя и нужно торопиться на выручку. Если 20-й полк услышит канонаду, он немедленно воспрянет духом и попытается пробиться к Гродно. Бедного поручика, совсем еще безусого, веснушчатого мальчика, забросали вопросами, больше всего интересовались тем, каково настроение в корпусе, хотят ли солдаты сдаваться или стоять до последнего. Поручик отвечал, что настроение у солдат бодрое и они очень намерены продолжать. Наступление было назначено на завтра.

Василий Веденяпин вышел из барака, сел на поваленный ствол и принялся думать. Впервые в жизни пришло в голову, что это, может быть, и есть его самая последняя ночь. От этой мысли по всему телу побежали мурашки, а в голове поднялся легонький звон, словно целое полчище раскормленных летних комаров залетело в левое ухо и теперь пытается вылететь через правое. Руки его быстро замерзли, и он поднес их ко рту, согревая дыханием.

Нужно было как-то соединить то, что и небо с редкими слезливыми звездами, и эти голые деревья, и воздух, настоянный на сырой древесине и потому так сильно пахнущий землей и корнями, останутся прежними, а его, видящего и чувствующего всё это, больше не будет.

— А где же я *буду*? — спросил он, и ветер с благосклонным и успокаивающим шумом растрепал его волосы, словно родной. — Я буду — где мама?

— Ты будешь «нигде», — ответил ему этот ветер, и черные деревья, и сказочно большие звезды на небе. — И мамы твоей больше нет.

Василий вскочил и принялся ходить по влажной черной земле, присыпанной кое-где, как сахаром, крупным вчерашним снегом.

На память пришла фотография, присланная маминой кузиной. На ней была внутренность небольшой часовни, посреди которой на возвышении стоял небольшой нарядный гроб, и в нем, отдаленно белея сомкнутыми веками, лежала женщина с гирляндой мелких цветов, окружившей ее расчесанную на прямой пробор голову. Лицо, немного размазанное на фотографии, было равнодушно-приветливым, как будто она спала, но восковые цветочки на лбу, страшные тем, что их невозможно представить себе на живом человеке, и эти спокойные, умиротворенно и нежно сложенные на груди восковые руки как-то *особенно внятно* сказали Василию, что это совсем не она, а то, чем ей *дали* на время прикрыться, как можно прикрыться чужою одеждой.

В кармане его была оплетенная фляжечка с одеколоном, недавно подаренная Багратионом: в армии строго соблюдался сухой закон. Соскальзывающими пальцами он торопливо отвинтил крышку и, обжигаясь, стал пить. Отпив половину фляги, с выпученными от пахучего огня глазами и пылающим горлом, он спрятал одеколон в карман и побежал по направлению к бараку, в котором жили окопницы. Арина ждала его: стояла перед дверью барака, до самых бровей закутанная в темный платок.

— Не знала, что думать! — тихо сказала она, обняв его и пряча голову на его груди. — Вчера не пришел...

— Я не мог, — ответил он. — На рассвете выступаем.

— Да знаю, сказали! — с досадой пробормотала Арина. — Всё сердце изныло.

Он изо всех сил притиснул ее к себе.

— Дышать тяжело, — нервно засмеялась она, высвобождая лицо, и, подняв его, посмотрела на Василия своими заблестевшими в темноте глазами. — Ну ладно, пойдем, попрощаемся.

В голом, обезображенном зимней смертью леске было совсем темно. Арина осторожно, ощупью разостлала на земле свою телогрейку, потом сняла стеганую кофту, прорванную во многих местах, с ватой, торчащей из-под черной материи, положила ее поверх телогрейки и, опустившись на приготовленную постель, принялась стаскивать башмаки.

— Ты хочешь разуться? — спросил он, садясь рядом и обхватывая ее за плечи.

— Чтоб всё по-людски, — строго ответила она и, стащив, наконец, башмаки, обеими освободившимися руками обняла его. — Совсем и не холодно, мигом согреемся.

Он быстро разделся, опрокинул ее навзничь и лег на нее. Холодно не было совсем. Ничто так не волновало его, как запах ее волос и смуглого тела, с самого первого раза показавшийся ему похожим на запах бузины, растущей у них за калиткой на даче. Сейчас, в темноте леса, он был особенно чудесным. Весь низ ее живота оказался влажно-горячим, и он с благодарностью, торопливо и настойчиво найдя то, чего искал, ощутил уже знакомую ему, но всякий раз пугающую бездну, которую заключало в себе это небольшое и покорное ему тело.

— Ох, горе! — выдохнула Арина, когда он, наконец, скатился с нее, весь потный, счастливый, бесстрашный и сильный. — Ох, горе моё!

* * *

Владимир Шатерников телеграфировал с дороги, что в пятницу приезжает в отпуск и остановится в гостинице «Большая Московская».

Таня так и не была уверена, что отец догадался об их отношениях, но то, что Шатерников до сих пор не разведен, хотя и не живет с женою, он знал, и эта открытая близость его дочери к женатому человеку должна была быть оскорбительной для отцовского самолюбия.

Они не виделись почти полгода. Раньше она очень ждала его. Она помнила, как по ночам не могла уснуть от тревоги, как дико колотилось сердце всякий раз, когда она получала письмо из госпиталя, как она боялась потерять его. Боялась! С утра и до вечера представляла, как они наконец встретятся и что она скажет ему. И как он обнимет ее. Вся та ночь, соединившая их телесно, была вдоль и поперек перечитана ее душою, как бывают перечитаны любимые книги, и полностью, до деталей, восстановлена памятью. Была чернота, духота, были звуки: то птиц, очень мелких, хотя и настырных, то шорох вверху облаков или листьев, лягушки смеялись, стонали и пели, — и, когда лодка мягко въехала в осоку, Шатерников, взяв ее на руки, выпрыгнул на берег. Они опустились на траву, как будто на чей-то огромный живот, который тихонько шуршал и вздымался. Лилии белели в черноте, их запах, как ветер, доносился с середины пруда. Потом была боль, но такая быстрая, что она почти и не почувствовала ее. Потом была кровь на ромашке. А утром Шатерников пришел к отцу и сказал, что уезжает на фронт. С этой минуты началась тоска. Она была тихой тоской ожидания, и Таня успела привыкнуть к ней, как к необходимости новой жизни, раздавленной войной.

И вот вдруг случилось ужасное, непоправимое. После обеда в ресторане, где она сидела на коленях у Александра Сергеевича и он осторожно целовал ее в шею, тоска ожидания заменилась стыдом. Она предала Шатерникова, позволив чужому человеку целовать себя. Если бы он вдруг увидел ее, сидящую на коленях у незнакомого мужчины, он, может быть, даже убил бы ее. Ну, пусть не убил, но ударил бы точно. И было бы только заслуженно. С обеда прошло несколько дней. Она не видела Александра Сергеевича, он не звонил и никак не давал о себе знать. Она ждала его звонка не меньше, чем писем Шатерникова из госпиталя. О нет, даже больше. Хотя бы для того, чтобы сказать ему всё, что не сумела сказать тогда, когда шампанское ударило в голову и она растерялась. Сказать, что любит другого. Поэтому не нужно сажать ее на колени и кормить цыплятами. Ничего не нужно, всё это ужасно. И главное — стыдно.

В четверг пришла телеграмма от Шатерникова.

Утром, в пятницу, привезли новую партию раненых, и Таня, задержавшись на перевязке, сообразила, что опаздывает к поезду.

— Вас там спрашивают, Татьяна Антоновна, — сказала новенькая, только что поступившая медсестра в открытую дверь операционной.

— Идите, идите! — махнул рукой доктор, которому Таня помогала с последним раненым. — Осталась совсем ерунда, вы идите.

Шатерников стоял в вестибюле, опираясь на палку. Он еще не заметил ее. Она не ожидала, что он такого маленького роста, Александр Сергеевич был выше его на целую голову. Внутри сжалось с такой силой, что Таня остановилась на ступеньке и продолжала смотреть на своего жениха, не двигаясь, заслоненная санитарами, которые перетаскивали по лестнице носилки с больными. Кроме маленького роста, он был откровенно похож на самого себя в роли Толстого, и не столько даже чертами лица, а тем особенно упрямым и одновременно взволнованным выражением, которое, как говорили, лучше всего удалось ему в этой фильме и было результатом долгих репетиций Шатерникова перед зеркалом.

Санитары с носилками посторонились, пропуская Таню, прижались к перилам, и тут он наконец-то увидел ее. Таня одолела последние ступеньки и остановилась. Палка его упала на пол, Шатерников подбежал и обнял ее так, как будто вокруг никого не было. Она замерла с опущенными плечами, и, пока он торопливо целовал ее в голову — одной рукой прижимая ее затылок, другой с силой надавливая на ее левую лопатку, — не сделала ни одного движения. Тело как будто окаменело и не испытывало ничего, кроме неловкости от этих сильных, дрожащих от напряжения рук, которые словно ощупывали ее.

— Ну, вот! Я же знал! — сказал Шатерников и, оторвавшись, посмотрел ей прямо в глаза своими ярко посветлевшими глазами. — Я знал, что увижу тебя! Я верил всё время!

— Ты с палкой? — перебила она. — Зачем? Разве они не вылечили тебя?

— Да нет, это так, — отмахнулся он. — Мне не нужна палка, я прекрасно хожу без нее и даже могу бегать. Иначе не пустят на фронт. Скажи, ты свободна?

— Сейчас? Да, свободна. Пойдем к нам домой, скоро папа...

Он удивленно посмотрел на нее, и Таня смутилась.

— Домой? Ну, пожалуй. Я, правда, вещи хотел забросить в гостиницу, помыться. Ведь прямо с дороги... Но как я скучал!

— Так ты придешь позже? — Она сильно покраснела.

— Я думал, — он тоже покраснел, — ведь тут совсем близко. Мы можем вместе забросить мои вещи и поехать к вам. Займет полчаса.

Она кивнула, избегая смотреть на него. Он оказался совсем невысокого роста и слишком похож на великого старца.

Вышли на улицу, Шатерников подозвал извозчика. Таня села, прикрываясь муфтой от летящего в лицо солнечного снега.

— Смотри! — восторженно, глубоко вздохнув, сказал он. — Какая красота! Зима. Я в Москве, и меня не убили. Нельзя быть счастливее, чем я сейчас.

— Отчего? — Она по-прежнему прикрывалась муфтой, и вопрос ее утонул в сияющем воздухе.

— Что ты сказала? — не расслышал Шатерников.

— Я спросила, почему нельзя быть счастливее.

— Потому что... — начал было Шатерников и вдруг замолчал. — Потому что всего этого могло бы не быть. Я теперь понимаю, как это просто. Сегодня живешь, ходишь, дышишь, а завтра...

— Да, я понимаю, — пробормотала она, думая только о том, как объяснить, что она уже не любит его. — Я всё понимаю. Война...

— Война? — переспросил он. — Но сейчас для меня нет никакой войны. Есть только ты, твои губы...

Она вдруг заметила, что он немного косит, и левый зрачок его слегка уплывает в сторону, когда он говорит так громко и восторженно.

— Мне много раз приходило в голову, — Шатерников несколько раз быстро поцеловал ее в щеку и в краешек рта, — что война была нужна только для того, чтобы я убедился, насколько сильно нуждаюсь в тебе...

Извозчик остановился у подъезда «Большой Московской». Швейцар распахнул перед ними дверь и наклонил старую седую голову. Таня быстро прошла прямо к лестнице, и ей показалось, что ее горячо намокшую под блузкой спину облепило злыми взглядами. Вошли в номер. Большая деревянная кровать была застелена темно-зеленым шелковым покрывалом, из крана сочилась вода. На окно с такой силой надавливало зимнее солнце, что в комнате стало светло, как в раю, и ваза на тумбочке переливалась.

Таня замерла, не сняв даже муфты с руки. Шатерников близко подошел к ней. Лицо его оказалось чуть выше ее лица, и расширенные удивлением и страхом глаза остановились на ее переносице.

— Володя, — проборматала она, — я страшно устала сегодня...

— Что-то изменилось у нас? — хрипло спросил он.

Таня почувствовала, как вся кровь бросилась ей в голову. Он не должен ни о чем догадаться.

— Нет, что ты. Я так волновалась всё время...

В глазах его еще стояло недоверие, но руки уже обнимали ее, и прерывистое дыхание обжигало ей губы и подбородок.

— Ты даже представить не можешь, — забормотал Шатерников, дрожащими пальцами пытаясь расстегнуть пуговицы на ее блузке и обрывая крючок, — какой это кошмар: лежать ночью среди больных и умирающих и думать, что никогда тебя не увижу! Что мне тридцати еще нет, а жизнь уже кончилась! Мне доктор сказал, что, если пойдет нагноение, то будет гангрена, а там...

Он задохнулся, изо всех сил прижимая ее к себе. Блузка упала на пол, из волос посыпались шпильки.

— Боже мой! — застонал он, осыпая поцелуями ее лицо, плечи, грудь в вырезе белой рубашки. — Я знаю, что я не смею, знаю, что, если завтра меня убьют, я этим погублю тебя, всю твою жизнь! Но что же мне делать сейчас? Ты скажи! — Он отстранился от нее. Лицо его было красным, зрачки расширились и сильно заблестели. — Скажи мне сама! Я сделаю так, как ты скажешь. Ну, хочешь, я сразу уеду? Сейчас вот возьму свои вещи и сразу уеду? Ты хочешь?

Она отрицательно покачала головой.

— Господи! — пробормотал он, с каким-то даже испугом глядя на нее. — Господи, какая же ты красавица! Я глаз таких в жизни не видел! Таких у людей не бывает! Сама посмотри!

Он развернул ее к зеркалу. Она увидела себя в объятьях маленького человека, от которого отвыкла.

— Я думал, что они просто голубые, а они какие-то сиреневые, как, знаешь, у кукол. У старинных кукол с фарфоровыми личиками, такая была у моей сестры...

Шатерников опустился на колени и зарылся лицом в Танину юбку.

— Если ты сейчас велишь, чтобы я убрался отсюда ко всем чертям собачьим, клянусь, я всё сделаю!

— Не нужно, — сказала она решительно. — Я так ждала тебя. Я очень за тебя боялась.

Вечером они втроем — Таня, отец и Владимир Шатерников — сидели в столовой и пили чай с абрикосовым вареньем.

— Я вам рекомендую намазать на черный хлеб, — сказал отец. — Я с детства любил. Удивительно вкусно. И именно вот — абрикос, остальные не так... Нет того аромата.

Шатерников покраснел и откашлялся.

— Антон Валентинович, я здесь всего только несколько дней, уезжаю на фронт...

— Да, наслышан, — хмуро кивнул отец. — Рана ваша, как я понимаю, еще и не зажила до конца. Куда вы торопитесь?

— Но нужно же... На фронте плохие дела...

— И будут плохие! — злым голосом перебил отец и закашлялся. — Откуда хорошему взяться? Вся Европа передралась.

Люди гибнут. А что? А зачем? Мне говорят: а как же Великие Исторические События? Вы что, не видите, как на наших глазах свершаются Великие Исторические События? Событий не вижу. А крови и муки хватает. И я вам больше скажу: что бы там ни вышло, каким бы ни был исход этой бойни, но никакого «великого» или, как там говорят, «идеального» осуществленного блага не получится! И ждать его нечего!

— Но если мы всё же победим... — угрюмо и нерешительно, глядя в пол, пробормотал Шатерников.

— Какое там — «мы победим»! Один варвар победит другого! Вы знаете, что именно на таких победах вся история держится? Пока что у нас вместо победы — живодерство и спекуляция. В Германии, говорят, хоть какой-то порядок поддерживают, а у нас — что? Продукты-то есть, а спекулянты голод устраивают! Вот уже неделю как пропала ржаная мука. Ждали-ждали — и побежали покупать пшеничную. Ржаная стоит девять рублей, а пшеничная — одиннадцать. Куда денешься? Четыре пуда купили. Люди-то быстро портятся, слабые душонки, грешные. Ободрал ближнего да тут же бежит в церковь каяться. Весь лоб в синяках от поклонов! Ну, пусть бы одни только лавочники, с них спрос небольшой. А то вон нынче мужик, который уголь у нас выгружает, запросил вместо девяноста копеек рубль двадцать за мешок. «А завтра, — говорит, — барин, я с вас руп пятьдесят возьму. Война! Нельзя иначе». При чем тут война? Что ему, с его углем, война? А я вам скажу: всё самое скверное сейчас из людей полезло. Выворачивает их наизнанку. Рвота и понос человечества — вот что такое эта ваша война! Никто никого не стесняется.

— Антон Валентинович, — не отрывая глаз от пола, сказал Шатерников. — Я и не спорю с вами. Я даже готов согласиться с тем, что вы правы. Но я не могу согласиться, что вы правы полностью. Я видел другие примеры.

— На то исключения, чтобы подтверждались правила. Примеров и я много видел. Тем только жальчее. Когда же вы едете?

— В субботу, — ответил Шатерников и исподлобья посмотрел на Таню.

— Недолго отдохнете... — пробормотал отец, опустив в чай золотисто-красный сморщенный абрикос из вазочки. — Могли бы еще задержаться...

— Нет, больше не мог бы. Я и так отпуск получил с трудом. Мне нужно сказать вам, Антон Валентинович...

— Раз нужно, скажите. — Отец впился в него глазами.

— Я был бы счастлив уже сейчас обвенчаться с Таней, — хрипло, запинаясь, сказал Шатерников. — Но я не разведен с женою, и поэтому...

— Выйди, пожалуйста, — негромко попросил отец Таню. — Нам лучше обсудить это без тебя, не обижайся.

Она поднялась, не глядя ни на отца, ни на Шатерникова, выбежала из столовой и, выбегая, чуть не упала, споткнулась о край завернувшегося ковра. Оба они посмотрели ей вслед.

— Я никаких пышных речей произносить не собираюсь, — сказал отец, и кровь медленно отлила от его лица. — Она — мой единственный ребенок, и я с самого ее рождения уяснил себе, что цель моей жизни одна: уберечь ее от страданий. Но видите? Человек предполагает, а Бог располагает. Ей девятнадцать лет, а на ее долю уже выпало... Сперва ее мать, теперь вы... А я ничего не могу. Зачем вы, простите меня, зная, в каких вы теперь обстоятельствах, взялись морочить ей голову? Ведь вы уедете, а ей с этим жить...

— Я не морочил ей голову, — тихо и тоже бледнея, ответил Шатерников. — Я очень хочу обвенчаться. Но нужен развод.

— Нужно еще, чтобы вы остались живы! А это — увы! — не в моей и не в вашей власти.

Он помолчал. Шатерников прикусил губу.

— Вы спрашиваете, — продолжал отец, — соглашусь ли я, чтобы моя дочь при условии вашего состоявшегося наконец развода и при другом, гораздо более важном условии, то есть если вы останетесь живы, соглашусь ли я на то, чтобы она стала вашей женою, так?

— Да, так.

— А я вам отвечу: у меня нет выбора. Потому что никто меня не спросил ни тогда, летом, ни сейчас. Я вашу братию, актеров, честно сказать, не очень жалую. Что это за дело такое для взрослого серьезного человека — всё время изображать кого-то другого? Так и от самого себя ничего не останется. Подождите! — Он слегка повысил голос, увидев, что Шатерников порывается что-то сказать. — Говорят, что из двух зол нужно выбирать меньшее, а я вам возражу, что не бывает меньшего или большего зла. Зло есть зло. Вы ждете моего ответа на ваше, так сказать, «предложение», которое вы, женатый человек и к тому же отбывающий в субботу на фронт, делаете моей дочери, не так ли? Меньшее зло — это ответить вам, что я согласен. Большее зло — попросить вас не попадаться мне на глаза и оставить мою дочь в покое.

Он вздохнул и обреченно развел руками. Шатерников молчал.

— Я вам отвечаю: согласен. Но вы должны знать, что, будь это в моей власти, я с удовольствием спустил бы вас с лестницы.

— Благодарю и на этом, — пробормотал Шатерников.

Отец быстро и остро посмотрел на него.

— Володя, голубчик, — вдруг совсем другим, испуганным, огорченным голосом сказал он. — Ведь страшно же мне за нее! А вам что, не страшно? Ведь если...

И не договорил, зажмурился. Шатерников поставил локти на колени и закрыл лицо обеими ладонями.

— Ну, вот. Услышали меня наконец, поняли, о чем речь, — тяжело выдохнул отец и, поднявшись, потрепал Шатерникова по низко опущенной голове. — Татьяна Антонна, пожалте-ка к нам! Давайте чай пить.

Шестое письмо Владимира Шатерникова

Моя радость! Вот уже два дня, как я прибыл к себе на батарею. Ехал почти неделю. Мысли о тебе доходят до такой силы, что каждую ночь, во сне, по моему телу с грохотом и звоном текут какие-то словно горные реки. Сплю под этот грохот, просыпаюсь, опять проваливаюсь. Вижу тебя: как ты, сидя на полу, наклоняешь головку над моим чемоданом, как снимаешь и надеваешь колечко на средний палец левой руки, и я теперь знаю, что ты делаешь так всегда, когда волнуешься или боишь-

ся, что не можешь найти правильных слов. *Неужели ты еще не догадалась о том, что мне иногда и вовсе не нужны никакие слова, что я угадываю и читаю твое сердце просто так? Даже когда мы молчим. Но особенно часто меня посещает другое: я вижу, как ты спускаешься ко мне по этой большой госпитальной лестнице, и твои глаза как будто отделяются ото всего остального и синевой своей — нет, не синевой, а своей особенной сиреневой голубизной — прожигают меня насквозь. Как я хочу поцеловать их!*

Бог знает, когда мы увидимся. Не буду растравлять себя, а лучше напишу тебе, что и как обстоит теперь в моей ежедневной жизни. Хотел еще рассказать тебе, что в купе вместе со мной ехали два офицера. Прапорщик с лицом грузинского князя по фамилии Багратион, который возвращался из Москвы после недельного отпуска, полученного по случаю смерти матери, и молоденький корнет, едва оправившийся от ранения. Разговор начал вертеться вокруг женщин. Грузин сказал, что вся его жизнь — в жене Машеньке, и, пока не появилась Машенька, он не представлял себе, что такое любовь и считал всё женское население «пупсами», которые делятся на три разряда, как лошади по статьям: «чистокровные пупсы», «полупупсы» и «немного пупсы». Корнет же очень с ним спорил по поводу «чистокровных пупсов» и говорил, что «бабы — одно лишь несчастье» и вся его юная жизнь — прямое тому доказательство. Потом они попросили меня высказать свое мнение, но я уклонился, отделался какой-то шуткой. Даже и представить невозможно, что я, едущий сейчас на фронт, то есть туда, где меня могут убить и этим навсегда разлучить с тобой, — я буду обсуждать с ними каких-то «женщин»! Да какое мне дело до этих «женщин», если у меня есть ты, сомневаться в любви и чистоте которой так же нелепо и оскорбительно, как сомневаться в том, что каждый день восходит солнце.

До Киева ехать было не тяжело, но потом, уже в Галиции, начался просто ужас. Заночевать пришлось в Козлове, где возвращающиеся обратно в свои части раненые офицеры по несколько суток ждут навозные мужицкие телеги, потому что никакого другого сообщения нет. Забавную вещь расскажу тебе:

вечером мне не спалось, в офицерской избе заснуть невозможно (холод, грязь, клопы!), и я накинул шинель, пошел побродить под свежим, молодым, совершенно рождественским снегом, который шел и быстро таял на бурых буграх. Вижу на пригорке огонь. Спросил у солдата, что это там такое. Он говорит: это цыгане, перебираются подальше от войны, остановились на ночлег, поставили свои палатки. Что с ними поделаешь? Я подошел к огню. Табор уже спал, только одна молоденькая лохматая цыганка, сидя совсем близко к костру, кормила грудью младенца. Я сел неподалеку и начал смотреть на нее, чувствуя, что сам вот-вот засну от ее монотонного гортанного напева и мягких ритмичных раскачиваний тела то в одну, то в другую сторону. Наконец она положила своего завернутого в тряпье младенца прямо на землю и предложила мне погадать. Я протянул ей руку. Говорит она очень быстро и словно бы про себя, но понять все-таки можно. Пальцы у нее липкие, должно быть, от молока, очень горячие и цепкие.

— Бери коня, иди домой, — залопотала она. — Огонь черный, ветер быстрый. Положут вот так, — она показала мне, как, повалившись немного набок. — Не оттуда добра ждешь.

— Откуда же мне его ждать?

— От сердца. — И закрыла свою левую грудь ладонью. — Сердце, когда во-о-от так зажалит, тогда будет много-о-о добра!

Я так и не понял, что она мне сказала. «Зажалит»? Заболит, что ли? Младенец проснулся и запищал. Она схватила его с земли и опять принялась раскачиваться и монотонно распевать. Я запомнил одно только слово, что-то вроде «бередня». Дал ей немного денег, которые она тут же упрятала в свои тряпки. Вернулся к себе. Через час рассвело. Посмотрел в ту сторону, где стоял табор. Табора уже не было, а в гору тянулся двуколочный обоз сибирского полка. Стояла глубокая тишина. Я опять почему-то вспомнил это слово — «бередня» — и подумал, что оно могло бы значить. И тут сверху донизу воздух разорвался, словно занавес в театре, и с гулом прокатились два пушечных выстрела...

* * *

Посреди ночи Таня проснулась от страха. Во сне она видела Василия Веденяпина, торгующего старыми вещами. Вокруг него были разложены седла, полушубки, ремни и толпились люди, которые, как на аукционе, выкрикивали разные цены. Она подошла к Веденяпину поближе и на ухо спросила, чьи это вещи. Василий Веденяпин, нескладный, с пышными красными кудрями мальчик, точно такой же, каким он был, когда год тому назад выбежал, захлебываясь слезами, из кондитерской, ответил ей, что вещи эти принадлежат его только что умершему отцу и он продает их сейчас, чтобы как можно быстрее передать деньги оставшейся без средств матери.

Таня встала с постели, подошла к окну. За окном висела мутная снежная сетка, и всё, что мелькало вокруг, попадалось в нее, как иногда, бывало, в дачный сачок попадались сразу и бабочка, и цветок вместе с прилипшей паутиной и в ней мирно спавшим, как в люльке, жуком, и вялая гусеница, слишком жарко одетая в свои голубые меха, и кто-то еще, незначительный вовсе, белесый, как выгоревшая травинка. Все они секунду назад даже и не подозревали друг о друге, а тут вдруг внезапно прихлопнуло всех, и жизнь (верней сказать, смерть!) стала общей.

Таня подумала, что, может быть, Василий Веденяпин тяжело ранен или убит и его отец, Александр Сергеевич, оттого и не звонит ей и не ищет встреч, что ему сейчас не до нее. Прошло уже две с половиной недели, как они обедали в «Праге», и за это время успел приехать и уехать обратно Володя Шатерников, с которым она опять была несколько раз близка, потому что сейчас ведь не те времена, чтобы морочить голову до отчаяния любящему тебя человеку, который прямо из твоих объятий уехал на фронт.

К утру началась тошнота, озноб, Таня не пошла на работу, но зато позвонила Оле Волчаниновой и попросила заглянуть, если есть время. Через полчаса, топая массивными ногами по лестнице и стряхивая снег с большого вязаного платка, вошла Волчанинова, самая рослая девочка из последнего выпуска гимназии Алферовой, любимица начальницы Александры Самсоновны за прекрасные способности к математике. Волчанинову считали очень красивой и сравнивали даже с богиней Венерой за ее ровный безукоризненный профиль, карие, с густой поволокой глаза и прекрасные светло-каштановые волосы, которые она венком укладывала вокруг головы. Даже слишком высокий рост и некоторая неуклюжесть не мешали красоте этого ясного, всегда отзывчивого и доброго лица. Сейчас оно было погасшим, под карими глазами лежали заметные тени.

— Жар у тебя? — спросила она у Тани и пощупала ей лоб большой и прохладной ладонью.

— Не знаю. Тошнило всю ночь.

— А ты не беременная, Татка? — спокойно спросила Волчанинова.

Таня отшатнулась с испугом. Волчанинова печально покачала головой.

— У Александры Самсоновны, — сказала она, имея в виду Алферову, — есть племянница, дочка ее покойной сестры. Нашего возраста. У нее был жених, и свадьбу назначили, всё приготовили. А тут война. Всё, как у тебя, Татка. Он пошел на войну, и его убили. И тут оказалось, что ей через четыре месяца рожать. Она чуть руки на себя не наложила от горя. Алферовы ее выходили. Ты же знаешь, какие они люди. Александр Данилыч ей целыми днями Пушкина читал. «Сказку о царе Салтане». Теперь она успокоилась, ждет своего ребеночка. Александра Самсоновна почему-то уверена, что будет девочка.

— Зачем ты мне это всё рассказываешь? — простонала Таня. — Я не беременная.

— Ну, нет — значит, нет, — согласилась Волчанинова. — А ничего нет стыдного в том, чтобы без мужа родить. Людей убивают, пусть вместо этого хоть дети нарождаются. Ребенок ведь ни при чем. Ты посмотри на моего брата: встанет с постели и сразу — к бутылке. Сухой закон — так он чего только не пьет! Люди к нему какие-то приходят с черного хода, он им платит. Смотреть стало страшно. Мама говорит: «Петюшенька! Ты сгораешь!»

— А он?

— А он — ничего. Слепой ведь, в повязке. Потыкается лбом ей в руки: «Погладь меня, мама! Прости меня, мама!»

Таня закрыла лицо ладонями.

— Ты, Оля, какая-то бездушная. Ничего тебя не трогает.

— Ну, как же не трогает? — не обиделась Волчанинова. — Очень даже трогает. Мне еще давно цыганка нагадала, что я и проживу мало, и горя у меня будет выше головы. Судьба моя, значит. Что делать!

— Ты веришь цыганкам? — вздрогнула Таня, вспомнив вчерашнее письмо Шатерникова.

— А как им не верить? Папин один знакомый стоял в тамбуре с другим, тоже папиным знакомым. Ехали в поезде. Курили. Вдруг откуда ни возьмись цыганка. И папин этот знакомый возьми да пошути: «Доживу я, — спрашивает, — до сегодняшнего вечера или нет?»

— И что? — напряглась Таня.

— Цыганка посмотрела ему на ладонь и говорит: «Нет, — говорит, — не доживешь. Тебе не больше получаса осталось». Они посмеялись, она ушла. А его через пятнадцать минут с поезда сбросили.

— Как это — сбросили?

— Не знаю. И никто не знает. Он в тамбуре остался, а тот, другой папин приятель, замерз, вернулся в вагон. Вдруг крики: «Человека убили!» Кто-то увидел в окошко, как человека с поезда сбросили. На полном ходу. Остановили состав, тут же полиция, свидетели. Он внизу, под насыпью, лежит, мертвый, ни кошелька, ни документов нету. А ты говоришь: не верить цыганкам!

— Тебе, что ли, тоже гадали? — замирая, спросила Таня.

— И мне, — с грустной важностью ответила Волчанинова. — Я еще совсем маленькой была, лет восьми. На даче. Табор там стоял, в поле. Красиво! Ночью костры, юбки на женщинах такие яркие, золота много... Начали они по дачам ходить, медведя с собой водили. Медведь пляшет, а у него лапа дрожит. Мелко-мелко, как у больного старика. Мы с няней стояли и смотрели. Жара невозможная. Медведь сплясал, а больше не может, устал. А цыган, молодой, бешеный, рожа сизая, как у утопленника, оскалился и — раз его плеткой по морде! У медведя из глаза кровь пошла, лапа опять задрожала, я заплакала. Жалко же! Тут к нам старуха подошла и — цап меня за плечо! Няня начала ее отталкивать, а та кричит: «Дай правду скажу! Дай скажу!»

— Что же она сказала?

— Да я не всё поняла. Помню только про каких-то детей, которые меня «изведут». Я вот только одно это слово и запомнила.

— Как «изведут»?

— Откуда я знаю? Няня меня подхватила и увела. Цыганка нам всё это вслед кричала.

Седьмое письмо Владимира Шатерникова

Мы отступаем по всем фронтам. Отовсюду приходят тревожные слухи и донесения. Говорят, что из Москвы вывозят государственный банк и другие учреждения, так как ждут прихода немцев. У нас теперь уже официально признан недостаток снарядов, а без снарядов — какая же война? Немцы дерутся с какой-то дикой свирепостью, напоминая своих лесных предков, и всё заметнее становится самоотверженность этой нации, которая взялась разбить нас во что бы то ни стало. В нашей армии всякая надежда победить немцев тает, как снежок на мартовском солнце. Государя жалеют, но тоже уже обреченно, и говорят о нем, как о глубоком старике или малом ребенке.

Вчера я видел первую бабочку. Сидел с солдатами на поваленном дереве, и вдруг — боже мой, чудо какое! Летит, золотистая, белая, такая чужая всему и такая счастливая, испуганная немного. Как будто какой-то маленький, только что народившийся ангел. А ведь еще снег не до конца растаял. Наверное, она в ту же ночь и замерзла. Странно, правда?

Я думаю о тебе постоянно, уже и не различаю, где заканчиваюсь я и начинаешься ты. Вокруг очень много крови, несчастий. Прости, но и ты благодаря мне против твоей воли оказалась в самом центре всего этого, поскольку ты всегда вместе со мной. Я иногда думаю: если меня убьют, почувствуешь ли ты, что это уже произошло? Наверное, почувствуешь.

Прошлой ночью наши лошади вернулись с пастбища, с ними пришла большая черная корова. Она была доверчива и очень ласкова. Солдаты подходили к ней, гладили ее по морде, корова в ответ моргала большими ресницами, прикрывала глаза. Я был уверен, что мы будем держать ее для молока, но ошибся. Ночью корова уже висела на перекрещенных бревнах далеко в подлеске. Вот так. Убили, сварили и съели. Что тут говорить — война! Людей убивают, не корову же жалеть! А мне стало страшно. Между жизнью и смертью, между жалостью и жестокостью, между любовью и отвращением стирается черта. Всё перемешивается. Я знаю, что и эта война закончится, и другая война, которая где-то когда-то начнется — неважно, у нас, у других! — тоже, пролив нужное ей количество крови, насытившись кровью, закончится, но я чувствую, что ничего не проходит бесследно, что от каждой смерти, каждого убийства — человека или любого животного — на этой земле остается какой-то незаживающий рубец. Маленькая, но глубокая ранка, которая не затягивается до конца, и происходит нагноение, как это бывает в солдатских ранах, и всё навсегда остается здесь, с нами, внутри нашей жизни, ослабляя ее изнутри грехами и страхами.

Родная моя! Сегодня днем удалось немного поспать и даже увидеть тебя. Ты стояла у окна с ребенком на руках. Волосы твои были распущены, и ими ты пыталась закрыть от меня ребенка. Я хотел его рассмотреть как следует, а ты закрывалась, отворачивалась. Но я отчетливо слышал, что ребенок плачет. И сейчас слышу. Мне кажется, что этот, именно его плач я узнал бы из тысячи других детских голосов.

Боюсь тебя спрашивать. Но всё же... Благополучна ли ты? Нет ли каких-то новостей, связанных со здоровьем? Ты сама понимаешь, о чем я. Ради бога, ничего не скрывай от меня. Одна мысль, что ты можешь скрыть от меня самое главное, просто сводит с ума.

* * *

В городе наступила весна, стало совсем солнечно и светло. Лавочникам пришлось срочно выставить на продажу припасенное зимой добро, чтобы оно не пропало по нынешней теплой температуре. Переходя торговую площадь по дороге в госпиталь, Таня увидела стоящие прямо у мясных лавок огромные, алебастрово-белые свиные туши с глубокими разрезами на складчатых загривках и опять почувствовала сильную тошноту. Теперь она уже не сомневалась в своей беременности, но страх прошел, уступив место почти безразличию: всё время хотелось спать, спать, спать и ни о чем не думать. Она понимала, что рано или поздно придется сказать отцу, но и это стало неважным. Ну, скажет. А может быть, он сам заметит. Вчера в зеркале она посмотрела на свой голый живот. Пока ничего. Можно никому не говорить.

Снег растаял, с домов сползли последние сосульки и звонко разбились об асфальт. Дворники, как в прежние добрые времена, мели и чистили тротуары, и лица их были, как всегда, румяными и озабоченными. Если закрыть глаза, то все эти звуки: жаворонков, галок, воробьев, голубей, звуки бегущей по улицам весенней воды, веселые живые звонки трамваев, поскрипывания резиновых галош и дамских ботинок — всё это было так знакомо, так близко и сердцу, и слуху, и зрению, что Тане иногда начинало казаться, что она спит, а если проснуться, то всё сразу исчезнет: и боль в животе по утрам, и мигрень, и тошнота, и, главное, горькие, бросающие в краску стыда мысли, связанные с Владимиром Шатерниковым.

На работе она была рассеянна, и великая княгиня со своим терпеливым и бледным лицом, на котором, как темная лесная вода, стояла тоска, увидев, что Таня в четвертый раз роняет на пол хирургические ножницы, предложила ей пойти домой и как следует выспаться.

Таня извинилась, не глядя на великую княгиню, и тут же ушла. Навстречу ей со стороны Красной площади двигалась большая нахмуренная толпа с раскачивающимися над головами национальными флагами. Мальчишки с разинутыми и красными, как у голодных галчат, ртами бежали впереди с криками «Шапки долой!». Толпа мерными и мертвыми, как показалось Тане, шагами прошла мимо нее, особенно высоко задирая портреты государя, словно поставив своею целью коснуться его бледным лбом облаков. Не успела пройти одна толпа, как на ее месте выросла другая, более торопливая и словно бы сильно рассерженная, в которой неприятно выделялись немолодые женщины с худыми и серыми лицами. Они угрожающе пели «Спаси, Господи, люди Твоя», и одна из таких женщин вдруг встретилась с Таней своими пустыми, сердитыми глазами.

Дома были наглухо закрыты форточки и двери. Няня и гувернантка Алиса Юльевна сидели в маленькой комнате на сундуке, и Алиса Юльевна громко икала.

— Да кто тебя сглазил, Алиса! — про себя шептала няня и быстро крестилась на каждый новый клекот, выскакивающий из горла перепуганной гувернантки. — Водички попей! Что, ей-богу...

Увидев вошедшую Таню, обе вскочили.

— Ну, слава тебе, Господи! — забормотала няня. — Теперь еще папы дождаться, и все будем дома... А там пусть как знают! С ума посходили!

— Немцев гонят, да? — спросила Таня.

Алиса Юльевна заплакала, а няня опять перекрестилась.

— До Арбата, дворник сказал, дошло, — зашептала няня. — Уж Цинделя магазин весь растащили. Бабы с узлами, говорят, как мыши: шнырк-шнырк! Совести нет у людей ни на грош!

Таня вдруг почувствовала жгучую необходимость куда-то пойти, побежать, увидеть всё своими глазами. Мать и Дина в ее маленьких красных перчатках, с пепельными, похожими на парик волосами стояли перед ней так отчетливо, словно обе были здесь, в комнате.

— Сейчас вернусь, — быстро сказала она няне и всё еще клокочущей, красной, с выпученными глазами Алисе Юльевне. — Сейчас, подождите!

И, выскочив на улицу, побежала в сторону Арбата. Мимо нее тоже бежали, торопились и что-то выкрикивали незнакомые растрепанные люди. Пьяное возбуждение стояло в воздухе и электризовало его. Небо внезапно поднялось очень высоко и стало вдруг беззвучным, равнодушным и таким далеким, словно его и вовсе не было, а там, где оно было прежде, где жгло, и рвалось, и сияло, образовалась пустота.

Половина зданий и магазинов оказались уже разрушены. Особенно страшно выглядел двухэтажный магазин детских игрушек, в котором оба этажа зияли своею зеркальной открытостью, как сцены пустого театра. Громко разговаривающие, с пьяными, веселыми, бешеными и растерянными глазами люди действовали так, как будто кто-то, кого видели только они и чьих приказаний не смели ослушаться, руководит происходящим и знает, что именно нужно кричать, как, лихо размахивая топором, выламывать двери, какие предметы кидать из окон. Кажущийся беспорядок был на самом деле особым и мертвым порядком, выражением чьей-то неутомимой, но хладнокровной ярости, которую эти люди должны удовлетворить своим послушанием.

Швейная машинка вылетела из окна третьего этажа и, грузно звеня, обрушилась на голову мальчика, с восторженным ожиданием смотрящего на нее. Мальчик упал, обливаясь кровью. Несколько человек подбежали к нему. Голова ребенка была расколота, а левый глаз остался раскрытым и странно внимательным, так что казалось, что этим раскрытым глазом мальчик следит за тем, как его поднимают с земли, щупают ему пульс и оттаскивают в сторону. Какая-то женщина сняла с себя платок и накрыла мертвого. Потом наклонилась и перекрестила его. Из подъезда развороченного дома двое фабричных выволокли под руки пожилую немку, по всей вероятности экономку или старшую горничную, и крепко привязали ее к дереву. Немка только беззвучно, как рыба, хлопала большими губами.

Рвота подступила к горлу, и Таня, зажав обеими ладонями рот, побежала домой, боясь оглянуться. За спиной продолжало грохотать, стучать. Потом потянуло дымом.

— Склады зажигают! — крикнул кто-то, пробежав мимо Тани.

— Какие склады! — ответил ему мелодично сорвавшийся женский голос. — Котельная там. Вот она и сгорела! А на Прохоровской, слыхал, что? Уж всё погорело!

От дома доктора Лотосова как раз отъезжал извозчик, когда Таня, бледная, с крупными каплями пота на лбу, подошла к парадной и открыла дверь. Алиса Юльевна, еще бледнее Тани, обеими руками высоко подняв свою суконную юбку, так что были видны плотные белые чулки и растоптанные, похожие на мужские, башмаки, спускалась ей навстречу.

— Танюра! — со своим неистребимым швейцарским акцентом сказала Алиса Юльевна. — Там очень большое несчастье! И ты должна тихо...

Она не успела договорить: Таня отодвинула ее одной рукой (Алиса Юльевна была высокой, но легкой, как кость речной рыбы) и сразу побежала в столовую, откуда слышался отцовский голос. За столом сидели мать и Дина, а отец стоял и, гладя Динины волосы, что-то объяснял, упрашивал, и голос его был тихим, умоляющим.

— Тебе нужно лечь, нужно лечь, — бормотал он, обращаясь к матери и не переставая равномерно надавливать ладонью на Динину голову. — Поверь, это шок, до утра он пройдет... Вы здесь всё равно в безопасности...

А мать разевала рот, как та немка, которую фабричные только что привязали к дереву, и так же, как немка, ловила воздух серыми губами.

— А, это ты! — увидев вбежавшую Таню, сказала Дина. — У нас сейчас папочка умер...

У Тани подкосились ноги.

— Подонки! — буркнул отец, оглянувшись на нее. — Ворвались в квартиру, а там человек с больным сердцем... Мерзавцы! Разграбили, расколотили! Я только что сам всё узнал...

Мать тоже посмотрела на нее, но, казалось, не узнала и отвернулась.

— Помоги мне, — приказал отец. — Поддержи маму с той стороны... Да не так! — с досадой вскрикнул он. — За левую руку! Помоги ей подняться, у нее шок...

Побелевшей рукой мать крепко вцепилась в край стола и замотала головой, чтобы ее не трогали.

— Что, Аля, что, милая? — зашептал отец, наклонившись к ней. — Ну, что тут поделаешь... Ну, встань! Обопрись на меня. Осторожненько...

Сломанный на середине звук вырвался из материнского горла.

— Вставай. Потихоньку. Попробуй! Тебе станет легче. Ну, Аля, ну, милая...

В материнских глазах появился ужас. Она положила пальцы на горло и попыталась выдавить из себя какое-то слово, но ничего не получилось.

— Ты ляжешь, поспишь... Завтра будет полегче... Пойдем. Нужно лекарство выпить... И ванну горячую примешь...

Дина закрыла лицо руками и громко заплакала.

— Возьми девочку к себе, — приказал отец, уводя мать из столовой. — Уложи ее спать. И дай ей поесть. Пусть поест обязательно!

— Я есть не хочу! — сквозь судорожные рыдания выговорила Дина. — Не нужно меня только трогать!

— Не плачь! — попросила Таня и погладила ее по плечу. — Пойдем, ты поспишь...

Дина вдруг изо всех сил притиснула ее к себе обеими руками, не вставая со стула.

— Ты знаешь, что было? Ведь ты же не знаешь!

— Где было? У вас? В вашем доме?

— Они уже шли по улице, — всхлипнула Дина. — И папа решил, что, раз мы раньше не убежали, теперь уже поздно. И потом папа сказал, что он русский, потому что фамилия наша от деда, а дед тоже был православным... И нам поэтому ничего не сделают. Мы закрыли все окна, дверь на цепочку, и все сидели в гостиной. Мне было так страшно! — Она оторвалась от Тани и тут же снова зарылась в нее своим мокрым горячим лицом. — Сначала нам начали звонить в парадную дверь. А мама еще с вечера отпустила кухарку. Мы не открывали. Потом папа сказал, что лучше открыть, иначе они всё разломают. Но уже было поздно, потому что у них топоры. Они пришли с топорами. И начали стучать топорами по стенам. Я не знаю, сколько прошло времени.

Она захлебнулась и затрясла головой.

— Не надо! Не рассказывай больше!

— Нет, я расскажу. Папа пошел к ним сам, а двери уже не было. Мы с мамой тоже выбежали. Их было трое. Один был какой-то ужасный, с обваренным лицом. Я еще успела подумать, что такой обязательно кого-то убил или убьет. Он сорвал с папы пиджак и закричал: «Ну, Зандер, попался!» И папа прислонился к стенке, потому что у него... — Дина зарыдала. — У папочки сердце болело, когда он был жив...

— Он умер? — ужаснулась Таня.

— Да, я ведь сказала! Ты разве не слышала? Он упал. Мы с мамой к нему. Он дышал. Вот так, очень громко: «О-о-о! О-о-о!» И он еще сказал: «Ничего, ничего, сейчас, ты не бойся». И вдруг перестал дышать. Мама стала поднимать его, тащить, чтобы он встал... А у него так запрокинулась голова, и он стал хрипеть. Сначала громко, а потом тихо. И тогда обваренный сказал: «Одной сукой меньше...» И я это слышала! Они прошли в комнаты и всё там разбили. Просто разбили топором... И ушли. Но потом сразу набежали какие-то люди, стали поднимать маму с пола. А папу накрыли простыней и унесли, и всё. А потом твой отец... Ты видела, что с моей мамой? Она же ничего не слышит! Она мне, даже мне не может ничего сказать!

* * *

В четверг в церкви Пресвятой Богородицы на Покровке состоялось отпевание Зандера Ивана Андреевича. Таня видела всё в каком-то тумане. Два дня она провела с мамой и Диной и плакала так много, что сейчас, в этот почти жаркий апрельский день, который еще на рассвете высвободил из влажной и свежей земли столько трав и столько смущенных счастливых растений, что сразу же вдруг завершилась весна и тут же настало роскошное лето, в этот жаркий день, когда лучше было бы сидеть на дачной веранде и греться на солнце, как греются кошки, как греются птицы и все, кто не умер, в этот день, как только радостный резкий луч сквозь высокие окна осветил прохладное и успокаивающее помещение церкви, все люди, пришедшие попрощаться с Иваном Андреевичем Зандером, собрались у гроба усопшего.

Отпевание должно было вот-вот начаться. Вокруг гроба крестообразно горели свечи: одна у головы, одна — у ног и две — с обеих сторон, — а сам Иван Андреевич, почти утопающий в белых цветах, уже находился как будто в раю. Таня вспомнила, как няня много раз говорила ей, что цветочки — это и есть остатки рая на земле. Белизна лепестков и бутонов усиливала спокойное и почти даже веселое выражение, которое было на лице Ивана Андреевича. Он выглядел юношей и казался не мужем Таниной матери, а ее, может быть, старшим сыном или, напротив того, младшим братом. Никаких определенных физических черт, как у живых и даже у большинства умерших, не было на этом лице. Там, где полагалось находиться носу, конечно же, тоже был нос, а там, где глазам, тоже были глаза — но только «общие», неважно чьи глаза, и «общий», неважно чей нос, потому что простое, худое лицо Ивана Андреевича было поглощено не тем, что при жизни отличало его от других людей, а тем, что теперь открывалось ему и никак не зависело ни от тела, принесенного в церковь для прощания и оплакивания, ни от лица, вокруг которого остатками своего чудесного запаха еще дышали цветы, умершие тоже недавно, на пару дней позже Ивана Андреевича.

Таня понимала, что этот человек разрушил ей жизнь, уведя ее мать, но сейчас, глядя на него сквозь туман уже привычных слез, она чувствовала покой и — стыдно сказать — почти радость. Она не тому радовалась, что его нет больше и мать навсегда останется с ней, а тому, что этот человек, впервые увиденный ею теперь, оказался не только не отталкивающим, как она думала раньше, когда ненавидела его, но ясным, простым, простодушным, а главное, всем всё легко уступившим.

Мама не плакала. Она только очень сильно дрожала, так сильно, что Танин отец снял с себя шарф и набросил ей на плечи. Дина тоже не плакала, а стояла почему-то несколько в стороне, а когда взглядывала на мертвого отца, в глазах у нее появлялось то младенческое удивление, которое Таня уже знала за ней. После разрешительной молитвы «Приидите, последнее целование дадим, братие, уме благодаряще Бога...» началось прощание. И тут с матерью вдруг произошло что-то: она перестала дрожать и, вырвавшись из рук Таниного отца, не наклонилась над гробом, а резко легла на него. Она упала на умершего всем телом, сминая цветы, обняла его — внутри благодатного белого рая, где ему было хорошо, спокойно лежать и слушать все эти молитвы, — она обняла его так, как будто он жив и должен ей тут же ответить. Все, бывшие в церкви, растерялись и переглянулись, а Танин отец, покраснев, дотронулся до ее черной шляпы, но она затрясла головой, плотнее приникла к умершему и вдруг закричала на всю эту церковь. Крик этот был еще и потому так странен, что с того дня, как отец привез ее и Дину в свой дом на Плющихе, мать не произнесла ни одного слова и не проронила ни одной слезинки.

Сейчас она вдруг закричала, но понять, что она кричит, было трудно, почти невозможно, ибо она и называла покойного какими-то именами, которые знали лишь он и она, и что-то приказывала ему, и умоляла его встать, и нежно куда-то звала, как будто он ее слышал... Совсем посторонние люди начали смущенно помогать отцу, пытаясь оттащить мать от гроба, но она сопротивлялась, билась, никого не слышала... Таня чувствовала, что сгорает со стыда. В диком материнском крике было не только отчаяние, в нем была какая-то жуткая, свирепая уверенность, что всё это ложь, всё неправда, что он не посмел умереть до конца и нужно пробиться к нему, разворотить обеими руками его этот белый, таинственный сон, напомнить ему о себе и *заставить* подняться...

Тане хотелось убежать из церкви. Что-то словно бы перевернуло в ней всё, когда мать начала так кричать. Ей вдруг показалось, что она наконец-то поняла, почему мать бросила ее и ушла к этому человеку, мертвое лицо которого сейчас не выражало ничего, кроме покоя и строгой, возвышенной радости. Своим обезумевшим криком мать еще и призналась Тане, что без нее она *могла* жить и потому ушла, бросила их с отцом, но жить без этого человека она *не могла,* и теперь, когда его не стало, когда его больше *не будет,* никто из людей не в состоянии понять и успокоить ее. Тане пришло в голову, что в том, что мать бросила их, не было ни личной воли ее, ни даже и просто решения, — ничего не было в этом поступке, кроме того, что мать, как любая травинка, любая весенняя бабочка, любой безголосый, ободранный птенчик, хотела немного пожить, отдышаться...

Внезапно открывшаяся Тане правда была настолько проста, что все вопросы, которые она прежде задавала себе, вдруг с мягким мучительным звоном рухнули внутри, как рушится дом или падает дерево, а там, где они находились — тот дом или дерево, — там образовалась тошнотворная, ничем не заполненная пустота, в которую нельзя заглядывать живому страдающему человеку, поскольку за ней, пустотой, — ничего... Пустота.

* * *

Бой, в котором Василий Веденяпин получил легкое ранение в руку, был бой под деревней Свистельники, и в этом бою их дивизия потеряла треть своего состава. Он знал, что теперь можно будет попроситься в отпуск и с подвязанной рукой, неузнаваемо, как он думал, изменившись за несколько месяцев, приехать в Москву и увидеть отца. Еще совсем недавно он и мечтать не смел о такой возможности, теперь же что-то как будто начало мешать ему. Он знал, что отец начнет его расспрашивать и нужно будет подробно рассказать ему, что такое война и каково теперь его отношение к жизни, но именно на эти, самые главные вопросы он и не был готов отвечать. Да он и не хотел отвечать на них. Отец, наверное, ждет, что Василий с жаром опишет ему, как бесстрашно ведут себя русские солдаты и офицеры, как все они, включая того же Василия, готовы сложить голову за Отечество, как верят в победу русского оружия и презирают смерть, следящую за каждым из них в оба глаза. А всё это было не так. И он чувствовал, что всё не так, но не знал, как объяснить сейчас то, что он чувствовал. Главной его потерей на этой войне была Арина. Они сошлись из-за войны, но война же и разлучила их. И если он даже останется жив, найдет ее в месиве жизни, то чем это всё обернется? Он вспомнил, что у нее есть ребенок и, стало быть, где-то есть муж, и этот муж тоже может вернуться с войны, войти к ней в избу, сорвать с ее тела рубашку, раздеться... Василий зажмуривался, вспоминая, как ловко и решительно раздеваются солдаты, когда им выпадает, например, случай выкупаться в реке, как одним коротким и резким движением они стягивают через головы рубахи, выпрыгивают из штанов и голые, нисколько не смущаясь своей наготы, бросаются в воду, обдавая друг друга брызгами...

Когда он начинал думать об этом, слезы прожигали глаза, и, сглатывая их горячую мокрую соль, он успокаивал себя тем, что, может быть, муж не вернется с войны, но от этих, совсем уже отвратительных и гнусных мыслей, вернее сказать, этих жутких *надежд* его переворачивало со стыда. В бою под Свистельниками Багратиону, лучшему старшему другу молодого Веденяпина, оторвало ногу, и теперь Веденяпин ждал, пока тот оправится, выйдет из госпиталя, чтобы вместе поехать в Москву.

Вечером, в среду, Василий вместе с целым отрядом во главе с командиром дивизиона отправился на рекогносцировку позиции. Ни одного облака не было на совершенно синем небе, по обеим сторонам дороги мягко и лучисто трепетали молодые березы. Он почти задремал в седле, как вдруг шрапнельный стакан зарылся в землю совсем близко от него, и он увидел, как съежилась фигурка едущего слева капитана Безбородко. Через секунду Безбородко выпрямился и неестественно засмеялся:

— Вот что война с людьми делает! Родной артиллерии испугался! Это ж они, дураки набитые, нас шрапнелью обсыпают! Аэропланы немецкие обстреливают, чтобы бомбы не посыпались на наши головушки! А я-то, старый хрыч, чуть с лошади не упал! Не-е-ет, голубчик мой, это не от страху, меня не проведешь! Это в человеке, значит, унижение развивается. Как у собаки. Не знает, за что побьют, а шею пригнула, на лапы присела и вся трясется. Вот так и запомните, юноша: унижение!

Странно, что раньше это не приходило ему в голову. Да, да, унижение! Конечно, именно это. Когда ты совсем *не боишься* (он внезапно понял и то, что страх проще унижения и гораздо грубее, чем оно!), ты совсем *не боишься,* но внутри тебя появляется другое существо, которое, невзирая на тебя, всё равно пригнет шею, сядет на задние лапы и затрясется. Боже мой, да почему же он не понял этого раньше, если именно на этом и держится мир? Папа, когда он стоял над мамой, которая притворялась, что она спит, а папа притворялся, что он стоит здесь и смотрит на нее, потому что не было никаких свидетелей (кроме Василия, о котором папа не подозревал в эту минуту!), папа был *унижен* и не смел разбудить маму, а только нюхал ее волосы и разглядывал ее лицо, хотя (теперь Василий понял и это!) ему больше всего хотелось именно разбудить ее, и обнять, и лечь с нею рядом. Ведь папа тогда никого не боялся, но он был *унижен!*

А мама? Мама, которая рывком села на изогнутой кушетке, как только он вышел из кабинета, и зажала рот обеими руками, словно ее сейчас вырвет, и затряслась то ли от слез, то ли от хохота, — разве она не была *унижена?* И чем больше они ссорились потом, чем больше кричала мама, чем неподвижнее и злее становился папа — до этого последнего утра в кофейной Филиппова, где барышня, похожая на Клео де Мерод, смотрела на них своими сиреневыми глазами, — до самого конца, до тусклой маминой фотографии, где она лежит в гробу, непохожая на себя, до самого этого гроба вся жизнь их только увеличивала *унижение* и напоминала о нем.

Василий вспомнил, как совсем недавно он желал мужу Арины не вернуться с войны. Его обдало холодом. Он желал — против своей воли, против своей души, против всего, что в нем было, — смерти человеку, который одним только нахождением на земле мог бы *унизить* его, Василия, и уже *унижал,* как только Василий вспоминал о нем, хотя этот человек и не подозревал о его существовании и, более того, они и не узнали бы друг друга, столкнись, скажем, здесь, вот на этой дороге.

Последнее письмо Владимира Шатерникова

Всё это время я почему-то думал, что твои письма по непонятной причине не доходят, что они застревают где-то в дороге, а ты пишешь мне и думаешь обо мне, и настанет день, когда я вдруг одной охапкой получу все твои письма и буду упиваться твоею любовью ко мне, которая так и брызнет из каждой строчки!

А сейчас я, кажется, начал что-то понимать, я вдруг догадался о правде. Да ты ведь просто-напросто не пишешь мне! Боже мой, как это, оказывается, всё объясняет! Ты не пишешь мне, потому что ты или не любила меня никогда, или разлюбила сейчас, или ты любишь кого-то другого. Неважно!

Только самое первое время, самые первые недели, когда приходило от тебя письмо, я знал, что ты рядом, ты здесь, я чувствовал твой запах, твоя кожа была под моими руками, губами я дотрагивался до уголка твоего закрытого глаза, и волосы твои скользили под моими пальцами... Да, вот так и было! И когда я заканчивал читать письмо, ощущение, что ты только что была здесь и мы были вместе, это ощущение достигало такой силы, что я сразу же засыпал, как будто проваливался. Засыпал так, как я засыпал после нашей любви, не выпуская тебя из себя, не давая тебе шевельнуться. Но всё это позади. Я не хочу ни о чем спрашивать. Ты и сама, наверное, не уверена, когда это произошло, и, может быть, даже не знаешь, что было прямою причиной твоей перемены. Страшно, Таня, радость моя. Страшно, что нужно пережить и такое. Это, наверное, тоже судьба. Если бы не война, которая научила меня тому, что судьба существует, причем существует всё время, каждую секунду, я бы, наверное, катался сейчас от боли. Да я и катаюсь, честно говоря. Теперь я то вижу тебя, то не вижу. Словно ты только что была рядом и вдруг затерялась в толпе. Выглянула на секунду и опять затерялась.

Я тебя прошу об одном. Не знаю, как даже и произнести. Уже которую ночь меня одолевает один и тот же сон, это не может быть случайностью. Ты стоишь у окна с ребенком на руках, моим ребенком, которого ты почему-то прячешь от меня. Прости, если всё это одни лишь мои фантазии. Но если нет? Если ты и в самом деле ждешь ребенка? Умоляю тебя, скажи мне правду.

* * *

Поминок по Ивану Андреевичу Зандеру мать просила не устраивать и ушла к себе в комнату сразу после кладбища, где было так тепло и солнечно, что все эти маленькие синеватокрасные червячки, только что народившиеся на свет, не торопились во влажную холодную землю, чтоб там смаковать еще свежую плоть, а нежились в яркой траве и вздыхали, что им достаются лишь гниль да остатки, а то, что — душа, и сиянье, и счастье — о, то всё давно улетело, умчалось!

Мать забрала к себе в комнату Дину, которая так рыдала, когда отца засыпали землей, что Таня почти ничего не запомнила, кроме этого рыдания, и только крепко обнимала ее, дышала ей в волосы, гладила ее детскую, крепкую, выгнутую спину, машинально запомнив на всю жизнь, что Динины волосы пахнут чернилами. Вечером, когда они втроем с отцом и Алисой Юльевной сидели в столовой, Алиса Юльевна посоветовала перевести Дину в гимназию Алферовой, и сказала она это так, словно было само собой, что мать и Дина остаются теперь у них навсегда. Отец ничего на это не ответил, но, выходя из столовой, пробормотал:

— К Алферовым лучше всего.

Таня заснула сразу же, как только коснулась головой подушки, но, как показалось ей, сразу же и проснулась. Дина в длинной ночной рубашке, со своими огромными, всю ее, словно густой пеной, заваливающими волосами, стояла над ней и трясла ее за плечо.

— Пойдем!

Таня накинула на плечи пуховый платок и послушно пошла за сестрой. В комнате матери горел ночник. Мать в том же черном платье, в котором она была на кладбище, сидела на кровати, поджав под себя ноги.

— Они вот говорят: страшно, мол, что война идет, а там, упаси Господи, и революцию устроят, а там опять какая-нибудь война. А я тебе скажу. — Мать перевела на Таню светлые дрожащие глаза. — Я тебе скажу, что нет ничего страшнее того, что... — Она замолчала. — Не знаю, что делать. Подойди ко мне.

Таня подошла. Мать осторожно провела ладонью по ее животу.

— Что ж ты папе не говоришь? Ждешь, пока сам заметит?

Таня вспыхнула.

— Наверное, сын, — отстраненно сказала мать. — Дочки кругло ложатся, а сыновья — остро.

Она опять помолчала и наморщила лоб.

— Я год назад тоже сыночка ждала. Помнишь, Дина?

Дина тряхнула волосами.

— Я ждала, а Ваня каждый день куда-то уходил. С утра уходил и до позднего вечера. Помнишь, Дина? А тут собрались на пикник. Все верхом. Мне говорят: «Вам нельзя, вы же в положении». А я поехала. Красивый был вид, с водопадом. Сыночек мой его, наверное, даже и не успел разглядеть как следует.

Она отвернулась, вжала лицо в спинку кресла.

— Но дело в том, Нюра, — Таня вспомнила, что мать так и прежде называла ее, сократив отцовское «Танюра», — а дело в том, Нюра, что я ни о чем не жалею.

Она опять замолчала.

— Мне только мальчика жалко!

— Мальчика? — сквозь начавшийся в ушах шум переспросила Таня.

— Ребенок был мальчик, — уточнила мать. — И Ваня был мальчик...

— Вы здесь теперь будете, с нами? — прошептала Таня, боясь, что мать скажет «нет», и одновременно почему-то желая этого.

— Куда ж нам деваться? — удивилась мать. — А ты что, не хочешь? Мы можем уйти.

— Я очень хочу, — быстро сказала Таня и, почувствовав, что говорит неправду, покраснела.

— Я папе бы всё же сказала, — вздохнула мать. — А то он заметит. Обидеться может.

Таня взяла ее за руку. Материнская рука была меньше ее собственной, горячей и мокрой от слез.

Вернувшись к себе, она заново, словно в первый раз поняла, что с ней действительно происходит. Она ждет ребенка. У нее в животе лежит ребенок, у которого будут руки, ноги, глаза, рот... Страх, но и что-то совсем незнакомое ей, что-то похожее на почти задавленный страхом и всё же разгорающийся восторг, что-то жгучее, угрожающее и всё же счастливое поднялось внутри, и она почувствовала то же самое, что почувствовала тогда, когда — много лет назад — они с папой катались на лодке, отплыли далеко от берега, и начался шторм, которого она сначала испугалась, а потом, когда их с головой накрыло волной и долго не было ничего, кроме гула и темноты, она начала хохотать от восторга, и папа, весь мокрый, — он тоже смеялся.

Ее начало лихорадить. В наступающем рассвете проступила знакомая до мельчайших деталей комната и раздалось тиканье часов, громкое и резкое, как голос июньской кукушки.

Через три недели пришла телеграмма, извещающая о смерти Владимира Шатерникова. Смерть наступила сразу же, как только пуля пробила Шатерникову голову, но Таня ничего не ощутила ни в ту минуту, когда с последним облачком дыхания погасла его жизнь, ни на следующий день, когда хоронили погибших и кто-то из офицеров, пьяный, трясясь всем телом, крепко поцеловал мертвого Шатерникова в губы и, махнув рукой, неловко отпрыгнул от гроба, но зацепился за брошенную лопату и рухнул всей тяжестью тела на яркую желтую глину.

Телеграмма была от двоюродного брата Шатерникова, тоже актера, который находился в Питере, но сообщал, что на днях перебирается в Москву и будет работать в труппе Московского Художественного театра. Вскоре после этого пришла еще одна телеграмма, в которой тот же двоюродный брат просил Таню прийти на поминки Владимира, имеющие состояться в помещении Художественного театра на сороковой день после его смерти.

* * *

Было не по-летнему холодно и промозгло, когда Василий Веденяпин соскочил с пролетки у дома на Малой Молчановке, 6, где отцовская квартира занимала весь большой второй этаж. Он знал, что отец его сейчас, скорее всего, занят в больнице, поэтому и не встретил его на вокзале. Но всё же это было странно и не похоже на отца. Василий изо всех сил толкнул дверь, за ней послышались шаги дворника, потом его голос: «Иду! Да иду я!» — и дверь, наконец, отворилась.

Василий очутился в знакомой прихожей, где всегда немного пахло печным дымом, даже летом, и никто не мог объяснить странной устойчивости этого запаха.

— Здорово, Степан, — сказал он дворнику, радостно расплывшемуся в беззубой улыбке. — Ну, как поживаешь? Что папа?

— Болеют, — понижая голос, ответил дворник. — Вторую неделю лежат, не выходят.

— Болеет? — испугался Василий и, обойдя мешающего дворника, быстрыми шагами пересек гостиную и остановился перед запертой дверью отцовского кабинета в нерешительности.

За дверью была тишина. Дворник осторожно вздохнул за его спиной.

— Василь Александрыч, — деликатно сказал дворник, — они не болеют, а так...

— Как — так?

— Ну, вот как... Очень пьют они сильно.

Он никогда и не подозревал, что отец его пьет, хотя запах спиртного изредка смешивался с запахом одеколона, который отделялся от отцовского лица с какой-то приятной и медленной силой, как запах осенней травы.

Не дождавшись ответа, Василий открыл дверь и тут же очутился в отцовских объятьях. Сильные знакомые руки стиснули его и не отпускали. От отца пахло спиртным, но пахло, что странно, не столько изо рта, сколько от шеи. Потом отец разжал руки и отстранился. Василий неожиданно заметил, что он очень красив, раньше это почему-то никогда не приходило ему в голову. Сейчас он увидел, что у отца выразительное бледное лицо с красивыми темными глазами. Маленькая бородка его слегка серебрилась — так же, как и волосы, всё еще густые и кудрявые. Несмотря на глубокие морщины на лбу, он выглядел совсем молодым, и все его движения изменились: они стали какими-то судорожно быстрыми, чего не было прежде.

— Ну, что? Как добрался? — быстро заговорил отец и тут же запнулся: — Прости, что не встретил, проспал.

— Ничего, — удивленно ответил Василий. — Дорогу я знаю.

Он посмотрел в блестящие, избегающие его глаза:

— Послушай, отец, ты что, выпил?

— Я выпил, — со странной готовностью согласился Александр Сергеевич. — А правду сказать, я запил. Паршивая штука, никак не могу бросить...

— Что значит — запил? — всё больше и больше удивляясь и стыдясь за отца, спросил Василий. — Ведь этого не было раньше...

— Ну, раньше ты маленьким был, не замечал. К тому же я и не пьянел никогда.

— У нас в армии многие пьют.

Он опустил глаза и сильно покраснел. Отец облегченно засмеялся.

— Как ты покраснел замечательно! Совсем как ребенком, бывало... И мама твоя тоже сильно краснела... — Легкая удивленная печаль пробежала по отцовскому лицу, но тут же растаяла. — Степан тебе сейчас воды нагреет, — старательно, словно с трудом вспоминая самые простые слова, сказал отец. — С дровами — всё время неполадки. То сырых привезут, то вообще никаких. Спасибо, что сейчас тепло, а то мы зимой сильно мучились. Воды тебе согреют, и будешь мыться. Потом пообедаем, поговорим. Ты, верно, спать хочешь?

— Я спал всю дорогу.

Отец вдруг снова крепко обнял его.

— Не судите, да не судимы будете, — зачем-то сказал он. — Иди, мальчик, мыться.

Намылившись, Василий посмотрел на себя в зеркало. Зеркало было знакомым до последней трещинки. За минувший год на груди его выросли мелкие красновато-золотистые волосы, сама грудь стала шире, на шее крупно и крепко выступал кадык. Он больше не мальчик. Мужчина. Арина любила его. При мысли о ней стало трудно дышать, лоб покрылся испариной и низ живота запылал и напрягся. Арина! Сейчас она, может быть, уже вернулась домой и кормит деревянной ложкой своего ребенка. Или баюкает его. А может быть, муж ее тоже пришел в отпуск, и они сейчас лежат, обнявшись, и муж гладит ее своими руками... Василий представил себе, как черные широкие ногти впиваются в ее горячую кожу, и чуть было не застонал вслух.

Отец ждал его за столом.

— Ты что, и в больницу не ходишь? — запинаясь, спросил Василий.

— Конечно, хожу, — спокойно ответил отец. Василий заметил, что он побрился. — Моим сумасшедшим безразлично, пьян доктор или не пьян. Лишь бы пилюли давал и не позволял смотрителям руки распускать. А водка им — что? Ведь они не принюхиваются.

— Ты маму вспоминаешь? — неожиданно для самого себя спросил сын.

Отец побледнел.

— Маму? — Он быстро налил и выпил. — Да как же не вспоминать? Мне кажется, Вася, что мама жива.

Василий так и подпрыгнул на стуле.

— Что значит — жива?

Сильно задрожавшими руками отец налил еще.

— А вот я не знаю! Не знаю, а кажется. И с самого начала это пришло в голову. Я тогда еще сказал себе, что, конечно, схожу с ума. Фотографию эту, которую Александра прислала, — я ее до дыр просмотрел. Покойница и покойница. Ни лица, ничего, одни цветочки.

Руки его задрожали сильней, и он налил себе еще.

— Ты знаешь, что я понял, когда началась война и в тот же день пришла эта телеграмма о ее смерти? Я понял, что наступает конец всему. Не только жизни, не только цивилизации, но вообще всему. Всем человеческим отношениям, любви, ненависти. Останется один страх, а всё остальное разорвется, как паутина. — Растопыренными пальцами отец показал, как разрывается паутина. — И правды не будет, и лжи не будет, потому что не будет ничего определенного, понимаешь? Всё приблизительно. Сегодня так, а завтра наоборот. У меня какое-то почти видение было, что ли. Ну, что ты хочешь? —

Отец испуганно улыбнулся и быстро опрокинул рюмку. — Вот и возись с сумасшедшими! Наверное, сам заразился. А потом я посмотрел опять на эту фотографию. Она или не она? Не знаю. Может, она, а может, совсем незнакомая баба. Какая-нибудь немка с курорта или француженка. А может, швейцарка. Померла и лежит.

И он с досадой махнул рукой, словно речь шла о каком-то недоразумении.

— Она ведь всегда хотела от меня сбежать, — отрывисто продолжал отец. — Хотела, да терпела. Потому что ты был маленьким, потому что денег я бы ей не дал ни копейки, и это она прекрасно понимала. А куда женщине без денег? Мостовую мести? Кроме того, она знала, что я бы ее все равно далеко не отпустил. А если бы отпустил, так она бы обратно на другой день прибежала.

— Почему?

— Так люди устроены. Если ты кого-нибудь держишь при себе, глаз с него не спускаешь, этот человек из окна будет готов выпрыгнуть, лишь бы от тебя удрать, а вот если ты его вдруг сам возьмешь да отпустишь! — Отец разжал кулак и встряхнул кистью руки. — Он к тебе прямиком обратно прибежит! Приползет. Потому что не хочет, чтобы ты его разлюбил. Боится, каналья... Все, Вася, боятся. Вот так же и мама твоя...

Василий хотел было возразить, но отец не позволил.

— Постой! Ты поймешь. И я дал ей денег. Приличных вполне. Потому что действительно устал. К тому же она сильно постарела и подурнела. Особенно меня оттолкнуло, что кожа у нее на груди вдруг стала немного морщинистой, а изо рта простоквашей какой-то пахло по утрам. А может быть, дело не в этом. Рухнула наша жизнь, и вообще вся вокруг жизнь рухнула. Я ведь с тобой и спорить не стал, когда ты решил на войну идти, помнишь это? А почему не стал? Не знаешь?

— Не знаю, — прошептал Василий.

— А потому что меня осенило тогда. Понял, что от меня ничего не зависит. Вот рюмка — и та не зависит! — Он быстро налил новую рюмку, и водка слегка перелилась через край.

Отец вытянул губы и осторожно отпил, а потом быстро, как он это делал и в прежние разы, опрокинул остаток. Он не пьянел, только глаза становились лихорадочными. — Теперь я тебя удивлю, приготовься. Смотри, какое я письмо получил на прошлой неделе.

Он достал из кармана и протянул Василию конверт. На конверте стоял штамп: «месяц февраль, 1915». Неуверенными руками отец вынул из конверта письмо и положил его перед сыном. Почерк был знакомым. Такими большими торопливыми буквами, которые наклонно налегали друг на друга, писала только его мать. На самом письме не было даты.

— Читай! — приказал отец.

«...здоровье мое, слава Богу, поправляется, летом я всегда чувствую себя лучше, чем зимой или осенью, а лето здесь наступило рано, и сейчас очень тепло. Как только позволят обстоятельства, надеюсь вернуться домой, потому что очень волнуюсь за вас обоих. Как же вы там, без меня? Я много хожу и стараюсь не прислушиваться ни к каким разговорам и ни с кем не сводить знакомств. Жизнь здесь сильно дорожает, но моих скромных средств вполне хватает, наряжаться не для кого, да я и никогда этого особенно не любила. Конечно, я была права, когда сопротивлялась твоему настоятельному желанию отправить меня сюда на лечение. Уехать оказалось значительно проще, чем вернуться, однако я постараюсь, потому что...»

Дальше было густо замазано несколько строчек и стояла материнская подпись.

Василий положил письмо обратно на стол.

— Могло быть написано прошлым летом, правда? — спросил отец. — Вполне могло бы. А при нынешней военной неразберихе шлепнули неверную дату, и вот я его и получил две недели назад. А если другое?

— Что?

— А ты не понимаешь?

— Тогда откуда же... откуда же тогда... мы ведь тогда получили телеграмму? И фотография...

— Ну, что — фотография! — задушенно прошептал отец. — Черт его знает, что там, на фотографии! Мама твоя — фантастического характера женщина. Вот это я знаю доподлинно! Могла пошутить, разыграть... — Он замолчал, лихорадочно глядя мимо сына. — Нет, что я говорю! Конечно, поставили не ту дату на какое-то заблудившееся письмецо, и оно пришло с опозданием на год. Всё! А я работаю в сумасшедшем доме, и мне такое стреляет в башку, что здоровому человеку и во сне не приснится! Но знаешь ли ты... — Он вылил в рюмку остатки водки. — Знаешь ли ты, что меня и тогда, как телеграмма пришла, сразу как током ударило. А что, если... А? Что ты скажешь?

— Но мама болела... — задохнувшись, возразил Василий.

— Болела! А кто не болеет! Ей поставили диагноз: раковая опухоль легкого, а она с этим диагнозом здесь, в Москве, восемь месяцев прожила, да всё на ногах, да скандалы устраивала! Какая же опухоль?

— Папа! Папа, что ты говоришь...

— Прости. — Отец отодвинул от себя пустой графин. — Слава богу, ты дома. Ты жив. Что мне еще нужно? Это всё, конечно, бред. — Он вложил письмо обратно в конверт и спрятал его в карман. — Больное мое воображение. Забудем об этом. Я, собственно, и запил от этого письма. Теперь брошу, раз ты, слава богу, вернулся... Забудь всё, о чем говорили.

— Ты был один всё это время? — спросил сын и добавил развязно, не глядя на отца: — И что, даже женщины не было?

Никогда прежде он не позволил бы себе так обратиться к отцу, но сейчас, вернувшись с войны, он получил это право.

— Ну, как тебе сказать? — усмехнулся отец. — Да, вроде один...

— А эта... которую мы — помнишь? — встретили тогда у Филиппова, когда мама... помнишь? Ну, как ее звали?

— А, Таня? Татьяна Антоновна? Она тебе тоже запомнилась, верно?

Василий затравленно кивнул головой.

— Не знаю, не знаю, — пробормотал отец. — С тех пор не встречались. Не знаю, не знаю...

* * *

Шестого июня в Московском Художественном театре состоялась панихида по Владимиру Шатерникову. На улице было прохладно, моросил тусклый зеленоватый дождь, и свежо, волшебно, не по-военному пахло сиренью. На углу Камергерского и Большой Дмитровки Таню ждал двоюродный брат Владимира Шатерникова, артист Борис Зушкевич.

Он испуганно посмотрел на ее живот, слегка выпирающий из-под жакетки.

— Пойдемте скорее, вас ждут! — гибким молодым голосом, напомнившим голос Шатерникова, сказал брат.

Таня отвела глаза.

— Что, начали уже? — спросила она.

— Ну, как же без вас?

— А что теперь я? — тихо спросила Таня.

— Как — что? — вспыхнул Борис Зушкевич. — Вы же... Вы — всё равно что жена... Владимир писал из Галиции... Когда просил, чтобы я вам... Ну, сообщил, если с ним что-то...

Таня сглотнула набежавшие слезы.

— Вы только не удивляйтесь тому, что сейчас увидите, — смущенно попросил Зушкевич и взял Таню под руку. — Актеры — такой народ... Они, даже когда плачут, всё равно не могут не играть...

Вошли в прохладное, полутемное из-за дождя здание театра. Густо напудренная, с распущенными светлыми волосами женщина быстро подошла к ним и, внимательно оглядев Таню ярко накрашенными глазами, сказала неожиданно низким, почти мужским голосом:

— Потеря, потеря! На всё воля Божья! Пойдемте скорее!

Таня испуганно оглянулась на Зушкевича и вместе с ним и накрашенной блондинкой вошла в зрительный зал. Прямо на нее со стороны сцены медленно двигалась похоронная процессия за белым, с серебряными рельефами, катафалком. На катафалк был наброшен черный балдахин, по обеим сторонам его выступали факельщики в белых фраках и цилиндрах, со светильниками, напоминающими уличные фонари. За катафалком медленно, опустив голову, высоко держа на вытянутых руках фотографию Владимира Шатерникова в траурной рамке, шел огромного роста человек. Таня в ужасе застыла на месте. Пройдя мимо нее, процессия уперлась в закрытые двери зрительного зала, плавно повернулась и двинулась обратно по направлению к сцене. Из глубины сцены послышались сдержанные рыдания. Таня увидела человек двадцать мужчин и женщин, одетых в темные крестьянские одежды. Все женщины были с распущенными волосами, в лаптях, а несколько — просто босые.

— Народ, народ! — смущенно забормотал ей в ухо Борис Зушкевич. — Народ, за который брат голову сложил, прощается с ним в нашем, так сказать, актерском обличье! Вернее, актеры в обличье народа...

Он запутался и закашлял. Из толпы народа выступил невысокий и очень грациозный крестьянин с большой шевелюрой и дымными, словно от рождения пьяными глазами. Он низко поклонился огромному человеку, державшему на вытянутых руках фотографию улыбающегося Владимира Шатерникова.

— Прости! — звучно, прекрасно поставленным чистым голосом сказал крестьянин. — Прости, моя люба, прости, русский воин!

— Прости нас, прости нас! — заголосила толпа, торопливо крестясь и кланяясь траурной фотографии.

Женщины опустились на колени. На чьих-то других, тоже высоко вытянутых руках выплыла икона Богоматери с Младенцем и, почти вплотную доплыв до фотографии Шатерникова, застыла.

— Сложил удалую головушку воин! — продолжал грациозный, с дымными глазами актер, про которого Зушкевич шепнул Тане на ухо: «Васька Качалов». — Обагрила кровь твоя чужую землюшку! Недолго ты нас, твоих братушек, радовал!

— Недолго! Недолго! — крестясь и кланяясь, пропела толпа.

— Как жить станем, батюшка? — литым басом перебил Качалова огромный актер, высоко держащий над головой фотографию Шатерникова.

— Грибунин, Грибунин, — забормотал Зушкевич на ухо Тане, — сейчас всё закончат, недолго...

— Что это? — расширив глаза и не оборачиваясь, прошептала Таня. — Зачем это всё?

— Актеры! Иначе не могут. Ну, вы их поймите, они от души...

— Из того ли из города, из Москвы белокаменной, — нараспев заговорил Качалов, — из того ли села, из родимого, выезжал на лихом коне добрый молодец, добрый молодец, свет-Володюшка. У чужого города, у заморского, нагнало-то силушки, ох, черным-черно, ох, черным-черно, черней ворона. И пехотою тут никто не прохаживает, на добром коне не проезживает. Тут подъехал он, свет-Володюшка, на добром коне к черной силушке, и как стал ее да конем топтать, да конем топтать, да копьем колоть...

Таня зажала уши ладонями.

— Вам плохо? — испугался Зушкевич. — Они от души ведь!

Невысокая, с черными волнистыми волосами и очень черными бровями женщина подошла к гробу, низко поклонилась и поцеловала затянутую траурной тканью крышку.

— Ольга Леонардовна! — продышал двоюродный брат. — Она понимает, сама овдовела...

За Ольгой Леонардовной начали подходить остальные. Все они низко кланялись, размашисто крестились, и все целовали то место на крышке гроба, которое словно бы выбрала для целования черноволосая Ольга Леонардовна. Таня посмотрела на серьезное, мягко улыбающееся ей с фотографии лицо умершего жениха, и вдруг что-то больно ударило прямо в сердце. Она пошатнулась и всею тяжестью оперлась на руку Зушкевича.

— Пойдемте, пойдемте, подышим... — пробормотал Зушкевич, подхватывая ее.

Они вышли на улицу. Зеленоватый дождь перестал, но еще раздраженнее, еще сильнее пахло сиренью.

Толчок внутри ее повторился, но теперь он был мягче и гораздо ниже: в самую середину живота.

— Вам плохо, Татьяна?

Таня покачала головой.

— Хотите, вернемся?

— Да, лучше вернемся, — прислушиваясь к медленному, ноющему замиранию толчка, ответила Таня.

На сцене никого не осталось, но в большой комнате позади нее был накрыт стол. Поодаль — уже без факельщиков — стоял осиротевший гроб, и на нем — тоже осиротевшая, словно ставшая ненужной фотография Шатерникова. Актеры и актрисы негромко переговаривались вокруг стола и закусывали. Вина не было, но было много водки, разлитой в кувшины, как будто это вода.

— А мы тут будем небо коптить, пока люди гибнут! — говорил Качалов. Увидев вошедшую Таню, повел на нее своими дымными актерскими глазами. — Налить вам, прекрасная незнакомка?

— Нет, благодарю вас, — ответила она.

Ольга Леонардовна, только что подцепившая с большого блюда ломтик чего-то красного, обернулась.

— Поешьте, — просто сказала она, приподнимая густые черные брови. — Помянем героя!

Водку налили в граненые стаканы и выпили, не чокаясь.

— Все знают, кто вы, — продолжала Ольга Леонардовна, придвинувшись к Тане и оттеснив от нее быстро жующего двоюродного брата. — Хорошо, что у вас будет дитё. Носите прилежно.

— А я вот возьму и туда же! — мрачно сказал Качалов. — На поле сражений!

— Куда вам на поле сражений? — усмехнулся один из факельщиков, так и не снявший цилиндра. — Извольте остаться на своем месте!

— А вот не изволю! — оскалился дымный Качалов. — И вам, господин Станиславский, грех меня отговаривать!

— Да будет вам, право! — отмахнулся Станиславский. — Без грима боитесь на улицу высунуться. Там и без нас справятся.

— Верно, верно! — прорычал Грибунин. — Как мы вашего брата, немца, а, Ольга Леонардовна? Как мы его? «Хоть одет ты и по форме, а получишь по платформе»! Так? «Глядь-поглядь, уж близко Висла, немца пучит, значит, кисло».

Вокруг засмеялись.

— Проводите меня, — попросила Таня Зушкевича, — мне пора.

Вышли на Тверскую. Дождь затих, и молодые листочки деревьев отчетливо вырисовывались на ярко светлеющем небе.

— Дальше не надо, — сказала Таня. — Возвращайтесь в театр, я дойду сама.

Зушкевич смущенно затоптался на месте.

— Вы мне хотите еще сообщить что-нибудь? — резко спросила она. — Сообщите, пожалуйста.

Зушкевич покраснел.

— Вы в положении, Татьяна. Да?

— Вы разве не видите? — вспыхнула Таня.

— И это ребенок...

— И это ребенок Владимира Шатерникова! — оборвала она. — Вы сами могли догадаться.

Зушкевич вдруг низко, театрально поклонился ей.

— Я вас ненавижу! — сквозь хлынувшие слезы сказала Таня. — Ненавижу вас всех! Актёришки!

И быстро пошла от него. Опять что-то толкнуло ее изнутри. Она остановилась. Толкнуло еще, и тут же разлилась эта мягкая ноющая боль по пояснице, которая словно хотела отвлечь ее внимание ото всего остального на свете.

* * *

Отпуск Веденяпина-младшего заканчивался через четыре дня. Рука перестала болеть, и он уже не носил повязки. Они с отцом ни разу не вернулись к тому страшному разговору, который состоялся в день приезда Василия. Казалось, оба молча сошлись на том, что говорить об этом нельзя, а можно лишь думать, и то только порознь.

Отец начал снова ходить на работу в больницу, и по утрам Василий оставался один, валяясь в постели и просматривая свежие газеты.

В Петербург прибыл наследный японский принц Канина для помолвки с одной из великих княжон. Общественное мнение разделилось: часть русского общества видела в дальневосточном соседе нового полезного партнера, другая часть — не могла забыть торжествующего врага 1904 года. С фотографии на Василия смотрел испуганный узкоплечий азиат, сидящий в открытом автомобиле рядом с круглолицым и важным, похожим на истукана, русским генералом.

Концертный сезон в Москве украшают вечера русских народных песен, среди которых особенною любовью публики пользуются романсы барона Дельвига «Стонет сизый голубочек» и «Не осенний мелкий дождичек». Актриса Озаровская, вдохновленная истинно патриотическим порывом, отыскала во глубине дикого Севера народную сказительницу Кривололенову, с которой начала свои совместные выступления на сценах обеих столиц. Фотограф запечатлел актрису Озаровскую в тяжелом народном сарафане и очень народном кокошнике, державшую за руку аккуратную старушку в платке.

Генерал Корнилов, недавно сбежавший из австрийского плена и теперь восстанавливающий пошатнувшееся здоровье в пансионе Сыропятовой в Царском Селе, поделился воспоминаниями о том, как жестоко обращались с русскими пленными смотрители вражеских лагерей. Отвечая на вопрос газеты, что помогло самому генералу выжить в столь непростых условиях, генерал Корнилов сознался, что в плену у него появилась возможность предаться своему наилюбимейшему с детства занятию, а именно — рисовать карандашом головки сосущих палец младенцев.

В некоторых лавочках началась торговля наследием недавно скончавшегося профессора Мечникова — простоквашей «лактобациллин», вскоре переименованной в «лактобактерин», моментально заслужившей любовь населения.

Василий сбрасывал газету на пол и пробовал заснуть. Во сне появлялась земля, глубокая осенняя глина, и тени бредущих по глине людей, потом всё это пропадало и набегали мокрые рельсы, покрытые тающим снегом. Вид этих рельсов наводил смертельную тоску, от которой хотелось спрятаться прямо там, во сне, но спрятаться было некуда, потому что сбоку опять появлялись тени, но теперь он уже различал среди них знакомых солдат и какую-то женщину, в которой черты его матери наслаивались на черты Арины, при том что она была намного старше Арины и намного моложе его матери, и эта женщина с черной, как у Арины, косой и таким же, как у его матери, наклоном головы вызывала острый прилив нежности к себе и не менее острое телесное желание, от которого он всякий раз просыпался в страхе и холодном поту.

Теперь он был уверен, что мать его жива, и чувствовал, что отец, ни одним словом не упоминающий о ней, тоже уверен в этом. Кроме того, он был уверен, что, как только он уедет во вторник, отец его снова запьет, потому что остаться в этом доме, где она прожила столько лет, и всё, даже цветы на обоях в гостиной, напоминает о ней не меньше, чем ее до сих пор висящая в коридоре шубка, остаться в этом доме после ее письма, на котором стоит дата «месяц февраль, 1915», невозможно.

* * *

У Лотосовых на Плющихе было так тихо, как будто все прикоснулись к какой-то грустной тайне и все скрывали ее друг от друга этой особенно настороженной тишиной. Мать и Дина поселились в большой угловой комнате, где раньше был отцовский кабинет, который, как заявил отец, в условиях войны — совершенно ненужная работающему человеку роскошь. Раз или два в неделю тишину нарушала Динина игра на рояле, всегда однообразная и слишком властная. Танина беременность была принята отцом на удивление спокойно и трезво.

— Он разве не нравился тебе? — не выдержала она однажды.

— Нет, славный был парень, — устало ответил отец. — А доведись ему стать твоим мужем, я бы привязался к нему еще больше. Но ты сама не любила его так, как следует, Танюра.

— Я не любила?!

— В тебе очень много материнского, — неохотно сказал отец. — Вы с твоей матерью... Вы странные женщины.

— Какие? Какие мы женщины? — стыдясь, что он заговорил с ней о таких вещах, пробормотала Таня.

— Женщины, которые любят не одного человека, — сказал отец. — Не одного, а, скажем, двоих или даже троих. Бывает такое.

— Как это — «двоих или даже троих»? Как это — «бывает»?

— Ну, что тут поделаешь? — Отец обреченно развел руками. — Для того мужчины, который имеет несчастье оказаться мужем такой женщины, это очень тяжело. Мужчина — собственник, и ему эту особенность, так сказать, в жене и матери своих детей никогда, разумеется, не понять. От этого много несчастных историй.

— Но как же... если женщина уже замужем? И у нее дети?

— Есть развратные женщины. — У отца вздрогнул и напрягся голос. — Но я говорю не о них. Эти просто не способны любить, поэтому их и бросает от одного к другому, у них вместо сердца — коробка от пудры! А я говорю об истинно любящих, добрых и страстных, которые не могут — ну, им не дано! — закрыть своё сердце на ключ и отдать этот ключ одному человеку! И тут начинается, конечно, безобразие. Несчастье и ложь. Об этом, в сущности, написал граф Толстой. Читала ты «Анну Каренину»?

И замолчал, словно испугавшись всего, что наговорил ей.

— Ты что, думаешь, что моя мама... — Таня испуганно оглянулась на дверь, за которой слышались приглушенные голоса матери, Дины и Алисы Юльевны.

— Думаю. — Отец поднял на нее красные, с лопнувшими сосудами глаза. — Я это понял, как только она сказала мне, что хочет развестись. На самом деле она совсем не хотела развестись, потому и вела себя так неуклюже. Ей было страшно расставаться со мной. И не только потому, что я не сделал ей ничего дурного и мы, в сущности, совсем неплохо, а иногда даже и очень хорошо жили, но еще и потому, что она не переставала любить меня. Искренно, нежно любить... Вот в чем дело...

— А как же тогда этот... Иван Андреич?

Отец обиженно засопел носом.

— При чем тут Иван Андреич! У Ивана Андреича — земля ему, бедному, пухом! — была своя история. Он любил доводить начатое до конца.

— Но я... нет, я — другое... — Таня невольно положила руки на свой округлившийся, приподнявшийся живот. — Я правда любила Владимира...

Отец исподлобья посмотрел на нее.

— Не вини себя, — сказал он, помолчав. — Ты нисколько ни в чем не виновата.

* * *

Работы в госпитале становилось всё больше и больше, раненые прибывали. Великая княгиня Елизавета Федоровна иногда и по целым суткам не ложилась спать.

В ходе летнего отступления 1915 года, после того как командование армией принял на себя сам государь и были оставлены все территории, занятые в ходе кампании 1914 года, потеряны все ключевые крепости и впервые в истории войны применены германским командованием удушливые газы, от которых прямо на поле сражения умерли более тридцати тысяч человек, после того, что не имело прямого отношения ни к сцене Московского Художественного театра, ни к мягким и быстрым движениям Таниного ребенка внутри живота, ни к свернувшемуся от внезапных ночных заморозков вишневого цвета листочку, упавшему на могилу Ивана Андреевича Зандера, ни к любопытному воробью, залетевшему в печную трубу и долго там бившемуся, ни к патриотическим утренникам, на которых ослепший брат Волчаниновой исполнил солдатскую песню «Он умер, бедняга, в забытой больнице...», после всего того, о чем писали газеты, хрипло бредили раненые, о чем догадались далекие равнодушные небесные облака — давно догадались в своем отдалении! — Таня вдруг поняла, что жизнь, бывшая с нею раньше, была не совсем настоящею жизнью. Теперь всё стремительно стало меняться.

— Какая ты стала другая, Танюра, — сказала ей Дина, взявшая за правило каждый вечер, перед тем как лечь спать, приходить в Танину комнату в длинной ночной рубашке, укладываться поверх Таниного одеяла и делиться тем, что случилось днем в гимназии Алферовой, где она теперь училась. — Слава богу, не похожа на эту гадюку, которая на нас с мамой такими глазами смотрела, что мне сразу убежать захотелось!

— Да как я смотрела? Тебе показалось!

— А ты что, не помнишь? — пожала плечами сестра. — Ты же нас тогда ненавидела.

— Неправда! Я вас тогда просто боялась.

— Знаешь? — И Дина обеими руками подняла над затылком свои тяжелые волосы. — Я иногда думаю теперь: конечно, это ужасно, что мама тебя бросила, что она ушла жить к моему папе и что тебе пришлось так много страдать от этого, но я понимаю, что *не могло не быть этого*. И это во всем так. Потому что, если бы мама не ушла, то и я бы ведь не родилась. Мы бы с тобой не узнали друг друга. А это ведь было бы хуже всего. Я вот теперь, когда думаю о чем-то важном, или обижаюсь на кого-то, или еще что-нибудь, я сразу вспоминаю, что вечером приду и всё тебе расскажу. Я даже маме не могу теперь всего рассказывать. Только тебе.

— Почему? — радуясь тому, что говорит сестра, и сильно смутившись от этого, спросила Таня.

— Не знаю. Нет, знаю! Ну, во-первых, потому что мама сейчас очень страдает. Она никогда такой не была. Ты ведь ее почти не знала раньше, а я помню, какой она была веселой, счастливой. Всё время смеялась. Когда мы жили в Германии и у них с папой всё было хорошо, она так много смеялась, что мне иногда даже стыдно за нее становилось. Встретим какую-нибудь даму на прогулке, мама начнет ей что-то рассказывать, а сама хохочет, хохочет...

Дина вдруг закусила губу и замолчала.

— Что? — спросила Таня, тут же догадавшись, почему она замолчала.

126

— Прости! — прошептала сестра. — Это должно быть очень больно тебе. Ну, то, что я сказала сейчас. Потому что получается, мама совсем не переживала, что ты... Что она тебя...

Таня обняла ее, притянула к себе и поцеловала. Дина испуганно улыбнулась в темноте.

— Я иногда простить себе не могу, что так мало расспрашивала маму о тебе! — возбужденно заговорила она. — Это было очень гадко с моей стороны. Но мама как будто и не хотела говорить обо всем... сама не хотела. — Она опять испуганно улыбнулась. — Ей, наверное, так было проще: молчит себе, и всё. Но я-то ведь знала уже, что у меня в Москве есть сестра!

— Ты маленькая совсем была. Что ты тогда понимала?

— Ну и что? Маленькие куда лучше больших понимают. Нет, это не оттого, что маленькая, а оттого, что мне не хотелось делиться.

— Кем? Мамой делиться?

— И мамой, конечно. И всем остальным.

— А теперь?

— Теперь по-другому. У меня как разорвалось. Вот знаешь? Там узел был, и я, кроме как о себе самой, совсем ни о ком не думала. Просто даже и не понимала, что кто-то еще бывает, кроме меня. И вдруг этот узел разорвался. Понимаешь? А как он разорвался, так стало всего сразу много. И много, и стыдно. Не знаю, как тебе объяснить...

Она опять обеими руками высоко подняла свои волосы, и черная тень на стене стала кудрявой, как дерево.

— Ты — очень хорошая, — шепнула Таня. — Ты намного лучше меня, ты добрее.

— Ах нет, я совсем не добрее! — горячо возразила Дина. — Когда мама сказала, что мы едем обратно в Россию и я скоро познакомлюсь там со своей сестрой, я стала каждый день перед сном представлять себе, как это будет, какая ты. И все время представляла тебя в большой белой шляпе.

— Почему в шляпе?

— Не знаю. Мне хотелось, чтобы ты была в большой белой шляпе. А ты оказалась сердитой, испуганной. Как я тогда разозлилась на тебя, если бы знала!

— Но что я такого...

— Ужасно! Ты всё мне испортила. Я мечтала о доброй и красивой сестре в белой шляпе, а ты выскочила из своей комнаты, как Баба-яга на метле. Чуть не укусила!

Обе засмеялись.

— Ты, верно, спать хочешь? — спохватилась Дина. — Тебе вставать завтра рано, а я тебе глупости рассказываю.

— Да я не хочу. Не уходи.

Дина с размаху улеглась обратно и натянула до подбородка одеяло.

— Няня всё время говорит, что этой зимой все помрут, — прошептала она. — Она говорит, что, когда царя на фронте убьют или в плен возьмут, тогда немцы придут сюда, в Москву, и мы помрем. Мы с Алисой ей говорим, что этого не будет, а она не верит.

— А мама что?

— Мама всё делает вид, что спит. Я в гимназию ухожу, она спит. Прихожу — тоже спит. Я иногда посмотрю на нее исподтишка и вижу, что у нее глаза открыты. Может быть, она заболела от тоски. Говорят, что это бывает, няня так говорит.

— От тоски по Ивану Андреевичу? — уточнила Таня и осеклась. — Прости! Я хотела сказать, по твоему папе.

— Тебе он — не папа, — вздохнула Дина. — За что ты прощения просишь?

Они помолчали.

— Скоро у нас твой ребеночек будет?

— В конце сентября.

— Ты очень боишься?

— Да, очень! А как не бояться?

— Не бойся! Если бы меня не было, тогда тебе было бы чего бояться. А я всё время буду с тобой. Не бойся!

Таня под одеялом пожала ее горячую маленькую крепкую руку. Вдруг стало легко на душе.

— Говорят, очень больно, когда рожаешь, нестерпимая боль. И это на много часов, иногда даже на несколько дней. Но боль — ерунда, я не боли боюсь. А где будет папа? Мне очень стыдно, больше всего перед папой, потому что я ведь без мужа, и ничего у меня не было, как должно быть: ни свадьбы, ни помолвки. Володя убит... Иногда мне такие мысли приходят в голову! Что вот хорошо бы не проснуться! Заснуть вечером, а утром не проснуться!

Дина изо всех сил обняла ее. Ребенок внутри Таниного живота оттолкнулся ножками от того места, где оказался Динин локоть, и, почувствовав его, Дина всплеснула руками и засмеялась радостно.

— Ты видишь? — восторженно спросила она. — Я так его буду любить! Больше жизни!

* * *

Осень наступила незаметно. В самом начале сентября пошли бурные ливни, в результате которых за один день поредели и пожелтели сады, а небо, высокое прежде, надвинулось низко, как шапка, на город, на окна его и деревья.

Мать Тани и Дины, казалось, справилась со своим горем, перестала, во всяком случае, целыми днями лежать в постели, выходила вечерами к совместному чаю, занималась с Диной сама по всем предметам, но, главное, старалась как можно чаще уединяться с отцом и подолгу разговаривала с ним, понизив голос. Таня догадывалась, что разговоры касались ее, и ей было неприятно, неловко за мать, которая словно поставила целью слишком быстро и слишком уж просто наверстать болтовней то, что было пропущено в Танином детстве.

Начало одного из таких разговоров Таня однажды услышала.

— Я чувствую, — говорила мать, звякая ложечкой, — что нам с Диной лучше было бы сейчас уехать куда-нибудь, хотя бы в Финляндию, где до сих пор остался дом, и, может быть, там переждать, пока это всё закончится...

— Что — это? — перебил отец. — Война, ты имеешь в виду?

— Ну да, — нерешительно сказала мать, и по ее тону подслушивающая в коридоре Таня догадалась, что матери хочется, чтобы отец начал отговаривать ее.

— Смотри сама, — мрачно пробормотал отец. — Я бы не советовал, потому что никто не знает, когда это всё закончится, да и чем закончится...

— А чем это может закончиться? — вздохнула мать.

— Да чем? Чем угодно. Слышала, какие куплеты теперь распевают? «Небылица пришла, небывальщина, да неслыхальщина, да невидальщина...»

Мать грустно засмеялась.

— Но я не могу взвалить на тебя всё... Ты и так столько сделал для нас! И если бы не то, что должен родиться ребенок...

— При чем здесь ребенок? — опять перебил отец, и Таня почувствовала, как он покраснел. — Ты что, собираешься нянчить этого ребенка?

— Ты всячески подчеркиваешь, — прошептала мать, — что я не имею никакого отношения к своей дочери, раз мне не довелось растить ее. Это ведь ты подчеркиваешь?

Отец несколько раз кашлянул.

— Я ничего не *подчеркиваю*. Я просто смотрю правде в глаза. Да, ты не растила ее, и у этого факта есть свои последствия. Они есть. А как же иначе?

— То есть Таня не верит мне, не доверяет и не будет мне верить, что бы ни было?

— Мы не в штабе немецкой разведки, — почти грубо оборвал ее отец и тут же испуганно забормотал: — Прости, глупость брякнул!

Мать всхлипнула.

— Ну, что ты, ей-богу! — Таня поняла, что он, наверное, дотронулся до матери и, может быть, гладит ее по голове, как часто гладит Таню. — Я совсем не в упрек... Уж ты настрадалась!

— Разве я не понимаю, что вам будет лучше, когда мы уедем? Но Дина так привязалась к ней, она этим ребенком просто бредит!

— Не нужно тебе никуда срываться! Пусть Дина хотя бы закончит гимназию...

— Ты хочешь, чтобы мы еще три года висели на твоей шее?

— У меня крепкая шея. Вот смотри. Видишь, какая? Как у быка.

Потом они оба вдруг замолкли. Таня старалась не дышать. Живот мешал ей, ноги затекали.

— Голубчик ты мой! — нежно и прерывисто воскликнула мать. — Я вспоминаю, как мы стояли с тобой под венцом, и думаю: вот если бы тогда мне сказали, что через двадцать лет я буду жить в твоем доме, и наша с тобой дочь будет, как няня говорит, «на сносях», и одна, не замужем, и жениха у нее убили, а я сама, только овдовевшая, сяду тебе на твою «бычью шею» с дочерью от другого человека, которого ты, должно быть, проненавидел всю жизнь...

— Глупости! — перебил отец. — Я не любил его, это правда. А за что мне было любить его, сама посуди? Но ненависти к нему у меня никогда не было. Зачем ты такие слова говоришь?

— А ко мне? — тихо спросила мать и всхлипнула.

— К тебе? — глухо переспросил отец. — К тебе я только однажды почувствовал ненависть. Но это прошло, слава богу.

— Когда? Когда я ушла?

— О нет, не тогда! Тогда я был просто растерян, раздавлен. Мне всё казалось, что произошло какое-то постыдное для меня недоразумение, я в чем-то не разобрался и отпустил тебя только по недоразумению, по глупой своей гордости... Нет, ненавидел я тебя не тогда, когда ты ушла...

— Скажи, а когда?

— К чему тебе это? — измученно пробормотал отец. — Столько лет прошло... К чему ворошить... Что за прихоть?

— Какая же прихоть? И раз ты уж начал...

— Хорошо! Давай я продолжу. Я возненавидел тебя, когда ты написала, что ждешь ребенка. Вот тут я действительно чуть с ума не сошел. Представил тебя беременной от Зандера, и меня всего перевернуло! Объяснить трудно. Но я тебе говорю, как было. Отвращение, которое я тогда испытывал, — к тебе отвращение, к нему, к будущему вашему ребенку, а больше всего — к твоему, чужому для меня, загаженному телу... Ох, лучше не вспоминать! И еще, знаешь, что меня тогда потрясло? Какая мысль в меня засела?

Отец глубоко и часто дышал.

— Какая?

Таня услышала, что мать плачет.

— Я задал вопрос тогда Богу: «За что? За что именно мне? Что я-то сделал?» Ну, сама посуди: не воровал, не убивал, не развратничал, и вдруг на ровном месте — такое несчастье! Ушла молодая, любимая, обожаемая жена, и ушла к другому, ни с чем не посчиталась, оставила меня, идиота, с девочкой на руках! И вот вам вдобавок, пожалуйста! Она ждет ребенка! И мне сообщает, как лучшему другу! А то, что я на нашей с тобой кровати спать не мог, велел ее выбросить к чертовой матери, что мне каждую ночь снилось, как я тебя обнимаю, и разрыдался однажды прямо в ординаторской, вспомнил, как Танька к нам маленькой в эту кровать прибегала в своей рубашонке, как ангелок, вся в веснушках... Ах, Господи, что говорить! Зачем мы начали с тобой этот разговор сейчас! Не понимаю!

— Прости ты меня, ради Бога!

— Вот Бог и простит.

Мать перестала плакать. Минуту была тишина.

— Погоди, дай мне уж тогда до конца досказать, — снова заговорил отец. — Однажды я снял с полки Библию, открыл книгу Иова, приладился к лампе и стал читать. Там появляется сатана, который и говорит Господу, что, мол, дай мне испытать раба Твоего Иова, потому что разве даром он так богобоязнен? Не Ты ли, мол, Господи, кругом оградил его, и дом его, и всё, что есть у него? А вот простри руку Свою и коснись всего, что есть у него, так благословит ли он Тебя после этого? И после того позволил Господь сатане погубить и детей Иова, и скот его, и дом, но Иов не возроптал против Господа, а сказал: «Наг я вышел из чрева матери моей, наг и возвращусь. Господь дал, Господь и взял. Да будет Имя Господне благословенно!» Но сатана и на этом не успокоился и стал говорить Господу, что за жизнь свою отдаст любой человек всё, что есть у него. «Коснись кости его и плоти его — благословит ли он Тебя?» И отступился Господь от Иова, а сатана поразил его проказой от подошв и до самого темени.

Но Иов и тут не произнес хулы Господу, а взял черепицу, чтобы скоблить себя ею, и сел в пепел. — Отец перевел дыхание и замолчал. Таня поняла: он догадался, что она стоит и подслушивает в темноте. — Дальше рассказывать?

— Да, — еле слышно ответила мать.

— Я скоро закончу. И вот не выдержал Иов своих страданий и проклял день свой и благословил смерть. Это так сказано: «Для чего не умер я, выходя из утробы? Зачем приняли меня колена, зачем мне было сосать сосцы?»

— Боже мой! — услышала Таня убитый и опять громкий голос матери. — Страшно как то, что ты говоришь... Ведь это любому так кажется...

— Нет, погоди! К тому же не я говорю, так написано. К Иову приходят друзья, чтобы поддержать его в горе его и сетовать вместе с ним. И вот один из друзей говорит ему, что, мол, человек рождается на страдание, как *искры,* чтобы устремляться вверх. А? Понимаешь? Я даже сначала не понял — как это? Я от своего страдания весь к полу пригнулся, от унижения только что ростом меньше не стал, а тут говорят, что от страдания человек должен, как *искры,* наверх устремляться! Как *искры!* Ты слышишь?

— Я слышу.

— Ну, вот. Я тогда очень многое понял. Не сразу, конечно. Но ненависть сразу прошла.

— Не верю я тебе! — вздохнула мать. — Это тебе так *хотелось бы* чувствовать...

— Ну, будет, — прошептал отец. — Поговорили и хватит. Всё давно быльем поросло.

— Да не поросло, не поросло, Антоша! Что ты меня утешаешь?

— А ты не уезжай! — забормотал отец. — Война кругом, мир шатается, люди гибнут, души разлагаются. У нас с тобой — дочери, страшно за них. Ты посмотри, ведь что такое война? Теперь все самое грешное, самое смрадное, что может быть в отношениях одного человека к другому, называют геройством, раз это имеет место в отношениях между народами. Придумали там отговорку: «народы»! А что это значит? При чем тут народы? Россия в один день позабыла, что такое великая германская мысль, а Германия и вовсе объявила Россию диким варваром! И всё ведь позволено, ни в чем никаких ограничений! Ты посмотри, что они теперь в синема показывают! Мне коллега вчера рассказал, что они с женой пошли посмотреть одну фильму. Снят бой. И показано, как умирают. А ведь всякого человека любит же кто-нибудь!

Отец замолчал.

— Не смей никуда уезжать! — резко сказал он после паузы. — У нас с тобой дети. Две малые дочки. Одна, правда, с пузом, но это неважно.

Тяжело ступая на цыпочках, стараясь не скрипеть половицами, Таня вернулась к себе и, поддерживая обеими руками живот, легла на неразобранную постель. Она уже не сомневалась, что отец догадался, что она подслушивает, и обращался к ней не меньше, а, может быть, даже и больше, чем к матери.

Он любит мать, он любил ее все эти годы. Значит, все эти годы Таня, ни о чем не догадываясь, прожила бок о бок с отцовским мучением. Она вдруг остро вспомнила, как однажды летом они пошли гулять с Алисой, рвали ромашки и васильки для букета и незаметно зашли далеко, оставив позади желтое, с синими огоньками васильков поле, и вдруг хлынул ливень, и всё потемнело. Перед ними была деревня, и они бросились к первой попавшейся избе, задыхаясь от смеха и приятного страха, закрывая головы только что сорванными цветами... Они вбежали в избу, где было очень тепло, полутемно, окошки закрыты. В полутьме Таня разглядела печь, стол и, как сначала показалось ей, корытце на лавке у окна, которое оказалось маленьким гробом, в котором лежал мертвый ребенок. За столом вполоборота к Тане сидела очень большая, с огромными плечами и грудью, слепая девка и с жадностью хлебала деревянной ложкой из стоящей перед ней миски, макая в нее куски хлеба и звонко причмокивая. По мертвому лицу ребенка ползали мухи, и те же мухи вились над миской, из которой хлебала слепая, и еще больше мух облепило недавно побеленную печь, которая, как сугроб, выплывала из темноты... Таню испугало тогда не то, что в избе, куда они случайно забежали, оказался мертвый ребенок, а то, что рядом с этим ребенком, на расстоянии вытянутой руки от него, спокойная, неподвижная, словно ее сделали из камня или вытесали из дерева, сидела эта девка и жадно, уставив в окно, за которым хлестал дождь и разрывались молнии, свои мутные белые глаза, ела и ела, не останавливаясь, словно не знала и не чувствовала никогда ничего другого... Тогда Таня еще не могла объяснить себе, отчего это так сильно впечаталось в память и отчего ее память всякий раз быстро и услужливо, словно картинку из волшебного фонаря, заново выдвигала тусклые, но страшно важные подробности этой минуты.

Сейчас она вдруг поняла. Она догадалась, что всё так на свете. Один умирает, другой — сидит ест. И мухи — на мертвом лице и на хлебе. Отец плакал в ординаторской, потому что его «любимая» — как он это сказал? — «молодая, обожаемая» жена ушла к другому человеку, этому самому несчастному Ивану Андреевичу Зандеру, а мать, как говорит Дина, до слез хохотала, болтая со знакомыми дамами на прогулке, и радовалась жизни. И всё это одновременно. И в этом — всё дело. Володя Шатерников лежал в госпитале и писал ей страстные преданные письма, а она в это время мечтала об Александре Сергеевиче, который однажды — один раз, единственный! — сказал ей: «Иди ко мне, девочка» — и она тут же с готовностью села к нему на колени.

— И это всегда так? — спросила она темноту и ответила себе: — Да, это всегда. Тогда всё понятно.

Что понятно, она не знала и не могла найти слово, которое объяснило бы это *что,* но чувствовала, что приблизилась к общему для всех людей закону жизни, которая тем и сильна, что не дает ничему живому остановиться, и более того, дольше нужного задержаться на чужой боли, но выталкивает из нее любого постороннего, и он, посторонний, как птенец, который крутит испуганной, мягкой своей головой, стыдясь и робея наставшей свободы, уходит в свое, где ему не мешают.

«Я никогда не забуду Володю! — подумала она. — Неужели я забуду его? — И вдруг покраснела до слез, хотя никто на свете не знал того, о чем она сейчас вспомнила. — Я такая же, как мама. А может быть, все мы такие?»

Внезапная острая боль пропорола ее. Она привстала, чтобы разобрать постель и лечь поудобнее, но та же самая боль снова выкрутила тело изнутри так, как выкручивают белье перед сушкой. Ладони и лоб стали мокрыми. Она села на корточки, вжала голову в колени, пытаясь спрятаться от этой боли, но тут же что-то горячее полилось из нее, и, зажав обеими руками рот, Таня сквозь побелевшие от боли и напряжения пальцы закричала так громко, что услышали не только мать с отцом, которые всё еще сидели в столовой, но и Дина, и Алиса Юльевна, и даже няня, которая давно уже слышала плохо и жаловалась на это...

Ребенок появился на свет в полдень. А в полдень на улице за окном было такое сильное солнце, словно опять наступило лето, и мертвые серые листья на яблоне сверкали, как будто рожденные заново.

Ребенок был мальчиком.

— Ого! — радостным, дрожащим от волнения голосом воскликнул отец, когда новорожденного, только что спеленутого, в белом чепчике, положили ему на руки, и доктор, принимавший роды, заговорщицки подмигнул ему. — Вот это казак так казак! Ну, Танька! Я думал, ты хилая барышня! А ты нам, гляди-ка, кого родила! Илью просто, Муромца!

— Дай мне его! — протягивая руки к ребенку, попросила Таня. — Нельзя так держать, ты уронишь! Ну, папа! Ну, дай же скорее!

* * *

Скудная, тусклая, свинцовая осень прошла почти незаметно, запомнившись только бессонными ночами, болью растрескавшихся сосков, постоянным страхом, что няня, или Алиса, или отец, или вдруг резко вытянувшаяся, похорошевшая Дина сделают что-то не то и мальчик умрет. Это острое животное чувство, что хорошенький, крепкий, с молочного, нежного цвета щеками, с огромными голубыми глазами сын вдруг может умереть, было таким постоянным и так мучило ее, что Таня боялась спать и даже когда оставляла его, оставляла не больше, чем на двадцать-тридцать минут, тут же стремилась обратно, в детскую, туда, где был он и изо всех сил таращил голубые, сосредоточенные на своей младенческой жизни глаза. Всех остальных она видела словно во сне. Во сне же к ней несколько раз приходил и Шатерников, и во сне она вдруг остро почувствовала его запах: он был таким же, как в день, когда они встретились в вестибюле госпиталя.

Реже всего, как ни странно, она сталкивалась сейчас с матерью. И Дину, и няню, и гувернантку, и — особенно — отца появление ребенка только приблизило к Тане, казавшейся им еще девочкой, которой нужно помочь, но матери тут же открылось другое, она одна угадала, что никакой девочки больше нет, а рядом с ней женщина — пускай молодая, но с твердым характером, — и эта женщина, только что высвободившаяся из девочки, барышни, и тут же проверившая на собственном опыте, что значит ребенок, которого ты родила, — эта женщина может осудить ее еще строже, чем прежде.

Зимою опять начались перебои с дровами, мукой, молоком, яйцами, все знали, что дела на фронте идут из рук вон плохо, но Татьянин день, праздник основания Московского университета, отмечался двенадцатого января так же весело, шумно, бестолково, как отмечался всегда, во все прежние годы. Отец, который обычно сторонился столь шумных увеселений, неожиданно изъявил желание пойти и долго приводил себя в порядок, стоял перед зеркалом — грузный, с широкими плечами и ярким взглядом. Остановившись в дверях его кабинета с Илюшей на руках, Таня вдруг подумала, что отцу-то всего пятьдесят лет и он обаятелен, бодр, умен и может еще очень сильно понравиться, особенно когда лицо у него вдруг по-молодому разглаживается и веселеет взгляд.

— Куда после ужина? — спросила мать, когда он, заматывая вокруг шеи белый шелковый шарф, стоял в коридоре, собираясь уходить. — Наверное, в «Яр» или в «Стрельну»?

Он быстро, внимательно взглянул на нее.

— Какая там «Стрельна»? А сухой закон?

— Какой там закон? — в тон ему ответила мать. — Кто его соблюдает в этой стране? Это тебе не Германия.

— Ну нет, не скажи! — Отец поднял вверх указательный палец: — «Лица, оказавшиеся виновными в нарушении государственного постановления, подвергаются заключению в тюрьму или крепость на три месяца, или аресту на тот же срок, или денежному штрафу в три тысячи рублей»! Во как! Не фунт изюму!

— Цыганок позвали? — усмехнулась мать.

— Война вокруг, милая, — закашлялся отец, — какие цыганки...

— Цыганки, которые пляшут, а также еще и поют, — уклончиво ответила мать и, наклонив голову, смерила его странным взглядом. — Какую из них ты особенно любишь? Наверное, Настю?

Тане показалось, что она ослышалась. Все эти месяцы, начиная с сентября, когда появился ребенок, ей было ни до чего, и она не представляла себе, что происходит совсем рядом с ней, в этом доме, да и происходит ли что-то. Сейчас оказалось, что — да, происходит. Отец иногда по два дня не возвращался домой из больницы, где дел становилось всё больше и больше, а медикаментов и перевязочных средств всё меньше, несмотря на то что ни один человек в Москве не верил ни патриотическим лозунгам в газетах, ни глупым народным частушкам, сочиняемым господами поэтами, ни дурацким представлениям в театрах, вроде «Тетушка огерманилась» или «Вова на войне», ни фильмам на экранах кинематографов «Подвиг рядового Василия Рябова», «Слава нам, смерть врагам», а верили только людям, которые возвращались оттуда, хотя вернувшиеся были немногословны. Происходило это оттого, что военная жизнь гораздо проще, чем она кажется со стороны, и даже ужасное слово «бой», сопряженное для гражданского человека с огнем, криком «ура-а!», устремлением вперед и неминуемой гибелью, — даже это слово означает только то, что прежде всего нужно вырыть окоп, настелить в него свежей соломы, набросать полушубков, установить телефон и когда поступает распоряжение обстрелять такую-то или такую-то высоту, то не стоит делать этого сразу, потому что есть еще время достать портсигар и перекурить. Они, то есть военные люди, знали, что на войне никто никого не ненавидит, если не считать только минут ярости и слепого остервенения в пехотных атаках, и убивают друг друга по тому же неведению, безответственности перед Богом и равнодушной беспечности, согласно которым живут и в обычной своей гражданской жизни, где вместо убийства прямого всякий норовит убить своего ближнего косвенно или подставляет собственную свою, лысеющую голову под тихий, но не устающий топор...

Обычно отец приходил домой из госпиталя уставшим, заглядывал в детскую, где крестил и целовал маленького Илюшу, потом мылся, наскоро ел то, что оставляли ему на столе, и валился спать. Казалось, ни на что другое у него нет и не может быть ни сил, ни времени.

Двенадцатого января метель в Москве была сильной, и лошади вязли, брели совсем медленно, а извозчики в толстых, как подушки, тулупах были особенно разговорчивыми и дружелюбными, поскольку все выпили где-то — тайком и на скорую руку, — лишь бы не мерзнуть, а главное, не пропустить в такой сумасшедшей метели своих седоков.

Илюша не спал и не давал заснуть Тане, которая всякий раз приходила в ужас от его плача, боясь, что он означает какую-нибудь болезнь, и сейчас, качая его, напевая, мурлыча, она то и дело выбегала в прихожую, чтобы проверить, не вернулся ли отец с его холостой и веселой пирушки. Замученная, под утро она все-таки заснула, провалилась, но сквозь сон ей послышалось, как кто-то возится в прихожей с замком, потом прошелестели шаги, похожие на шаги ее матери, потом в раскрытую дверь детской влетела струйка свежего морозного воздуха, и Таня, не раскрывая глаз, увидела, что струйка эта была розоватого зимнего солнечного цвета, потом она услышала, как рассмеялся отец, и звук его смеха был похож на тот, с которым весною радостно и хрипло звучит дерево, освобождаясь от целую долгую зиму давившего на него мерзлого снега.

Таня хотела позвать отца, попросить его немедленно осмотреть Илюшу, который, правда, уже не плакал, но спал беспокойно и был очень красным, но не хватало сил встать, разлепить веки, и только поэтому она и не увидела, как весь запорошенный снегом отец вытирает мокрое лицо носовым платком, и это лицо дрожит и счастливо морщится, потому что мать, только что выбежавшая в прихожую, обнимает его за плечи и шепчет о том, как заснуть не могла, сходила с ума, а он пил там, с цыганками...

* * *

Жизнь, просто жизнь, московская, зимняя, с запахом печного дыма и позвякиванием трамваев, с запахом свеженаколотых дров по утрам, с криками замерзших лотошников, с черными, слегка еще липкими после типографии газетными листами, которые неутомимые мальчишки, шмыгая красными, распухшими от холода носами, норовили как можно быстрее продать, чтобы спрятаться в тепло, как прячутся птицы, как прячутся звери, — здоровая московская жизнь, которая не знала и не догадывалась, какие ее впереди ждут сюрпризы, была весела, развлекалась, шумела, хотя в этом шуме ее было много и странного. В феврале, вскоре после того как мать Тани Лотосовой из угловой комнаты, в которой она жила вместе с Диной, перебралась в спальню, где прежде — один — спал отец, и комната эта, отцовская прежде, стала называться «маминой», и у отца по утрам были немножко сумасшедшими его припухшие от недосыпания и постоянной работы глаза, именно в феврале, когда поражения русской армии на фронте оказались особенно тяжелыми, и трупами русских солдат чернели чужие далекие земли, и некому было отпеть, схоронить (всё делалось быстро, небрежно, устало!), именно тогда шумное московское веселье, несмотря на сухой закон, нехватку продовольствия, дров, товаров для дам и господ, шоколада, ванили, достигло особенно смелого взлета.

Все знали, что именно в феврале ожидается сразу два очень важных для всего города и счастливых события: выход на экраны новой фильмы Якова Протазанова «Запрягу я тройку борзых, темно-карих лошадей» и соревнование по конькобежному спорту среди мужчин на катке на Девичьем поле, минутах в пяти от Плющихи.

В доме замечали, что Дина стремительно превращается из кудрявого и неловкого подростка с длинными руками и очень большой головой в особой красоты девушку, держащуюся всегда слишком прямо, так прямо, что ее позвоночник, безукоризненный набор тридцати четырех позвонков, соединенных между собой хрящами, суставами, связками, напоминал, как шутил отец, сложный музыкальный инструмент, которым она в совершенстве владеет.

— А ну-ка, согнись! — просил он, и Дина легко касалась головою пола. — А мостик умеешь?

Она изгибалась, закидывала верхнюю часть туловища назад, опиралась ладонями, лицо ее сильно краснело, волосы водопадом ложились на ковер...

— Одна девка — горе, а две — катастрофа! — сказал однажды отец. — Спасибо, хоть парень родился. Всё легче!

На Девичье поле привезли полосатые, синие с красным палатки, тут же повалил приятный чад от свежих блинов в лотках, утоптанный снег запестрел конфетными обертками, в самой большой палатке на круглом столе выставили огромный самовар, и вся толпа, обрадованная тем, что можно напрочь забыть о войне, устремила глаза на еще пустой, сверкающий каток, по которому важно, с сознанием собственной незаменимости и особой торжественности праздника, ходили бородатые дворники и без толку мели безукоризненно гладкий, похожий на зеркало лед.

Мать отказалась идти на соревнования, но Таня, закутав Илюшеньку так, что только его крошечный лоб торчал из белых кружев, отправилась вместе с Алисой и Диной. У самого входа они столкнулись с братом и сестрой Волчаниновыми.

Петр Волчанинов, которого Таня помнила сперва мальчиком, потом подростком, потом очень высоким, красивым юношей и про которого она знала со слов его сестры Ольги, что, ослепнув от полученного на фронте ранения, он все эти месяцы сильно пьет, держался сейчас особенно молодцевато, на черную повязку, закрывающую его слепые глаза, низко была надвинута новая боярская шапка, аккуратно подстриженные усы блестели на солнце. Он ощупью поймал Танину руку, аккуратно и ловко снял с нее пуховую перчатку, поцеловал в ладонь и так, словно он прекрасно всё видит, воскликнул густым и смеющимся басом:

— А где наш младенец? Давай-ка показывай!

Таня быстро и горько переглянулась с Олей Волчаниновой, а Дина, которая покачивала коляску со спящим Илюшенькой, отступила на два шага назад, как будто и впрямь Волчанинов мог вынуть оттуда младенца.

Народу собралось много, и все то ли были, то ли казались прилично и чисто одетыми, здоровыми и счастливыми. Среди этих здоровых и веселых людей выделялись раненые, такие, как Петр Волчанинов: кто с черной повязкой, кто на костылях, кто с обожженным, белым, сморщенным, как лесная поганка, лицом, и они, эти раненые, своим видом, а главное, жалкой попыткой разделить общую радость мешали остальным, поскольку — не будь их на этом катке — никто и не вспомнил бы даже о смерти.

Наконец на лед вышли конькобежцы в обтягивающих их худые тела, плотных ярко-синих костюмах, в шапочках, от которых головы казались маленькими и словно ненужными, и всё это вместе — мускулистое узкое тело с маленькой головой — делало каждого из них похожим на гигантское, вставшее во весь рост насекомое. Они помахали публике напряженными руками, и первая тройка заняла положение «на старт». Таня смотрела на лед, желая разделить то счастливое чувство, которое, как ей казалось, переполняло всех собравшихся, но тут же тоска охватила ее. Опять это странное ощущение, что каждый на свете живет сам по себе, и никому нет дела до того, что умер, к примеру, Володя Шатерников, и в эту самую минуту — нет, именно в эту секунду, — когда трое в синих костюмах сорвались с места и мерно, легко, словно их завели одним и тем же ключом, понеслись по ледяному зеркалу, и глуховатое шуршание лезвий разрезало воздух на множество лент и резало дальше, всё мельче и мельче, в эту самую секунду ведь кто-то опять умирает и стонет, а здесь, на катке, этот шум, этот праздник...

Она наклонилась к Илюшеньке, чтобы убедиться в том, что ему не холодно, и почувствовала на своей шее, там, где туго закрученная коса опускалась на скользкий мех воротника, взгляд знакомых глаз. Она не могла видеть спиной, но то, чьи это были глаза, ей сразу сказало всё тело, которое вдруг стало очень горячим. Она знала, что это он, и одновременно не верила себе, и боялась обернуться, чтобы не убедиться в своей ошибке, и потому еще помедлила, еще постояла в этом согнутом положении, как будто бы тоже была конькобежкой и только ждала, чтобы крикнули «марш!», и только потом медленно разогнулась и, покраснев до слез, тихо посмотрела на него. Александр Сергеевич стоял прямо за ее спиной и ответил ей таким же тихим неудивившимся взглядом. Таня вдруг испугалась, что он сейчас уйдет, смешается с толпой, исчезнет, и, чтобы этого не произошло, быстро положила ладонь на его рукав.

— Вы! — пробормотала она и, понимая, что нужно немедленно убрать ладонь, не только не сделала этого, но еще ближе придвинулась к нему, словно давая Александру Сергеевичу возможность обнять себя. — Откуда вы здесь?

Он, кажется, что-то ответил, но что? Она не услышала. Александр Сергеевич слегка улыбнулся, взял ее руку, прижал к своему рту, но не поцеловал, а подышал на нее, как заботливые родители дышат на руки своих детей, замерзших от долгого гулянья. Она не заметила того, что и Дина, и Алиса Юльевна, и Оля Волчанинова смотрят на нее во все глаза, не заметила того, что первая синяя тройка мускулистых, с маленькими головами, гигантских насекомых описывает уже второй круг, не заметила, что медленно и вяло, словно понимая, что сейчас не следует этого делать, пошел редкий снег. Она ничего не заметила.

— Не нужно только плакать сейчас, — прошептал Александр Сергеевич, не выпуская ее руки. — Не плачь сейчас, слышишь?

Она торопливо кивнула. Вокруг закричали, захлопали.

— Мень-ши-ков! Мень-ши-ков! Але-ша! Алек-сей! Мень-ши-ков!

Конькобежец по имени Меньшиков, первым прошедший дистанцию, снял шапочку и радостно размахивал ею над своей кудрявой белокурой головой. Толпа хохотала, свистела, гремела.

— Мы можем уйти отсюда? — спросил Александр Сергеевич одними губами.

Она оглянулась беспомощно. Дина смотрела так, что, сделай Таня хотя бы шаг в сторону, она бы, наверное, вцепилась в нее, как кошка. Алиса Юльевна и Оля Волчанинова отвернулись и делали вид, что заняты соревнованиями.

— Нам не дадут здесь поговорить, — сказал он тихо. — Вы ведь уже не работаете в госпитале?

— О нет, я давно не работаю.

— Да, вижу. — Он кивнул на коляску. — Тогда завтра в полдень у вашего дома.

Она быстро подсчитала: Илюшу кормить нужно в десять, потом он до часу поспит.

— Хорошо.

— Тогда мы увидимся завтра.

Александр Сергеевич выпустил ее руку, но не двинулся с места. Ей хотелось спросить у него прямо сейчас, почему он исчез тогда, год назад. И, может быть, пока он не ушел, сказать ему сразу, что, если он опять исчезнет — если он опять, как тогда, — то этого просто ведь не пережить, и всё это стыдно, да, стыдно, ужасно...

* * *

Василий Веденяпин всё больше и больше привыкал к своей военной жизни и, хотя война не приносила ничего, кроме потерь и разочарований, понимал — не умом, а всем своим существом, — что на войне *можно* продолжать жить хотя бы потому, что здесь не ошибешься, кто живой, кто мертвый, кто раненый, как не ошибешься, кто друг, кто подлец, а там, *в миру* (он неожиданно вспомнил это выражение, и оно понравилось ему), там всё запутанно, и, если человек, дожив до почти двадцати лет, не может даже поручиться, что мать не обманула его, прислав телеграмму о собственной смерти, то что же *там* делать? Ну, есть, пить и спать. А зачем?

Он старался совсем не думать об отце, потому что невозможно было думать об отце отдельно от матери, старался не вспоминать мать, потому что тогда на ум сразу же приходил отец и, главное, возникал прежний неразрешимый вопрос: что такое могло быть между его родителями, из-за чего их общая жизнь превратилась в пытку? Ему самому было ясно, что он не только никогда не женится и не заведет детей, но даже и привязываться к какой-то одной женщине не имеет смысла, потому что всё это кончается одним: предательством, ложью и смертью. Арина еще долго мучила его своим незримым присутствием. Ночью он вдруг просыпался оттого, что чувствовал под своими ладонями ее тяжелые и очень горячие груди, грудной ее голос, иногда звучащий так, будто она, обращаясь к Василию, одновременно разговаривает с кем-то еще, и от этого весь самый простой разговор вдруг приобретал какую-то хмельную многозначительность, этот грудной ее голос иногда вдруг окликал его посреди серых будничных дел, и он останавливался, замирал, не понимая, что это с ним. Но постепенно и Арина начала стираться в памяти, и особенно сильно он ощутил, как ее словно бы размывает внутри, размазывает ее черты — ее этот голос, и тело, и запах — по всей остальной его жизни, как дождь, уже закончившийся высоко в небе, продолжает мягко спускаться с листвы на стволы, стекает на землю, уходит под травы. Он ощутил это расползание, размывание ее воображаемого, но сильного продолжения внутри себя, когда тяжело заболел во время одного из изнурительных переходов, лежал в походном лазарете с ноющей болью во глубине левого глазного яблока, и ему казалось, как что-то выковыривают из его головы большой и холодной круглой ложкой, которой пользуются мороженщики, но если удастся извлечь это «что-то», то боль его сразу пройдет. Потом он вдруг понял, что это из него «выковыривают» Арину, которая прилипла и не хочет уходить, и тогда он сделал судорожное, рвотное движение напрягшимся животом, чтобы освободиться от нее, и, кажется, освободился.

Перед самой Пасхой пришло письмо от отца:

Дорогой Вася, никак не могу примириться с мыслью, что ты так далеко от меня и продолжаешь воевать, непонятно за что и зачем. Если бы не этот по-прежнему невыносимый для меня факт, что на войне находится мой единственный сын, я бы, наверное, мог рассуждать даже и так, как рассуждают многие из моих коллег и знакомых. Они говорят, что война, хотя и трагическое событие, но может быть праведной и даже священной, поскольку Отчизна приносит своих сыновей в жертву некоей наджизненной, а лучше сказать, национальной идее. Когда я слышу подобные изречения, у меня горло перехватывает от отвращения, и я поскорее ухожу, чтобы не присутствовать при этом. Даже если в теории — только в теории, Вася! — и возможна такая война, то в ней должны соблюдаться хотя бы два условия. Но прежде вопрос: что это за идея такая, во имя которой должны гибнуть люди? Это должна быть какая-то по-настоящему высокая, а лучше сказать, божественная идея, а не та или иная человечья выдумка. Это, на мой взгляд, первое главное условие. Как видишь, оно малосбыточно. И второе условие — это то, что каждый без исключения человек должен быть согласен на то, что именно его жизнь приносится в жертву вот этой идее. Оба эти условия невыполнимы и нежизнеспособны. Ты сам знаешь, что люди (а сейчас я говорю о русских людях) воюют вовсе не за идею, которую им старается навязать начальство, а потому что, если они не будут воевать, им всем — прямая дорога на суд и смерть через расстрел или повешение. Говорить о «защитниках Родины» могут только фанатики или мерзавцы. Мы с тобой когда-то, когда ты был еще подростком, рассуждали о том, как лучше вести себя государству, которому объявляют войну. Ты тогда сказал очень мудрую и совсем не-

детскую фразу: «А если взять все иконы, которые только есть у русских, собраться всем вместе и выйти навстречу врагам? Немцы, или турки, или шведы — они ведь такие же люди. Они тогда поймут, что не нужно никого убивать, и, может быть, им станет стыдно». Чем дольше я думаю об этом, чем дольше живу и мучаюсь страхом оттого, что мой единственный сын находится внутри этого адского пекла, тем глубже укрепляется во мне мысль, что нет и не может быть никакой правды в войне, и прав был Толстой, который считал, что война — это всегда только ложь, только безумие.

И еще кое-что, очень важное, я хотел сказать тебе. Прости меня, Вася, за то, что я не удержался тогда и показал тебе мамино письмо. Это грех мой перед тобой, моя непростительная вина. Во глубине души я, конечно, добивался одного: чтобы ты разделил со мной мои страхи или, может быть, успокоил меня тем, что все эти дикие предположения — не что иное, как моя больная фантазия. По твоему совсем побелевшему, испуганному лицу я сразу увидел, что этого нельзя было делать, но было уже поздно: я влил этот яд в твою душу, а как помочь теперь тебе, не знаю. К моему постоянному ощущению, что я был всегда виноват перед твоей матерью, прибавилось то же самое ощущение по отношению к тебе. Но супружество, мой дорогой, подобно замку и дужке: если одно хоть сколько-нибудь не подходит к другому, хотя бы на долю миллиметра, — ничего не поделаешь. Замок просто нужно сменить. Моя вина перед мамой заключалась в том, что я это понимал с самого начала и всё-таки заставил ее выйти за меня замуж, верней, убедил ее в том, что больше ей ничего не остается.

Раз ты прочел ее последнее письмо и уже подготовлен, жди теперь любого сюрприза от своей матери.

На это письмо Василий Веденяпин просто не стал отвечать. Его батарея вторую неделю стояла на отдыхе. В двух маленьких комнатах помещалось десять человек нижнего офицерского состава. Все были раздражены, измучены, больны, все ненавидели друг друга за то, что в каждом видели отражение себя самого, и, главное, каждый испытывал почти непереносимое для человеческой души состояние полнейшей неизвестности, а стало быть, и безнадежности будущего. О смерти никто не говорил, но чувствовалось, что именно это глубоко засело в сознании, хотя именно этим и было труднее всего поделиться.

Василий Веденяпин пытался настроить себя, что даже такой отдых всё-таки лучше, чем то, что выпадает сейчас на долю пехоте, которая в этот двадцатиградусный мороз стоит на передовых постах и каждую ночь ходит в разведку по глубокому снегу или в атаку, выпрямившись во весь рост, под пули и пулеметы. Отец зря напомнил ему детские эти, дурацкие рассуждения о том, что людям не нужно воевать, а нужно идти навстречу врагам с иконами, распевая молитвы. Люди не могут не ненавидеть друг друга, и война есть не что иное, как самый верный и чистый способ освободиться от этой ненависти хотя бы на время, реализовать ее в конкретном и жестоком поступке. Он чувствовал, что в душе его не остается почти ничего, чем можно было бы «накормить» поселившуюся в ней тоску и раздражение, которые, как две голодные сторожевые собаки, ждут только того, когда хозяин обратит на них внимание, чтобы зарычать или громыхнуть цепью. Никаких нежных, или детских, или любовных воспоминаний не осталось в нем, и даже то, что прежде, еще даже месяц назад, до болезни, успокаивало или вызывало внутренние слезы раскаяния и печали, перестало существовать, и чем красочнее, чем «жирнее» были те куски памяти, которые изредка еще просыпались внутри, тем быстрее они заглатывались этой раздраженной тоской, которая, злобно облизываясь после проглоченного, вновь устремляла на него свои голодные желтые глаза.

* * *

Дина, слава богу, была в гимназии. Алиса, которая никогда ни о чем не расспрашивала и верила всему, что ей говорят, тут же согласилась побыть в детской с уснувшим Илюшенькой, пока Таня «сходит в аптеку». Мать, как всегда, до возвращения Дины из гимназии и отца из госпиталя не выходила из своей комнаты. Сегодня намечался «банный» вечер с большой стиркой для всего дома и мытьем, в три должна была прийти прачка, и времени встретиться с Александром Сергеевичем оставалось совсем немного.

Тане показалось, что со вчерашнего вечера она изменилась так сильно, что все в доме должны заметить это. Лицо у нее горело, волосы выбивались из пучка, левая рука никак не могла попасть в перчатку.

Что он скажет ей? А она? Нужно было рассказать о смерти Володи Шатерникова, о том, что она почти не плакала тогда, но горе осталось внутри, осталось навсегда, что теперь вся ее жизнь — только в сыне, они живут вместе, одной семьей: и мама, и папа, и девочка Дина, которую он, наверное, заметил вчера на катке. Ее не заметить нельзя, ведь такая красавица.

При этом она понимала, что, согласившись вчера на эту встречу, она словно бы освободила что-то, вытащила на свет то ждущее, исподволь выматывающее ее, то, чему она не знала названия, чего не было (и быть не могло!) в ее любви с Володей Шатерниковым и о чем она вдруг догадалась однажды, когда они обедали с Александром Сергеевичем в ресторане и он повелительно, просто усадил ее себе на колени. Это было похоже на то, как однажды, когда она гладила тяжелым раскаленным утюгом свою сорочку, ее окликнул кто-то из столовой, и она, дернувшись, дотронулась до утюга краем ладони. Боль была жгучая, мгновенная, но странно, что тут же прошедшая, хотя и сейчас еще на ладони заметна тонкая белая ниточка.

Боясь, что ее непременно кто-то увидит — мать из окна спальни, Алиса или няня, — она выскользнула из подъезда и почти бегом заспешила в сторону аптеки. Александр Сергеевич негромко окликнул ее. Он шел по противоположной стороне улицы, она даже и не заметила его.

— Думал, не догоню, — слегка задыхаясь, сказал он. — Здоровье-то уже не то. А вы припустились, как лань.

— Я к вам на минуту, — дрожащим голосом ответила она. — Мне трудно сейчас отлучаться из дому.

— Ребенок? — улыбнулся он.

— Ребенок. Илюша.

— Вы кормите?

Она огненно покраснела.

— Чего тут стесняться? — спросил он. — К тому же я доктор. Не будете же вы стесняться доктора?

— Не доктора. — Она чувствовала, что сейчас заплачет от волнения. — Но вас я ужасно стесняюсь.

— Вот так напугал?

— Вы не виноваты в этом, — прошептала она. — Это я сама...

— Дурацкое время! — раздраженно сказал он и поднял воротник. — Мне даже пригласить вас некуда. Филипповская, и та закрылась. Муки не хватает.

— Я бы туда всё равно не пошла. — Она опустила голову и исподлобья посмотрела на него.

— Да я пошутил, — опять усмехнулся он. — Меня туда тоже не очень-то тянет.

— Вы сейчас живете один? — спросила она и тут же поняла, что этого не нужно было спрашивать: он, может быть, что-то подумал, ужасное.

— Да, — ответил он, помедлив. — А с кем же? Василий на фронте. Вы замужем, как я могу догадаться?

Она, наверное, ослышалась. Неужели он не понял, что Илюша родился без отца, что она не замужем и жених ее убит? А иначе она разве бы выбежала к нему сейчас?

— Я *была* замужем, — неожиданно для себя ответила она. — Но мужа убили. Илюша родился уже после этого.

— Примите мои соболезнования, — сдержанно сказал он, и по его блеснувшим глазам Таня поняла, что он не поверил ей. — Я думаю: как вам досталось!

— Мне? Так же, как всем.

— *Всем,* — напирая на это слово, пробормотал он, — еще, боюсь, достанется. К тому идет.

— Что вы такое говорите? — ахнула она. — У меня же сын...

— Какая вы всё-таки прелесть! — усмехнулся Александр Сергеевич. — Как взяли и просто, разумно ответили!

— Но это ведь правда! — возразила Таня, чувствуя, что перестает робеть и бояться его, как будто само слово «сын» придало ей силы и уравняло их. — Я не должна думать о том, что всё будет ужасно, потому что моему сыну *должно* быть хорошо. Это так *должно* быть, вы понимаете меня? Иначе зачем я живу?

Александр Сергеевич пристально смотрел на нее.

— Странная штука! Как вы быстро меняетесь. Когда мы обедали тогда — год назад, да? — вы тоже были уже другой, но сейчас — просто до неузнаваемости. Как будто лет десять прошло.

— Наверное, тоже расту...

— А может быть, вы уже выросли? — Он неожиданно сильно побледнел, как это случалось с ним иногда.

Она опустила глаза. Александр Сергеевич быстро, воровато оглянулся. Улица была пуста, тиха, слабо освещена солнцем.

— Пойдемте сюда! — Он схватил ее за руку, и они очутились во дворе дома под номером 36, на котором висела скромная мемориальная табличка, говорящая, что поэт Афанасий Фет умер в этом доме в 1892 году.

У самого сарая лежали промерзшие дрова, накрытые рогожей, и два воробья озабоченно выклевывали что-то из снега. Александр Сергеевич обнял ее и жадно несколько раз поцеловал в губы. Она попыталась оттолкнуть его, но он был сильнее, не отпустил и обеими ладонями прижал ее лицо к своему.

— Молчи, ничего не говори! — обжигая ее лоб своим дыханием, пробормотал он. — Теперь уже можно, теперь ты большая...

— Что — можно?

— Что — можно? — Он засмеялся и поцеловал ее, не переставая смеяться. — Теперь тебя можно — любить.

— Пустите меня! Я должна быть уже дома! Меня могут хватиться!

— О, я понимаю! — покрывая поцелуями ее лицо, шею, воротник, задыхаясь, ответил он. — Тогда мы увидимся завтра. Ведь я в двух шагах. Здесь, на Малой Молчановке.

Она оттолкнула его обеими руками. Александр Сергеевич тяжело дышал.

— Я ни за что не приду, слышите? — отчаянно сказала она. — У меня сын, у меня ребенок! Как вы смеете мне даже предлагать такое?

Слезы вдруг хлынули сами, она не смогла удержать их и громко всхлипнула.

Александр Сергеевич прижал ее к себе еще крепче.

— Ну, счастье мое, радость моя... Моя маленькая девочка, бедная моя, измученная, маленькая девочка...

— Я не девочка, — прошептала она, затихнув в его руках и перестав вырываться. — Я очень люблю вас, и мне очень страшно...

— И мне самому очень страшно. А как же не страшно? Ведь это же только начало. А кто его знает, начало — чего? Ты завтра свободна?

— Да. — Она вытерла слезы. — Илюша спит с часу до четырех. Скажите, куда. Я приду.

Удивление блеснуло в его глазах — так решительно и твердо она сказала это.

— Но сейчас мне пора, — быстро добавила Таня. — Проводите меня. Или вы очень торопитесь?

Выйдя со двора на улицу, Александр Сергеевич смеющимися глазами пробежал строчки на мемориальной доске и взял ее под руку.

— Вот был характер! — сказал он. — Афанасий Афанасьевич. Лечился у всех, у кого только можно, чтобы избавиться от тоски. Постоянно думал о самоубийстве. Ничего не помогало. А какие стихи! — Он крепче прижал к себе локтем ее руку: — «В моей руке такое чудо: твоя рука...»

— Это разве Фета стихотворение? — удивилась Таня.

— «А на траве два изумруда, два светляка...»

* * * *

Александр Ефимович Флеров был человеком спокойным и уравновешенным. В его жизненные правила входило никогда не повышать голоса на мальчишек и договариваться с ними мирно, дружелюбно и без запугиваний. Гимназия между тем разрасталась и ко времени войны насчитывала без малого двести человек. Мальчишки, как назло, попадались всё больше отчаянные, родителей не слушались — да чего и кого было слушаться, если дурман прогрессивной мысли застлал родительские головы, так густо застлал, без просветов, что плыли родители в полном тумане и деток своих на пути растеряли. Не все, разумеется. Многие.

Александр Ефимович жил недалеко от Мерзляковского переулка, где по проекту архитектора Николая Ивановича Жерихова, друга и приятеля Александра Ефимовича, было зимой 1910 года построено здание знаменитой на всю Москву мужской гимназии. Построено оно было на деньги Александра Ефимовича и потому носило его имя: гимназия Флерова. Собственная же квартира Александра Ефимовича — весьма скромная и небольшая — находилась в Медвежьем переулке, а потому и зимой, и летом он ходил в гимназию пешком. Сторож, почтенный, седой, до странности похожий на самого Александра Ефимовича, хотя и пошире в плечах, принимал пальто, шляпу, калоши, развешивал вещи в шкафу, расправлял, сдувал аккуратно пылинки, снежинки — что бог на сегодня послал! — и сообщал Александру Ефимовичу последние события из жизни тех гимназистов, которые размещались «на квартирах», в верхнем этаже гимназии.

Александр Ефимович слушал, к плечу прислонившись бородкой.

— А надпись опять появилась? — спрашивал он глуховато.

Сторож опускал виноватую голову.

— Опять, ваше благородие. Ночей не сплю из-за энтой надписи. Приду ровно в полночь, сотру. Вроде чисто. А утром — опять! Бес их знает!

Надпись, разговор о которой происходил каждый божий день, наносилась углем в одном и том же месте, а именно через всю стену курилки на самом верхнем этаже, являя собою при этом бессмыслицу: «Вясна ядёть».

Был, наверное, какой-то отвратительный подтекст в этих словах, но Александра Ефимовича огорчало другое: стену курилки перекрашивали каждую неделю. Приходил маляр, курносый и рыжий, похожий на клоуна, ставил на пол тяжелое ведро со вкусно пахнущей розовато-бежевой краской, брал кисть и закрашивал грязь и разводы. Стена становилась прекрасной и чистой. Не то что изгадить углем, плюнуть было бы больно. Но кто-то упорный — увы — не сдавался, и утром «вясна» вновь чернела победно.

«Как это неприятно, — думал Александр Ефимович, опираясь на палку и медленно переступая отекшими ногами по еще пустому, ярко натертому коридору. — Как это неприятно и странно, что у большинства детей не развито эстетического чувства. Вот это желание взять и запачкать — откуда берется? И главное, почему они так уверены, что грязное привлекательнее чистого? А злое, наверное, приятнее доброго?»

Мысли эти впервые посетили его давно, когда, будучи студентом факультета теологии, Александр Ефимович работал над диссертацией «Природа демонического в личности человека». Тогда, перерыв груды материала, окунувшись с головой в кровавые водовороты истории, он ясно понял, что «природа демонического» сильна в человеке до крайности, и так же, как божественная природа, она ищет себе путей в этот мир, пользуясь слабым существом, пришедшим из праха и в прах уходящим, переполняет его собою, сгрызает, съедает его изнутри, а после, оставив обглоданный остов, свободно уходит, куда ей взбредется.

«Человек, порожденный женою, — по памяти бормотал Александр Ефимович, усаживаясь наконец в глубокое кресло и надевая очки, — краткодневен и пресыщен печалями. Как цветок, он приходит и опадает, убегает, как тень, и не останавливается... Кто родится чистым от нечистого? Ни один. Если дни ему определены и число месяцев его у Тебя, если Ты положил ему предел, которого он не перейдет, то уклонись от него, пусть он отдохнет, доколе не окончит, как наемник, дня своего. Для дерева есть надежда, что оно, если и будет срублено, снова оживет, и отрасли от него выходить не перестанут. А человек умирает и распадается: отошел, и где он?»

Пронзительная правота этих слов всякий раз заново поражала его, и он начинал думать о том, есть ли какой-то способ — зная, что всё это *так* — *только* так и никогда иначе, — помочь этим юрким прыщавым мальчишкам прожить свою жизнь по возможности чисто?

За дверью его кабинета послышалось сдержанное рыдание. Александр Ефимович давно снял с себя должность директора и остался скромным попечителем, при этом рыдать приходили к нему. Не только рыдать, а вообще — приходили. Директор Барков, Александр Семенович, был вспыльчивым, мог и прикрикнуть, но попечитель Флеров, Александр Ефимович, — никогда. Он знал, кто рыдает за дверью: опять Климентина Петровна. Александр Ефимович поднялся, отодвинул тяжелое кресло и отворил дверь.

На Климентину Петровну было больно смотреть. Круглые очки ее в тоненькой золотой оправе запотели изнутри, и слезы, прозрачные хрупкие слезы, проделали маленькие бороздки внутри очень нежной и розовой пудры. Климентина Петровна учила оболтусов танцевальному мастерству, а младшие классы еще и гимнастике. Но младшие — что! А вот старшие, у которых уже пробивались усы, голоса были лающими, сорванными, как у дворовых псов, буквально свели Климентину с ума. Похабным свели, издевательским образом. Писали любовные письма с намеками, совали под дверь георгины и флоксы, сорванные в дворовом палисаднике, назначали свиданья на Патриарших прудах и прочих таких же укромных местечках. Климентина прибегала к Александру Ефимовичу и плакала на его плече. Александру Ефимовичу она годилась в дочки. Подлецы были неуловимы, следов никаких не оставляли, да хоть и оставь они этих следов видимо-невидимо, пороть по закону нельзя, запрещается. Исключить, правда, можно, но против этого у Александра Ефимовича был решительный протест: исключишь мерзавца, а он — на войну! Нет, лучше пускай Климентина рыдает.

— Ну, что там сегодня? — грустно сказал старый, обрюзгший, седой, с маленькими и добрыми, в густых ресничках глазами Александр Ефимович.

Климентина Петровна вынула из сумочки скомканное письмо и мокрой от слез рукой протянула его попечителю.

«Богиня, королева сердца моего! — было написано большими, отвратительно кривыми и словно бы пьяными печатными буквами. — Если вы не желаете смерти вашего раба и безумно влюбленного в вас человека, приходите сегодня в восемь часов вечера на Собачью площадку, где я буду ждать вас. Мой случай отчаянный, ибо если вы откажетесь вместе со мною, рабом вашим, испить нынче вечером чашу блаженства, то я недолго задержусь на этом свете. Пока жиды и прочие интеллигенты не погубили окончательно святую нашу Русь, я должен успеть послужить ей. И поверьте, сударыня, когда бы не съедающая меня страсть к вам, я бы уже давно пал смертью храбрых на поле боя, давно обагрила бы землю моя православная русская кровь. Итак, теперь слово за вами. Лобзающий ручки и ножки ваш раб, верный рыцарь В.В.».

— Ох, Господи, гадость какая! — вздохнул Александр Ефимович.

— Я больше не могу! — простонала Климентина Петровна, хватаясь узенькими руками за свои пушистые кудрявые виски. — Они меня сводят в могилу!

— А вы успокойтесь, родная моя, — попросил Александр Ефимович и вытер носовым платком сильно вспотевший лоб. — Дрянное, однако, письмишко. «Жиды и интеллигенты...» Однако! Кто же на них так влияет?

Климентина Петровна перестала всхлипывать и тупо смотрела заплаканными, теперь уже без очков, глазами на высунувшийся из-под фланелевой серой юбки кончик своего очень маленького, почти детского башмака.

— Такие убить могут, — вдруг вздрогнув, сказала она. — Мы думаем с вами, что всё это шутки, а они возьмут ружье да и застрелят.

Александр Ефимович тяжело задышал.

— Нет, тут я отнюдь не согласен, — ответил он и опять крепко вытер лоб свернутым в трубочку носовым платком. — Между убийством и гадким письмецом — дистанция огромного размера. Что это вы такое говорите?

Хрупкая, изящная, с носиком-пуговкой, с вишневыми от слез щеками, Климентина Петровна была похожа на девочку, и очень хотелось успокоить ее, тем более что с такой вот ребяческой и нежной внешностью она сама зарабатывала себе на хлеб, жила нелегко и, несмотря на частые слезы, была и сильна, и добра, и вынослива, хотя простодушна до крайности.

Александр Ефимович хотел еще что-то добавить, но тут зазвенел звонок, и по всему зданию прокатилась грохочущая лавина: прыгая через несколько ступенек, скользя по перилам, стуча каблуками и медными набойками на них, учащиеся гимназии Флерова в своих серых формах наполнили здание, любовно спроектированное Николаем Ивановичем Жериховым, и с ревом, подобным морскому, с раскатами, воплями, свистом и лаем рванули по всем этажам, сверкая белками озлобленных глаз и распространяя вокруг запах своего молодого горячего пота.

— Вы их любите? — спросила Климентина Петровна. — За что вы их любите? Они же ужасны!

— Не все, — тихо ответил Александр Ефимович. — Не все, не всегда. А любить совсем не обязательно за что-то. Когда вы повзрослеете, моя дорогая, и наберетесь жизненного опыта, вы согласитесь со мной, что любить можно просто за то, что все мы когда-то родились и непременно когда-нибудь умрем. — Он усмехнулся. — Нет никого, кто бы с этим не справился.

Климентина Петровна тоже усмехнулась.

— По-вашему, это — резон для любви?

— А ей и не нужно резону, — ответил Александр Ефимович. — И это вы тоже поймете.

— Сегодня свиданье с «алферовками», — помолчав, сказала Климентина Петровна. — Десять — наших, десять — девочек.

— Опять на Арбате?

— А где же? Пойдете?

— Придется пойти, — вздохнул Александр Ефимович. — Алферовых очень люблю, уважаю сердечно. А что нынче будет?

— Посылки собираем на фронт для земского совета. Пора отправлять.

— Ну и с богом. Так, значит, до вечера? А денег откуда набрали?

— Ну, как же! Обухова пела.

— А слушали как?

— Да как? Как обычно. Один Мясоедов ужасно проказничал.

— Ах да! Мясоедов...

Климентина Петровна ярко покраснела и отвернулась.

— Его бы убрать куда-нибудь, Александр Ефимович! Он просто чудовище!

— Чудовище. Верно, — грустно согласился попечитель и вдруг сверкнул на Климентину Петровну умными глазами. — А это письмо... Оно, кстати...

— Я и сама так подумала, — опустила кудрявую голову Климентина. — Уж больно он нагл!

— Я за ним понаблюдаю вечером. Что, и Наденька придет?

— Обещалась. С гитаристом. И петь опять будет.

— Ну, добре. — Александр Ефимович встал, провожая ее. — Глазки вытерли? Вот и умница.

С наступлением войны две самые известные московские гимназии — женская Александры Самсоновны Алферовой и мужская Флерова Александра Ефимовича — заключили перемирие. Мальчишки перестали закидывать барышень снежками по дороге из гимназии, на катке помогали застегивать на хрупких девичьих ногах жесткие крепления и — что самое важное — затеяли общее дело: помощь фронту. И дело оказалось не только веселым, но даже таинственным, с присутствием риска и многих опасностей.

Строение номер 14 на Арбате поражало своею величавою барственной пышностью: балкон, шесть колонн на балконе, высокие окна и лев, золотой и насупленный, прямо у входа. На самом деле дом был не каменным, а деревянным, оштукатуренным. Под пышным ампиром — обычные бревна. Выбрала этот дом для встреч алферовских барышень с флеровскими сорванцами сама Александра Самсоновна. Она и всегда торопилась в решениях, но рядом был муж, Александр Данилович, он сдерживал, он поправлял.

— А как с привиденьями, Шура? — спросил Александр Данилович.

Дело еще и в том, что дом под номером 14 называли «домом с привиденьями», и даже разносчики обходили его стороной. «Туда попадешь, а обратно не выйдешь!»

История вкратце такая. В 1842 году дом номер 14 перешел во владение надворной советнице Александре Оболенской, и всё вроде шло ничего, пока не случилось, уже через много лет после смерти советницы, самоубийства на любовной почве одного из ее потомков, молодого князя Оболенского. Отец его после такого несчастья из дома тотчас переехал и носу туда не показывал, но въехал в него его брат, Михаил, и въехал с подругой, вдовою умершего князя Хилкова. От князя осталось невероятное количество самых разных вещей и предметов, представляющих огромную художественную ценность: ковров и посуды, фарфора, картин. Одних только ламп — три десятка, не меньше. Ну, въехала с этим добром, значит, пара. Вдова на вдову не похожа нисколько. Ходила при слугах в прозрачном халате. Еще башмаков не сносила, в которых — как сказано в пьесе? — а жить торопилась. И жили неплохо, но стало им тесно, добра слишком много. Вдова заявляет: «Ах, я не могу! Задыхаюсь, Мишанчик! Сплошные скульптуры!»

Сказано — сделано: переселились в дом Оболенского на Сивцевом Вражке. Присматривать за арбатским добром оставили камердинера покойного князя Хилкова и пару лакеев. Оболенский, завладевший и вдовьей душой, и ее пышным телом, отдал распоряжение камердинеру начать продажу наследственного добра, и в дом повалило видимо-невидимо всякого народу, начиная от коллекционеров и кончая приказчиками. Лакеи дурили старика-камердинера изо всех сил, а сами тащили добро почем зря. Потом забрались ночью воры. Опять же неясно: то ли и впрямь воры, то ли лакеи всё это подстроили. Начали стаскивать с потолка сказочной красоты фарфоровую лампу, разбили. Порезали руки. Уйти-то ушли, а кровь со стола и не смыли. Вот с этой крови и пошло: зарезали в доме четырнадцать! Многих зарезали!

Теперь, зимою 1916 года, проклятый дом, обросший легендами, слухами, страхами, вообще пустовал. Никто в нем не жил, однако протопить хотя бы столовую было нетрудно. Дрова приноси — и топи на здоровье.

На этот дом и положила свой бархатный карий глаз неугомонная Александра Самсоновна, и в нем начались чаепития, очень по военному времени скромные: варенье из слив да ржаные сухарики. Варенье варила сама Александра Самсоновна на даче своей рядом с городом Пушкино. Хватало обычно на целую зиму. Целью еженедельных чаепитий было, во-первых, доказать всей Москве нравственную правоту педагогов Алферовых, состоящую в том, что молодые люди от пятнадцати до семнадцати лет и молодые девушки того же цветущего возраста могут (и более того, должны!) проводить вместе как можно больше свободного времени, поскольку только это полезное, ко взаимному удовольствию и уважению проведенное время и позволит им избавиться от мутных мыслей и нечистых поползновений. Александра Самсоновна и Александр Данилович, поженившиеся очень рано (ему было двадцать, а ей — восемнадцать), искренне считали, что в человеке не заложено природой ничего дурного, а всё, что в нем дурно, исходит от общества.

Встречи «алферовок» с «флеровскими» поначалу носили несколько нервный характер, поскольку не привыкшие к женскому обществу юнцы то сильно потели и сжимали под столом свои грубым волосом поросшие кулаки, то глупо дерзили, то очень уж пялились. «Алферовки» же были девицами весьма самостоятельными, Александру Самсоновну уважали, Александра Даниловича обожали, читали, как требовал того Александр Данилович, прекрасные русские книги, решали, как настаивала на том Александра Самсоновна, трудные математические задачи и были вообще очень жизни открыты. Почти ничего не боялись. Как это часто бывает, они в свои пятнадцать лет были гораздо старше и опытнее душою, чем те же мальчишки с их лающим басом и грубыми пальцами.

Дина Зандер, после смерти своего отца поступившая в гимназию Алферовой, считалась красавицей. При этом некоторая загадочность окружала ее. Все знали, что до двенадцати лет Дина с родителями жила за границей, что у матери ее прежде была другая семья, и теперь, овдовев, она вместе с Диной вернулась обратно в свою прежнюю семью, где у Дининой старшей сестры, Тани Лотосовой, без всякого мужа родился ребенок. Конечно, было бы безумно интересно выяснить некоторые подробности — особенно про то, как романтично и незаконно появился на свет этот самый ребенок, — но Дина молчала, а если ее вдруг о чем-то спрашивали, могла полыхнуть голубыми глазами с такою не девичьей силой и злостью, что спрашивать больше уже не хотелось. Неудивительно, что, как только мужская и женская гимназии начали свой совместный проект помощи фронту, у Дины Зандер сразу же появились поклонники среди флеровских шалопаев. К тому же она сочиняла стихи.

> Как я хочу забыть о горе,
> Когда я слышу Дебюсси,
> Когда я просто вижу море
> И ветер чувствую в горсти!

Сочинять хотелось очень, но не всегда было понятно, о чем. Стишков в гимназических альбомах она не терпела. Призрак отца категорически не желал появляться и ничего путного не подсказывал: отец и при жизни был молчалив, а тут уж, после смерти, подавно. Зимою случилось событие: судьба подарила ей дом с привиденьями, где каждую неделю ее поджидали десять, а то и двенадцать юношей, высоких и низких, в очках и лохматых, веселых и тихих, блондинов, брюнетов, — все в серых гимназических формах, перетянутых ремнями с большими серебряными пряжками. Как только она появлялась в дверях, они опускали глаза на секунду. Поскольку она ослепляла собою.

Сегодня вечером нужно было упаковать подарки в армию, купленные на деньги от благотворительного концерта, в котором вместе с тремя «алферовками» выступила сама Надежда Обухова, и завтра отправить посылки на фронт. Гостиную в доме номер 14 протопили как следует, варенье уже золотилось в одной из оставшихся от покойного Хилкова вазочек. Имущество, надо сказать, было в идеальном порядке: дом стоял закрытым, ключи имелись только у Алферовых, а так, чтобы грабить, ломать, безобразничать, — такого еще не случалось. Не те времена. Сначала, как обычно, пили чай и грызли сухарики. О войне не говорили, потому что на уме у «алферовок» было другое: ехать летом на покос в сельскохозяйственные дружины (рабочих рук не хватало катастрофически!) и там обучать крестьян грамоте. Александр Ефимович, попечитель, разработал целую методическую программу обучения взрослых людей и в прошлую среду уже начал объяснять основные ее положения. Теперь он прихлебывал чай из княжеской чашки, блестел своими добрыми глазками и отвечал на вопросы. У девушек щеки горели. Идея покоса и помощи бедным крестьянам кружила их головы. К тому еще ждали, что с минуты на минуту придет Надежда Обухова, которая обещалась спеть прямо здесь, в доме с привиденьями, «для своих», как она выразилась. Гимназист выпускного класса Павел Мясоедов, с сальным пробором на голове и большой красной родинкой, которую очень хотелось сковырнуть, настолько неплотно она держалась под его густою бровью, не сводил с Дины Зандер зовущего взгляда. Изредка он переводил его на молоденькую учительницу танцев Климентину Петровну, и та вся сжималась, как лайковая перчатка, забытая в ливне на лавочке в парке по чьей-то небрежности. Дина Зандер, впрочем, не обращала на Мясоедова никакого внимания.

В восемь пришла долгожданная Обухова в сопровождении черноглазого, похожего на цыгана гитариста. За окнами арбатского особняка рвалась и стонала метель, и тускло-золотыми пятнами мигали городские фонари, и нежный, немного кровавый огонь из кабинета покойного князя Хилкова, не отопленного, но освещенного привезенной из арабских земель ажурною бронзовой лампой, пел что-то свое, пел кровавый огонь, и пела метель, и стонала от боли, и всё это было пока еще — жизнь, пока еще — чай со сливовым вареньем...

Обухова сняла с черных, запорошенных снегом волос каракулевую шапочку, стряхнула снег с каракулевой шубки.

Широкое смуглое лицо ее было серьезным, неулыбчивым, брови блестели от снега.

— Ну, много собрали? — спросила она, обращаясь к Александре Самсоновне. — На сколько посылок хватит?

— С бельем — на шестнадцать, — ответила Александра Самсоновна, — а если кисет да махорку, так даже на тридцать, я думаю, хватит.

— Негусто, — нахмурила брови Обухова. — Ну, что будем петь?

Гитарист усмехнулся. Обухова через плечо посмотрела на него царственно.

— Однако не очень части-то, Алеша, — негромко сказала она, и он наклонил свою цыганскую голову, смирными собачьими глазами отвечая ее взгляду.

«Алферовки» переглянулись.

— Дре-е-емлют плакучие и-и-ивы, — чистым и светлым голосом запела Обухова, — тихо склонясь над ручье-е-ем...

Мясоедов откашлялся. Александр Ефимович строго посмотрел на него.

— С такой бы певичкой да ночью... — пробормотал про себя Мясоедов.

— Сейчас же пойди вон отсюда! — шепотом приказал Александр Ефимович. — И чтобы я больше не слышал, не видел...

Мясоедов встал, заскрипев стулом, накинул шинель, на бровь с красной родинкой сбоку надвинул фуражку и вышел вразвалочку, мягко качаясь.

— Где ты, голубка родна-а-я? — пела Обухова. — Помнишь ли ты-ы-ы обо мне? Так же ль, как я, изныва-а-а-я, плачешь в ночно-ой тишине?

В кабинете покойного князя Хилкова часы пробили двенадцать. Расходиться не хотелось. Посылки солдатам-защитникам упаковали, обвязали веревками, чтобы по дороге не высыпалась махорка. Обухова, завернувшись в пуховый платок, сидела на низенькой табуретке у печи и сурово смотрела в огонь. По смуглому лицу ее скользили тени.

«О, как ее любят, должно быть!» — вдруг вся содрогнувшись, подумала Дина.

Гимназист со странной фамилией Минор дотронулся до ее локтя.

— Я знаю, что вы стихи сочиняете, — пробормотал он. — Не желаете ли пойти на закрытый поэтический вечер? Двое очень великолепных поэтов выступят. Из крестьян.

— Крестьяне? — надменно переспросила Дина Зандер. — А что это значит — «закрытый»?

— Вот вы посмотрите. — И робкий сутулый Ванюша Минор протянул пригласительный билет.

На белой бумаге с изображением большого крестьянского лаптя в левом углу и двух обнявшихся ветвями весенних берез — в правом наклонными буквами было напечатано следующее: «Совет литературно-художественного общества «Страда» приглашает Вас на закрытый вечер, посвященный произведениям народных поэтов Н.А. Клюева и С.А. Есенина, имеющий быть в четверг, 18 февраля 1916 года, в 8 час. вечера в помещении об-ва «Страда», ул. Серпуховка, 10».

— А кто эти Клюев и — как его? — Дина близоруко сощурилась. — Этот Есенин?

— Я, по правде сказать, сам еще их не видел, — заторопился Минор, — но вот Мясоедов сказал...

— Мясоедов? Он любит поэзию? — Дина всплеснула руками.

— Не то что поэзию... — покраснел Минор, — но новые веянья... Это бесспорно. И все современные люди должны быть причастны...

Он испуганно запнулся.

— Ну, что же... — задумчиво и медленно сказала Дина. — Пожалуй, пойдемте. А то всё уроки, уроки...

* * *

Лотосова Татьяна Антоновна. Родилась в Москве, в Первом Труженниковом переулке, скончалась в Москве, в Первой Градской больнице, от третьего инфаркта. За четыре дня до смерти рассказывала медсестре Вере Анохиной:

— *Самое трудное было оставить Илюшу. Что сказать? Куда я иду? Одна, в такую метель? Время военное.*

— *И как же вы?* — спросила Анохина.

— *Сказала, что иду к врачу по женским болезням в Староконюшенный переулок. Что сильные боли внизу живота. А там тогда правда жил врач, старый немец. И звали его Отто Францевич...*

* * *

Доктора звали Отто Францевич, он был похож на цыпленка — весь в желтом цыплячьем пуху. Таня Лотосова нарочно прошла мимо дома Отто Францевича, словно пыталась обмануть саму себя. В окнах докторской квартиры горел свет.

На Малой Молчановке вдруг поднялся ветер и морозным снегом осыпал ее всю с головы до ног, дыхание перехватило.

«Куда я иду? — подумала она, и ветер тут же налетел снова, пытаясь поймать ее мысли и их унести. — Няня говорит, что нужно замуж выходить, «не дело с ребенком без мужа». А может быть, он меня замуж возьмет?»

Она засмеялась. Ах, Господи Боже, какая нелепость!

«Зачем я иду?»

«Затем, что он позвал тебя, — ответил внутри ее кто-то, и она остановилась, прислушиваясь. — И снова пойдешь, если он позовет. Да что там — пойдешь! Побежишь!»

Она закрыла лицо муфтой и побежала. Вот дом, вот парадное.

От Александра Сергеевича пахло спиртным, глаза его сильно блестели.

— Боялся, что ты не придешь, — прошептал он, снимая с нее зимнюю жакетку.

Таня наклонилась, расстегивая ботики.

— Позволь мне, я сам, — дрогнувшим голосом сказал Александр Сергеевич.

— Не надо! — взмолилась она. — Я прошу вас...

Александр Сергеевич опустился на корточки и снизу посмотрел на нее блестящими глазами.

— О чем ты? — счастливо и бессмысленно сказал он. — Теперь уже поздно просить... Опоздала.

Он снял с нее ботики и аккуратно — немного дрожащими руками — поставил их под вешалку. На вешалке висела темная женская шубка. Таня поняла, что это ее шубка, умершей Нины Веденяпиной, и чуть было не спросила, зачем она все еще здесь. Александр Сергеевич очень осторожно обнял ее за талию и повел в столовую. Она обратила внимание, что и столовая, и смежный с нею кабинет слабо отоплены и тускло освещены.

— Замерзла? — спросил он. — Может быть, чаю?

Она покачала головой.

— Мне сон сегодня снился, — засмеялся Александр Сергеевич. — Дурацкий сон, детский: как будто я поднялся над землей и летаю. Проснулся и думаю: что за чертовщина? А нет, сейчас вижу: и впрямь ведь летаю!

Он опустился на первый попавшийся стул и резко посадил ее себе на колени.

«Опять, как тогда...» — слабо подумала Таня.

Очень горячими руками Александр Сергеевич принялся расстегивать ее платье. Застежка была сзади, на спине, и Танины волосы мешали ему.

— Нет, — пробормотала она, — так вы не сможете... там есть еще кнопка...

— Не бойся, смогу, — засмеялся он. — Уж сколько я кнопок расстегивал в жизни...

«Зачем он это говорит? — сверкнуло у нее в голове. — Я об этом ничего не хочу знать...»

— Я всё расскажу тебе, — словно подслушав ее мысли, прошептал Александр Сергеевич. — Давно собираюсь тебе рассказать.

Он наконец справился с застежкой и теперь стягивал вниз платье.

— Какая красивая, Господи! — почти простонал он. — Зачем я тебе? Старый олух?

Таня начала дрожать, хотя в комнате, как показалось ей, становилось всё теплее и теплее.

— Ты боишься меня?

— Я не вас боюсь, — прошептала она, — а того, что вы опять куда-нибудь исчезнете.

— Я исчезал, пока мог, — странно сказал он, целуя ее в губы и подбородок.

— Что значит — мог?

— Ну, есть же у меня какие-то представления о порядочности! — воскликнул он, словно удивившись ее вопросу.

Таня обвила его шею руками и пристально посмотрела на него.

— Что ты пытаешься понять, девочка? — пробормотал он.

Ей показалось, что он пьянеет на глазах. Язык его слегка заплетался, глаза слишком сильно блестели.

— Что ты смотришь на меня, как будто я уже виноват перед тобой? — Он вымученно и брезгливо улыбнулся. — Устал я быть всё время виноватым!

Она поняла, что он опять говорит о жене, но эта вымученная, брезгливая улыбка испугала ее. А вдруг это он рассердился на что-то?

— Я так вас люблю! — прошептала она, прижимаясь своим лицом к его лицу, и, еле дотрагиваясь раскрытыми губами, в переносицу поцеловала его.

Александр Сергеевич на секунду закрыл глаза, словно давая себе время как следует насладиться этим дрожащим поцелуем.

— Тогда не дури, — просто сказал он. — Не спорь со мной, слышишь? И не задавай мне ненужных вопросов.

Встал, не переставая обнимать ее. Потом резким движением подхватил ее на руки и понес. Но странно: не в спальню, а в маленькую боковую комнату, где стояла изогнутая неудобная кушетка с наброшенным на нее мохнатым коричневым пледом.

* * *

Он всё еще спал... Он заснул, не выпуская ее из объятий, и для того, чтобы уйти, она осторожно разжала его руки, не хотела будить. Через шестьдесят лет, рассказывая пунцовой от любопытства медсестре Вере Анохиной об этом вечере, Лотосова Татьяна Антоновна, не подозревавшая, что через четыре дня ей предстоит большое и ответственное путешествие вдоль сквозящего рядом с нею ослепительного облака, к которому нельзя слишком приближаться, поскольку оно обжигает, но нельзя и удаляться от него, поскольку другого источника света пока еще нет, — Лотосова, которой через четыре дня предстояло узнать наконец всё то, о чем никто из нас не хочет ни разу подумать как следует, а если вдруг кто-то решится и примется думать, то быстро дойдет до слепящего света в том случае, если он верует в Бога, и столь же ужасно и быстро наткнется на черную тьму с черепами и смрадом в том случае, если он мелкий безбожник, — Татьяна Антоновна Лотосова, которую это ждало совсем скоро (четыре земных тихих зимних денечка), так старательно и взволнованно описывала медсестре Анохиной этот шестидесятилетней давности вечер, как будто он был ей важней самой смерти.

— Я была очень наивная, очень молодая. Александр Сергеевич был старше меня на двадцать восемь лет. Ему уже было около пятидесяти, а мне только двадцать. Я уходила от него с одной мыслью: когда это снова случится? Неужели нужно ждать до завтра, а иногда и до послезавтра? Я не часы, я минуты считала. Кормлю Илюшу, баюкаю, сама почти засыпаю, и вдруг — как молния через всю меня! Завтра! Сначала я сильно страдала оттого, что в квартире всё осталось так, как было при ней. Везде фотографии, вещи, словно нарочно разбросанные, эта ее шубка на вешалке... Один раз я его спросила, не выдержала.

— Саша, — говорю, — ты бы хоть шубу эту убрал! Что же это такое, — говорю, — только я на порог, а тут сразу: она!

Он на меня странно так тогда посмотрел и ничего не ответил. А я, конечно, ничего не поняла. И вот удивительно, Верочка, — ведь вас вроде Верой зовут? — вокруг шла война, на улицах то калеки попадались, то слепые, то немецких военнопленных ведут — зре-

лище тоже страшное, — вся жизнь была уже другой, не такой, как прежде, да и я уже не девочкой была, не барышней, ребенок ведь уже был у меня на руках, а вот ничего, кроме Александра Сергеевича, мне из этого времени почти не запомнилось. Как туман какой-то. И мы с ним — в тумане, обнявшись...

* * *

Закрытый поэтический концерт, на который Дину Зандер пригласил выпускник флеровской гимназии Иван Минор, состоялся на Большой Серпуховке, неподалеку от дома «Дамского попечительства о бедных» и в двух шагах от «Московского человеколюбивого общества» (дом 44), в старом купеческом особняке, где особенно сильно сохранился исконный русский дух, где им, этим духом, загадочно пахло.

Когда Дина Зандер в сопровождении сутулого и даже под белым сияющим снегом по-прежнему тусклого Вани Минора вошла в небольшую жаркую залу, где по стенам темным золотом мерцали образа, а в смежной комнате на круглом столе, покрытом вышитой петухами скатертью с начищенным самоваром в центре, лежали связки баранок (отчасти и с маком, но больше без всякого мака, подсохших), — когда она, краснея от сознания своей несчастной красоты и гордая ею, вошла в этот зал, часы били восемь. Они пришли вовремя.

Смазливый юноша с пшеничного цвета кудрявыми волосами, слегка подрумяненный, с глазами навыкате, наряженный так, как будто он только что позировал для портрета Ивана-царевича, а именно: в синей рубахе, смазных сапогах бутылями, с крестом во всю грудь, — как раз собирался читать. Он чинно стоял рядом со стулом, как стоят дети, которых гости просят спеть песенку, опустив свои небольшие, очень нежные и белые как молоко руки, и, кажется, ждал, пока зала затихнет.

— А ну, господа хорошие! — раздался чей-то мягкий и вкрадчивый тенорок. — А ну, мои милые да разлюбезные, не томите парнишку! У него песня из груди рвется! Внимания вашего просим!

Дина оглянулась. На отлакированной временем широкой дубовой лавке под образами сидел бородатый, с длинными, как у моржа, усами и хитрым бегающим взглядом мужик, еще молодой, но, видимо, всеми силами стремящийся к солидности. На мужике была набойчатая ярко-розовая рубаха, поверх рубахи — суконная чуйка, волосы острижены в скобку, а губы, большие, мясистые, блестели, как будто их смазали маслом.

— А вот они оба! — взволнованно зашептал на ухо Дине гимназист Минор. — Вот это, кудрявый, Сергунька Есенин, а этот, постарше, дружок его — Клюев...

— Сергунька? — надменно повторила Дина. — И что за Сергунька такая?

— Он гений! — пылко воскликнул Минор. — Сейчас вы услышите!

— Ах, Господи, все у вас гении! — пробормотала она, закусив губу, и отвернулась.

Сергунька Есенин затуманил голубые свои глаза, лицо его побледнело под румянами, и, голосом несколько даже слащавым, он начал читать, глядя прямо на Дину:

> Понакаркали черные вороны
> Грозным бедам широкий простор,
> Крутит вихорь леса во все стороны,
> Машет саваном пена с озер.
> Грянул гром, чашка неба расколота,
> Тучи рваные кутают лес,
> На подвесках из легкого золота
> Закачались лампадки небес.
> Повестили под окнами сотские
> Ополченцам идти на войну,
> Загыгыкали бабы слободские,
> Плач прорезал кругом тишину...

— Ну, что? — сиплым от волнения голосом спросил Минор. — Сказал же я: гений!

— Вы — гений? — издевательски удивилась Дина Зандер. Минор опустил глаза:

— При чем же тут я? Он, Есенин! Вот кто уж действительно гений!

— У вас, наверное, уши заложило, — вздохнула Дина. — Что это за стихи такие? Набор просто слов. То тучи, то золотые лампадки, то саван какой-то... Зачем ему саван?

— Какой еще саван?

— Какой? Вот и я удивляюсь. И что это у него за глаголы, откуда он взял их? «Загыгыкали», «замымыкали»!

— Жидам да интеллигентам наши народные русские глаголы навряд ли изволят понравиться!

Гимназист Мясоедов с красной родинкой над бровью неожиданно появился откуда-то сбоку и теперь смотрел на Дину с ненавистью, словно и не замечал ее красоты. Она отступила невольно.

— Не нравится, да? — брызнув слюной, продолжал Мясоедов. — Не очень-то пыжьтесь! Привыкнете — сразу понравится!

Толстое лицо его налилось кровью.

— Это вы мне? — спокойно спросила Дина.

— Кому же еще? Здесь вы да вот Ванька — одни из евреев!

У Минора задрожал подбородок:

— Ведь я объяснил же...

— Засунь батьке в жопу свое объяснение! — вкусно захохотал Мясоедов. — Я что, твою рожу не вижу?

— Как вы смеете? — У Дины раздулись ноздри. — Сейчас же извинитесь перед ним!

— Потише, потише, — пробормотал Мясоедов, заметив, что на них оглядываются. — Стихи пришли слушать? И слушайте!

— Черная, потом пропахшая выть! — звенел Есенин. — Как мне тебя не ласкать, не любить?

Дина Зандер оглядела собравшихся. На всех без исключения лицах был один и тот же бессмысленный восторг. Она вдруг вспомнила, как вчера, на уроке, Александр Данилыч Алферов, волнуясь и пришептывая, глуховато читал Пушкина:

> Как грустно мне твое явленье, весна,
> весна, пора любви!

Есенин перевел дыхание, голос его стал тоньше, совсем как у птицы:

> Где-то вдали, на кукане реки,
> Дремную песню поют рыбаки,
> Оловом светится лужная голь,
> Грустная песня, ты — русская боль!

«Почему обязательно — "русская"? — трезво подумала Дина. — Боль не может быть ни русской, ни китайской. Она же ведь: боль».

— Пойдем, землячок, пойдем от сраму! — засуетился Клюев и под руку, как родного, подхватил злого, огненно-красного Мясоедова. — У нас свои дела, у евреев свои. Мне твоя мамаша покойная говорила: «Глаз, Коля, не спущай с моего Жоржика. Он — парень бедовый!» Пойдем, милый голубь...

Клюев и упрямо набычившийся Мясоедов прошли в ту комнату, где были баранки, и Дина увидела, как Клюев наливает себе чай в большую белую чашку, а потом, вытащив из кармана чуйки бутылку, быстро подливает из нее.

— Минор! — сказала она, обращаясь к потному от унижения Минору. — Пойдемте отсюда. Ведь нас оскорбили.

— Но он в вас влюблен, — угрюмо ответил Минор.— Это он оттого, что вы на него внимания никакого не обращаете. Он такое про вас говорит...

И тут же осекся.

— Что он про меня говорит? — широко раскрывая глаза, спросила Дина.

— У них общество составилось, — забормотал Минор, — они утверждают, что женщина, то есть девушка, должна... ну... лишиться... этой... ну, как?.. девственности как можно раньше, ну, лет, скажем, в десять-двенадцать, как это в Китае и, кажется, в Индии...

Дина Зандер прижала ладони к запылавшим щекам, из глаз ее брызнули слезы.

— Гадость какая! Боже мой!

— Они ни секундочки в Бога не верят, — торопливо добавил Минор. — Я однажды спросил: «Откуда тогда всё вот это на

Я ВАС ЛЮБЛЮ

свете? Ну, люди, животные...» Они разозлились, пускать меня
больше к себе не хотели. «Еще раз придешь, — говорят, — шкуру
спустим! Ты нам только портишь!» Ну, я извинился.

— Зачем они вам?

— Ну, как же — зачем? Они очень сильные. Вот я вам по
правде скажу: я часто пугаюсь. Папаша придет домой выпим-
ши, наорет на маму, а я, вот еще маленьким совсем был, от
ужаса в шкаф забивался, ей-богу! А Мясоедов мне рассказал,
как он собственному отцу по физиономии вдарил и — ничего!
Еще пригрозил. Так и сказал: «Приду ночью и пырну нож-
иком». И к женщинам тоже...

Он испуганно посмотрел на Дину и замолчал.

— Что к женщинам? — глядя в пол, спросила она.

— Они и к женщинам такие... тоже бесстрашные... У них
главное, чтобы никакого стыда ни перед кем не было.

— Скоты они... — прошептала Дина. — Скоты, негодяи...

— Сначала я тоже так думал... — вздохнул Минор, но не
успел закончить начатой фразы.

— Сейчас, мои милые, хорошие, кабыть вы уже поскучне-
ли, мы вас веселить начинаем! По-нашему, по-простому, по-
крестьянскому! Что с нас, с голяков, много спрашивать? — дурко-
вато воскликнул Клюев. — Давай-ка, Серега, частушечку, братец!

Золотоволосый «братец» во всю ширину развернул гармошку, белыми нежными пальцами пробежал по клавиатуре.

Я вечор, млада, во пиру-у-у была, —

выписывая крендели смазными сапогами, пронзительно запел он.

Хмелен мед пила, сахар куша-а-ала!
Во хмелю, млада, похвалялася
не житьем-бытьем, красно-о-ой уда-алью!

Клюев выбежал ему навстречу, чуйку скинул на пол, расправил плечи под розовой рубахой:

Ой, пляска приворотная! Любовь-краса
залетная!

У Дины вдруг сильно закружилась голова. Обеими руками она вцепилась в локоть Минора и закрыла глаза.

— Вам дурно? — испуганно спросил он.

— Прошу вас, пойдемте отсюда, — сглатывая кислую слюну, прошептала она. — Мне что-то действительно дурно...

Мясоедов в наброшенной на плечи гимназической шинели курил на морозе.

— Ба! — воскликнул он. — Мы вам надоели? Куда вы спешите? Ну, что ты уставился, Ванька? Хватай свою даму и быстро — в постельку!

Минор остановился. Дина хотела плюнуть в лицо Мясоедову, но вдруг перестала видеть его: на месте Мясоедова маячило что-то красное, окровавленное, и дым папиросы шел прямо из красного.

— А дама, видать, в положении! — голосом Мясоедова сказало красное. — И кто ж тебя, люба моя, обрюхатил? Сначала сестренку твою уложили, а после, глядишь — и малышка не промах...

Закрыв собой Дину, Минор очень неловко, кулаком, стукнул Мясоедова по плечу.

— Ну, ты это брось! — ласково прошептал Мясоедов. — Ты брось это, Ванька!

И тут же Минор кубарем покатился в сугроб. Дина поняла, что Мясоедов ударил его. Маленький ледяной нарост сбоку, на сугробе, вдруг стал ярко-черным от крови.

— Ай, яй! — засмеялся Мясоедов. — Но есть, Ваня, выгода. По такой роже, какая у тебя сейчас, никто про жидовство твое не узнает. А нам с тобой, Ванька, чего еще нужно?

Дина почти не помнила, как очутилась дома. Они с Минором не стали брать извозчика, трамваи уже не ходили по позднему времени, пришлось добираться пешком. Шли быстро, закрываясь от ветра, пряча лица в воротники. Каждую минуту Минор останавливался и сплевывал на землю кровяные сгустки. Лицо его было сплошным бурым месивом.

Не дойдя несколько шагов до своего парадного, Дина остановилась.

— Спасибо вам, Ваня. Идите.

— Простите, — сипло сказал Минор.

— За что? Вы совсем ни при чем. Хотите, зайдемте? Хотя бы умоетесь.

— Да нет! — простонал он с отчаяньем. — У вас там меня напугаются!

— Ну, ладно, — чувствуя облегчение, что он сейчас уйдет, пробормотала Дина. — Но если вам плохо, то лучше зайдемте.

— Какая вы добрая! — сказал Минор, криво улыбнувшись рассеченной губой и снимая фуражку. — Прощайте!

— Прощайте! А вам далеко?

— Нет, не очень. Прощайте!

«Надо было, конечно, позвать его, — вяло подумала она, поднимаясь по лестнице и чувствуя сильный и звонкий стук сначала в одном виске, а вскоре в обоих. — Что у меня голова такая? Не болит, а как будто ее нет... Уплываю куда-то...»

Мать в шелковом синем халате выросла на пороге спальни и хотела что-то сказать. Дина заметила испуганное недоумение на ее лице и махнула рукой.

— А где ты была? — начала мать.

— Потом, мама, завтра! — закричала она сердито. — Я спать умираю хочу...

Оставшись наконец одна в своей комнате, она, не раздеваясь, нырнула под одеяло, ее колотил озноб. Ноги в нитяных чулках были ледяными, спина и живот горели. Она зажмурилась изо всех сил и постаралась заснуть, но прямо на нее, как кузнечик, выскочил из темноты Сергунька Есенин и развернул свою игрушечную гармошку.

«Он петь опять будет...» — в тоскливом ужасе подумала Дина.

Однако веселый Сергунька быстро растаял, и вместо него появились высокие остроголовые люди. Спрятавшись под одеяло, она почувствовала их жадное быстрое дыхание. Но тут же внезапно запахло мышами, и в этом домашнем знакомом запахе было что-то успокоительное, почти приятное. Голова продолжала кружиться, но мягче, и всё становилось светлее. Остроголовые люди стояли рядом с ее постелью, но она перестала бояться их и вдруг вспомнила, как прошлым летом они с мамой ходили в церковь, и там их остановила тощая старуха с «пронзительным», как сказала потом мама, лицом. Они уже уходили, но она увязалась за ними, шла сзади, несколько поодаль, и быстро, торопливо рассказывала...

— Открыла сундук, пустой был, в сарае стоял да пылился. Открыла его, гляжу: гнездышко. Совсем в уголку. И там, значит, тряпочки разные, перышки... И двое мышоночков. Махонькие такие, лапки у них розовые, ушки розовые... А глазки закрытые. Едва родились, значит, свету не видели... Лежат, как две бусинки серые, друг ко дружке прижались. И вдруг, значит, мать! Откуда она прискакала, ей-богу, не знаю! Сундук-то запёртый. И как начала она своих деточков спасать! Одного схватила, потом за второго, а первый-то вывалился. Ротик у них, у мышей, махонький, а тут двое деточек... Второго схватила, потом снова первого, второй вывалился. Она уж металась, она уж страдала! То одного — хвать! То другого — хвать! А ротик-то махонький! Потом с этим, с первым, куда-то юркнула и — нет ее! Думаю: «Ладно! Везде всё одно: что люди вам, значит, что мыши... Везде, значит, сердце-то рвется, раз детки...» Сундук не закрыла. Лежит этот, серенький, лапочки розовые, а свету еще и не видел ни разу, слепой совсем, значит, глаза-то закрыты. И жалко мне стало! Вот жалко, и всё тут. Пошла молочка принести. Накапать ему молочка, пусть полижет. Всё, может, еще поживет, может, глазки откроются. На свет на наш божий пускай тоже глянет... Вернулась, а там уже — пусто! Она, эта мышка, за ним прибежала и тоже спасла, как того. Утащила! А тут говорят...

Дина изо всех сил закричала: «Мама!» — но не услышала своего крика и догадалась, что не может кричать, что ей это всё просто кажется — на самом деле она судорожно, беззвучно разевает рот, — а в комнате страшно тихо, только слышится какое-то отдаленное, невнятное чтение, похожее на то, как дьячок читал над покойным отцом, когда они были в церкви. «Что это он говорит? — в страхе подумала она и села на постели, стуча зубами от сотрясавшей всю ее крупной дрожи. — Откуда такие слова?»

«Господь царствует, он облечен величием, облечен Господь могуществом. Возвышают реки, Господи, возвышают реки голос свой, возвышают реки волны свои... Они погибнут, а Ты пребудешь, и все они, как риза, обветшают, и, как одежду, Ты переменишь их...» — бормотал за окном дьячок, и Дина снова вспомнила, как старуха рассказала им с мамой о мышке, вернувшейся за своим слепым мышонком, — вспомнила с такой силой, что всё это вместе — ужасный, безобразный Мясоедов, и слабый, несчастный Минор, и Сергунька Есенин, и то, что с небес валит снег, и то, что пришли незнакомые люди и дышат сейчас в темноте, над постелью, — вдруг стало не страшным, а жалким, нелепым, раз там, на свету, «возвышаются реки... а Ты пребудешь, и все они, как риза, обветшают, и, как одежду, Ты переменишь их...»

* * *

Многое, многое происходило зимою, весною и летом 1916 года. Никто не сочтет никогда. И что проку? Сочтешь, постараешься, глядь — всё пропало, считай, милый, дальше. Опять всё пропало. Считай, считай, милый, пока не наскучит.

Вот, например, не успел закончиться январь, как в ночь с двадцать девятого на тридцатое, когда мирно спал Париж, и на слегка подмерзшем тротуаре Елисейских Полей серебрилось что-то, недавно упавшее с ясного неба, и еле уловимое, тончайшее звездное дыхание доверчиво белело между небом и землею, именно в эту спящую зимнюю минуту на город Париж и его окрестности обрушилось 2500 килограммов свежих крепеньких бомб, и были на месте убиты двадцать шесть человек, а сорок попали в больницы с тяжелыми ранами.

А всё потому, что мы, люди, — слепые. Одни крепко спали. Другие летели. И те, что летели, не видели тех, которых они убивали, а просто летели внутри дирижабля, желая исполнить приказ командиров. И есть подтверждение этому — запись. Оставил один молодой лейтенантик. Он тоже летел, чтобы сбрасывать бомбы. А утром вернулся в казарму, умылся и начал записывать: «В первую минуту мы ничего не поняли. Мрак, ничего не видно. Неужели отказали бомбодержатели? Неужели всё наше путешествие напрасно? И вдруг целое небо становится океаном света».

(Ах, это не только снаряды, не только! И души убитых внесли свою лепту: они ведь туда же, к огню, возносились и тоже, конечно, сияли, сияли!)

«Рассветает, — писал лейтенант, похожий лицом на Петрушу Гринева. — Восток окрашивается постепенно в розовые и фиолетовые цвета, затем над багряными облаками показывается сияющее солнце. Но нам, к сожалению, некогда любоваться этой картиной — мы находимся поблизости от нашей базы, и командир отдает приказание спускаться».

Ну, это январь. А вот в марте, например, как только взошло желтоглазое солнце, совершенно неожиданно умер президент Юань Шикай. Всю жизнь предавал, убивал, извивался, змеей проползал между ложью и кровью. Но стал президентом большого Китая (настолько был хитрым, проворным и страшным!). Потом пожелал себе «трона дракона». И вдруг, весь в огне от желаний и планов, кипя лютой злобой, глотая обиды, стоял на террасе, смотрел жадно в небо (но слеп был, не видел того, что на небе!), упал на нагретые солнечным светом широкие плиты огромной террасы и умер, скончался. Не стало Юаня.

Происходило, свершалось, завязывалось, развязывалось. Было. Да, было. Но тоже ушло. И не такие дела уходили. О нет. Не такие.

В том же 1916 году, находясь высоко в небесах со своим скромным человеческим заданием (война, много дел с непоседливой Турцией!), русский пилот Владимир Росковицкий сообщил в донесении, что увидел через окошко аэроплана огромное судно, лежащее прямо на вершине Арарата. По поводу этого судна уже и до Росковицкого были разговоры. В XV веке писал Марко Поло: «В стране Армении на вершине высокой горы покоится Ноев ковчег, покрытый вечными снегами. И никто не может туда, на вершину, забраться, тем более что снег никогда не тает, а новые снегопады дополняют толщину снежного покрова. Однако нижние слои его подтаивают, и образующиеся ручьи и реки, стекая в долину, основательно увлажняют окружающую местность, на которой вырастает тучный травяной покров, привлекающий летом изо всей округи многочисленные стада травоядных крупных и мелких животных».

Закончился век, завершился. И умер, как все мы умрем, Марко Поло. Однако загадка осталась загадкой. Четыре столетья спустя, следуя донесению пилота Росковицкого, любознательное русское правительство снарядило экспедицию к вершине горы Арарат. Война идет, только что было сраженье на Сомме, погибло 510 тысяч человек (не наших, не русских, но тоже ведь жалко!), генерал Брусилов прорвал австро-венгерскую оборону в районе Припятских болот (а сколько народу легло на болотах, вся тина была цвета светлой брусники, потом потемнела, насытилась кровью!), — короче, веселого мало, но экспедиция, состоящая из двух групп — пятьдесят человек в одной и сто человек в другой (солдатики все, молодые, худые!) — атаковала склоны горы и начала своё восхожденье к вершине. Прошло две недели. Ущелья, заносы. Шесть сразу погибли, четыре — попозже, уже на подходе к великому чуду. Достигли ковчега. Все приказы выполнили: измерили, составили чертежи, сделали множество фотографий. Кричали «ура!», выпивали, плясали. Гляди на нас, Ной! Где ты там, в райских кущах? Эх, знатный корабль построил, однако!

В отчете, посланном императору Николаю, говорилось, что сооружение, размером с целый городской квартал, покрыто странной массой, похожей на воск или смолу. А дерево, из которого оно сделано, относится к семейству кипарисовых. На дне сооружения обнаружили следы вмятин, указывающие на то, что здесь содержались и клетки с животными. Послали в Россию отчет, а уж там — революция! Уже не до Ноя и не до ковчега. Так всё и пропало. Пилот Росковицкий сбежал за границу, добрался до Штатов и стал проповедником. И всякий бы стал, поглядев на такое.

А вот полководец Брусилов. Прорвался. Куда и зачем? К своему «Арарату»? Ведь пот, кровь и слезы — хорошая смазка. Карабкаться в гору значительно легче, когда ее смажешь густым и свежим потом. (Кровь, правда, еще даже гуще, красивей!) А ну-ка, братишки! И все побежали. Австро-венгерские войска потеряли до полутора миллионов человек. Потери русских войск составили чуть больше пятисот тысяч солдат и офицеров. Короче, народу на свете убавилось. Дышать стало легче и жить поспокойней.

Через пару лет генералу Брусилову не повезло: сын Алеша, единственный мальчик, любимый и добрый, недавно обвенчанный с Варенькой Котляревской, был взят в ВЧК, отсидел там полгода и стал командиром у красных. Попал в плен к «дроздовцам», его расстреляли. Но есть еще версия: в плену поступил рядовым к «своим» (белым!) и вскоре от тифа скончался в Ростове.

Имело ли смысл отцу «прорываться»?

Можно, конечно, посмотреть на вещи совсем иначе. Поскольку есть ВРЕМЯ, ПРОСТРАНСТВО и ТЕЛО. А это не шутки. Особенно если «тело отдает энергию Е в виде излучения, то есть его масса уменьшается на $E : c^2$...»

Вот это — другой разговор! Ни крика, ни плача. И тело — не тело. И время — не время. А цифры и буквы на то и даны: ни лиц и ни тел. Так, козлы отпущения.

В том же самом 1916 году Альберт Эйнштейн, придерживающийся последовательного пацифизма, опубликовал «Основы общей теории относительности», где черным по белому сказано, что Вселенная, устроенная и живущая по законам общей теории относительности (ОТО), статична и неизменна, имеет конечную массу, то есть конечное число звезд, галактик и конечный объем. К этой Вселенной приложимы законы неевклидовой геометрии, под действием тяготеющих масс ее пространство искривлено таким образом, что световой луч, выходящий из какой-либо точки, распространяясь по кратчайшей линии в искривленном пространстве, снова вернется к своей исходной точке.

Ах, луч-то, конечно, вернется! Куда ему, бедному, деться? Пускай в искривленном пространстве, раз нету другого. Но страха-то сколько! И, главное, страх, что его не дождешься...

* * *

Лотосова Татьяна Антоновна призналась медсестре Вере Анохиной, всё дежурство просидевшей у ее постели (настолько ей был интересен рассказ пациентки), что никого и никогда она не любила так сильно, как Александра Сергеевича.

— Дина тяжело болела в самом конце зимы, мы даже боялись за ее жизнь. Грипп этот, от которого она свалилась, был больше похож на испанку, но испанки тогда еще вроде и не было, она позже пришла. У Дины не падала температура, сердце сдавало — хотя ей ведь еще и шестнадцати не исполнилось, — и отец вводил ей камфару. А вокруг нашей семьи, нашей маленькой жизни, всё время что-то происходило, газеты буквально дымились. Александр Сергеевич тревожился за Василия, тот редко писал. Я, бывало, приду к нему — ненадолго, всегда не больше, чем на час, ведь у меня Илюша был маленький, — а он сидит на диване, белый, немножко хмельной, перечитывает Васины письма. И часто мне одно и то же повторял, что если с сыном что-то случится, то ему и извещения никакие не нужны, он и так сердцем почувствует. Он многое чувствовал именно сердцем.

— А что ж он на вас не женился? — спросила Вера Анохина.

— Да я и не думала об этом. Была в таком угаре, так любила его, так рвалась к нему всё время, что совсем ничего не понимала, не помнила. Самое трудное было выйти из дому: во-первых, Илюша, во-вторых, Дина, больная. Мама стала рассеянной, словно ее беспокоило что-то — не Дина даже, а что-то другое, своё, — папа пропадал в больнице. Я так нервничала, что у меня пропало молоко, никак не могли найти подходящую кормилицу, и несколько недель я жила в страхе, что Илюша заболеет, умрет.

— Как вы всё это помните? — округляя черные бусинки глаз под очками, удивилась Анохина. — Ведь лет-то прошло, ой, ой, ой!

— Я каждый день помню, — прошептала больная. — Вот что вчера было, что месяц назад, что два, скажем, месяца, не помню, ничего не могу сказать — всё как в тумане. А то время помню. И запахи помню, и все даже звуки. Особенно ночью: как Илюша губами во сне чмокал, как мама подходила к Дине на цыпочках, чтобы никого не будить, а потом забывала об этом и громко *хлопала дверью, как няня стонала во сне. Знаете, как старики стонут? Бессмысленно как-то, как будто их щекочут, а им уже трудно смеяться... Простите, вас Верой зовут?*

— Да, Верой, — опять удивилась Анохина. — Да я же всё время тут, с вами...

— А где это — тут? — смущенно спросила Татьяна Антоновна.

— Ну как же? В больнице! Ведь вы в Первой Градской!

— Ах, да. Я ведь помню: в больнице. Меня привезли сюда. Кто, вы не знаете? Мне вдруг показалось, что мама...

У Веры Анохиной защемило сердце. Она знала, что старики не помнят самых простых вещей, связанных с сегодняшним днем, хотя отлично помнят то, что было сорок или даже пятьдесят лет назад, но она никак не ожидала этого от Лотосовой.

— Да мама-то ваша давно померла! — наивно возразила Анохина. — Мужчина какой-то привез, не молоденький...

— Илюша? — испуганно вскрикнула больная.

— Сказал, что он — внук...

— Ах, внук? — Лотосова сразу успокоилась. — Наверное, вы правы. Кому же еще?

— А что же он к вам не заходит? — спросила неотесанная, недавно из деревни, медсестра.

— Не знаю, — вздохнула Лотосова. — Не знаю, не помню. Давайте я вам лучше расскажу, как мы жили с моим Александром Сергеевичем.

— Водички хотите? — спросила Анохина. — Во рту-то небось пересохло...

* * *

Иногда Таня вдруг пугалась, что она совсем и не нужна ему. Чем больше страсти было в его отношении к ней, страсти мужской, к которой она не могла привыкнуть и на которую отзывалась с восторгом и страхом, тем спокойнее он вел себя вне стен этой маленькой комнаты, где стояла изогнутая кушетка, накрытая тем же коричневым пледом. В квартире

Александра Сергеевича Веденяпина, кроме гостиной, столовой, кабинета, детской и этой вот маленькой непонятной комнаты, была еще спальня, в которой он спал ночью, но дверь в которую всякий раз оказывалась плотно закрытой, когда приходила Таня.

— Ты прячешь кого-нибудь там? — однажды неловко спросила она.

— Сказал бы тебе, что я прячу там прошлое, да слишком уж пошло звучит, — усмехнулся он.

— Но мне это больно! Мне кажется, что всё у нас временно, я часто боюсь: а вдруг ты мне снишься? Проснусь, а тебя больше нет...

— И это возможно, — спокойно ответил он, целуя ее в губы. — Любой из нас должен когда-то проснуться.

— О чем ты?

— Ты — моя любимая, — прошептал он, крепко прижимая ее к себе. — Ты знаешь, как сказано? «Не жизни жаль с томительным дыханьем. Что жизнь и смерть? А жаль того огня...»

Она испуганно и недоверчиво посмотрела на него:

— А чье это? Кто написал?

— Эх, плохо вас всё-таки учат в гимназиях! — с искренней досадой воскликнул он. — Это, радость моя, тот самый Фет, Афанасий Афанасьевич, который лечился от тоски у моего учителя, профессора Бурятина.

— Он вылечил его? — простодушно спросила Таня.

— Нет, слава Богу, не вылечил. Читали бы мы тогда какую-нибудь чепуху...

— А мне его жаль, — возразила она. — Это дурно — то, что ты сейчас сказал. Для того чтобы тебе, ну, и другим тоже, достались хорошие стихи, он, бедный, должен был всю жизнь тосковать?

— Да, — твердо ответил Александр Сергеевич. — Похоже, что так. Случайного ничего не бывает. Каждому из нас суждено то, что суждено.

— Значит, если со мной или с тобой что-нибудь случится... — прижимая ладони к щекам, прошептала она. — Или ты вдруг разлюбишь меня, или еще что-то...

— Значит, так суждено. — Он сильно, как это часто случалось с ним, побледнел. — Никогда никому не завидуй. Смотри, как в природе устроено: одно дерево растет в тени, другое на солнце...

— При чем тут деревья?

— Как я люблю, когда ты вот так внимательно смотришь, стараешься что-то понять! — засмеялся он. — У тебя рот открывается, а глаза темнеют. Радость моя! — Александр Сергеевич притянул Таню к себе и снова поцеловал. — Два дерева. То, что в тени, растет медленно, света ему не хватает, и оно слабое, невзрачное. А то, что на солнце, цветет, зеленеет. Но, если солнце становится слишком сильным, а дождей долго нет, оно засыхает, сгорает, а слабое и невзрачное, которое всю жизнь было в тени, — оно-то как раз выживает, живет себе дальше. Вот так и с людьми. Что мы знаем о жизни?

— Сашенька, — прошептала Таня, — ты не хочешь, чтобы я стала... не хочешь...

Она покраснела до слез и запнулась.

— Чтобы я женился на тебе? Нет, радость моя, не хочу.

Она отшатнулась от него.

— Обиделась, да? — И он обнял ее, притиснул к себе. — Дурочка моя маленькая! Я тебя берегу. Нельзя нам жениться.

Таня тихо заплакала.

— Тогда объясни мне: зачем я тебе? Я убегаю, вру, придумываю какие-то предлоги, и дома, наверное, давно догадываются. А кто я? Зачем я сюда прихожу? Мне перед Илюшей стыдно, ей-богу!

— Ты мне любовница, и в этом нет ничего стыдного. Я тебя люблю, и ты меня любишь. Любовницу любят сильней, чем жену. Жене больше жертвуют, это другое. А жениться нам нельзя. Уж ты мне поверь.

— Почему? — не переставая плакать, пробормотала она.

— Да так... Люблю я тебя очень сильно. Можешь не сомневаться.

Таня низко, как виноватая, опустила голову.

— Пойдем полежим, — властно сказал он. — Пойдем, моя радость, не плачь, ради Бога.

* * *

— С ума я по нему сходила, — сказала больная Лотосова дежурной медсестре Вере Анохиной. — А он мне всё время как будто загадки загадывал. Один раз сказал: «Ты — молодая, будешь жить долго, а мое существование становится похожим на отлив. Как, знаешь, на море. Когда оно спокойное, всё блестит на его поверхности, всё на ней отражается. А потом наступает отлив, и открываются камни на дне, ямы, песчаные бугры, а всё живое — рыбы, крабы и прочая живность — уходят вместе с водой».

— Красиво! — восхитилась прежде неотесанная, а теперь чуткая к словесному образу медсестра Анохина. — Ну, мне бы такое хоть раз кто сказал! У нас-то ведь просто: всё в койку да в койку!

— А этого тоже хватало, — с какой-то даже обидой перебила ее старуха Лотосова. — Мы очень любили друг друга. Телесно любили. Да, очень. Всё время.

Больная вдруг начала тяжело и прерывисто дышать. Затекшие глаза ее на очень бледном лице ярко посинели, губы стали серыми. Анохина схватила руку пациентки, нащупала пульс и тут же вскочила.

— Ах, Господи! Даже не слышно! Да что же такое? Ведь только что вот говорила!

Она побежала за врачом, ото всей души желая спасти Лотосову, Татьяну Антоновну, чтобы узнать продолжение заинтересовавшей ее истории.

* * *

В результате многочисленных поражений весною и в начале лета 1916 года русское командование перебросило на юго-западный фронт значительные резервы и создало Особую армию генерала Безобразова, которая получила приказ разгромить противника в районе Ковеля и занять город. К пятнадцатому июля 4-я австро-венгерская армия фактически была разбита. Русские захватили 450 тысяч пленных и много других, столь же ценных трофеев. К августу, однако, наступление русских войск приостановилось. Несмотря на то что каждому солдату было ясно, что его героические действия привели к полуторамиллионным человеческим потерям во вражеской армии, а с точки зрения военного искусства Брусиловский прорыв выявил совершенно новую, неведомую прежде форму военного прорыва, основное открытие которого состояло в том, что оборона прорывается одновременно на нескольких участках фронта, а не на каком-то одном, как это делалось раньше, — несмотря на всё это, личный состав русской армии чувствовал всё большую и большую усталость.

Человека, конечно, всегда можно очень сильно наказать. Ребенка так не накажешь, как взрослого, а тем более старого человека. У ребенка что отнимешь? Ну, игрушку, ну, конфетку, выпороть можно было в прежние, глухие, невежественные времена, запереть в темной комнате. Что еще? Ей-богу, фантазии даже не хватит. Другое дело — взрослый! Ведь тут сколько сразу: и дыба, и кол, и распять, и повесить, в смоле извалять да поджечь, которые шустрые — сразу кастрировать, а если жена неверна, так ее, подколодную, в землю — живую, живую! А то не почувствует!

Короче, всего очень много, на все просто вкусы.

Василий Веденяпин чувствовал себя не просто взрослым, теперь он всё чаще чувствовал себя старым человеком. Он очень устал. После Арины у него много было женщин — и были полячки, и были румынки. Одна немолодая, очень красивая и нежная полячка вдруг так напомнила ему маму, что он испугался и сразу же бросил ее.

Прежде он считал, что нужно во что бы то ни стало продолжать войну, потому что та надежно прячет его от жизни, но постепенно одолевавшая всех усталость, полная неразбериха, густота смертей и ранений сделали свое дело. Он стал всё чаще думать о доме, просто о доме — не об отце даже, — а о том, что там, дома, есть, наверное, чистая постель, и можно раздеться, помыться, лечь в эту чистую и теплую постель, накрыться знакомым одеялом и спать, слушать хруст разгоревшейся печки, спать в этом тепле, в этом хрусте, спать, спать...

Письма, которые приходили от отца, начали настораживать и раздражать его. В них появилась незнакомая бодрость, которой неоткуда было взяться, если только отец его не влюбился. Особенно странным и неуместным показалось Василию то, как он вдруг написал ему о том, что в Москве наступила весна:

Такая ранняя, такая бурная и щедрая весна в этом году! Мне приходит в голову, что природа хочет остановить нашу человеческую нелепость. Она старается, как, бывает, стараются дети, когда в доме скандалят родители или что-то другое неладно, а бедный ребенок хочет играть, хочет, чтобы всем опять было весело и хорошо. И вот он подбегает то к одному, то к другому, целует, трется лбом о родительские локти, пытается что-то рассказывать, просит — и не словами, а всем поведением, своим бесхитростным личиком, звонким голоском, — он просит, бедняжка, чтобы опять стало так, как было раньше! А разве кто-нибудь прислушивается к детям?

Снег у нас сошел в середине марта, и сразу же наступила почти жара. С двадцатых чисел я уже ходил в летнем пальто и без шапки. В апреле все газоны покрылись яркими одуванчиками. Глядя на них, трудно поверить, что мы уже два года живем в какой-то оргии смерти. Вчера ехал на извозчике по Ордынке, мимо гнали австрийских пленных. Бледные, измученные, в худых сапогах. Вдруг смотрю: один пленный, совсем еще мальчик, выскочил из своей колонны и сорвал одуванчик! Прижал его к губам и запылил дальше. Я сразу же вспомнил тебя. Хотя что значит — вспомнил? Ты и так всегда в моем сердце.

Отец его и раньше был, что называется, чувствительным человеком, но чтобы сейчас, в разгаре войны, писать сыну на фронт об одуванчиках на газоне!

А может быть, дело и не в одуванчиках. А может быть, всё же — Клео де Мерод?

Василию приснилось однажды, как он возвращается в Москву — грязный и заросший, в несвежем белье — и попадает в церковь на отцовское венчание. Он отчетливо увидел отца, бледного, счастливого, с растерянными глазами, и рядом с ним — тонкая, как оса, с полурассыпавшейся косой барышня, которая тогда, в кофейне Филиппова, спокойно смотрела на то, как кричит его мама и как они все — он и мама с отцом — бесстыдно несчастливы.

В душе Василия Веденяпина поднималась злоба на отца, который «в летнем пальто и без шапки» нюхает золотые одуванчики на московских бульварах, в то время как толпы таких же, как он, его сын, — безликих, очумевших, грязных, — бегут через ад среди громадных костров подожженных снарядами городов и деревень, грохота, крика, а черная земля от разрыва тяжелых орудий вскидывается к небу, и издали кажется: плещется в небе, как будто какой-то огромный фонтан. Он понял, что среди воюющих нет и не может быть нормальных людей, как не может быть вымытых и чистых, если нет воды, и сытых, если нет пищи. Ему часто вспоминались двое ездовых, чудом спасшихся из ущелья, в котором немцы окружили и наголову разбили несчастного генерала Корнилова. Ездовые эти — два офицера — то ликовали, как дети, что вырвались и уцелели, то вдруг впадали в возбужденное состояние стыда и отчаяния, что только им одним удалось выжить, то вдруг начинали рыдать, выть, как воют собаки. В основном же они истерически болтали о сущей ерунде, жалели пропавшие вещи и особенно коньяк («вот знатный был, братцы, коньяк, сколько звездочек!»), потом вспоминали каких-то «невест» и громко орали романсы («Ай да тройка, снег пушистый»), но больше всего хотели одного — спать («залечь бы да дрыхнуть деньков эдак восемь!»).

Прежде Веденяпин боялся смерти. Он хорошо помнил, каким животным страхом наполнялось всё внутри и к горлу подступала тошнота при одной мысли, что это ведь может случиться и с ним, но после того как однажды вечером, накануне тяжелого боя, к ним на батарею приехал священник одного из дивизионных полков и предложил всем исповедаться и принять отпущение грехов, Василий вдруг странно почти успокоился, словно это коллективное соборование внесло его в особый список, где все были вместе — живые и мертвые.

Багратион, который изредка писал ему из Москвы, сообщил, что жизнь в столице становится всё дороже и труднее, а посему они с Машенькой, которая должна вот-вот родить, отправляются в село Гребнево, где у Машенькиной гимназической подруги Вари Котляревской есть небольшое имение, и пробудут там, пока не «закончится». Василий не совсем понял, что имеет в виду его растерявшийся одноногий товарищ: пока война не закончится или пока Машенька не родит? И неужели сейчас, в такое время, отец мог потерять голову от любви?

* * *

Дина Зандер проболела почти два месяца. Когда она наконец поправилась, на улице уже вовсю сияло весеннее солнце и даже листва на деревьях, несмотря на свой пронзительный молодой цвет, была не клейкой, как полагается новорожденной, а яркой, раскрывшейся мощно листвою. Теперь Дина подолгу гуляла с Таней и спящим в коляске Илюшенькой, но в гимназию еще не ходила, и мать советовала ей не торопиться, а в мае сдать просто экзамены. Как-то утром, когда, выкатив на солнышко коляску с ребенком, она стояла неподалеку от дома в ожидании замешкавшейся сестры, к ней вдруг подошел неизвестно откуда взявшийся гимназист Минор, стащил с головы фуражку и, преданно глядя ей в лицо своими тускловатыми глазами, зачем-то сообщил, что после того памятного вечера он ни разу не встречал ни Клюева, ни Сергуньку Есенина, хотя слышал, что они стали совсем знаменитыми, очень много выступают, но только Есенин почти всё время очень пьян и часто скандалит на публике.

— А где же ваш друг Мясоедов? — надменно, как всегда, спросила его Дина.

— Гимназию бросил, уехал на хутор. У них ведь в семье-то знаете что? Слышали про дело Мясоедова? Шпиона этого, дядю Жоркиного?

— Да, — кивнула Дина. — Слышала, разумеется, но я и не знала, что это их родственник.

— Дядя родной! — горячо заверил Минор. — Его прошлым мартом повесили. Жорка сначала врал напропалую, что никакого отношения к ним не имеет, мол, однофамилец, и всё. Тем более что тот в Питере, а Жорка в Москве. А потом с пьяных глаз признался, что именно дядя, и в детстве кормил леденцами. Его в шпионаже обвинили безо всяких, говорят, прямых доказательств. Он в тюрьме себе пытался вены разрезать. Пенсне разбил и осколками хотел зарезаться. А его откачали и повесили.

— Ужасно! — внимательно глядя на торопливого и неловкого Минора, пробормотала Дина.

— А Жорка всё бросил, уехал на хутор, говорит, что вернется и отомстит, кому надо. Не дам, говорит, нашу фамилию позорить! Мы, Мясоедовы, русские, православные, мы патриоты, не немцы какие-нибудь и не евреи. Живет теперь на хуторе у безносой бабы, спит с ней, говорят, целыми днями под яблонькой или на соломе, пьет беспробудно, в мужицких уток камнями со скуки кидается...

— Какой он гадкий, однако! — с сердцем сказала Дина.

Минор опустил голову.

— Вы с ним поосторожнее. Он упрямый как бык. Сказал, что будет вас всю жизнь добиваться...

— Меня? Добиваться?

Минор огненно покраснел.

— Я вас предупредить хотел. Потому что он злой сейчас, Жорка. Денег нету, ничего нету. В армию не взяли, зрение у него никудышное. Он вот за лето сил наберется и...

— И что? — презрительно спросила она.

— Не знаю я, что! — со слезами в горле прошептал Минор. — А только вы с ним осторожнее.

— А вон и сестра моя вышла! — отвернулась Дина. — Ну, наконец-то! А то мы с Илюшей заждались. Спасибо вам, Ваня, вы — милый.

* * *

Вечером того же дня Таня всё-таки вырвалась на Малую Молчановку. Они уже три дня не видели друг друга. Три дня бесконечно тянулись. Александр Сергеевич был немного пьян, как это стало часто случаться с ним в последнее время. Пьяный, он становился веселее и раскованнее, чем обычно, но это веселое сумасшествие, которое всякий раз появлялось в его глазах, болезненно настораживало Таню, и даже телесная близость не приносила ей всегдашнего счастья.

Александр Сергеевич, как всегда, крепко обнял ее прямо в прихожей, темной оттого, что во всей квартире были задернуты шторы, и прохладной, быстро снял с нее шляпу, обеими руками закинул назад ее голову и несколько раз крепко поцеловал в губы и глаза.

— А ты загорела немножко! — радостно сказал он и погладил ее по спине. — Загорела, потолстела! А как с молоком? Всё в порядке?

Тане всегда становилось неловко, когда он спрашивал ее о вещах, связанных с кормлением Илюши или еще с какими-то физическими подробностями, и она всякий раз краснела и отмалчивалась, вызывая его насмешки.

— Ну, ну! Испугалась! Ей-богу, не понимаю! Что я такого спросил неприличного? Ребеночка ты родила самым натуральнейшим образом, не аист принес, молока у тебя — слава богу, опять на троих хватит! Кормилицу выгнали. Чего ж ты стесняешься? Тем более доктора?

— Прошу тебя, Саша, не надо... — проговорила она, отворачиваясь.

— Не надо — не буду. Ты чаю-то выпьешь? А может быть, сразу...

И он блестящими взволнованными глазами показал на маленькую комнату.

— Как хочешь, — тихо ответила она.

— Нельзя же думать только обо мне! — засмеялся он. — Я-то всё время хочу, а как тебе лучше? Ты дама, вот ты и приказывай.

И опять ей стало неловко, неприятно: он невольно подчеркивал сейчас то, о чем ей хотелось забыть, не думать — об этом ее двусмысленном, ужасном положении.

— Пойдем, пойдем, выпьем чаю, — угадав ее мысли, заторопился он. — Горячего чаю с лимоном и с бубликом. Хочешь?

Она улыбнулась сквозь готовые слезы.

— Да, очень хочу.

В столовой висел карандашный портрет доктора Усольцева, сделанный художником Врубелем и подаренный, как уже знала Таня, Александру Сергеевичу на его сорокалетие. Странная сила, исходящая от этого рисунка, заново поразила ее.

— Как он мог отдать тебе такую памятную вещь! — воскликнула она наивно. — Неужели он не дорожил этим? Ведь Врубель — такой знаменитый!

— Во-первых, это не единственный карандашный портрет Усольцева, сделанный Врубелем, — возразил Александр Сергеевич. — А кроме того, я не исключаю, что доктор слишком сильно устал от своего знаменитого пациента. Врубель прожил в его клинике почти пять лет с небольшими перерывами, там же и ослеп, там же и умер. Вместе со своим Демоном.

— Картины, где Демон, ты хочешь сказать? — она испуганно округлила глаза.

— Да если б — картины! — вздохнул он. — У каждого свой демон, к несчастью. Мы — люди здоровые, мы его не видим. А больному человеку он открывается. «Ты же больной, ну и спишут меня на твою болезнь!» Придет, шаркнет копытом: «А вот и я! Мое вам почтение!»

Александр Сергеевич засмеялся, но Таня заметила, как его всего передернуло.

— Ты был знаком с Врубелем, да?

— Я видел его. Один раз. Я своего больного перевез тогда к доктору Усольцеву в клинику, и он повел меня к Врубелю. В качестве коллеги, разумеется. Прекрасная была клиника, всё устроено как в обычном семейном доме...

— Каким же он был, этот Врубель?

— Таким же, как все наши больные: слабый, худой, застывший. Вдобавок еще и слепой. Несчастный слепой человек. Говорил какую-то ерунду, всё время повторял одно и то же. Короче, такой же, как все.

— Ты говоришь, что Усольцев уставал от него?

— Усольцев его очень сильно жалел. У людей, не имеющих отношения к искусству, есть простодушное представление, что люди искусства — почти небожители. У Врубеля были самые что ни на есть банальные галлюцинации: нет ничего банальнее, чем видеть черта, уж ты мне поверь! Но поскольку тут оказался замешан Лермонтов, и черт стал не чертом, а демоном, да и к тому же Врубель его без конца изображал то на холсте, то на бумаге, Усольцеву казалось, что он присутствует при каком-то высоком откровении. Поэтому он часами сидел с Врубелем у себя в гостиной, слушал его этот бред, потом записывал этот бред для потомков... Сам чуть не свихнулся.

— А у тебя, — прошептала Таня и прижалась лицом к его плечу, — тоже есть демон?

— Да, есть, — быстро ответил он, и она удивилась, подняла голову, чтобы увидеть его лицо: лицо было испуганным. — Но у меня не демон, а демониха.

Она хотела засмеяться, думая, что он шутит, но смех застрял в горле.

— Скажи мне, — вдруг сказал Александр Сергеевич, — Илюша похож на отца?

Таня покраснела до слез.

— Когда ребенок такой маленький, трудно сказать... Не знаю. Наверное, похож.

— Не дай Бог, тоже будет актером! — улыбнулся он.

— Что ж тут такого плохого? — нахмурилась она.

— Я разве сказал, что плохого? Я только сказал: не дай Бог.

Она сглотнула слезы и быстро надкусила бублик, чтобы он ничего не заметил.

— Сашенька! — И слезы полились. — Я иногда совсем не понимаю, о чем ты. Я, наверное, глупая, бестолковая, и тебе должно быть скучно со мной! Но я тебя очень люблю, и я за тебя, за Илюшу...

Она не договорила и расплакалась.

— Ну, вот, доигрались! — воскликнул Александр Сергеевич. — Иди сюда, моя маленькая, дурочка моя драгоценная, девочка, родная моя...

Он посадил ее себе на колени, и Таня привычно свернулась калачиком в его руках, вжалась в него, зажмурилась и плакала громко, теперь уже с облегчением, почти с радостью, вдыхая запах его кожи, волос, вздрагивая от того, как он гладит ее и всё неразборчивее, всё нежнее бормочет ей на ухо.

— Ты — мое счастье, — захлебываясь, бормотал он. — Ты — радость моя, я бы сдох давно, если бы не ты, давно бы повесился, слышишь меня? Всю жизнь прожил с ведьмой и сам был ведьмак. Что ты смеешься? Есть такое слово, деревенское... Я ни одну женщину не любил до тебя, всё это совсем не любовь, одна похоть... И я мучился, потому что чувствовал ведь, как мне не хватает чего-то, а чего не хватает, я не знал, пока не увидел тебя, драгоценная моя девочка, радость моя... Разве есть что-то умнее твоего тела, твоих этих глаз, не плачь, будут красными — глазки любимые, — и эти любимые волосы, когда ты распускаешь их, и они завиваются под моими руками... Вот, видишь, какие колечки...

Он начал расстегивать ее платье, она, выгнувшись, смеясь и плача, помогала ему. В прихожей, через две комнаты от них, раздался какой-то шорох. Таня не обратила на него никакого внимания, но Александр Сергеевич побледнел так сильно, что лицо его показалось Тане серебряным. Она вскочила.

— Ну, вот, — еле слышно сказал он и поднялся. — Я же говорил тебе...

— Что говорил? Кого ты боишься?

— А вдруг демониха моя? — он попробовал усмехнуться. Таня обеими руками обхватила его.

— Саша! Ты с ума сошел!

Он быстро скосил левый глаз в сторону прихожей.

— Да я пошутил! Да шучу я, не бойся.

* * *

Хорошо, что клиническая смерть, поразившая пациентку Лотосову, Татьяну Антоновну случилась не дома, а в Первой Градской больнице. Хорошо, что любознательная медсестра Анохина находилась непосредственно рядом с пациенткой и немедленно были приняты меры по восстановлению основных жизненных процессов: произведен непрямой массаж сердца, использован дефибриллятор и сделаны инъекции адреналина и хлорида кальция. Всё это заняло ровно четыре минуты. На пятой минуте у пациентки произошло сужение зрачков, прощупался пульс и частично восстановилось дыхание.

— Ну, чудо! Никак ожила? — *сказал коротконогий, с узкими уставшими глазами и умным лицом наголо обритый доктор.* — А я было думал: конец, не оттает...

У Веры Анохиной увлажнились очки. Она сняла их, вытерла подолом белого халата и снова надела.

— Это такая больная интересная, Виталий Ахметович, — *всхлипнула медсестра Анохина.* — Никаких книжек не нужно. Так мне про свою судьбу рассказала...

— Ну, поздравляю тебя, — *буркнул Виталий Ахметович.* — Ты ее, значит, чуть на тот свет не отправила разговорами! Не знаешь, что после инфаркта не то что нельзя волноваться, а даже и думать нельзя ни о чем? Я что? Разве новость какую сказал?

Вера Анохина испуганно заморгала ресницами, но мысль, что пациентка Лотосова была в состоянии клинической смерти на протяжении нескольких минут, обдала ее жгучим восторгом. Теперь, слава богу, есть у кого спросить, правда ли это — про свет в конце туннеля и то, что родные все там тебя ждут и сразу, в туннеле, с тобой обнимаются.

«*Наверное, байки,* — *быстро подумала Анохина,* — *а если не байки, то* **эта** *уж точно расскажет. Такая старушка наблюдательная, ни с кем не сравню*».

«*Наблюдательная старушка*» *тихо лежала на спине и, казалось, крепко спала. Белые и чистые капли неторопливо* стекали из подвешенного прозрачного мешка, который казался слегка голубоватым при ночном больничном свете и напоминал пузырь, вынутый из холодного и вялого живота огромной рыбы.

Даже если бы она могла говорить, то ничего того, что ожидала от нее медсестра Анохина — пускай деревенская прежде, но ныне живущая на Павелецкой и ставшая бойкой, высокая девушка! — она не могла сообщить. Ничего этого не было. Ни света в туннеле, ни даже самого туннеля, ни Дины, ни мамы, ни папы, ни няни, но было болезненно покалывающее, тянущее, сводящее ноги и руки, как сводит их летом в холодной воде, отсоединение ее самой от того, что *казалось* ею. Это странное, медленное и натужное отсоединение осуществлялось с помощью разрыва каких-то наполненных кровью волокон, которые разрывались не просто так, а каждый пучок со своим новым звуком, и самым отчетливым среди всех был звук, похожий на тот, который весна извлекает из снега, уже почерневшего и обреченного. Она не знала, что прошло всего-навсего три минуты, — она потеряла счет времени, как его теряет младенец, которому нужно, оттолкнувшись от родного соленого дна своими скользкими ножками, проплыть через тьму, гревшую и кормившую его девять месяцев, и вынырнуть там, где его уже ждут, но только кто ждет он, младенец, не знает.

На четвертой минуте, когда мягко, с нежной, ни на что не похожей болью рассоединялся особенно густой клубок, из множества которых, как оказалось, состояла ее плоть, звук снега вдруг резко закончился и рука, похожая на руку Александра Сергеевича, легла ей на лоб. Она еще не успела вспомнить, что то, на чем она чувствовала его руку, называется «лоб», а не «вода» и не, скажем, «растение», но другая память — не слов и предметов, а память какой-то былой несвободы, которую чувствует каждый умерший, наполнила всю ее вязкой тоскою, и слезы, выступившие в уголках задрожавших глаз, сказали о том, что она — возвращается.

* * *

Не только ранняя весна, не только лето, но вся даже осень 1916 года оказались непривычно теплыми, светлыми и словно благодарили кого-то. Разумеется, никто и не понял, никто и не услышал этой благодарности. На фронте стояло относительное затишье, «в миру» были дачи, благотворительные концерты, броженье умов и что-то, напоминающее мелькание белки в колесе, которое со стороны кажется веселым и забавным, а если поставить себя на место этого колеса, которое не может остановиться, и на место этой белки, которая забыла, зачем оно крутится, то сразу становится тошно.

В усадьбе умершего князя Голицына устроили лазарет для раненых офицеров, и Танин отец работал там дважды в неделю. В городе тянулась жара, с продуктами стало намного хуже, чем зимою, дороговизна и спекуляция выросли так, что даже ко всему привычные люди только крутили в недоумении головами, и отец настоял, чтобы рядом с усадьбой Кузьминки снять дачу и вывезти всех домочадцев на воздух.

На дачах в Кузьминках было так весело, как бывает в природе, когда она угадывает далекую грозу, и потому особенно сильно и внезапно раскрываются цветы, особенно ослепительной становится зелень деревьев, а запахи трав и земли так томят душу, раздражают ее и одновременно доставляют ей такое блаженство, что хочется петь, и стонать, и насвистывать. Летом 1916 года, когда на полях сражений уже вовсю применяли отравляющие газы, и пехота в страхе убегала от хлорного облака красивого зеленоватого цвета, и солдат учили закрываться куском тряпки, смоченным водой, а лучше намного — мочой, поскольку известно из химии, что аммиак успешно нейтрализует свободный хлор, и по приказу сумасшедшего кайзера Вильгельма, человека по-своему несчастного, родившегося на свет с многочисленными травмами, такими, как значительное повреждение правого полушария, кривое положение шеи, из-за которого ребенок должен был носить специальную машинку для поддержания головы, разрыв нервов, связывающих плечевое сплетение со спинным мозгом в левой руке, и много всего, очень много, — так вот, по приказу несчастного кайзера сжигали леса, с землею ровняли деревни, и пепел лежал на траве серым слоем, и всё это тем самым летом, когда в усадьбе Кузьминки цвета были райские, синие, белые, и были рассветы, как в русском романсе, закаты вполнеба и пение птиц в вышине поднебесной.

Ах, не забыли дачники 1916 года о войне, не забыли! Тем более госпиталь рядом. Раненые офицеры спускались по мраморной лестнице господского дома князей Голицыных, неуверенными шагами выходили в сад, полный душистой росы, и шли по аллеям, белея бинтами на фоне цветущей и радостной зелени. Но и им, помнящим, как кисло пахнет гниющая от крови трава, невыносимо хотелось забыть об этом хотя бы на время, и они с особенной нежною радостью вдыхали запахи сада и леса и с особенной готовностью участвовали в той веселой дачной жизни, которая со всех сторон окружала их.

Утром казачий полковник, у которого никак не заживала рана в боку, выходил с гитарой, садился на нижнюю ступеньку мраморной лестницы и, щурясь на солнце, начинал наигрывать, сперва тихонько, а потом всё смелее, всё громче подпевая себе:

> Заря ль, моя зоренька,
> Заря ль, моя ясная!

Его простецкое широкое лицо освещалось хитрой улыбкой и, подмигивая солнцу, радостно чему-то и недоверчиво удивляясь, он переходил на речитатив:

> По заре, по заре
> Играть хо-о-очется!

И все, кто видел эту широкую, немного скошенную фигуру полковника, его недоверчивую, удивленную и счастливую улыбку, начинали невольно улыбаться в ответ, пожимать плечами, словно им тоже хотелось запеть, и так же щурились на солнце и подмигивали ему.

А-ах, ты зоренька! А-ах, ты милая-я-я!

Медсестры, все как на подбор молодые, расторопные и ласковые, ухаживали за ранеными, как за родными братьями, двигались по комнатам, где лежали больные, почти бесшумно, а если выдавалась свободная минута, подсаживались к кроватям, читали вслух свежие газеты, рассказывали новости.

Главной дачной новостью был ожидаемый приезд нового московского театра миниатюр «Мозаика», который собирался дать на сцене домашнего кузьминского театра сразу три представления: «Восточные забавы» в постановке знаменитого Бонч-Томашевского, смелую пародию на всем надоевшее «Кривое зеркало» не менее знаменитого Евреинова под названием «Жак Нуар и Арни Заверни» и, как было объявлено, «настоящее, подлинно русское национальное хоромное действо «Царь Максемьян».

Про Бонч-Томашевского стало известно, что, находясь с самого начала войны в состоянии пылкого патриотизма, он без малейшего сожаления расстался со своей многолетней привязанностью мадемуазель Бинож и вывез из деревни, куда отправился, чтобы лучше почувствовать душу русского крестьянина, простую деревенскую девушку по имени Луша Потапова, и эта вот Луша Потапова теперь и играет во всех постановках.

В первый же вечер, седьмого июля, когда с раннего утра лихорадило лес и казалось, что вот-вот хлынет дождь, но нет, распогодилось, — перед началом спектакля «Восточные забавы», где коротконогая, но ладная и румяная Луша Потапова исполняла роль брошенной своим возлюбленным турецкой девушки Фатимы, сам Бонч-Томашевский, немного лиловый от пудры, объявил, что собранные за три представления средства поступят на содержание раненых и искалеченных в битве с «проклятыми австрияками» российских воинов. Это заявление было встречено с восторгом, и взволнованному, сразу же вспотевшему под пудрой режиссеру долго и сильно хлопали.

Таня ждала, что Александр Сергеевич приедет с вечерним поездом и они, как всегда, встретятся на мельнице, где триста лет назад жил мельник Кузьма, от которого и пошло название «Кузьминки», но Александр Сергеевич не приехал, и, напрасно прождав его, она вернулась домой, не пошла на «Восточные забавы», а, уложив Илюшу, забралась с ногами на диван и принялась думать.

Она не могла не оценить деликатности близких, которые не приставали к ней с вопросами, приняли как нечто само собой разумеющееся ее беременность, рождение ребенка и теперь вот так же молча принимали ее отлучки из дому, неловкие отговорки — она с непереносимым стыдом вспомнила, какое страдальческое сочувствие появилось на лице у отца, когда она случайно столкнулась с ним в дверях, возвращаясь от Александра Сергеевича! — да, они принимали всё и, наверное, щадили ее, боялись, чтобы не случилось чего-то худшего, но всё это было не проявлением какой-то особой свободы или отсутствия правил, а результатом их собственной искалеченной и странной жизни, которая — как казалось Тане — заставляла их чувствовать свою вину в том, что теперь происходит с ней.

Она почти перестала злиться на мать и относилась к ней со спокойным равнодушием, потому что любить ее было больно по-прежнему, любовь ворошила память, а это вот спокойное равнодушие, с которым одна взрослая женщина относится к другой, вполне, как думала Таня, устраивает обеих. Мать не говорила ей того, что она почти каждую ночь говорила отцу, и Таня не знала, что мать часто плачет и всё время собирается уехать, потому что теперь, когда они попробовали снова жить одной семьей, особенно сильно стала чувствоваться ненатуральность ее нахождения в этом доме, где старшая дочь относится к ней как к доброй, но вовсе не близкой приятельнице. Таня не знала того, какие сцены происходили между ее родителями, заново осваивающими телесную близость, сколько вопросов повисло в воздухе, потому что отец понимал, что, как только он начнет задавать эти много лет мучающие его вопросы, доверчивость матери сразу исчезнет, и будет тоска, будет снова тревога...

Многое, очень многое списывалось на войну. Как будто война и была тем огромным общим полотенцем, которое впитывало в себя весь пот, кровь и слезы, и чем больше впитывало, тем только огромней оно становилось. В мирной жизни трудно было представить себе, что Таня родит, не будучи замужем, что мать ее, похоронив одного мужа, через четыре месяца вернется к другому, от которого она когда-то ушла, трудно было представить, что все они окажутся в одной квартире и Дина, сестра, полюбит Таню больше, чем мать, и не станет даже скрывать этого.

Война подцепила жизнь на свой железный крючок, как рыбу в воде, и вся эта жизнь, подобно безвольной рыбе с ее окровавленной отвисшей губой, глотала последние капли — судорожно глотала, — пока ее волокло наверх, как волочет рыбу, и не знала, что будет с ней там, наверху, как рыба не знает, но чувствует воздух, который и есть ее смерть. Люди, оставшиеся внутри своей обычной городской жизни, думали (как это думал, например, Бонч-Томашевский), что можно всякого рода смешными делами приблизить себя к тому, что происходит на войне, и разделить общую судьбу, и они, эти люди, походили на детей, которые играют в жмурки, но не завязывают глаза, а, отговариваясь отсутствием платка, которым можно было бы завязать их, просто прищуриваются.

Смерть Володи Шатерникова, которого она, наверное, и не любила так, как должна была бы любить, — как она любила сейчас Александра Сергеевича! — привела Таню к самой простейшей из всех житейских истин. Смерть эта объяснила ей, что всякий человек может в любую минуту исчезнуть, и бывает даже так, что ты вынимаешь из конверта только что полученное письмо от того, кого уже нет.

«Саша говорит, что я молода, а он уже старый, — думала она, вжимаясь в угол большого старого дивана, словно прячась от кого-то. — А когда я объясняю ему, что никого на свете, кроме Илюши, не люблю и не полюблю так, как его, он ведь верит мне и радуется этому. Он ведь сказал мне на прошлой неделе, что уверен во мне, потому что — пока он сам любит меня — я тоже буду любить его. Как он сказал это? А, вот как: «Ибо любви не бывает без взаимности». И еще он сказал, что никуда не отпустит меня. И я так глупо спросила его: «За подол будешь держать?» А он сказал: «Нет. При чем здесь подол?»

Она вспомнила, как однажды, когда еще до переезда на дачу она сидела у него на коленях (почему она так часто сидит у него на коленях? Ведь с Шатерниковым этого не случилось ни разу!) и Александр Сергеевич целовал ее грудь, задерживая свое горячее дыхание всякий раз, когда губы его прижимались к ее соскам, он вдруг сказал ей:

— Куда ты денешься от меня? Смотри: вот я. Старый и пьяный. А ты никуда не денешься.

— А ты? — пробормотала она, не зная, что ответить на это.

— И я никуда. Кроме разве только одного теплого местечка...

Она остро вспомнила, как ей тогда захотелось спросить его, почему же он в таком случае не собирается жениться на ней, но она не спросила.

«Он так часто повторяет: «Не говори об этом, я никогда не женюсь на тебе», что иногда я и сама начинаю думать, что он прав. Но почему он прав? Как он может быть прав в том, что я прихожу на квартиру холостого человека, как какая-нибудь актриса к своему покровителю или вообще падшая женщина, потому что их, говорят, можно заказать на один вечер, как бутылку шампанского?»

Постепенно ей стало казаться, что Александр Сергеевич относится к ней как к временной забаве, что он и сегодня не приехал потому, что она не имеет для него того значения, которое он имеет для нее, и он ни разу не изъявил желания посмотреть на Илюшу оттого, что не собирается жениться на ней и в глубине души уверен, что всё это скоро закончится.

«Может быть, он до сих пор любит свою покойную жену? Иначе зачем ему все эти фотографии, развешанные по стенам, зачем эти мелочи, статуэтки, игрушки, которые, конечно, покупала она и которые он до сих пор не убирает? А шубка ее в прихожей? Как будто он ждет, что она вот-вот вернется!»

Таню передернуло от этой мысли, на лбу выступил холодный пот. Она вспомнила Шатерникова, который неустанно повторял ей, что она — жена, и собирался немедленно развестись, как только закончится война, и тут же, немедленно, с ней обвенчаться...

«Потому что он и в самом деле любил меня, и он любил бы Илюшу, и папа не зря много раз говорил мне, что Илюша похож на него как две капли воды, и, когда он подрастет, нужно будет непременно рассказать ему об отце, который мог бы тоже, наверное, жить да жить и играть в этих дурацких представлениях, как какой-нибудь Зушкевич или Качалов, а он записался на фронт...»

Слезы навернулись ей на глаза и начали прожигать их. Из детской комнаты послышался странный звук. Она вскочила и, быстро вытерев глаза обеими ладонями, бросилась к ребенку. Илюша спал, но был огненно-красным и тяжело дышал, словно что-то мешало ему. Таня в страхе смотрела на его вдруг осунувшееся личико, не зная, что делать, и в это время в саду зашумело, задвигалось, и зеленовато-синий огонь осветил всю потонувшую в темноте комнату. Началась гроза. Свежий ветер ударил в открытое окно, но грома еще не было, и этот как будто онемевший небесный огонь, который опять повторился и стал вдруг намного светлее, разбудил Илюшу, и он закашлял, захрипел. Таня схватила его на руки. Ребенок горел. Няня прибежала из своей комнаты, растрепанная, седая, и, увидев Илюшу, который выгибался на материнских руках от разрывавшего его клокочущего, переходящего в свист кашля, всплеснула руками.

— А папы-то нет! — с порога заплакала она. — Простыл он, должно быть, все окна открыты, а я говорила: прикрой, Таня, окна, как солнце зайдет, так ведь гниль одна, сырость...

Илюша начал ловить воздух своим вдруг побелевшим ротиком и задыхаться. От ужаса у Тани ослабели руки, ноги подкосились. По дорожке, ведущей к крыльцу от калитки, заскрипели быстрые шаги, послышались голоса, смех, и внутри новой, яркой и светлой вспышки Таня увидела отца, мать и Дину, которые, прикрывая руками головы от первых крупных дождевых капель, бежали к дому. Отец быстро отнял у нее ребенка, схватил серебряную чайную ложку, широко открыл Илюше рот.

— Воды горячей! Как можно больше очень горячей воды! Ну, что вы стоите? Воды, говорю!

203

Дина и подоспевшая гувернантка побежали за водой. Отец быстро посмотрел на белую дрожащую Таню, бессильно прислонившуюся к стене.

— Аля! — приказал он матери, которая, растерявшись, пыталась поддержать потную от крика и кашля голову захлебывающегося ребенка. — Это круп! Уведи ее! А то мне придется и ее откачивать! Она здесь сейчас не нужна!

— Я никуда не пойду! — с яростью прошептала Таня. — Не смей меня трогать! — Она оттолкнула материнскую руку. — Он что, умирает? Что, папа? Ну, что ты молчишь?

— У него круп! — повторил отец. — Сейчас будем паром дышать. Да где же вода, черт вас всех побери!

Ничего не видя перед собой, кроме каких-то брызг, похожих на ягоды красной смородины, Таня побежала на кухню.

— Господи, Господи, Господи! — громко, вслух бормотала она. — Господи, сделай так, чтобы он не умер!

Но, произнеся это дикое слово, она вдруг сама услышала его со стороны, ужаснулась тому, что услышала, и зарыдала. Навстречу ей торопились Дина и Алиса с кастрюлями горячей воды.

— Отлично. Еще мне нагрейте! Побольше!

Отец быстро слил весь кипяток в принесенное няней и поставленное на пол корытце, встал на колени и, взяв на руки хрипящего Илюшу и вместе с ним накрывшись с головой мохнатой купальной простыней, принялся дышать паром. Илюша сначала было притих, но тут же у него начался новый приступ этого ужасного лающего кашля, и Таня увидела, как это странное, движущееся под простыней существо, составленное из двух голов — отцовской и детской, которая, как огромная виноградина, быстро перекатывалась по отцовскому плечу, — существо, внутри которого кричал и захлебывался ее ребенок, начало пригибаться и вновь распрямляться, и вновь пригибаться, и вновь распрямляться, — как будто оно выбивало поклоны, как бьет их старуха, упавшая на пол в своих причитаньях. Через минуту какое-то другое существо с мокрыми разводами под волосами, стоящее справа, дотронулось до нее горячо и неприятно. Она перевела направо расширенные глаза, узнала мать, которая, всхлипывая, вцепилась ей в руку, и вновь стала смотреть на то, что кричало и захлебывалось. При этом и себя саму, и всё остальное она видела сейчас так, как будто это ее душа, в ужасе отделившись от тела, повисла над ними, застыв в одной точке, как будто ее заморозили заживо.

Эта остановившаяся душа знала, что если произойдет то, чего Таня не может произнести даже мысленно, то и тела не будет, и плача не будет, да даже и страха не будет. Потому что — если случится это — душе уже нечего будет делать в Танином теле и нужно тогда побыстрей уходить, искать себе новой и плоти, и крови.

— Та-аня-я! — услышала она как сквозь вату голос сестры. — Да что с тобой? Та-а-аня-я! Держи ее, мама! Она же сейчас упадет!

Отец, огненно-красный, с прилипшими ко лбу волосами и ручьями пота, которые катились не только по лицу, но и по шее, по груди, на которой была расстегнута рубашка, вынырнул из-под простыни, прижимая к себе ребенка:

— Ведь я вам сказал: уведите ее! Какие же вы все бестолочи, Господи!

Таня запомнила, как они с Диной долго шли через террасу в спальню, и Дина плакала, закусывала губу, снова плакала и всё бормотала, бормотала какие-то слова, которые показались Тане незнакомыми, как будто сестра произносила их на чужом языке.

— Всё будет хорошо! Всё... слышишь, Танька... всё будет...

Она хотела спросить у Дины, что это за слова, но тут же забыла о своем желании и не спросила. В спальне Дина уложила ее, накрыла одеялом и убежала обратно в детскую. Как только за нею захлопнулась дверь, Таня вскочила и, не плача, с сухими, огромными, остановившимися глазами, подошла к окну и вжалась в стекло всем лицом. Ей показалось, что наступила зима, и за окном метель, а не дождь, и вся эта сила грохочущего гигантского звука не может принадлежать дождю, а может быть только неизвестной, идущей с неба, безжалостной и убивающей силой. И тут же что-то прорвалось внутри: она ощутила острую, как бритва, боль, распарывающую ее и одновременно подталкивающую к чему-то. Не в силах стоять, Таня сползла вниз, на пол, и оттуда сквозь залитое водой стекло посмотрела вверх. И так черно, так беспросветно было там, наверху, и так — с мерным, страшным шумом — заливало всю эту землю, внутри которой задыхался ее ребенок, что, не поднимаясь, не отводя требовательного и одновременно беспомощного взгляда от этой черноты, она зарыдала, заголосила, как деревенская старуха, но только не громко, а сдерживая голос:

— Ой-ёй-ёй! — заголосила она. — Ой-ёй-ёй! Всё сделаю! Всё, что хочешь, только не отнимай!

Она не успела даже осознать, что это вырвалось из нее, а слова уже лились сами собой:

— Ничего мне не нужно, никого мне не нужно! Прости меня, Господи! Но он же ведь маленький, он мой ребеночек! Не наказывай меня! Пусть только всё будет, как раньше, пусть только он будет здоров, а я... Мне никого не нужно, Господи! Никого, кроме него! О-ой-ой-ёй!

Не отрываясь, она смотрела наверх. Она чувствовала, что там, наверху, в черноте, ждут от нее чего-то еще: она должна пообещать и произнести свое обещание словами.

— Я не пойду к *нему* больше! Пусть только Илюша поправится! Я сама всё скажу *ему,* сама объясню, но только Илюша, Илюша пусть! Господи!

Звук страшного грохота внезапно оборвался. Дождь пошел тише, глуше, и стало казаться, что теперь он ищет примирения и шепчется с этим темным садом, который с трудом приходит в себя после пережитого.

— Я обещаю Тебе, — с силой выдохнула Таня, подымаясь с пола. — Сама всё скажу. Всё скажу ему, Господи.

Она вытерла слезы и прислушалась. Лающий кашель больше не доносился из детской, и было пугающе тихо.

— Он *умер?* — прошептала она и тут же оборвала себя: — Нет. Этого быть *не может.*

Сумасшедшая уверенность, что Бог услышал ее и знает, что именно она только что пообещала Ему, а потому не станет отбирать у нее сына, была так сильна, что она решительно вышла из спальни и большими шагами направилась к детской.

— Постой, вот сюда положи, — тихо бормотал за дверью отец, и что-то шуршало, как будто газетой. — А это — сюда. Нет, она не увидит...

Вся кровь бросилась Тане в голову. Ей вдруг показалось, что отцовское бормотание означает то, что ребенка уже нет и они собираются спрятать от нее его мертвое тело.

— Отдайте! — закричала она, распахивая дверь и ничего не видя перед собой от отчаяния. — Где он? Где Илюша? Отдайте!

— Да тихо! — шикнул отец. — Заснул только что. Не ори!

— Папа? — Не веря своему небывалому, ослепительному счастью, она наклонилась над кроваткой и увидела в ней спящего, очень красного во сне, с мокрым от слез и от пара лицом, с густыми, слипшимися ресницами сына. — О, папа-а-а! О-о-о! Па-апочка-а-а! Па-а-апа-а-а!

* * *

Александр Сергеевич Веденяпин собирался вечером ехать в Кузьминки, чтобы увидеть Таню, но в полдень у него невыносимо разболелась голова. Он принял порошок, прилег на диване в гостиной, пытаясь заснуть, но ощущал такую сильную боль, что заснуть не удавалось и даже было тяжело держать глаза закрытыми.

Тогда он, чтобы мысленно отвлечься от боли, попробовал думать о Тане, вызвать перед своими глазами ее яркие сине-голубые глаза, но вместо этих глаз и этого сразу краснеющего, как всегда, когда он смотрел на нее, милого молодого лица увидел лицо своего сына, только не таким, как в последний раз, когда Василий приезжал в отпуск после ранения, а таким, каким оно было тогда, когда им принесли телеграмму о смерти Нины. Обычно Александр Сергеевич не позволял себе вспоминать ни подробности этого дня, ни сына, который своей реакцией на это известие напугал его так сильно, что он потом долго не мог опомниться. Сейчас, когда разламывалась голова, не было сил бороться с памятью, и эта память, начавшись с того, как Василий, которому он молча протянул телеграмму, согнулся пополам, и его начало рвать прямо на пороге столовой, — эта память, как ветер перед метелью, вдруг стала шершавой, колючей и жестко вцепилась в него своими подробностями.

...Василия выворачивало наизнанку, он начал давиться слюной. Александр Сергеевич вспомнил, как он хотел было помочь сыну и как сын, согнувшийся и зажавший обеими руками живот, посмотрел на него снизу бешеными и несчастными глазами, а потом изо всей силы оттолкнул его своей перепачканной рвотой ладонью...

...и когда на следующий день он сообщил отцу о своем решении записаться на фронт, Александр Сергеевич понял, что с ним нельзя спорить и хуже всего было бы остаться сейчас вместе и жить, словно ничего не случилось.

За окнами наступили сумерки, а он всё лежал, стараясь не двигаться, потому что каждое движение отзывалось новой болью, особенно сильной в районе затылка. К вечеру он всё-таки заснул. Его разбудил женский голос, который был страшно знакомым и мог принадлежать только Нине, если бы она была жива. Но поскольку она умерла, этот голос, что-то спрашивающий внизу у нового дворника, не мог быть ее голосом, и это всего лишь случайное, хотя и тошнотворно-пугающее совпадение.

Нужно было встать, подойти к окну и убедиться, что женщина у парадного — не она, нужно было сделать это как можно скорей, потому что иначе она уйдет и Александр Сергеевич останется с новым — хотя и абсурдным — подтверждением своих и без того абсурдных подозрений.

Он встал и, нажимая левой рукой на свой кудрявый лысеющий затылок, подошел к окну.

Его жена в холстинковом дорожном жакете и летней соломенной шляпке только что, судя по всему, расплатилась с отъехавшим извозчиком и теперь что-то выспрашивала у дворника. Странно, он даже и не удивился. Он смотрел на нее, на дворника, на всю летнюю улицу, косо и беспокойно освещенную солнцем, на окна дома напротив, из которых доносились гаммы, разыгрываемые неповоротливыми детскими пальцами, но одновременно с этим он смотрел и на себя самого, стоящего у окна, и ему больше всего хотелось смеяться. Да что там смеяться! Ему хотелось хохотать в голос, рыдать от смеха, присесть на полусогнутых коленях, хлопая себя по бокам, задохнуться... Вместо этого из горла его вырвался какой-то беспомощный хрип. Он открыл окно. Она услышала, обернулась и подняла глаза. Александр Сергеевич вдруг заметил, что у него больше не болит голова, а во всем теле появляется какая-то странная, близкая к обморочной легкость, словно он сейчас оторвется от пола и полетит. Нина взяла в руку саквояж, дворник подхватил ее чемодан, и через минуту она в сопровождении дворника, бестолково и смущенно посмеивающегося, вошла в гостиную. Дворник поставил чемодан на пол и затоптался на месте.

— Ступай, — не глядя на него, сказал Александр Сергеевич. — Больше ничего не нужно.

И дворник ушел. Нина села на стул и сняла шляпку. Он увидел, что волосы ее немного поседели рядом с пробором и тонкие, но глубокие складки образовались по обеим сторонам рта.

— Ну, что? Как здоровье? — спросил он.

— Получше, — ответила она. — Устала смертельно. Сначала я даже думала, что придется добираться через Константинополь, но, слава Богу, мне подсказали другой путь — через Финляндию.

— А, ну да! — сказал Александр Сергеевич. — Конечно. Война ведь.

— Война! — вздохнула она и огляделась по сторонам. — Как дома приятно! Я уже заметила, что ты ничего моего не выбросил. Это очень мило с твоей стороны, не ожидала.

— А, вот как!

— Да, Саша! — снова вздохнула она. — Я ведь давно знаю всё, что ты можешь мне сказать. Стоит ли нам возвращаться к этому?

— Кто это был? На фотографии? — с отвращением спросил он.

Ее вдруг тоже всю передернуло.

— Не знаю. Кто-то был. Какая разница?

— Так ты сумасшедшая, да?

— Сейчас все вокруг — сумасшедшие, — ответила она, бледнея. — Что сын? Он здоров?

— Воюет.

— Я знаю.

— Откуда?

— Я наводила справки.

— Где ты собираешься жить?

Она удивленно округлила глаза.

— Я жить собираюсь вот здесь.

Взмахнула рукой в летней белой перчатке, описала круг.

— Ну нет, — раздувая ноздри, сказал он. — Вот этого ты не добьешься, голубушка.

Нина склонила голову к левому плечу и посмотрела на него внимательно и спокойно. Он вдруг заметил пылинки пудры на ее длинных ресницах, и дикая мысль, что она пудрилась, пока ехала с вокзала на извозчике, — пудрилась, чтобы понравиться ему, — сверкнула в голове.

— Бог знает, Саша, что ты говоришь, — усмехнулась она. — А где же мне жить?

— А где хочешь!

— Нет, дорогой, нет, — небрежно и вскользь, как неживая, выронила она. — Мне нужно помыться с дороги. Потом побеседуем.

— Прошу тебя по-хорошему. — Он скрипнул зубами. — Ты слышишь? Пока — по-хорошему.

— Что с тобой? — сочувствующе и немного брезгливо спросила она, помолчав. — Неужели после всего ты собираешься выгнать меня из собственного дома?

— Я бы убил тебя, если бы я мог. — Александр Сергеевич схватился обеими руками за виски. — Но ты сумасшедшая!

Она откинула голову и засмеялась, показывая белые ровные зубы.

— Ты лучше меня полечи. Ты ведь доктор.

— Ты неизлечима.

— Тогда говорить больше не о чем. В Москве, говорят, перебои с продуктами?

— Послушай! — воскликнул он. — Я не могу тебя видеть. Ты — мой кошмар. Я даже и сейчас не до конца уверен, что ты мне не снишься, как снятся кошмары! Уйди, ради Бога!

Она встала, сняла свои белые летние перчатки, показала руки со знакомыми миндалинками ногтей, и он с каким-то странным облегчением увидел, что она плачет. От этих слез ему неожиданно стало легче, словно он все-таки добился чего-то.

— Нет, я никуда не уйду, — плача, пробормотала она. — Я устала, я добиралась больше трех месяцев! Я, слышишь? Устала! Я очень устала!

Он бросился в прихожую, сорвал с вешалки летнее пальто.

— Возьми с собой зонтик! — крикнула она вдогонку. — Гроза собирается. Слышишь, грохочет?

На улице было темно, как бывает темно только летом перед грозой, и сильно пахло мокрой свежестью городской зелени, вдруг сразу забившей все городские запахи. Александр Сергеевич шел быстро, словно убегал от кого-то. Во многих окнах зажегся желтый дрожащий свет, прохожие исчезли, даже птицы в небе — и те вдруг растаяли. Первая молния, распоровшая почти уже черное небо, светло озарила верхушки деревьев, которые полыхнули серебром и вновь погрузились во тьму, зашумели.

«Сейчас будет дождь, — вяло подумал Александр Сергеевич. — Куда бы мне спрятаться?»

Дождь начался не сразу, а так, словно он долго ждал чего-то, сыпал с неба две-три капли, потом уходил, потом вновь возвращался и, наконец, пошел сплошным, как будто бы пенным немного, потоком, потому что в том месте, где вода дотрагивалась до земли и продавливала ее, — в том месте образовывалась легкая белая пена, но тотчас же таяла.

Александр Сергеевич вымок насквозь, но этот дождь, не щадящий никого, кто не успел спрятаться, помог ему лучше любого лекарства: он смыл его страх. Теперь — в этом мощном дожде — уже было не страшно, поскольку то, что, оказывается, заключало в себе небо, еще недавно спокойное, голубоглазое, как новорожденное дитя в колыбели, — всё то прорвалось вдруг наружу, и никакому обольщению, никаким тщетным надеждам — ни птичьим и ни человеческим — теперь уже не было места.

«Не спрятался? Значит, пора».

Такая зовущая сила была в этом дожде, и такое внезапное, беспощадное объяснение того, кто и вправду хозяин, такое успокаивающее в своей неумолимости решение, принятое не здесь — отнюдь не людьми, не зверями, не птицами, — было в нем, льющемся с высокого, застелившегося чернотой неба, что Александр Сергеевич, никуда уже не убегающий и даже не надевший пальто, по-прежнему перекинутое через руку, вдруг словно услышал и понял всё то, чего не хотел и не мог слышать раньше. Он шел под дождем, уже не обращая на него внимания, и знал, что все повороты, все странные изгибы его жизни, всё, что он называл про себя ненужными и пустыми человеческими словами, — всё было, поскольку *должно было быть,* и нужно принять, и терпеть, и смириться.

* * *

Илюша, не кашляя, проспал остаток ночи, и Таня, и отец, без конца встававшие и подходившие к нему, успокаивающе переглядывались. Потом отец ушел к себе, свалился и сам заснул после двух бессонных ночей: одной — в Москве, в госпитале, а второй — здесь, на даче, — и когда Алиса Юльевна в белом ночном капоте скользнула в дверь детской со словами: «Танюра, поди и умойся, а я послежу», Таня, шатаясь и еле держась на ногах от усталости, не пошла умываться, а по покатым ступенькам террасы спустилась в сад, весь мокрый, весь ярко сияющий, благоуханный. Она почему-то знала, что сейчас, на мельнице, ее ждет Александр Сергеевич, непонятно каким образом попавший туда в пять часов утра, и нужно сообщить ему, что жизнь их закончена.

Что сын ее жив, потому что *всё кончено*.

Она торопилась сейчас на мельницу, думая только о том, чтобы как можно быстрее вернуться обратно, домой, где Илюша мог проснуться в любую минуту. Она издали увидела Александра Сергеевича, который не сидел, как обычно, на поваленном дереве, а стоял очень прямо, не двигался и не спешил ей навстречу, хотя уже заметил ее.

Таня пошла тише, потом тоже остановилась. Между ними образовалось расстояние шагов в десять-пятнадцать. В голове ее мелькнула странная мысль, что он, может быть, уже знает о том, что происходило с ней вчера, и знает, что она дала слово Богу, которое никогда не нарушит.

— Моя жена, — негромко сказал Александр Сергеевич, — моя жена Нина жива. Она вернулась домой.

В первую секунду Таня даже не поняла того, что он произнес. Какая жена? Что ей за дело до его жены? Потом страшный смысл его слов дошел до нее, и земля поплыла под ногами вместе с этими крошечными белыми цветочками, названия которых мало кто знает — настолько они неприметны, невзрачны.

— Я пришел попрощаться, — твердым и мертвым голосом сказал Александр Сергеевич. — У меня нет сил.

Теперь она слышала только одно: он опять уходит, опять оставляет ее, опять — как уже было раньше, — и больше они не увидятся, Господи!

— Господи! — прижимая к щекам похолодевшие ладони, прошептала она. — Ты что говоришь? Как же я без тебя?

— Прости меня, девочка, — тем же мертвым голосом повторил он. — Бывает, что просто кончаются силы.

Тогда она бросилась к нему, изо всех сил обняла его и торопливыми поцелуями покрыла его лицо и шею. Александр Сергеевич осторожно погладил ее по растрепанной голове и отступил на шаг в сторону.

— Ведь я говорил тебе про демониху? — криво и жалко усмехнувшись, спросил он. — Жива. И вернулась.

Лицо его вдруг задрожало, он отвернулся и быстро пошел прочь.

— Са-а-аша-а-а! — закричала было она, но голос охрип и сорвался.

Александр Сергеевич обернулся к ней, и она не узнала его: он плакал. Таня никогда не видела, чтобы плакал мужчина (отец ее не плакал никогда), и слезы, залившие это любимое ею, всегда немного насмешливое, умное, а иногда и высокомерное лицо, такою жалостью и болью отозвались в душе, что она опять подбежала к нему, опять подняла было руки, чтобы обнять...

— Нет! — вскрикнул Александр Сергеевич. — Не трогай меня! — И она отступила. — Я должен был раньше понять, слышишь? Раньше...

— Ты разве не любишь меня? — чувствуя, что говорит что-то не то, прошептала она.

Александр Сергеевич махнул рукой и широко, не разбирая дороги, опять зашагал в направлении станции. Она не стала догонять. Ноги не держали ее, голова тихо кружилась, увлекая за собою и полуразрушенную мельницу, и сонную, словно уставшую воду, и эти деревья, и эти цветочки... Она опустилась на землю, не отрывая глаз от его знакомой, немного сутулой спины, которая, быстро уменьшаясь в размере, была единственным ярко-черным пятном на фоне зеленого и голубого. Потом, когда это черное пятно размыло вдалеке и ровный огонь наступившего утра — счастливого, полного золота, блеска — начал прожигать ее насквозь, и так прожигать, что даже волосы на шее стали мокрыми, она поднялась и побрела домой.

Ей нужно домой было, мальчик проснулся.

Конец первой части

ХОЛОД
ЧЕРЕМУХИ

Ни одна живая душа не подозревала о том, что её ждет. Да и как было заподозрить, что с каждой сдерут её тонкую кожу, подвесят внутри пустоты и, окровавленная, обгоревшая, разъятая на куски, душа будет мёрзнуть, чернеть и гноиться?

У Александры Самсоновны не было детей. Первые и единственные роды закончились смертью доченьки Сонечки, которую Александра Самсоновна в мечтах давным-давно вырастила, воспитала и выдала замуж. На отпевании своей семидневной девочки, которую едва успели окрестить за день до смерти, она не проронила ни слезинки, стояла как каменная, стягивала к вискам бархатные глаза обеими руками. Через полгода выслушала приговор о бесплодии тоже спокойно, окаменев прямо на диванчике в кабинете маленького Отто Францевича, отмеченного многочисленными наградами доктора медицины и всей Москве известного акушера-гинеколога. А когда ещё через два года Александр Данилыч стал вдруг нервным, озабоченным, раздражённым, перестал смотреть в её бархатные глаза своими умными, насмешливыми и грустными глазами, а норовил остаться на ночь в кабинете, якобы для того, чтобы не будить Александру Самсоновну, если ему вдруг захочется почитать, она тут же догадалась, что муж потерял свою бедную голову, раздавлен больной безответною страстью, и как с ним теперь говорить — непонятно. Он с детства был влюбчивым, пылким, порывистым и сильно отличался от большинства мужчин, которые легко изменяли своим жёнам, легко сходились, легко расходились и доживали до преклонных лет, не догадавшись даже, что любовь проскользнула между их ладонями так, как проскальзывают маленькие серебристые рыбки, которых, бывает, войдя по колено в нагретое озеро, видишь и хочешь наивно поймать, а рыбки, коснувшись тебя ярко вспыхнувшей кожей, навеки уходят, вильнув плавниками.

Александра Самсоновна, умница, давно поняла, что мужу её невмоготу без остроты любовных переживаний, и весь он — из этих старинных романсов, из этих стихов, отворённых калиток, под еле слышный скрип которых набрасывают на голову кружева, а звон колокольчика, сливаясь внутри синеватого снега с сиянием долгого женского взгляда, и сам начинает блестеть, как осколок.

Ребёнок удержал бы мужа — о да, удержал бы! — но разве забыть этот день, когда Отто Францевич, дёргая свою еле заметную, жёлтую бровь длинными, в цыплячьем пушке, золотистыми пальцами, сказал ей сердито:

— Дай Бог, чтобы я ошибался. Но я, к сожалению, не ошибаюсь.

С этой минуты сердце Александры Самсоновны принялось кровоточить. Хотелось заснуть и уже не проснуться.

А всё началось очень просто.

Осенью 1910 года супруги Алфёровы познакомились в поезде с дамой, ехавшей так же, как и они, в Крым, чтобы спрятаться там от наступавшего в Москве холода. Александр Данилыч страдал странным недугом: он не переносил длительного отсутствия солнца.

— Как ты можешь жить в этом аду, Саша? — бормотал он, отдёргивая штору и безнадёжным взглядом впитывая в себя слизистый после долгой ночи, неровный свет зимнего дня. — А я пропадаю!

И впрямь: пропадал. Мучился мигренями, тоской, отчаянными мыслями. Поэтому ехали в Крым: надышаться чужим виноградным теплом, синевою.

Даму, встреченную в поезде, звали Ниной Веденяпиной, она была женой врача из Алексеевской больницы, имела от природы слабые лёгкие и каждую осень лечилась в Ялте. Александра Самсоновна взглянула на неё и сразу же всё поняла.

Не было в госпоже Веденяпиной никакой особой красоты, но прелесть такая, что не оторваться. Рассказывая что-то, она со смехом коснулась руки Александры Самсоновны, и та ощутила тревожный огонь, толчками идущий от этого тела. И тут же смутилась до слёз: нельзя приближаться к такому огню. А мужу уж точно нельзя: сразу вспыхнет.

Рассказывая, Веденяпина слегка краснела, слегка улыбалась, и голос её был лёгким, немного пушистым, как будто бы гладил тебя по лицу. Расстались в Ялте: Алфёровы ехали дальше, в Гурзуф, а Нина Веденяпина, светло засмеявшись, сказала, что нужно спешить в магазин за лорнетом и где-то найти себе белого шпица, чтоб не отличаться от дамы с собачкой.

— Какая вы дама с собачкой!

Горькое, затравленное выражение поймала Александра Самсоновна в глазах Александра Данилыча, когда он выговорил это.

— Нет, вы из другого рассказа!

— Какого? — краснея, спросила она и нахмурила брови.

В Гурзуфе же было чудесно. Жили в доме с терраской, увитой виноградом, который ещё дозревал на пылающем солнце, и запах его пропитывал не только землю, траву, цветы, но и руки, и волосы, и простыни на кровати, и когда Александра Самсоновна целовала своего мужа в голову, то даже кожа на его лбу и висках пахла виноградом. Вечером уходили гулять и долго шли по тёплой мокрой гальке, а море вздымалось и опадало рядом, дышало доверчиво, будто родное. В соседнем доме жил одинокий и странный человек с профилем Данте, который вечерами играл на скрипке, а его собака, с прилизанной, атласно блестящей, пятнистой шерстью, тихонько поскуливала от жгучих мелодий.

Александре Самсоновне, носившей здесь, на природе, простые белые платья, сильно загоревшей, так, что круглое лицо ярко темнело из-под кудрявых волос, стало казаться, что Александр Данилыч опять смотрит на неё прежними, молодыми и ждущими глазами, и так же нетерпеливы и нежны были его ночные объятья, и так же, как прежде, насквозь прожигали, сбегая по телу её, его пальцы.

Нина Веденяпина почти уже стёрлась из памяти Александры Самсоновны, и однажды она, чтобы поддразнить своего мужа, спросила наивно:

— Как ты думаешь, не скучно ей там, в этой Ялте?

И сердце заколотилось, когда Александр Данилыч побледнел и ничего не ответил. О Господи, как же прекрасно в Гурзуфе! Остаться бы им в этих диких местах, забиться в тёмную раковину чужой жизни, и пусть бы её унесло далеко — совсем далеко, за моря и за горы, — они бы дышали в её глубине, и были бы вместе, и были бы живы...

В Москве уже ярко белел первый снег, а солнце, хотя и холодное, проворно играло с весёлой зимою: повсюду блестело, повсюду хрустело, и птицы, застывшие на проводах, казались кусочками пёстрого мрамора. Вот тогда-то, в первую неделю после их возвращения, появились эти избегающие Александру Самсоновну взгляды, сдавленные ответы на её вопросы, готовность всю ночь просидеть за столом, читая или работая, и, в крайнем случае, подремать пару часов на неуклюжем диване в кабинете, накрывши подушкою голову. Всё, лишь бы не спать в их супружеской спальне.

У Александры Самсоновны, как говорили вокруг, был острый мужской ум, но душа её была женской, а ещё точнее — девичьей: стеснённой и робкой, мечтательной, нежной. Она почти болезненно, до полной потери себя, любила Александра Данилыча, но никаких особых прав на него не чувствовала и, если бы ей сказали, что можно припугнуть ускользающего мужа хорошим и крепким скандалом, а можно и проще: наесться таблеток, от которых, конечно, не умрёшь, зато — всю в слезах — бросишь на пол записку, в которой, прощая, простишься навеки, — она возмутилась бы и отказалась. Его нужно было вернуть — жизни без Александра Данилыча быть не могло, — но вернуть нужно было честно, любовью, а не угрожая, не пугая. И когда однажды приехавшая из Астрахани кузина, разведённая и открыто живущая с чужим мужем, ярко-рыжая, белокожая, «наглая», как уверяли посторонние, и «несчастная», как догадывалась Александра Самсоновна, закуривая длинную, с золотым ободком, папиросу, сказала ей своим свежим и вкусным, как ломоть астраханского арбуза, голосом, что нужно самой изменить Александру Данилычу, и он тогда моментально протрезвеет, Александра Самсоновна, до боли натянув к вискам бархатные глаза, ответила тихо:

— Мне гадко тебя даже слушать, Лариска.

И так прозвучало это неловкое «гадко», что рыжая Лариска всплеснула руками, смяла в пепельнице папиросу, порывисто пересела к ней на диван, уткнулась в неё и бессильно расплакалась.

Терпеть нужно было. Терпеть и надеяться. Муж уходил гулять по Неопалимовскому, выходил на Большую Царицынскую, где в клиниках Московского университета велись по ночам опыты над животными, и воющий лай, в котором только мёртвый не услышал бы мольбу о пощаде, разносился далеко до самого проезда Девичьего Поля.

Александр Данилыч шёл по Большой Царицынской улице, скривившись от звука собачьего лая и нетерпеливо молясь про себя, чтоб кто-то, кто в силах, помог им, несчастным; он подставлял снегу лицо, и снег залеплял его, словно хотел согреться от его дыхания, но дыхание само становилось холодным, и над головой Александра Данилыча, чернея сквозь снег, проступали хребты мрачных туч, похожих слегка на приморские скалы, — он шёл и внутри себя нёс эту женщину, которая, может быть, крепко спала, о нём не тревожилась, не вспоминала. Умом Александр Данилыч понимал, что Нина Веденяпина не счастлива и не спокойна, но одно дело — понимать умом, а другое — мучиться и ревновать сердцем. Он мучился и ревновал. Не к мужу, которого Александр Данилыч не знал и который почему-то совершенно не интересовал его, а к кому-то или даже скорее к чему-то, к какой-то чужой, дикой силе внутри этой женщины, с виду столь хрупкой.

После Крыма они встретились всего два раза — один раз в сквере и другой раз в номерах, куда Александр Данилыч, ужасаясь на свою измену, но при этом страшно счастливый, привёз её, решительную, с твёрдо сжатыми губами, и она шла за ним по длинному коридору гостиницы, опустив голову, но как-то особенно ярко и скорбно блестя глазами, как будто бы не в номера шла, а вместе со старцами на богомолье, и там, в тёплой комнате, за спущенными шторами которой шаркала и звякала Москва, провели вместе не больше чем полтора-два часа, и Александр Данилыч пережил столько, что сразу хватило на целую жизнь.

Прошёл целый месяц, и она не только не соглашалась снова встретиться с ним, но и по телефону разговаривала еле-еле, с заметной досадой, хотя очень вежливо, и Александру Данилычу стало казаться, что не было этого утра, и всё. Просто: не было. Он перестал ждать и погрузился в сомнамбулическое состояние тихого, но беспрестанного отчаяния, которое Александра Самсоновна сразу угадала и больно на него отреагировала. Ей, с её отзывчивым и добрым сердцем, лучше было терпеть его радость, его ошалевший восторг, чем видеть погасшие эти глаза. К тому, чтобы терпеть и мучиться, Александра Самсоновна почти привыкла. Нельзя не привыкнуть, живя с таким мужем. Тогда-то ей и пришла в голову мысль об открытии частной женской гимназии. Пусть вокруг будут одни девочки с одиннадцати до семнадцати лет, пусть он читает им Пушкина, пусть эта женственность — её молодые цветы и бутоны — оборотится к нему своей самой что ни на есть незащищённой стороной. Почему она вдруг поняла, что именно это и должно спасти Александра Данилыча, почему не испугалась того, что ему, легко теряющему голову от женских улыбок, и плеч, и походки, не захочется, как коту, разбившему горшок со сметаной, заурчать от удовольствия, Александра Самсоновна и сама не знала. Психологов в те времена ещё не было, никто не лежал в полутьме на кушетке, не слушал себя самого с содроганьем, всё было и просто, и дико, и страшно, однако же люди рождались исправно, деревья росли, и луна выплывала.

Она не ошиблась и не проиграла. Гимназию открыли неподалёку от дома, на той же любимой и славной Плющихе. Сперва было семь учениц, потом десять, и вот, наконец, сто пятнадцать. Девочки, конечно, попадались разные, но хорошеньких и даже очень красивых было много, и в каждой из них что-то тихо дрожало: медленно, меланхолично назревала будущая жизнь ещё без имен, без событий, без страхов, а так, как плоды на деревьях. Не знает ведь плод, что ему уготовано: быть сорванным ветром, созреть, стать румяным, а может быть, сгнить и упасть недозревшим.

Именно это вдруг понял Александр Данилыч. Та мера ответственности за каждое слово, которое он произносил в классе на уроке, удивляла даже Александру Самсоновну. Она и не подозревала, что краткое, раздавленное смертью отцовство застряло в его душе, как, бывает, застревает в горле кусок хлеба или мяса, отчего человек начинает давиться и захлёбываться. Александр Данилыч никогда не говорил с женой о семидневной Сонечке, умершей от острого детского крупа, но боль, которая, как тисками, сжала Александра Данилыча в ту минуту, когда маленькое лицо новорождённой в кружевах и розах закрыли крышкой нарядного, словно бы кукольного, гроба и быстро засыпали красной землёю, — та жуткая боль, что он должен был сделать для девочки что-то, чего он не сделал, его ещё мучила, не проходила.

Александр Данилыч говорил со своими ученицами так, словно завтра этой возможности уже не будет, и годы, проведённые внутри молодого девичьего царства, в самом пекле его, где не только расцветало и благоухало, но и вспыхивало, и прожигало, где были и слёзы, и злые слова, и дыхание то высоко поднимало острую, маленькую грудь, то задерживалось внутри и вдруг вырывалось с обиженным шумом, — эти годы были самым счастливым временем не только для Александра Данилыча, но и для его жены, которая сразу поняла, что муж защищён этим девичьим царством намного мощнее, чем крепостью.

Дина Зандер, окончившая гимназию Алфёровой в 1917 году, была так же мало похожа на своих одноклассниц, как дикая тропическая птица с фиолетовыми глазами похожа на серого воробья из зимнего Замоскворечья. Она продолжала жить в одном доме с матерью, отчимом и своей сводной сестрой Таней, у которой был сын Илюша, «прижитый», как в сердцах говорила иногда няня, «незнамо откуда». Илюша был, однако, «прижит» от Таниного погибшего на войне жениха — знаменитого артиста Владимира Шатерникова, который прославился тем, что замечательно сыграл роль графа Толстого в фильме Якова Протазанова «Уход великого старца». Фотография Владимира Шатерникова в роли графа Толстого висела в гостиной на самом видном месте, и выражение глаз у артиста на этой фотографии было такое, что сразу становилось понятным: опять бы ушёл, и ещё раз ушёл, а если бы заперли, то пожалели бы. Сама же Таня, сводная сестра Дины Зандер, была, по словам той же няни, «тихим омутом, где черти водятся». Илюше исполнилось четыре месяца, когда у Тани вспыхнула любовь к пожилому (так Дине казалось!) человеку, Александру Сергеевичу Веденяпину, и сестра словно бы ослепла от этой любви и стала сама на себя не похожа, пока у них не произошла какая-то ссора, после которой Таня и слышать не хотела об Александре Сергеевиче. Но он вскоре начал звонить, и мама потребовала однажды, чтобы Таня объяснила наконец, по какому праву этот пожилой человек звонит по утрам и беспокоит весь дом. Случилась ужасная сцена.

Сидели вечером, — отец задержался в госпитале, пили чай с прошлогодним вареньем, сахара было уже не достать, — и мама сказала, что сегодня Веденяпин звонил целый день, и нужно ему втолковать наконец... Но Таня, вдруг ставшая такого же цвета, как ягоды этой горчившей смородины, закричала, чтобы её оставили в покое, что она давным-давно взрослая и никто не смеет делать ей никаких замечаний.

— Но я тебе — мать, — сказала тогда мама, и у неё раздулись ноздри. — Ты всё же должна выбирать выражения...

— Я вам ничего не должна! — выдохнула Таня и обеими руками оттолкнула от себя чашку. — Я все вам долги отдала!

— Какие долги? — втягивая и раздувая ноздри, прошептала мать.

Гувернантка Алиса Юльевна, вырастившая Таню, которую мать оставила на пятом году жизни для того, чтобы, разведясь с Таниным отцом, выйти замуж за Ивана Андреевича Зандера и родить себе девочку Дину Зандер, — эта вот кроткая и всегда молчаливая Алиса Юльевна, без конца почему-то ломающая себе то ноги, то руки, попробовала было вмешаться и тихо дотронулась до Таниного плеча, но Таня, ставшая совершенной фурией, обошла стол и, остановившись прямо перед своею родною матерью Анной Михайловной Зандер и глядя ей в глаза почти почерневшими в гневе глазами, шепнула ужасную фразу. Дине сначала даже показалось, что она ослышалась. Но по тому, как побелела Алиса Юльевна, а няня всплеснула руками, Дина догадалась, что и они услышали то же самое.

Она ей сказала:

— Я вас *ненавижу*.

И тут же ушла, хлопнув дверью.

У мамы началась истерика. Дина никогда не слышала, чтобы мама так кричала. Она не кричала так даже тогда, когда внезапно умер её муж, Иван Андреевич Зандер, и мама в минуту его отпеванья, рыдая, давясь и забыв о приличьях, стала целовать лежащего в гробу мёртвого человека так, как будто он жив и сейчас ей ответит. Тогда она тоже истошно кричала, но всё же не так, как сейчас.

Таня ушла, а мама, Дина, Алиса Юльевна и няня остались, где были. Они слышали, как Танины башмаки громко простучали по коридору, а потом хлопнула дверь её комнаты. И тут мама стала кричать. Она сползла на пол, потянула на себя скатерть, с которой тут же упала вся посуда, включая вазочку с вареньем, и ягоды растеклись по полу, она закричала, захлёбывалась своим криком, захрипела, и Дина испугалась, что мама умирает... Они не могли поднять её с пола, она словно бы вросла в него, хрип её мешался с рыданьями, глаза были полны ужаса, затылком она ещё билась об пол, и звук был таким, словно падают яблоки.

После этого вечера мама и Таня перестали разговаривать. Они жили в одном доме, встречались в столовой за обедом, но в остальное время не замечали друг друга. Кроме того, мама начала вслух обсуждать, когда ей поехать в Финляндию, чтобы продать дом, оставшийся от родителей покойного Ивана

Андреевича Зандера, и выручить за этот дом хотя бы какие-то деньги, пока ещё можно.

Александра Самсоновна Алфёрова, которую Дина особенно уважала за ту душевную силу, которая отличала всё, что Александра Самсоновна говорила и делала, очень советовала Дине серьёзно заняться математикой и находила в ней большие способности к этому занятию. Мама же, когда речь заходила о математике, только приподнимала брови и насмешливо улыбалась. Однажды она сказала, не вдаваясь ни в какие объяснения:

— В *нашей* семье никогда не будет женщин-математиков. Мы все слишком *женщины*.

Весною 1917 года большинство курсов закрылось, и тут Дина объявила, что собирается быть актрисой. Можно было попробовать поступить в консерваторию, но она боялась, что её не возьмут, а гордость её была так сильна, что лучше пожертвовать музыкой, но не унизиться. Актрисой же можно было стать прямо сейчас, потому что в Москве началась бешеная мода на театры, и труппы росли с быстротою грибов, находили себе покровителей, снимали помещение, расклеивали по всему городу аляповатые афиши, и девушкам — милым, весёлым и бойким — сам Бог велел, чтобы они стали актрисами.

У Лотосовых к случившейся зимою революции отнеслись настороженно. Каждый человек из этой маленькой, странной и очень нервной семьи обладал своими особенными предчувствиями, которые бродили в нём, как бродит сахар внутри домашней наливки из свежих, за лето поспевших и собранных ягод. Изнутри души поднимались те же маленькие, чёрно-красные пузырьки, которые поднимаются со дна разогретой на солнце и сонной, и сладкой по виду бутыли. Ещё оставалось какое-то время, короткое, гиблое, мутное время, которое люди, всегда готовые спрятаться от самих себя, желали прожить беззаботно, с размахом. Недавние успешные наступления русских армий улучшили дисциплину солдат и подняли настроение мирных жителей. Советы рабочих и солдатских депутатов вели себя тихо. Троцкий был арестован,

Ленин скрывался по шалашам и буеракам, питался кореньями в дикой Финляндии. Тут-то, на просторе, на розовом, свежем, искристом морозе, москвичи начали кутить. Клубы и ипподром были переполнены, рестораны работали до глубокой ночи, в луна-парке царила неповторимая Иза Кремер, красавица с узкими, без белков, глазами и жёсткими — жёстче лошадиного хвоста — волосами, которые она носила всегда распущенными. Очень оживились и окрепли дома свиданий. Стыд был мягко, но настойчиво отодвинут в сторону, и люди восторженно вспомнили, что можно и так: без венца, без детишек. Вот есть я: мужчина, и ты вот есть: женщина. И жить будем в полном согласье с природой. Природа оказалась в большой моде, на неё постоянно ссылались, и многому сразу нашлось объяснение. Из всех гостеприимных и приветливых домов свиданий особенным успехом пользовался один, расположенный неподалеку от Донского монастыря и потому остроумно называвшийся «Святые номера». Несмотря на холодную, а иногда и очень даже ветреную погоду к задней двери «Святых номеров» тянулась большая смущённая очередь, в которой притоптывали каблучками прячущие лица в боа или под густыми вуалями совсем молодые, чудесные девушки, в то время как верные их кавалеры, сгрудившись у главного входа, показывали стоящему у дверей бравому молодцу с орлиным профилем пяти- и даже десятирублёвые бумажки, прикладывая их к морозному стеклу, и весело, просительно улыбались. Бравый молодец выбирал купюру побольше и быстро пропускал в дверь нетерпеливого счастливца. У лестницы, покрытой потёртой, но всё ещё красно-кровавой дорожкой, к нему присоединялась заждавшаяся и разрумяненная от холода возлюбленная.

И всё Рождество прошло ярко и сытно. Откуда-то вновь вдруг появились рассыпчатые эти сладости, пирожные и марципан в шоколаде, изюм и дюшес, виноград и орехи, запенилось шампанское, запахло горячими пирожками с мясом и грибами на уличных снежных лотках, а женщины в мелких, коротеньких локонах затягивались поясами так туго, что стали похожи на ос: те же две половинки.

В синема по вечерам было иногда не протолкнуться. Неутомимый Протазанов, напрочь позабывший Владимира Шатерникова, когда-то сыгравшего графа Толстого, а после отдавшего жизнь за Отечество, снял чудную фильму с актрисою Гзовской под названием «Её влекло бушующее море», где актриса Гзовская, женщина нежная и кроткая с виду, зато роковая по многим привычкам, сыграла мятежную Нелли. С большим успехом прошла и другая фильма — «Андрей Кожухов», где роль отчаянного народовольца Андрея Кожухова, вдохновенно изображённого писателем Степняком-Кравчинским, взял на себя любимец публики, её вечный романтический кумир Иван Мозжухин, артист очень известный. Многие москвичи не стесняясь рыдали, когда широкоплечий, со своими тёмно-серыми, жгуче обведёнными глазами, в рубахе, раскрытой на голой и гладкой, без единого волоска, груди, Мозжухин восходил на эшафот, где на его актёрской шее тут же затягивалась петля. Строго говоря, петля эта должна была бы затянуться на шее самого Степняка-Кравчинского, который однажды средь шумного бала зарезал кинжалом Мезенцова за то, что тот был шефом царских жандармов. Вот так и зарезал: спокойно, как курицу.

Его бы, конечно, тогда наказать. А как наказать? Неспокойный, кудрявый, на Маркса похож, как на брата. Уехал в Швейцарию, там и женился. Стал книги писать, очень важные книги. Погиб, как Каренина, под паровозом, однако же вскоре был увековечен: многолетняя привязанность судьбы его, Этель Войнич, которую неутомимый Степняк прямо в присутствии жены своей Фанни и Фанниной кроткой сестры Маргариты обучал русскому языку, вскоре после трагической гибели любимого друга, наставника, брата посвятила ему роман. Запутанный, правда, немного, но мощный. Название: «Овод» (ну, вроде как: «Муха»!). Кравчинского в Оводе сразу узнали.

Пока в синема шли прекрасные фильмы, пока танцевали, крутили романы, невидимо, тихо, с кровавой прожилкой внутри темноты, серебра, содроганья стелились над миром потери и муки. За что? Мы не знаем. Мы здесь, очень низко. Под нами лишь камни, песок да болота. Опустишь вниз голову: пахнет землёю.

Но всё ведь написано. Не усомнишься.

«Ибо пред очами Твоими тысяча лет, как день вчерашний, когда он прошёл... Ты, как наводнением, уносишь их, они — как сон, как трава, которая утром вырастает, цветёт и зеленеет, вечером подсекается и засыхает... Дней лет наших семьдесят, а при большей крепости восемьдесят лет, и самая лучшая пора их — труд и болезнь, ибо проходят быстро, и мы летим. Кто знает силу гнева Твоего и ярость Твою по мере страха Твоего? Научи нас счислять дни наши, чтобы приобресть сердце мудрое».

(Псалтырь, псалом 89)

Как ни прекрасны были дни Рождества, как ни торжественны звёздные ночи, ни зелены хвойные ветви, украшенные шарами, гирляндами и бусами, ни безумно, почти истерически веселы именины и журфиксы в богатых и в очень богатых московских домах, но и им наступил конец. Январь был холодным, жестоким. Даже в том, как он сверкал и как переливались его хрустали, облепившие окна, карнизы, лавочки в скверах, заборы уютного Замоскворечья, не было покоя. Не было тишины. Все ждали чего-то: и люди, и птицы. А птиц было множество, как никогда. Старожилы крутили головами, удивлялись, откуда их столько: одно вороньё. И каркают, каркают, как проклинают. Ходила по рукам прекрасно, на тонкой бумаге, со множеством картинок, изданная книга анонимного автора: «Волшебство и магия. Объяснение таинственных фокусов, физических, химических, оптических, карточных опытов и из области спиритизма и гипнотизма». На спиритических сеансах часто вызывали Распутина, и он приходил, никогда не отказывал. Частенько был пьян, непристойно ругался. А поскольку никто из живущих в этом городе людей не представлял себе, как именно выглядит конец света, то и в голову никому не приходило, что именно в эти недели, через которые проползала зима, волоча на своём сверкающем хребте ломкую и крикливую жизнь, свершался конец всего белого света.

Таня Лотосова не видела Александра Сергеевича и не знала, что с ним. Когда она думала о нём, с ней происходило то, что происходит с человеком, у которого резко поднимается температура: сухой сильный жар во всём теле и дикий стук сердца, не только в груди, а везде, даже в пальцах. Гуляя за руку с сыном, закутанным в беличью шубку и сверху обвязанным тёплым пуховым платком (стояли морозы!), она боялась, что Александр Сергеевич вдруг может выйти из какого-нибудь дома ей навстречу, или догнать её в заснеженной аллее сквера, или окликнуть, когда она, опустившись перед Илюшей на корточки, поправляет на нём платок и шапку.

Если бы хоть кто-то, хотя бы один человек на земле, знал, как он ей нужен! Хотя бы увидеть его! Но нельзя. Эта ночь, когда она, глядя прямо в небо, с содроганием выбрасывающее из черноты короткие и ветвистые вспышки молний, умолила Господа не отнимать у неё ребёнка, стояла в душе, словно крест на дороге. Нельзя идти дальше, не перекрестившись.

Сестра Дина совсем отдалилась от неё, и это тоже причиняло боль. Боли было слишком много, хотелось зарыться куда-нибудь, спрятаться. Куда? Только в тёплые кудри Илюши. Спаси, моё счастье, спаси свою маму.

— Мужа ей надо, — шептала няня, и мелкие слезы катились по её морщинистым щекам. — Куда же одной-то?

А Дина при этом цвела, расцветала. Когда, вернувшись, например, с катка, снимая перед зеркалом тёплые ботинки и стряхивая снег с волос и жакетки, она смотрела на себя в зеркало, глаза её приобретали особенно гордое и слегка презрительное выражение. Все мужчины на катке, начиная с отцов семейств, катавшихся для моциону, и кончая потными, радостными гимназистами, замечали её и, заметив, начинали вести себя странно: то падали, то спотыкались, то глупо краснели, то обгоняли её с одною-единственной целью: быстрей обернуться, увидеть лицо. И падали многие, и спотыкались. А дома всё было тоскливо, тревожно. Все, кроме Илюши, вызывали досаду, удерживая которую Дина быстро опускала глаза, чтобы не взорваться. С матерью она почти не разговаривала, а когда та сказала, что не одобряет её желания поступить на сцену, легко заявила, что съедет с квартиры и будет снимать себе комнату. Мама промолчала.

Два года назад актриса Малого театра Одетта Алексеевна Матвеева открыла драматическую школу, которая занимала этаж большого дома Фабрициуса на Арбатской площади. В школу приглашались молодые люди от восемнадцати до двадцати восьми лет. Дина Зандер была принята.

Одетта Алексеевна отнеслась к её сценическому дарованию весьма сдержанно.

— Вам, милая, трудно играть других людей, вы не готовы к тому, чтобы отказываться от себя. А в театре нельзя быть эгоистами, театр задуман как щедрость, отдача.

Гордая Дина плакала в подушку и утром выходила к чаю с чёрными кругами под глазами. Ей нужно было стать первой в этой проклятой драматической школе, где маленькая худощавая женщина в круглых очках, у которой, однако, был собственный автомобиль с шофёром и молодой любовник, постоянно делала ей тихие, но строгие замечания.

— Вот вы — Катерина, — спокойно говорила Одетта Алексеевна, устало снимая очки и протирая их кружевным платочком. — Вы мужа не любите. Представьте себе, как вас пугает это открытие: вы не любите своего мужа. Ну! Я вас слушаю.

— Тиша! — громко и властно начинала Дина Зандер. — Голубчик мой, Тиша! Как же я без тебя?

Одетта Алексеевна делала отрицательное движение своей очень белой, как будто она только что обмакнула её в муку, маленькой рукой.

— Не нужно так громко. Вы его не любите и в глубине души только и мечтаете, когда он уедет. Потому что в овраге над Волгой вас ждёт другой человек. И к этому человеку вы сейчас побежите. Попробуйте снова.

Дина стискивала зубы и с ненавистью смотрела на неё.

— Хотите, я вам покажу? — снисходительно, словно и не замечала её сверкающих глаз, спрашивала Одетта Алексеевна. — Смотрите.

Она снимала очки и прижимала руки к груди. Лицо её становилось растерянным.

— Тиша! — негромко говорила она, глядя в пол. — Голубчик мой, Тиша! — В голосе Одетты Алексеевны проступали истерические нотки, но лицо не изменяло своего растерянного и недоверчивого выражения. — Как же я без тебя?

Дина вспыхивала от стыда: *такого* она не умела.

— Попробуйте дома, у зеркала, — надевая очки и вновь усаживаясь в кресло, роняла Матвеева. — Старайтесь забыть, что вы на сцене, вы в душном купеческом склепе. В глубокой и страшной провинции. Ну, приступайте!

Зимою 1917 года Дина познакомилась с Николаем Михайловичем Форгерером, полная фамилия которого была Форгерер фон Грейфертон.

В комнату вошёл высокий худощавый человек, при виде которого ученицы почувствовали волнение. Он не был красив, но в сильном лице его с большими чувственными губами и широким славянским носом, неожиданным для такой фамилии, была уверенность в том, что женщины всегда будут волноваться, когда он так входит. С порога обежав этими сразу же заблестевшими глазами учениц Одетты Алексеевны Матвеевой, которая при его появлении достала свой кружевной платочек и прижала его к губам, словно желая спрятать то ли насмешку, то ли счастливую улыбку, он шутливо поклонился им, тряхнув своей большой, с гладким и широким лбом, головой. Взгляд его остановился на Дине Зандер.

— Николай Михайлович согласился помочь мне в благородном старании сделать из вас драматических актрис, — так, словно она кого-то передразнивает, произнесла Одетта Алексеевна, и болезненная краска выступила на её щеках. — Он будет развивать в вас умение владеть своим телом на сцене, пластику движений и... — Она запнулась. — Да он вам и сам объяснит...

— Посмотрите на меня, — мягким и глубоким голосом попросил Николай Михайлович. — Кого вы видите? Вы видите пожилого и уставшего человека весьма некрасивой наружности, не так ли?

Ученицы покраснели и переглянулись.

— Да, так, — твёрдо и весело сказал Николай Михайлович. — А теперь я хочу обмануть вас. Я не хочу, чтобы вы видели некрасивого старика. Хочу, чтобы вы видели прекрасного, полного сил молодца.

Будущие драматические актрисы хихикнули. Николай Михайлович сделал какое-то резкое акробатическое движение, как будто бы снял с себя кожу, и ученицы увидели перед собою другого человека. Этот человек безжизненно опустил руки, полузакрыл глаза и принялся легко, почти не касаясь пола, отбивать чечётку. Лицо его становилось всё моложе и моложе, движения всё быстрее. Волосы упали на большой и широкий лоб, глаза стали ярко-зелёными, как у кошки. Одетта Алексеевна махнула рукой и вышла из комнаты. Чечётка остановилась.

— Бывали ли вы на Украйне? — слегка задыхаясь, спросил Николай Михайлович. — Хотите увидеть, как парубки пляшут? Глядите.

Он сбросил пиджак, оставшись в одной белой рубашке, упёр руки в боки, присел на корточки и быстро прошёлся вприсядку. Девушки ещё больше смутились и захлопали в ладоши. Им было неловко, что такой солидный господин разыгрывает перед ними целое представление.

— В каждом из нас, — надевая пиджак, тем же мягким и глубоким голосом сказал Николай Михайлович, — живёт по крайней мере шесть-семь разных человек. Академический театр в силу омертвелости своих форм не в состоянии вытащить из актера всё богатство его перевоплощений. Наше тело не догадывается о своих возможностях и оттого является своего рода клеткой, в которой томятся неизвестные звери. Вы догадываетесь, о чём я говорю?

— О чём? — вдруг громко спросила его Дина Зандер. — Какие звери?

— Это метафора, — улыбнулся Николай Михайлович и пристально посмотрел на неё. — Вы знаете, что такое метафора?

Дина ярко покраснела.

— У нас в гимназии русскую словесность преподавал Александр Данилыч Алфёров, — с вызовом сказала она.

— Тогда всё понятно, — кивнул он. — Не имею чести знать господина Алфёрова, но, судя по вашей горячности, вам этот предмет хорошо знаком.

Дина опустила голову и исподлобья посмотрела на него.

— Пантера, — сквозь зубы пробормотал Николай Михайлович, словно бы и не беспокоясь, что его могут услышать. — Итак, мои милые барышни, с завтрашнего дня мы с вами начинаем познавать истинный театр. Театр, возникший в глубокой древности, в пещерах первобытных людей, не боящихся обнажать свои инстинкты и передвигающихся по земле, как передвигаются животные, которым не мешает никакая одежда.

Глаза его опять остановились на Дине Зандер.

— И посему наши репетиции будут проходить в таких вот трико, — просто сказал Николай Михайлович и достал из портфеля чёрное подобие женского купальника. — Работать мы будем под музыку.

Одетта Алексеевна дожидалась его в своём кабинете, где топилась большая кафельная печь, хотя на улице было совсем не холодно.

— Я зябну всё время, — протянула Одетта Алексеевна, одной рукой снимая очки, а другую прикладывая к печным изразцам. — Никак не согреюсь.

— У вас холодные глаза, Оня, — низко и значительно произнёс Николай Михайлович. — От ваших глаз мне становится холодно.

— Не называйте меня Оней! — яростно прошипела Одетта Алексеевна. — У вас давным-давно нет на это никакого права!

— Привычка, — усмехнулся он. — Простите, не буду.

— Как вы легко согласились! — вспыхнула она. — Как вам это всё безразлично!

— Что — всё? — прищурился он.

— Всё, — прошептала Одетта Алексеевна, и слёзы полились по её лицу. — Всё!

— Ну, будет тебе, — устало сказал Николай Михайлович и большой, красиво вылепленной ладонью погладил её по щеке. — У нас был красивый чудесный роман, от которого остались великолепные воспоминания. Что Бога гневить? Ты, слава Богу, не одна, мальчик этот, говорят, тебя обожает, денег хватает. Вот школу открыла. На что тебе жаловаться?

— Николенька, — всхлипнула Одетта Алексеевна и, схватив его руку, вдруг поцеловала её. — Всё верно, что вы говорите, и всё неверно! Отчего же так душа болит, если всё хорошо? Я сегодня тебя чуть не ударила. Ей-богу, еле сдержалась, когда ты эту девицу так и раздел глазами! Ах, как ты подло устроен, как низко! Ну, признайся — ведь ты её уже из своих лап не выпустишь? Я, кстати, не знаю — теперь-то у тебя кто? Свято место пусто не бывает.

— Да никого... — отмахнулся Николай Михайлович. — Всё то же: сначала пылаю, а день, два и — пусто. Сглазили меня, Оня.

Одетта Алексеевна прижалась виском к его плечу и всхлипнула.

— Вот ты всё — театр, театр, новые формы... А я с тобой такому театру научилась!

— Иронии, Оня, побольше иронии! — весело оборвал её Николай Михайлович и осторожно высвободил своё плечо. — Пока люди не научатся пародировать самих себя, они так и будут несчастны. А вся наша жизнь — буффонада!

— Я никогда этого не пойму! — прошептала Одетта Алексеевна, закрыв глаза. — Почему же буффонада? Ведь если есть боль, если смерть? Что уж тут пародировать?

— Давай заключим с тобой, Оня, пари. На эту девицу. Ну, как её? Зандер? Ты утверждаешь, что красивая молодая женщина непременно должна глубоко переживать свои любовные отношения, платить, так сказать, сполна, так? А я тебе докажу, что если правильно повести дело, то и самая чувствительная из этих совсем ещё юных и свежих цыпляток сумеет, воспользовавшись тем запасом здорового цинизма, который есть в каждом из нас, пережить любой, самый бурный, роман как театральный спектакль.

— Но только не Зандер! — перебила его Одетта Алексеевна. — Там бешеный норов!

— Тем лучше, тем лучше, — присвистнул Николай Михайлович. — На что мы поспорим?

Одетта Алексеевна прищурила свои холодные близорукие глаза:

— На что? На «Абрау Дюрсо»! Ведь вы за здоровый цинизм?

— Да где же я шампанского раздобуду в военное время? Ты меня, Оня, просто под монастырь подводишь!

— Зачем вам шампанское? Ведь вы же уверены, что не проиграете? — насмешливо спросила она.

— Я, Оня, как наше Отечество: пру напролом, а что будет, не знаю!

Няня говорила, что у матери «тоска», а Дина совсем «взбеленилась». Алиса Юльевна плакала по ночам, боялась революции. Отец возвращался из госпиталя под утро и сразу валился спать. Иногда до Тани доносились обрывки родительских разговоров: мать была раздражена, отец терпелив, но измучен. Брат Оли Волчаниновой допился до белой горячки, и его чудом спасли, вынув из петли в чулане. На столе была обнаружена записка: «Больше не могу без света».

Зима внезапно закончилась, и облака, похожие на кудрявые овечьи головы, края у которых то были оранжево закрашены весенним солнцем, то, словно только что извлечённые из парного молока и неотжатые, тепло и волнисто светились, проплывали над Москвой, стараясь не задерживаться, боясь зацепиться за колокола, спешили, летели, как будто страшились, что этих родившихся в небе овечек убьют и замучают.

Весной начались перебои с продуктами. В усадебной оранжерее Кузьминок, которая кормила весь военный госпиталь огурцами и зелёным луком, отцу, как самому уважаемому из врачей, каждую неделю давали с собой в город большой пакет оранжерейной зелени и маленьких, кривых, пупырчатых огурцов. Алиса Юльевна, повязанная платком поверх шляпки, в чёрных очках, прячущих весенние ячмени на глазах, ездила за город на извозчике и возвращалась с купленной втридорога банкой сметаны. С ребёнка Илюши сдували пылинки.

Что-то совершалось в мире вокруг, вырастало прямо из-под земли с такою безжалостной чувственной силой, что город, казалось, дрожит от напора, и люди заметно бледнели, в их лицах появилось заносчивое и одновременно растерянное выражение, словно они понимали, что с каждой секундой приближаются к какому-то не ими принятому решению, что их уже крутит, ломает, корёжит, но делали вид, что ничуть не боятся.

Такого одиночества, как сейчас, Таня никогда не испытывала. Мама была дальше, чем даже тогда, когда Таня подрастала тут, на Плющихе, а мама со своим Иваном Андреевичем и новенькой дочкою Диной лежала в германских целительных ваннах, о Тане нисколько не думая. Теперь мама сидела в своей спальне, читала там что-то и, кажется, плакала. Почти каждый раз, проходя на кухню, Таня слышала доносящиеся из спальни тихие всхлипывания. Ей хотелось войти без всякого стука, обнять свою маму и тоже заплакать. Тогда она учащала шаги, чтобы не сделать этого. Отец, который, казалось, ни на что в доме почти не обращал внимания, однажды сказал между делом:

— Ты, может быть, думаешь, что гордость — это такая замечательная и редкая вещь? Совсем наоборот, совершенно! Это вещь — глупая, продиктованная раздутым представлением о собственной персоне, и больше ничего! Учти, пожалуйста: нельзя обидеть того, кто не *хочет* быть обиженным. Точно так же: нельзя и унизить, если человек знает, что его *нельзя* унизить. И унижение, и обида живут только внутри нас, а не привносятся извне, ты это запомни.

Таня, нагнув голову и краснея, посмотрела на него:

— Чем же это я гордая?

— Как — чем? Ты отлично знаешь, что оскорбила маму. Сорвалась на ней. И тебе уже самой не по себе, потому что душа у тебя хорошая. Я тебя вырастил, я знаю. Не спорь! Ты хорошая, добрая. Незлопамятная. Теперь ты бы и хотела помириться, но гордость мешает. Вот я тебе и попытался объяснить... И Дина такая же, только похуже.

— Гордая? — краснея, уточнила Таня.

— О да! До стервозности, — спокойно ответил отец. — Про таких людей говорят, что они ребёнка вместе с водой из корыта выплёскивают.

Форгерер Николай Михайлович признавал, что он человек больших страстей. Театр был одной из них, но не главной. Главной страстью были женщины и музыка, которые странно сплетались в его сознании, потому что, вспоминая прошлые привязанности, Николай Михайлович вспоминал не тела, не голоса, не даже лица любимых и разлюбленных женщин, он вспоминал ту особую, никогда не повторяющуюся музыку, которая сопровождала каждую из них и звучала в нём, пока он был с этой женщиной и думал, что любит её. Самая бездарная и скучная полоса отношений наступала тогда, когда музыка вдруг обрывалась. Он не мог объяснить себе, как и отчего это происходило. Была, скажем, ночь, или, скажем, был вечер. Блистание снега, луна, шелест листьев. Была неповторимая, как казалось ему в эту минуту, сладость женского тела, вкус губ, глаз, волос. Страшное содрогание любви, блаженство усталости, сон, поцелуи. Он возвращался домой, наполненный пережитым. Особую остроту придавало то, что почти все его пассии были замужем, и он ломал голову, как вырвать очередную из рук рогача, соединить с нею жизнь и каждую ночь наслаждаться вот этим — о, только вот этим! — вакхическим телом. При этом музыки в душе было так много, что Николай Михайлович шёл к себе в спальню на цыпочках, полузакрывши глаза, чтобы ни один посторонний звук не мешал ему.

Утром он просыпался и чувствовал пустоту. Ни сама женщина, ни то, что ещё несколько часов назад было связано с нею, не трогали и не волновали. Вместо музыки он слышал всё то, что одновременно с ним слышали остальные люди: шорох догорающих поленьев в печи, шуршание газеты, шаги прислуги, звяканье чайных ложек. Горячий туман, застилавший зрение, рассеивался, и Николай Михайлович видел в зеркале своё небритое и невыспавшееся лицо, складки на шее, тёмные круги под припухшими глазами. Сознание возвращало ему возлюбленную во всей вожделенной её красоте, и тут же что-то начинало скрести внутри с такой силой и равномерностью, с которою дворник скребёт снег лопатой. Без устали, шибко, размашисто. Вчерашнее драгоценное лицо бледнело, тускнело, рассыпалось, и воображение Николая Михайловича поспешно сгребало подробности в кучу: вот губы, вот волосы, вот милый запах. Одно оставалось: желание вырваться.

О, сколько было слёз, которые он и не пытался осушить! Сколько раздавленных болью голосов в телефонной трубке и сколько угроз, сколько жгучих проклятий! Он каменел. Объяснить, что, как и почему, он всё равно бы не смог.

— Какая-то странная у вас физиология, — сказал ему однажды знакомый студент-медик, которого убили, к сожалению, в самом начале войны. — Вы неизлечимы.

Николая Михайловича лечил театр. Он стал приверженцем биотанца, особого вида физического и духовного самовыражения, которому обучился в Индии. Оттуда же, из далёкой и сказочной этой страны, Николай Михайлович привёз себе друга — Шриму Гападрахату, женственного, оливково-смуглого, молодого по виду, а на самом деле семидесятилетнего человека, отца, если верить, двухсот сыновей, который при содействии Николая Михайловича открыл в Москве курсы восточного биотанца. Курсы поначалу пошли очень хорошо. Шрима Гападрахата, весь в белом и лёгком, сквозящем, как воздух, с полузакрытыми выпуклыми глазами, с плывущею из-под коричнево-голубоватых век таинственной, мудрой и вечной истомой, подражал леопардам, извивался, как змея, вставал на кончики больших пальцев ног и вдруг, как подкошенный, падал на пол, где даже и тонкого коврика не было. Музыка звучала при этом однообразно-сладкая, немного плаксивая, как тонкий и жалобный дождь, который вот-вот перестанет идти, а нет, всё идёт, всё струится, всё плачет.

На курсы записывались дамы средних лет и даже постарше, чем средних, немного совсем гимназистов, которых просвещённые родители желали как можно быстрее и основательнее раскрепостить, трое замученных собственными жизненными ошибками, которых уже не исправишь, государственных служащих и несколько просто случайных людей, которые тоже чего-то искали. К сожалению, это прекрасное, хотя и несколько чуждое для северного города учреждение пришлось закрыть, поскольку один гимназист, научившийся так перевоплощаться в леопарда, что и родная мать, вернувшись из джунглей с охоты, не могла бы с уверенностью определить, где гибкий пятнистый зверёныш, а где человеческий мальчик, до обморока напугал свою старую родственницу, ворвавшись к ней в комнату с рыком и воем. Бедная увядающая дама, пролежавши несколько часов в беспамятстве, очнулась и с прыгающими губами, в измятом халате и войлочных туфлях бегом побежала в полицию.

Курсы закрылись, и Шрима Гападрахата вернулся обратно в далёкую Индию. Оставшись без друга, а также наставника, Николай Михайлович решил, что найдёт способ применить прекрасное начинание в театре, и Одетта Алексеевна с её предложением поучаствовать в деле драматического преподавания пришлась как нельзя более кстати.

Вчера эта девочка с дикими сиреневыми глазами поразила его. В душе зазвучала жаркая, ни на что не похожая музыка, и сердце начало тихо, но отчётливо разрываться от приближения знакомого восторга. Эту девочку нужно было немедленно прижать к груди и поцеловать в губы. А руки при этом продеть в её волосы. И дальше всё так, как обычно.

На следующий день смущённые ученицы театральной школы Матвеевой, облачённые в одинаковые чёрные костюмы, которые вытягивали и удлиняли их и без того хрупкие, удлинённые фигуры, с опущенными руками стояли перед Николаем Михайловичем и ждали начала урока. Дина Зандер, перекинув через плечо туго заплетённую, бронзового цвета косу, смотрела на него исподлобья. Николай Михайлович завёл граммофон, который, слегка пошипев для порядка, заладил липучее, сладкое: «и-и-и...»

— Мы змеи, — негромко сказал Николай Михайлович. — Мы все — ядовитые хищные змеи. Сейчас мы ползём по горячей пустыне.

Он лёг на пол и пополз, слегка вздрагивая, как будто бесшумное пламя ему обжигало живот и колени. Будущие актрисы увидели довольно крупную и очень подвижную змею, которая в любую минуту могла выбросить изо рта ядовитое жало. Они испуганно переглянулись.

— Прошу вас: за мной, — сильным мужским голосом Николая Михайловича сказала змея. — Ползите за мной, не стесняйтесь.

Ученицы театральной школы осторожно легли на пол и поползли.

— О нет! Всё не то, — поморщился Николай Михайлович и встал во весь рост. — Ползите быстрей, извивайтесь! Вы змеи!

Дина Зандер, которая одна из всех продолжала стоять, издала какой-то пискнувший звук, как будто подавила в горле то ли смех, то ли слёзы. Николай Михайлович быстро оглянулся на неё.

— Что с вами? — спросил он, понижая голос, словно между ними существовала какая-то тайна. — Вам разве не интересно перевоплощение? Оно есть основа театра.

— Основа театра — талант, — вспыхнув, ответила Дина и тоже немного понизила голос. — А здесь... Это просто какая-то глупость.

Николай Михайлович близко подошёл к ней. От девушки пахло черёмухой. Музыка, которую он слышал сейчас внутри своего разгорячённого тела, стала настолько громкой, что на секунду он удивился этому и даже слегка испугался. Такого оркестра ещё не случалось.

— Я очень хотел бы доказать вам, что талант в нашем деле зависит исключительно от умения перевоплощаться, — слегка задыхаясь, сказал Николай Михайлович. — И та радость, то счастье, которое мы испытываем, то ни с чем не сравнимое счастье целиком зависит только от того, насколько мы способны преодолеть границы своего природного «я»... И слиться с другим существом. Взять и — слиться.

Опять она посмотрела на него исподлобья своими дикими сиреневыми глазами. Николай Михайлович с трудом удержался от того, чтобы не подойти ещё ближе.

— Зачем мне ползти, как змея, если мы Островского сейчас репетируем? — спросила Дина Зандер и кончик бронзового цвета косы прикусила вишнёвыми губами.

— Островский ни при чём, — бледнея, как тающий снег на бульваре, прошептал Николай Михайлович. — Когда вы сегодня закончите классы?

Она удивлённо сверкнула на него фиолетовым огнём. Он больше не видел её, только запах черёмухи...

— Сегодня в четыре, — сказал её голос.

— Тогда подождите меня здесь, в классе, — поспешно попросил он. — И я объясню вам основы театра. А то вам и впрямь будет трудно в этюдах... Вернее... Ну, вы всё поймёте...

И он отошёл. Так стремительно, что чуть было не наступил на одну из ползущих и судорожно извивающихся, совершенно перевоплотившихся учениц.

Этот день, восьмое марта, был серым, но тёплым, и солнце, которое сначала осветило снег, и он заблестел тускловатым опалом, сокрылось за тучу. И начало капать с сосулек, с крыш, с белёсого неба. Кто-то словно оплакивал угрюмую землю с её куполами, с её стариками, которым придётся вот-вот уходить, но только, куда уходить, неизвестно...

Таня, Алиса Юльевна, мама и няня сошлись, как обычно, в столовой к обеду. Алиса Юльевна разлила суп по тарелкам и, покраснев, сказала, что картошка была очень мелкая и даже частично гнилая, поэтому суп, может быть, не удался. Как раз в эту минуту раздался звонок в дверь, и, вся мокрая, стряхивая капли с волос, в столовую вошла Оля Волчанинова, сказала, что она на минутку, обедать не хочет, а хочет поговорить с Таней.

В детской она опустилась на стул и зарыдала.

— Да тише! Илюшу разбудишь! — зашикала Таня.

— Ну, так пойдём отсюда! На кухню пойдём. Там ведь никого нету? — давясь слезами, прошептала Волчанинова.

На кухне хорошо пахло свежезаваренным чаем, который в доме Лотосовых ещё не научились экономить.

— Татка, он всех нас уморит! —широко раскрывая глаза, застонала Волчанинова. — Он маму совсем добивает!

— Кто? Петя?

— А кто же ещё? Сегодня утром ввалился ко мне в комнату, пьяный опять, опухший и — бух на колени! «Застрели меня, — говорит, — сестрёнка! Сделай такую милость! Боюсь: не попаду!» Я плачу, обнимаю его, он весь так трясётся, трясётся, горячий, как будто у него жар, а худой какой! Я ему говорю: «Петруша, но ты пойми, ведь война, ведь ты сам говорил, что тот не мужчина, кто во время войны не Отечество защищает, а на диване отлёживается! Ведь ты сам на эту проклятую войну записался! И слава Богу, — говорю, — что ты только зрения лишился! Других и совсем убили!» — «Ах, — кричит, — да если бы меня убили! Да я бы того человека озолотил!» — «Что ты, — говорю, — мелешь! Слушать тошно! Озолотил бы он! Жизнь — это же чудо такое! Ведь если Бог тебе жизнь дал, как же ты её отнять у самого себя хочешь?»

Волчанинова не могла продолжать: слёзы душили её.

— А он что? — не поднимая на неё глаз, пробормотала Таня.

— Мама сейчас в Алексеевскую больницу поехала за доктором, пусть ему хоть лекарство дадут! Ведь сил у нас нету смотреть на него!

— В Алексеевскую? — И Таня темно покраснела.

— Там доктор какой-то, его очень хвалят. Мы звонили, звонили, а у них телефон то ли отключён, то ли вообще не работает! И поэтому мама поехала сама, будет просить доктора к нам. Петька ни за что туда не пойдёт, не силой же его тащить!

— Ты его одного сейчас оставила?

Оля Волчанинова громко всхлипнула:

— Татка, ну хоть бы ты меня пожалела! Я с ним боюсь одна дома сидеть! А вдруг он руки на себя наложит?

— Немедленно пойдём к нему! — решительно сказала Таня и сразу пошла в коридор одеваться. — Мама! Последи за Илюшей! Я быстро. Мне нужно по делу.

Она сама услышала власть в своём голосе, и её обожгло: ни с кем на свете она не чувствовала себя так дерзко и уверенно, как с матерью.

До Второго Вражского переулка они почти бежали. Снег таял, расползался под ногами, и такое тоскливое, такое безнадёжное марево из пустого, едва заметного неба, которое словно стремилось упасть на все эти крыши и ветки деревьев и тихо, и мягко звенело не то очень ранним дождём, не то очень поздним, безрадостным снегом — такое пустое, такое тоскливое что-то висело над миром, как будто уже и не будет ни лета, ни светлой весны, ни прекрасного пенья, а будет одно: этот снег, этот дождь и спившийся, ослепший Петруша, который зачем-то пошёл на войну, а там, на войне, его и ослепили...

У самого дома Волчаниновых Таня вдруг остановилась:

— Мне нехорошо. Голова кружится!

Оля Волчанинова посмотрела на неё умоляющими глазами. Она потянула на себя дверь, они вошли в парадное, и Таня услышала сверху *его* голос.

— Если вы не перестанете пить, вы и так очень скоро умрёте! — сердито говорил Александр Сергеевич. — Не стоит даже и беспокоиться!

Таня поднялась по лестнице следом за Олей. В гостиной всё выглядело так, как обычно, и так же мерно и громко стучали настенные часы с кудрявым, пузатым, весёлым Амуром. Бледный как смерть Петя Волчанинов, в котором было не узнать спокойного, слегка меланхоличного и очень добродушного мальчика, так знакомого Тане по детству, что даже само имя Петя всегда приводило то к ёлке с огнями, то к заиндевевшим прогулкам по скверу, то к запаху вишен, ссутулившись и плача, сидел на диване и обеими дрожащими руками прижимал к голове мокрое полотенце. Спиной к вошедшим, не обернувшись даже на звук их шагов, стоял Александр Сергеевич Веденяпин, которого Таня не видела ровно восемь месяцев и четыре дня и которого она любила так сильно, что любое, даже мысленное прикосновение к этой любви вызывало боль, останавливающую дыхание.

— Я бы забрал вас к себе в клинику и продержал бы там месяц-другой, — сердито продолжал Александр Сергеевич, — но сейчас не то время, чтобы возиться с распущенными, никого, кроме себя, не жалеющими субъектами! Мне стыдно за вас. Вы храбрый военный человек, прошли через страшные вещи, видели перед собою смерть, теряли товарищей, вы, слава Богу, выжили, вернулись, у вас мать, которая не чает в вас души, у вас сестра-девушка...

Он обернулся. Таня прислонилась к двери. Та доля секунды, которая соединила их взгляды, плеснула в зрачки кипятком.

Потом Волчанинов сказал:

— Всё верно, что вы говорите, а страшно...

— Да, страшно, — хрипло повторил Александр Сергеевич. — Вы правы, голубчик. Всё страшно...

Он наклонился над Волчаниновым, отвёл его дрожащие руки, снял и бросил на пол мокрое полотенце.

— Вы всё же не плачьте, — совсем другим, тонким, молодым и прояснившимся голосом сказал Александр Сергеевич и сделал такое движение, как будто он хочет обнять этого пьяного Петрушу. — Я дам вам лекарство, и вам станет легче. И сам навещу через несколько дней.

Волчанинов обеими руками вцепился в его локоть и зарыдал. Его мать, бывшая тут же в комнате, громко всхлипнула.

— Мама! — сквозь рыдание прокричал Волчанинов. — Не буду я вешаться! Слово даю вам!

Когда Таня вышла на улицу, уже темнело, и снег шёл почти как зимой: густо, влажно. Александр Сергеевич стоял, прислонившись к дереву. Он был весь в снегу. Она знала, что он будет ждать до тех пор, когда ей удастся вырваться от Волчаниновых, и не удивилась.

— Люблю тебя, — негромко сказал Александр Сергеевич, не делая ни шагу ей навстречу. — Безрадостно и бесконечно люблю. Ну, что будем делать?

Она вспомнила, как поклялась Илюшиной жизнью, и страх, какого она никогда не испытывала, заколотил её. Ей вдруг показалось, что даже если она просто дотронется сейчас до Александра Сергеевича, просто положит руку на его плечо, там, дома, немедленно что-то случится.

— Не бойся меня, — так, как будто он читал её мысли, сказал он. — Ничего я тебе не сделаю. Того, чего ты сама не захочешь.

— Зачем вам всё это? — прошептала она.

— Что — *это?* — усмехнулся он и обеими руками стряхнул снег с её шапочки. — Ты знаешь, что написал этот парень в своей предсмертной записке? «Не могу без света». Дурак дураком, а сумел сформулировать! Его же не спросят, зачем ему свет!

— Ничего не нужно делать, потому что...

Нельзя было объяснить ему, *почему*. Он не должен был этого знать.

— Я пробовал, — просто сказал он. — Я даже и думать себе запрещал. Ничего не помогает. Зависимость. Знаешь, бывает от морфия.

— Но я же не морфий! — вскричала она. — Даю тебе слово, что я никогда больше... Ни за что...

— Да я тебе верю, — кротко усмехнулся он. — Ты только ведь кажешься мягкой, а все вы железные...

Сквозь снег она видела, как меняется его лицо. Оно менялось так, как это бывало и раньше, когда он близко подходил к ней или обнимал её, и лицо его тут же сильно бледнело, а выражение его становилось таким, как будто он теряет сознание.

— Саша! — шёпотом выдохнула она. — Отпусти меня сейчас! Я должна быть дома.

Александр Сергеевич открыл глаза.

— Иди, — сказал он. — Я знал, что ничего не получится. Я и сам понимал, что ты не вернёшься. Наверное, я тогда слишком сильно отпугнул тебя этой своей историей... Не нужно было тебя посвящать во все эти подробности...

— Какие подробности? — вздрогнула она.

— Да вся эта наша с *ней* жизнь. Сначала я рассказал тебе, как сходил по ней с ума, потом этот фарс с мнимой смертью, потом возвращение... Любого стошнит от таких откровений. Вон Васька писать перестал...

Он слегка, одними губами, улыбнулся ей и побледнел ещё больше.

— Он больше не пишет домой? — ахнула Таня.

— *Она* ему сама написала, когда вернулась. Я сказал, что не хочу и не буду. Пусть сама с ним объясняется. Не знаю, что *она* придумала, но знаю, что письмо было отправлено и Васька его получил. Но ответил он не *ей,* а мне, и ответил не на *её* письмо, а на моё, которое я послал ему за неделю до этого. В самом конце он сделал одну маленькую приписку: «Мне гадко от всех ваших игр. Я каждый день вижу, как умирают люди, а ваша жизнь, на мой взгляд, не жизнь, а театр. И подлый театр. Скажи это маме».

— Вы вместе живёте? — вдруг быстро спросила она и тут же прикусила язык.

— Ревнуешь? — усмехнулся он. — Да, вместе.

Она отчаянно затрясла головой.

— Не ревнуй. Она давно выпила из меня всю кровь, высосала мозг и выпотрошила внутренности. Я в ней не женщину вижу, а...

— А кого?

— Неважно.

Он наклонился, схватил пригоршню снега и вытер лицо.

— Илюша твой как?

Таня отшатнулась от него.

— Он жив!

— А он что, болел?

Она быстро кивнула.

— Прошу тебя, — сдавленно сказал он. — Я очень прошу: вернись ко мне. Если бы ты могла хоть на секунду представить себе, что у меня в голове! Какая тоска, Боже мой!

Он опять наклонился, опять зачерпнул снега, с размаху положил его себе на лицо и зажмурился. Она боялась этого человека и любила его. Сейчас, когда он стоял перед ней с закрытыми глазами и она видела, как дрожат его губы, жалость, и нежность, и страх — да, страх сильнее всего! — так раздирали её изнутри, словно бы там, в животе, в груди, в горле, корчилось от боли какое-то живое, отдельное от неё существо, которому она не могла помочь, настолько независима от неё и её поступков была его жизнь. Она положила руки на воротник Александра Сергеевича и тоже закрыла глаза. Они стояли, прижавшись друг к другу лицами, и ни один из них не произносил ни слова.

— Тебе было плохо без меня? — спросил он.

Она кивнула и тут же увидела, как из-под его закрытых век потекли слёзы.

— Я тебя измучил. — Он обеими руками прижал её к себе так крепко, что она задохнулась. — Измучил, а плачу, как баба... Все пьяницы плачут...

— Ты — радость моя, — восторженно забормотала она в его воротник. — Всё будет, как скажешь. Не плачь, успокойся...

Ни одна душа не знает, что её ждёт. Душе только кажется, что она чувствует *всё*, и в этом её сокровенная сила. Потом оказывается, что то, что она чувствовала, было случайностью, а то, что действительно важно, прошло незамеченным.

Весною 1917 года огромное число русских людей отлучили себя от Бога, и кончилось главное: Божия помощь.

Деревья просили дождя или талого снега, но снег очень быстро сошёл, не успев напоить, а дождь словно вовсе забыл о своём назначении. Звери и насекомые, не будучи даже голодными, съедали друг друга с таким безразличьем, которое им от природы не свойственно. Но люди пошли дальше всех. Они плотоядно признали, что смерть лучше жизни, и выше её, и гораздо значительней. Короче: настала игра, а игра — вещь опасная. Вот даже и в жмурки. Завяжешь глаза и — слепой. Откуда ты знаешь, что будет, когда с тебя снимут повязку? Не можешь ты этого знать. А горелки?

> Гори, гори ясно,
> Чтобы не погасло!
> Стой подоле.
> Погляди на поле,
> Едут в поле трубачи,
> Доедают калачи.

Погляди на небо,
В небе звёзды горят,
Журавли кричат.
Гу, гу! Убегу!
Гу, гу! Не воронь,
Убегай, как огонь!

Откуда на поле взялись трубачи? Куда убегать? От кого и кому? Не знаем, не знаем! Раз сказано — значит, беги.

Весною 1917 года в горелки уже не играли. Бежать — не бежали. Да и некуда было. Со смертью шутили, ей строили глазки, хватали её за бескровные пальцы и всё повторяли, что *это* — не страшно. А что тогда страшно?

Дина Зандер хотела открыться сестре, но какая-то странная сила словно мешала ей. И это понятно. Люди почувствовали независимость друг от друга, как будто бы вдруг осознали душой, что всем умирать по отдельности. А раз это так, то и жить по отдельности. И все — как ослепли, и все заспешили.

Поэзия кашляла кровью. И музыка — кровью. Готовились к смерти и та, и другая. Запах крови чувствовался так сильно — особенно по ночам, когда ничто не отвлекает человека от правды, — что много раз за день душились духами и пудрились пудрой. Любили Кармен, Арлекина, всех падших, но только не грязных, а с розой в корсаже. Жизнь стала крошиться, как старые зубы.

Каждый день после того, как Одетта Алексеевна спускалась к автомобилю, где ждал её юноша с острой бородкой и, только она появлялась, к бородке своей прижимал её руку, Николай Михайлович и Дина Зандер возвращались в опустевшее помещение школы драматического искусства, и Форгерер Дину учил мастерству. Она ползала, как змея, прыгала, как тигр, и плавала по полу, словно русалка. Николай Михайлович с закушенной нижней губой не дотрагивался до неё: невидимый Шрима смотрел на него прикрытыми от наслажденья глазами. Он слушался Шриму и не забывал, что сказано в Махабхарате о славном царе Юхитшхире. После войны, унёсшей миллионы жизней, потерявший в битвах своих сыновей, своих братьев и родственников, предался глубокой печали царь Юхитшхира, порвал на себе и парчу вместе с шёлком, и волосы из бороды и причёски, пока его дед по фамилии Бхишма, лежащий на ложе из стрел, но весёлый, не стал успокаивать внука. Он вмиг доказал неизбежность страданий, а также тщету их, и внук его ожил.

Махабхарата была, разумеется, очень важна для Николая Михайловича, но нирвана, или, как говорил незабвенный мудрец Шрима Гападрахата: «ниббана», была даже ещё важнее. Не будь в душе этой всесильной нирваны, набросился бы он на тонкую Зандер и всю бы осыпал её поцелуями. И вышел бы грубый скандал, недостойный. Ниббана нас учит чему? Созерцанью. Покою, свободе и вновь созерцанью. Заметил ведь Будда, взглянувши на пламя, что бедное пламя в плену возбужденья? Конечно, заметил. К тому же добавил: «Причина сего возбуждения — топливо». (Легко говорить было жирному Будде, который не видел, не знал Дины Зандер!)

На третьем занятии Николай Михайлович не выдержал, и, когда Дина, худая, слегка даже голубоватая, как будто она под луной загорала, вышла в своем чёрном трико на середину комнаты в ожидании нового драматического этюда, он взял её за локти и развернул к себе. Он был очень красен и ей не понравился, хотя что-то такое она всё же почувствовала, отчего и вырвалась не сразу, а словно давая себе время разобраться в новом ощущении.

— Мадемуазель Зандер, — задыхаясь, сказал он. — Я очень влюблён в вас. Я с ума схожу.

Дина высвободила из его пальцев свои хрупкие локти. Ей тоже немного стеснило дыханье.

— Я вам не верю, Николай Михайлович, — спокойно, в своем обычном насмешливом тоне, ответила она. — Я вообще ни во что это не верю. Ни в какую любовь.

— Позвольте спросить: почему? — уныло вздохнул Николай Михайлович.

— А потому, что всё это есть высшая нервная деятельность и физиология, — надменно ответила Дина, но вдруг покраснела.

— Какие вы глупости говорите, дорогая моя Дина Ивановна! — засмеялся он и сразу стал проще, моложе. — Откуда у вас эти знания? Тоже от господина Алфёрова?

У Дины даже дыхание остановилось.

— Да он... — захлебнулась она. — Да его... Он самый из всех благородный и умный!

— Ну видите, как... — опять погрустнел Николай Михайлович. — Кому-то удалось найти путь к вашему сердечку, а я получился дурак дураком.

— Нет, что вы! — смутилась Дина Зандер. — Вы просто — другой. Вы — актёр, и поэтому...

— Поэтому что? — тихо спросил он. — По-вашему, мне нельзя даже и верить?

— Постойте! — возбуждённо заговорила она. — Я вам объясню! — И сама взяла его за руки. Николая Михайловича перевернуло, но виду не подал. — У меня есть сестра. Сводная сестра, Тата. У Таты жених был артистом, он умер. Вернее: погиб под Смолянами. Кажется, так. И Тата хранит его письма. Я тоже читала. По письмам не скажешь, что он был артистом. Он был очень умным и очень доверчивым. Он всё ей писал, даже раны описывал...

— Наверное, очень любил, — задумчиво пробормотал Николай Михайлович, вглядываясь в её ставшее совсем детским лицо.

— О да! Разумеется, очень! — горячо воскликнула Дина. — Я к тому говорю, что можно, наверное, быть и артистом...

Она почувствовала, что сказала что-то не то, и ужасно смутилась. Опять этот взгляд исподлобья, сиреневый.

— Но вы же сама собираетесь стать актрисой...

Она замахала обеими руками.

— Да это назло моей маме и только! Она всё хотела чего-то другого, ну, я и решила, что буду артисткой...

Николай Михайлович смотрел в эти взволнованные глаза и не понимал, что с ним происходит. Она была девочкой, маленькой девочкой. Увезти её сейчас в номера или в свою холостяцкую квартиру на Остоженке и там снять с неё эту чёрную кофту, раскрыть её грудь, слегка голубоватую, и впиться в неё, в её тело губами, которыми он уже столько впивался... Он осторожно пожал её горячие руки и отступил на шаг. Она испуганно и удивлённо взглянула на него.

— Я вас очень, очень люблю, — сказал Николай Михайлович Форгерер, прислушавшись к той медленной музыке, которая поднялась из глубины его тела и стала качаться то вправо, то влево, как мягкие травы в морской глубине. — Поверьте, пожалуйста...

— А вы меня словно боитесь, — лукаво прошептала она и, закинув руки ему на плечи, крепко поцеловала его в щёку. — А я вас — нисколько, вы очень хороший.

Летом 1917 года обрушилась на Москву такая жара, которой не случалось больше до самого нашего времени: до лета 2010-го. Сады стали серыми, травы сгорели. Ни птиц и ни рыб, одно страшное солнце: кровавое озеро в огненном море. Немудрено, что именно это жаркое лето будущий глава революционного правительства Владимир Ульянов, по прозвищу Ленин, прожил в шалаше, где темно и прохладно, близ голубого, глубокого озера. Ещё в шалаше жил соратник, Зиновьев. Жары не любил, но был преданным делу. Утро проводили обычно врозь. Вылезши на траву и оглядевшись, убеждались, что в озере нет никого и в лесу никого, а в небе плывут облака и летают синицы. Позавтракав скромною горсткою ягод, брели кто куда. Зиновьев обычно на берег: подумать. Ложился на тёплый песок, углублялся. Ульянов работал. Теперь можно было хорошо и много работать, а не так, как раньше, когда он сидел в уютной камере, где приходилось всё время отвлекаться, глотать торопливо слепленные из хлебного мякиша самодельные чернильницы, а то — ещё хуже: поймаешь вдруг верную мысль, а тебя выпускают. На волю куда-нибудь, скажем, в Швейцарию. А там хоть и скучно, но всё же Европа: кафе, рестораны и много знакомых.

Однажды приснился Ульянову сон: стояла под елью сестричка Маняша и брила ножом свою голову. При этом была обнажённой, но крепкой: фигуркою в маму. (Отец был пузатым.) Вечером, когда Зиновьев, мурлыкая вторую строчку «Интернационала», укладывался спать, Ульянов ему этот сон рассказал. Решили, что время пришло: Маняша так просто не стала бы бриться. Пора, значит, в город. Пожали друг другу неловкие руки (шалаш небольшой, обсуждали на корточках!), взглянули друг другу в глаза. Ничего не увидели: того, как один в параличной каталке, смотря на луну, будет выть диким волком, а также того, как другого, в рубахе, с раздробленным черепом, ночью зароют. Да разве такое увидишь?

Жара была страшной. В раскалённой листве еле дышали птицы и, с трудом проталкивая сквозь горло тяжёлые сгустки горячего ветра, пытались запеть, но запеть было нечем, и звук не слагался, а только терзал их, рвал нежные и голосистые связки. В июле этого года Дина Зандер ответила согласием на предложение Николая Михайловича Форгерера фон Грейфертона стать его женой. Другого выхода не было. Николай Михайлович со всех сторон обдумал происходящее: его семья была из литовских немцев — люди простые, трудолюбивые, к жизни относились недоверчиво, служанки пекли сами хлеб, а жёны растили детей в послушании, и как из такой семьи мог выйти артист и любитель нирваны, никто и не знал, и не ведал. Но эту историю обдумал Николай Михайлович так, словно он ничем от своих родных не отличался, в театре не пел, не плясал и с Гападрахатою не разговаривал. Семья не одобрила бы его поступка. Жениться на девочке, мать которой когда-то бросила мужа и ребёнка и вернулась обратно через восемнадцать лет, а старшая дочка родила сына, не будучи замужем, и все они мирно живут теперь вместе, а его невеста собирается играть в театре, и ветер в её голове — звонкий ветер, сквозняк, — и больше всего она жаждет свободы, а разница в возрасте — не уточняйте! Всё так. А что делать?

Он проиграл пари. «Абрау Дюрсо» было не достать в городе, где за хлебом стояли унылые очереди, а воду приходилось кипятить не менее пятнадцати минут, поскольку случалась холера. Но Одетта Алексеевна не напоминала о проигрыше, а, сталкиваясь с ним в школе драматического мастерства, быстро опускала глаза: Николай Михайлович стал каким-то лихорадочным, по лестнице взбегал как мальчишка, и неловко было видеть его в таком развинченном и неестественном состоянии. Не нужно шампанского, не до шампанского. Дина Зандер, вполне осведомлённая о причине его помешательства, выглядела совершенно так, как обычно, и в роли Катерины Кабановой выступила на генеральной репетиции совсем неплохо, хотя, к сожалению, громко кричала. Николай Михайлович Форгерер плохо представлял себе, что такое женитьба, да и зачем она. Радости отцовства ему, преданному театру до страсти, казались пустою забавой. А если не дети, что проку жениться? Всегда есть Кавказ или Крым, номера. Париж, в крайнем случае. Спрятаться можно. Но сколько ни приводил он доводов самому себе, сколько ни смеялся горьким мефистофельским смехом, глядя в зеркало на своё красивое, крупно вылепленное и породистое лицо, где под глазами лежала густая синеватая чернота, сколько ни задирал подбородок и ни разглядывал с беспощадностью свою суховатую, стройную шею под сеткой морщин, а спасения не было! Морщины, и те его не отрезвляли.

Он не мог даже до руки её дотронуться: ударяло током. Когда она проходила мимо, разгорячённая танцем или упражнениями у станка (у Одетты Алексеевны преподавались и основы балета!), запах черёмухи обдавал его так, что этой черёмухой пахли потом пуговицы, запонки и шнурки на ботинках.

Она была в воздухе, которым он дышал, в солнце, которое ослепляло его, когда, вставши с постели после бессонной ночи, он отдёргивал тяжёлые шторы, и Остоженка представала взору неподвижной от жары, похожей на чью-то картину в музее, какого-то, может быть, и передвижника (куда они, кстати сказать, передвинулись?), и Николай Михайлович в ужасе вспоминал о том, что сегодня воскресенье, занятий не будет. А значит: её не увидеть.

Дина же, напротив, словно бы даже и веселела от его страданий. В понедельник, например, когда обещали грозу, и весь одуревший, задымленный город, где каблуки оставляли дырки в расплавившемся асфальте, ждал этой грозы и смотрел в облака, которые мягко, смущённо темнели, потом уронили две капельки влаги и вновь засияли, и брызнуло солнце, — в понедельник, например, Дина Зандер остановилась прямо перед своим педагогом Форгерером Николаем Михайловичем и вдруг поправила на нём перекрутившийся галстук. Потом усмехнулась и дальше пошла — прямая, как кедр, только женского рода. Никто так не смог бы: взять да усмехнуться. Тем более: галстук поправить. О Боже!

Когда он думал о том, чтобы увезти её на Остоженку, вломиться в квартиру — какой биотанец, какая нирвана?! — и, бросив её на кровать, сорвать сразу к чёрту все эти юбчонки, и зацеловать, и зарыться в неё (тогда пусть кричит, пусть кусает, пантера!), когда он всё это себе представлял, его словно кто-то хватал за рукав: *такого* нельзя, что ты, Коля, ей-богу...

Такого нельзя. А что можно? Что делать во времена, когда пятнадцать миллионов человек сперва были брошены убивать и быть убитыми, а нынче те, которых не убили, бежали с фронтов и брели по земле, и эта земля перестала кормить, и дом стал не домом, жена не женою, а руку подносишь к ноздрям, и рука не телом твоим сладко пахнет, а кровью? Не нужно жениться тебе, человек, а нужно, связавши добро в узелок, попробовать спрятаться от бесноватых, которые выползли из шалашей, вернулись из сливочных, сытых швейцарий и — чу! — сразу к вилам своим, к топорам, поскольку то воли им нужно, то крови, — от них бы укрыться тебе, человек, а вовсе не девушку звать обвенчаться!

Николай Михайлович Форгерер, чувствуя ком страха в горле и почти точно зная, что ему откажут, предложил Дине Зандер руку и сердце.

Дело происходило на Воробьёвых горах, избитом предместье для клятв и признаний. Дина Зандер в том клетчатом платье, в котором она ходила ещё школьницей, с высоко под-

нятыми и много раз обмотанными вокруг головы пружинисты-
ми волосами, смотрела на Николая Михайловича так, словно
была на много лет старше его и опытней до неприличия.
Впрочем, он уже знал, что ничего, кроме баден-баденского
воспитания и отсутствия отцовской руки в семье, не стоит за
этими дерзкими взглядами и небрежным покусыванием со-
рванного лютика.

— Дина Ивановна, — не своим, глубоким и мягким басом
драматического артиста сказал Форгерер, а жалобным тено-
ром, как у чиновника. — Вы большая умница, давно раскусили
меня, как орешек...

— Орешек! — вся вспыхнула Дина. — Я вам не советую
прибегать к таким сравнениям, Николай Михайлович, если
вы и впрямь собираетесь объясняться мне в любви! Ведь вы
собираетесь?

Николай Михайлович расхохотался. Он боялся её — это
правда, но, когда она стояла вот так, в старом клетчатом платье, раскусывая лютик, и делала ему замечания, внутри всё
дрожало от острого счастья.

— Да, собираюсь, — повеселев, сказал он. — А замуж пой-
дёте?

— За вас? — пролепетала Дина Зандер.

— А что, здесь ещё кто-то есть? — оглянувшись, спросил
Николай Михайлович. — Вам кто-то ещё предлагает?

Она закрыла лицо руками, а потом посмотрела на него
правым глазом, чуть раздвинув пальцы. Губы её дрожали. Он
не понял: от слёз или от смеха.

— А вы меня любите? — спросила она этими дрожащими
губами.

— Я очень, — быстро сказал Николай Михайлович. — А вы
меня, Дина?

— И я вас — ужасно! — так тихо, что он наклонился, чтобы
расслышать, сказала она, раздвинув дыханием запах черёмухи. — Я очень хочу за вас замуж, ужасно!

Николай Михайлович Форгерер почувствовал, что дерево,
только что бывшее чёрным, становится жёлто-серебряным. Её
лица он по-прежнему не видел, потому что Дина закрывала

его ладонями, но он отчётливо увидел содранный заусенец и нежно-розоватую припухлость в том месте, где он был содран, и вдруг ощутил, что вот эту припухлость он любит сейчас так, что может заплакать. Но заплакал не он, а Дина, и так громко, так яростно заплакала, что у неё тут же расплылось лицо, а глаза стали почти прозрачными. И когда он обнял её и поцеловал эти прозрачные горячие глаза, то счастливее его, Форгерера Николая Михайловича, не было на свете человека.

Дома новость приняли удивлённо, но и с большим облегчением. Дина уходит утром, возвращается вечером. Все взгляды к ней липнут. И время плохое. Нечистое и неспокойное время. А так: всё же замуж. Пускай за артиста, но не шарлатана, играет в хорошем престижном театре. И матери, и отцу, который хмурился, присматриваясь к Дине Зандер (не дочери вовсе и всё-таки дочери!), в глубине души давно хотелось, чтобы появился солидный, небедный и влюблённый человек, который с охотою взвалит на плечи и это актёрство её, и характер, включая лицо с синевой и сиренью под змейками тёмных бровей, и насмешки...

Влюбился — и с Богом.

Николай Михайлович ходил сам не свой от счастья, на всё соглашался, и когда Дина вдруг заявила, что венчаться будет только в той же самой церкви, где месяц назад обвенчалась с Алёшей Брусиловым, сыном легендарного генерала, лучшая её подруга Варенька Котляревская, и нужно для этого ехать в Гребнево, он спорить не стал: пусть Гребнево.

Венчание назначили на самый конец августа. В селе Гребневе от жары почти что сгорел урожай, а то, что осталось, некому было убирать: бабы да старики. Но усадьба, старая, прочная, окружённая столетними берёзами, была хороша на диво. И пахло в ней тоже по-старому: травами, речной свежей сыростью по вечерам, душистым горячим дымком от костров, которые разжигали вишнёвыми сучьями. А в августе начало пахнуть и яблоками, созревшими раньше обычного, которые падали с крепких деревьев, и звук их падения был шелковистым...

Под стать усадьбе оказалась церковь с высокой колокольней и мощённым тусклыми красными камнями двором. Священнику недавно минуло девяносто, но он ещё исправно служил, и седина на его голове была и не белой, и не серебристой, а тускло-зелёной, как будто её споласкнули водою лесного и очень холодного озера.

Николай Михайлович торопил со свадьбой, и Дина решила не шить подвенечного наряда, а просто взять его у Вари, но тут ужаснулись и мать, и Алиса, и даже уставшая, тихая Таня, какая-то вновь от всего отрешённая... Портниха заломила неслыханно высокую цену, ссылаясь на то, что ничего не достать: ни ниток, ни кружев, ни даже и пуговиц. Тогда Николай Михайлович пришёл из театра с длинным серым чехлом, положил его на диван и вынул оттуда тяжёлое платье, которое, как высвобожденная из силков птица, тут же зашуршало атласными складками.

— Это из нашего реквизита. «Женитьба», — до слёз покраснев, объяснил Николай Михайлович. — Надето всего один раз: на премьеру. Потом уже сшили другое, попроще.

— А где сам жених? — тихо и очень язвительно спросила юная невеста Дина Зандер.

— Жених? А жених убежал. В окошко — и нет жениха!

Дина Зандер подбежала к окну и пошире распахнула его.

— Ну, что вы?! Ведь вам пора прыгать!

Глаза её засверкали, на щеках загорелись пятна.

Николай Михайлович закусил губу и близко подошёл к ней.

— Боитесь? — прошептала она и исподлобья посмотрела на него.

Алиса Юльевна хотела было вмешаться, но Дина отмахнулась.

— Ну, это шалишь! — скрипнул зубами Николай Михайлович и, не дав Дине опомниться, схватил её на руки и перегнулся через подоконник. — Бросаю!

— Пустите! — взвизгнула Дина.

— А вот не пущу! — задыхаясь, ответил он.

— Пустите меня! — свирепо повторила она.

Гувернантка и Таня, бывшие тут же, в комнате, испуганно переглянулись. У Алисы Юльевны лицо приняло такое выражение, словно ещё немного — и она заснёт.

— Думаешь, я так и буду под твою дудку плясать? — раздувая ноздри, тихо спросил Форгерер.

— А думаешь, я под твою? — вспыхнула Дина и обеими руками упёрлась ему в грудь.

У Тани громко, до боли, застучало сердце. Она тоже что-то почувствовала, но что это было — восторг или ужас, — понять не успела.

— Убью! — усмехнулся жених.

Алиса Юльевна положила руку на горло.

— Убьёте? — с восторгом переспросила Дина, впиваясь огненными зрачками в его зрачки.

— Да, — просто сказал Николай Михайлович Форгерер.

— Как на сцене?

— Зачем: как на сцене? Как в жизни.

Она тихо высвободилась из его рук, тихо отошла от окна и остановилась на середине комнаты. Таня попыталась обнять её.

— Не надо, — сказала Дина. — Я знаю, что делаю.

Свадьба была самая простая. Невеста, с размашистым пучком волос под фатой, низко-низко опускала голову и на статного жениха своего смотрела исподлобья. Из городских гостей приехали только Варя Брусилова, уже проводившая мужа на фронт, беременная на четвёртой неделе и сильно от этого пожелтевшая не только лицом, но даже худыми угловатыми плечами, и бабушка Вари, Елизавета Всеволодовна Остроумова.

— Ой, Господи, Тата! — зашептала на ухо Тане Елизавета Всеволодовна, помнившая Таню ещё девочкой, которую приводили к её мужу, доктору Остроумову, лечиться от кашля. — Не ты — сестра Дины, а моя Варвара. Две бешеные девки. Они ещё дров наломают!

— Почему вы думаете? — не спуская глаз с низко опущенной головы невесты, спросила Таня.

— Ты знаешь, как я выходила? Митюша был бедным студентом. Дружил с моим братом. Вдруг — бах! Предложение!

Я ведать не ведала: какая такая любовь? Что за страсти? Два раза за руки подержались до свадьбы, и за то спасибо! А эти? Ведь прут напролом и греха не боятся!

Таня услышала правду в словах Елизаветы Всеволодовны. Варя Брусилова была хороша, не хуже невесты, и так же, как в Дине, в ней чувствовалась сила, которая чувствуется внутри молодого весеннего леса, заросшего травами луга, реки или моря, а то, как глубоко и быстро дышали эти женщины, какими резкими, похожими движениями они отбрасывали со лба свои волосы, как вспыхивали, как улыбались победно, и впрямь наводило на мысль, что их извлекли из единого лона и кинули в светлую быструю воду, где только таким и находится место, пока все другие (потише, попроще!) сидят, от брызг прикрываясь руками. В сравнении с Диной, зачем-то связавшей себя с человеком, так страшно влюблённым, что он и не мог предложить ничего, как только терзать её этой любовью, в сравнении с собственной матерью, которая каждую ночь просыпалась в слезах, почувствовав рядом Ивана Андреича, хотя его нет, сгнил, истлел, а тот, кто спит рядом, — не он и с чужим, почти незнакомым ей запахом тела, в сравнении с этим Танина жизнь могла показаться спокойной и тусклой. Как будто замёрз океан. Приподнял все волны и остановился. Её ненаглядный человек Александр Сергеевич Веденяпин очень переменился за прошедший год, и сейчас, когда они нечасто встречались в гостинице, ей нужно было время, чтобы привыкнуть к этому.

Он обнимал Таню. Руки его, быстро перебирая её позвонки, скользили вниз. Она остро помнила, что прежде в эту минуту всегда начинало стучать не только внутри живота, груди, горла, не только в висках и ладонях, но даже внутри её глаз и волос. Сейчас была тяжесть, была пустота. Она больше не спрашивала его о Нине. Она даже и о Василии не спрашивала его, словно боялась услышать не то чтобы даже неправду, но то, что *казалось* ему чистой правдой, не будучи ею.

И он не спрашивал её ни о сыне, ни о родителях, ни о сестре. Все якобы откровенные разговоры их напоминали теперь игру, с помощью которой старая натруженная лошадь и старый возница обманывают слишком нетерпеливого седока: возница делает вид, что сейчас он вытащит длинный кнут из своего голенища, стегнёт эту старую клячу, а кляча, отлично научившаяся за много лет разгадывать движения хозяйской рукавицы, свирепо трясёт головой, но бежит ещё тише.

— Ну как ты, любимая? Очень скучала? — шептал Александр Сергеевич, скользя рукой вниз по её позвонкам.

Она знала, что на это можно и не отвечать. Скучала она или нет, уже не было важным. Их жизнь перестала бояться молчания. Молчать означало: не мучить, не требовать. Таня улавливала запах спиртного, смешанный с запахом душистой папиросы, чувствовала медленное и приятное тепло — не молнию и не огонь, но тепло, — она закрывала глаза. Объятья их были похожи на прежние.

Самым странным было то, что, несмотря на отвратительный розыгрыш, который учинила Нина Веденяпина, прислав телеграмму о собственной смерти, она спокойно вернулась обратно, они живут вновь в одном доме, и, как однажды проговорился Александр Сергеевич, жена его ждёт каждый день допоздна, чтоб вместе поужинать. Тане стало казаться, что Александр Сергеевич не только не желает разъехаться, ссылаясь на то, что Нина больна и не проживёт одна, — ей стало казаться, что он и не хочет этого. Сердце подсказывало Тане, что только с женою ему и спокойно, поскольку там всё уже было, включая и смерть. Она живо представляла себе, как они вместе ужинают по вечерам — электричество отключали сразу после девяти: как Нина встаёт, зажигает свечу, как входит прислуга, несёт самовар... Они говорят о Василии. Опять нету писем. Опять отступление, много убитых. Потом Нина крестится, плачет. Он, может быть, гладит её по плечу. А может быть, нет. Впрочем, это неважно.

Несколько раз Таня просила его не пить перед их встречами. Запах его рта, прижавшегося к её рту, вызывал дурноту.

— Но я же не пьян, — говорил он, отводя свои слишком сильно блестевшие глаза и усмехаясь. — Разве ты хотя бы один раз видела меня пьяным?

Она соглашалась, кивала. Не стоило говорить ему то, что приходило ей в голову: настоящая жизнь у Александра Сергеевича была не с ней, а там, в этом доме, где воскресшая из мёртвых Нина Веденяпина ждёт его за накрытым столом. Они не стеснялись друг друга. Там можно напиться и сразу лечь спать. А где они спят? В разных комнатах или... Но этого он ей не скажет. Неважно.

Сейчас уже никто и не помнит, что именно происходило на свете той осенью, когда Владимир Ульянов оставил уютный шалаш, сел в поезд и прямо отправился в Питер. Где все эти люди? Которые жили, косили траву, рожали детей, убивали животных? Где все эти люди? Только не убеждайте меня, что там, где живые едят куличи и пьют самогон, заедая яичком, а после остатки сливают под крест, — о, не убеждайте, что мёртвые там: под этим крестом и под этой травою. Там нет никого. Облетевший венок. И мраморный ангел над словом «Любимой...». А дальше — размыто дождями. Кому? Как звали любимую? Важно ли это? Зачем вот Ульянов покинул шалаш? Кормили, поили, гуляй, наслаждайся! А он: ни за что! Дайте мне броневик! Ну, дали ему броневик, а зачем? Теперь возлежит под стеклом: экспонат. В хорошем костюме и новых ботинках. Заглянет учёный, припудрит, подкрасит.

А ведь объяснил мудрый царь Соломон: *Скажешь ли: «Вот мы не знали этого»? А Испытующий сердца разве не знает? Наблюдающий за душою твоею знает это и воздаст человеку по делам его. Ешь, сын мой, мёд, потому что он приятен, и сот, который сладок для гортани твоей. Таково и познание мудрости для души твоей. Если ты нашел её, то есть будущность, и надежда твоя не потеряна.*

Только бы люди догадались, что все дышат вместе, одним общим воздухом! И небо над ними — одно, и земля — та же самая. Пошёл, скажем, ливень в далекой Флориде, а в Питере сделалось пасмурно. И так же с людьми: умертвили младенца на острове Пасхи (ведь есть такой остров?), а братец его под Рязанью захныкал.

Течёт себе тихо река Кататумбо. Впадает она в озерцо Маракайбо (заучивать ни к чему, дело не в этом!). Сто сорок раз в год над местом впаденья реки Кататумбо происходят странные по своей силе свечения. Сверкают огромные молнии в небе. Причём высоко: до пяти километров. По десять часов, по двенадцать сверкают. Солнце превращается во тьму, луна — в кровь. Голодный червяк быстро прячется в землю, спасает свою одинокую жизнь. Наутро опять тишина да стрекозы. Прозрачное небо. Течет Кататумбо.

А буря из рыб? Не слыхали об этом? Над мирным посёлком де Юро однажды в году возникает вдруг облако. Огромное чёрное облако в небе. При этом: гром, молния, света не видно. Все прячутся: не до гостей, не до шуток. Торговля — и та замирает. Потом начинается ливень. Деревья ломаются, рушатся крыши. И вдруг: тишина с острым запахом рыбы. Посёлок де Юро засыпало рыбой. Они-то и были загадочным облаком. Многие думают, что всё это нужно изучить. О да! На здоровье. Садитесь, учите. Шаровую молнию, например, так и не удалось изучить. Она не изучается. Возникла логичная мысль о пришельце. Не молния, а НЛО в её образе. В лаборатории одного очень крупного института загадку пытались решить. Пыхтели, пыхтели, ломали приборы, пробирок одних перепортили — сотни! И вот, наконец, в очень редкостном газе, вонючем, как стадо вспотевших животных, добились каких-то разрядов. Похоже! Ужели она? Шаровая? Голубка! Не радуйтесь: слабое внешнее сходство.

В самом начале осени Анна Михайловна Зандер уехала в Финляндию продавать дачу, оставшуюся от родителей покойного её мужа Ивана Андреевича Зандера. Дина Форгерер, младшая дочь, проводила свой медовый месяц в Италии, Таня Лотосова, старшая, вместе с маленьким сыном, отцом, гувернанткой и няней, вернувшись с дачи, зажили обычною жизнью. Алиса Юльевна, так и оставшаяся в девушках и всю себя посвятившая Тане Лотосовой, стала замечать, что с её воспитанницей творится что-то неладное. Про Александра Сергеевича знали все в доме, и няня в открытую называла его «полюбовником», но кроткая и невинная Алиса Юльевна так и не смогла примириться с тем, что Тата, её золотая и нежная Тата, уходит куда-то гулять с «полюбовником», растит без отца своего мальчугана, и только глаза — всё темнее, всё больше, а смех еле слышен.

— Сосёт с девки кровь, — однажды сказала няня. — И будет сосать, а сам мёртвый. Вцепился в неё и ни в жисть не отпустит. Она у нас — ягодка, цветик садовый, а он присосался, сожрать её хочет...

Странно сказала, кстати. Как будто подслушала. И подсмотрела: заря за окном, неубранная комната, бирюзовые цветы на обоях, угол изразцовой печки, и Александр Сергеевич — с растрёпанными и редкими уже кудрями, с восторженным взглядом, — который кричит, обливается потом и страшно при этом бледнеет... А Таня, придавленная его худым и мускулистым телом (о чём и подумать-то страшно и няне, и бедной невинной Алисе!), смеётся и плачет, смеётся и плачет... А потом он наконец отпускает её и падает навзничь, счастливый и сильный, разворачивает к себе её растрёпанную голову, сжимает её и бормочет:

— Ты знаешь, кто ты? Ты — живая вода, ты — мой кислород! Без тебя бы я умер.

В ночь на понедельник, 2 октября, совсем незадолго до переворота, Алиса Юльевна увидела сон: далеко-далеко в море висел корабль. Не плыл, а висел неподвижно и мягко мерцал, и был светло-серым, белёсым, как призрак. И мачты его, еле различимые в тумане, были похожи на тонкие проволочные ограждения, которые изгибаются вокруг кустов чёрно-красных и розовых роз на садовом газоне, что их не спасает, однако, от смерти, то мячиком стукнувшей по голове, то до крови разворотившей лопатой. Внутри отдалённого корабля Алиса Юльевна с изумлением увидела людей, которых хорошо знала в жизни и за которых особенно привыкла бояться. Таня стояла на палубе — весёлая, и Алиса Юльевна, пристально рассматривая её лицо и тихо удивляясь про себя, что корабль далеко, а видно при этом любую веснушку, заметила, что Таня весела даже как-то излишне и словно немного пьяна. На правой руке легкомысленной Тани сидел её мальчик, Илюша, кудрявый и розовый, как купидон. Покачивая толстого своего ребёнка, Таня всматривалась в призрачную воду и всё веселилась, хотя ничего, а вернее сказать, никого в воде этой не было. От такой непривычной весёлости Алисе Юльевне стало не по себе. Она испугалась, что наклонившаяся над бортом Таня случайно уронит Илюшу, и начала кричать, но Таня её не услышала и продолжала, с распущенными волосами своими, всё ниже клониться к воде и всё веселее смеяться. Алиса Юльевна перевела глаза влево и тут же увидела Дину, красавицу-девочку, которая поначалу не очень жаловала Танину гувернантку, пока не догадалась, что у тихой Алисы железный характер, и очень её полюбила за это. Теперь красавица-девочка лежала на палубе, залитая серой водою, и то ли дышала, а то ли и нет. Лицо её было румяным, живым, но странно, что Дина при этом не двигалась.

Алиса Юльевна вдруг поняла, что детки её — эти странные сестры с кудрявым младенцем в руках пьяной Таты — совсем не боятся, что скоро погибнут, и Тата от этого так веселится, от этого и наглоталась спиртного, а Дина лежит на полу, — им неважно: кричи не кричи, простирай к морю руки...

Внутри своего сна, а может быть, что и не сна, а виденья (настолько всё было отчётливым, ясным!), Алиса Юльевна попыталась открыть глаза, вернуться обратно в осеннее утро, в Москву, в свою комнату, но не получилось. Как будто бы ей приказали: запомни.

Море, во глубине которого висел призрачный корабль, начало быстро менять цвет, чернеть и местами краснеть, и корабль, такой невесомый и хрупкий на красном, спокойно и просто готовился к смерти. Вода, морщинистая, как кожа древнего животного с картинки в учебнике, обнимала его со всех сторон, она поднималась всё выше, доставала до самой палубы, и грохот её глубины — настойчивый, медленный, властный и громкий — почти заглушал Танин смех, лепет сына Илюши... Вдруг хищно, восторженно, неумолимо сверкнула холодная синяя молния, и тут же, сомкнув горизонт чёрным блеском, наставшая ночь или смерть — кто их знает? — над жёсткой водой приподнявши корабль, его осветила с таким обожаньем, с такою нездешней прощальной любовью, что даже Алиса во сне разрыдалась.

Всем известно, что Февральская революция в Москве прошла весьма тихо, почти и беззлобно. А главное: все ликовали. Ведь люди не требуют многого. Побольше прекрасных воззваний, побольше! И криков побольше, взволнованных криков. Всем хочется праздника и перемены, ведь жизнь, как посмотришь с холодным... С холодным? Откуда же, Господи, холода столько?

В октябре ни о какой тишине и речи не было. Кровопролитные уличные бои не обошлись без артиллерии, Кремль и Арбат были заняты юнкерами Александровского военного училища: защищали молодые орлы Временное правительство, дрались как могли. Как всё изменилось, однако! Как быстро! Весною сдавали экзамены, обсуждали образцы тканей для будущих френчей и кителей. Готовились к жизни, прекрасной до дрожи. И главное: шпоры. Чтоб с лёгоньким звоном. Ведь как будет сказано в стихотворенье? «*И слаще всех песен пропетых мне этот исполненный сон, качание веток задетых и шпор твоих лёгонький звон...*»

Лучшие, кстати, шпоры изготовляли в мастерской Савелова на Каменноостровском проспекте в Петербурге. Савелов, сердитый лицом человек с голубыми глазами, потратил всю жизнь, пока не нашёл такую пропорцию серебра и стали для колёсика, что шпора звучала почти колокольчиком. Зачем колокольчик? А как же? Вот лунная зимняя ночь. Тишина. Лечу к даме сердца, не чувствуя вьюги. Пришпорил коня. Снег блестит серебром. Взбегаю по лестнице. Шпоры запели. Ты слышишь их музыку? Ты меня ждёшь?

По звону-то и узнавали безумцев.

В подъезде одного из домов по Староконюшенному переулку стоял самовар, и дамы поили защитников чаем. Во всей Москве не было сахару, но был ещё мёд. От мёда и дам становилось теплее. У Никитских ворот несколько дней горели два больших здания. Никто не спешил их тушить. Пусть горят. К военному госпиталю, расположенному в доме на Большой Молчановке, днём и ночью на грузовиках подвозили раненых. Их стоны качало октябрьским ветром. Казалось, у стонов был цвет. Тёмно-бурый. Такой же, как мёртвые, бурые листья.

Доктор Лотосов сутки проводил в госпитале, спал два-три часа в своём кабинете и снова к столу: оперировать. Таню всю неделю не выходила из дому: у Илюши была корь. Обсыпанный сыпью, похожей на мелкие ягоды бузины, ребёнок капризничал, плакал, и Таня тревожилась. Телефон не работал, никакой связи с Александром Сергеевичем не было. Няня и Алиса знали о происходящем в городе гораздо больше, чем она, и няня утверждала, что это и есть конец света. Алиса Юльевна, смеясь и всхлипывая, пересказала Таниному отцу, как дворник сказал вслед двум спорившим господам, которые, жестикулируя и перебивая друг друга, кричали на весь Большой Воздвиженский:

— Нет, нет! И не спорьте! Наш долг, наша честь: довести страну до Учредительного собрания!

А дворник отплюнулся:

— И ведь до чего довели, сучьи дети!

Отец схватился за голову и захохотал. Глаза были красными и воспалёнными. Алиса обтёрла его голову мокрым полотенцем, сама принесла из кухни самовар, заварила чай, и он поцеловал у неё руку.

Потом убежал. Опять в отдалении где-то стреляли.

— Вот и помяните мои слова, — сказала няня, — нынче такие времена, что все с пистолетами будут ходить. Раньше в карманах платки носовые держали, табак, папиросы, а нынче одни пистолеты.

Сидели в столовой, едва тёплой: дров хватило только на то, чтобы протопить Илюшину комнату. Мама была в Финляндии, письма не доходили, Дина — в Италии с мужем. Последнее письмо её Тане пришло две недели назад, короткое:

— Не думала я, что стану предметом такого тяжёлого помешательства. Я бы, наверное, любила его, если бы не эта постоянная страсть ко мне, которая выражается то в гневе, а то в нескончаемых ласках. Мне тошно и то, и другое. Иногда я жалею его. И так сильно жалею, что чувствую себя одну во всём виноватой.

Скучаю по дому, тебе и Илюше.

Сестра твоя Дина.

К письму была приложена фотография: Дина в огромной чёрной с белым ободком шляпе, в белом широком платье сидела в плетёной качалке и очень печально смотрела прямо на Таню своими широко расставленными глазами. У самых её ног, прижавшись виском к худому, отчётливо проступающему под платьем колену, сидел Николай Михайлович Форгерер, отпустивший волосы почти до плеч, что совсем не шло ему и делало его старше. На губах Николая Михайловича бодрилась усмешечка, но выражение умных и тёмных глаз совсем не подходило к ней: взгляд был полон гнева, больной, вопрошающий.

— Зачем он ей, старенький? — тяжело вздохнула няня. — Во внучки сгодится. А может, и верно, что старым прельстилась. На что молодой-то? Пристрелют их всех. Поставят соколиков в ряд да пристрелют.

Ночами Таня просыпалась, слушала Илюшино дыхание. Кроватка ему становилась мала, и теперь Таня часто перекладывала его к себе, укутывала своим одеялом, и ей вспоминалось, как, будучи сама маленькой, она укладывала рядом с собой любимую куклу и делала вид, что одеяла не хватает на обеих, что идёт война и кукла — её ненаглядная дочь, которую надо спасать, укрывать... Она так глубоко заигрывалась, что часто и засыпала, вся в слезах, обнявши фарфоровую розовую девочку с шёлковыми ресницами, и щёки фарфоровой девочки ещё были долго чуть тёплыми, влажными от Таниных слёз... То, чего она не понимала раньше, вдруг стало простым и понятным. Она сама, мама и Дина — несчастны и будут несчастны, им это, как няня сказала, «с пелёнок заначено». Мама не дом поехала продавать, мама сбежала от пустоты, пытаясь себя обмануть, мужа, дочек, но больше всего — пустоту, которая высасывала мамино сердце, тянула губами его из груди, как тянут густой шоколад, обжигаясь... И Дина такая же.

Она тосковала по маме и Дине и, не успев по-настоящему испугаться того, что происходило в городе, ещё не поняв этих выстрелов, чувствовала, что ей всё страшнее и страшнее без них в этой комнате, где она лежала рядом со своим ребёнком, обсыпанным сыпью, дышала в его светло-русую голову, и всё было так же, как в детстве, но только теперь вместо куклы был мальчик.

Клинику Алексеева, в которой долгие годы служил доктор Александр Сергеевич Веденяпин, пришлось в срочном порядке отдать под военный госпиталь, а всех этих хрупких душевных больных, прежде довольно свободно размещённых в красивом доме и очень вольготно живущих в гуманных, весьма человеческих, добрых условиях (ибо таковым было требование, изложенное в завещании доктора Алексеева, зарезанного одним из своих пациентов в момент неожиданной злобной фантазии), всех этих больных собрали вместе в одной большой зале, уставили её походными кроватями, кормить стали скудно, а силы врачей и сестёр пошли на то, чтобы помочь раненым, кричащим от боли и залитым кровью.

Грустные сумасшедшие пациенты вопреки опасениям медицинского персонала не подняли восстания и не поубивали друг друга, а вовсе напротив: выходили парочками в коридор, прислушивались к стонам и крикам, доносящимся и сверху, и снизу, психические болезни их как-то вдруг отступили, стесняясь своей несвоевременности, и те пациенты, у которых после душа Шарко и порошков, вызывающих сонливость, была ещё капля здорового смысла, начали старательно помогать сёстрам: подавали раненым судна для оправки, обмывали умерших, живых научились кормить жидкой кашей и нежно им пели романсы и песни.

Александр Сергеевич был даже рад тому количеству работы, которая навалилась на него, ибо в таких обстоятельствах не было не только возможности напиваться, но времени просто умыться и то уже не было. Ни в понедельник, ни во вторник он так и не вырвался домой, а вырвался только в среду, причём рисковал даже жизнью, пробираясь к себе на Малую Молчановку из центра. Стреляли из всех подворотен. В городе почти не сомневались в том, что большевики возьмут власть, но всё ещё ждали чего-то, надеялись.

У многих, особенно интеллигентных сторонников революции, сдали нервы. И как ещё сдали! Шло заседание Совета народных комиссаров. День пасмурный, лёгкий снег, ветер переменный, северо-западный. Стреляют вовсю, через форточку слышно. Только что стало известным, что строевая рота Второго московского корпуса под командой вице-фельдфебеля Слонимского обратилась к директору корпуса с просьбой разрешить выступить на помощь юнкерам и кадетам двух других корпусов. После категорического отказа Слонимский приказал разобрать винтовки и со знаменем в руке повёл роту к выходу. Выход же был буквально замурован выпятившим живот, растопырившим руки и расставившим большие свои и корявые ноги директором корпуса. Трое правофланговых кадетов — один был семнадцати лет, а двое других девятнадцати — очень вежливо, но властно подхватили генерала под руки и освободили роте дорогу. Затем генерал разрыдался и что-то такое сказал. Вроде: «деточки...»

Никто его, ясное дело, не слушал.

Но самый массированный артиллерийский обстрел Кремля начался как раз в тот день, когда на заседании Совета народных комиссаров пили крепкий чай из серебряных подстаканников. Какое же, однако, удовольствие от разговора и чаепития, когда вокруг громко и страшно стреляют? Кончилось тем, что, со звоном оттолкнув от себя недопитый стакан, где золотистый кусочек лимона был цветом похож на луну в облаках, залитый слезами нарком Луначарский, не чуждый театру и драматургии, разрыдался самым что ни на есть грубым и лающим мужским рыданием.

— О, как это больно, когда разрушают традиции!

Коллегам его, заседающим со своими подстаканниками, отнюдь не понравилось такое восклицание народного комиссара (хотя понимали суровые люди, что в эти денёчки не до просвещенья, а нужно ещё пострелять, покровавить!), не понравилось и неуместное рыданье, и выдерг волос из курчавой бородки, поэтому с Луначарским поговорили, прижали его, побледневшего, к шкапу, и вечером в свежей московской газете признал драматург своё несовершенство:

— *Я только что услышал от очевидцев о том, что произошло. Собор Василия Блаженного, Успенский собор разрушаются. Кремль, где собраны сейчас все важнейшие художественные сокровища Петрограда и Москвы, бомбардируется. Жертв тысячи. Борьба ожесточается до звериной злобы. Что ещё будет? Куда идти дальше? Вынести этого я не могу. Моя мера переполнена. Остановить этот ужас я бессилен. Работать под гнётом этих мыслей, сводящих с ума, нельзя. Вот почему я выхожу в отставку из Совета народных комиссаров.*

Уж эти мне гордые люди! И кто заронил только в них эту гордость? Как будто не им было сказано: *«Подлинно человек ходит подобно призраку. Напрасно он суетится, собирает и не знает, кому достанется то».*

Александр Сергеевич Веденяпин поскользнулся и со всей высоты роста упал прямо у дверей своего дома на Малой Молчановке. С трудом встал и, чувствуя боль в правой половине тела и звон в голове, вошёл в подъезд. В кромешной темноте — ни одна лампочка давно не горела — поднялся на второй этаж. В квартире было, как всегда, холодно (дрова экономили!) и странно тихо. В спальне мерцала свеча.

— Где ты? — спросил в пустоту Александр Сергеевич.

— Я здесь, — ответил голос жены из спальни. — Войди, Саша.

Веденяпин вошёл. Нина, закутанная в пуховый платок, сидела на неубранной постели и, склонив голову на левое плечо, как она это часто делала, смотрела на него заплаканными глазами.

— Что? — устало спросил он и опустился на край их огромной супружеской кровати. — Ты не выходила сегодня?

Она испуганно покачала головой.

— И слава Богу, — сказал Александр Сергеевич. — Там не приведи Господь что делается.

— Саша, сегодня всё кончится, — прошептала она, и слёзы хлынули градом. — Я знаю, я чувствую!

— Неужели ты ещё способна чувствовать? — почти машинально съязвил он и тут же пожалел об этом.

Нина закрыла лицо платком и громко зарыдала.

— Да будет тебе, — так же устало сказал он. — Я и без того еле на ногах держусь.

— Господи! — хрипло вскрикнула она. — Как ужасно мы жили с тобой! Отчего мы так ужасно жили?

Он удивлённо посмотрел на неё.

— Какая ты странная женщина. Только что сама сказала, что сегодня *всё* кончится! А тебя «чувства» обуревают! Ну, жили. О нас разве речь?

— О нас! — так же хрипло сказала она. — Это только кажется, что мы с тобой и эти выстрелы, и всё, что сейчас там, в городе, — она показала подбородком на темноту за окном, — что это совсем никакого отношения одно к другому не имеет. А я, Саша, знаю, что всё это — одно и то же, всё одно: и мы с тобой, и наш сын, и ложь, и скандалы, и не только у нас с тобой, у всех почти так, поэтому и кровь полилась! *Отворили* её! — Нина всплеснула руками, и он содрогнулся: вспомнил её этот детский давнишний жест. — Вот все и наказаны, все заслужили... Дурные мы, гадкие, грешные люди...

— При чём же здесь мы? — тихо спросил он и встал, собираясь уйти.

Нина вцепилась в его рукав.

— Смотри, у тебя грязь здесь, — прошептала она. — Ты что, упал?

Он молча кивнул головой. Она обхватила его обеими руками и мокрым горячим лицом прижалась к его пальто.

— Не уходи! Давай поговорим! Хоть раз в жизни! Может быть, это и правда конец? Может быть, никакого «завтра» уже не будет?

— Тебе ли об этом беспокоиться? — опять не удержался он.

— Да! — прошептала она, оторвавшись от него и подняв голову с лихорадочно блестящими, распухшими глазами. — Да, я на самом деле умерла тогда! Ты ничего не понял! Я написала правду. Мне и нужно было одно: умереть! Но я боялась...

Она опять с размаху уткнулась лицом в его рукав.

— Боялась, что больно будет? Или, не дай Бог, затошнит? — спросил он насмешливо, освобождая руку.

— Неужели я так отвратительна тебе, что я до тебя и дотронуться не могу?

— О Господи! — простонал он. — Сколько же ты будешь мучить меня! Что это за пытка такая!

— Сашенька, не уходи! Ну, просто: не уходи, и всё! Даже если ты ненавидишь меня, если ты меня никогда не простишь...

— Если бы я ненавидел тебя, — скрипнул зубами Веденяпин, — я бы с тобой не остался под одной крышей после всего... после всех этих твоих фантазий!

— Каких же фантазий! Я это сделала, ну да, я послала телеграмму и карточку, потому что... потому что... я боялась смерти... я не могла... И я обманула себя. Себя обманула, ты слышишь? И мне стало легче...

— Ну и молодец! И поздравляю тебя! — Он оттолкнул её и с размаху сел обратно на кровать. — Ты нашла выход из положения, а то, что сын наш из-за этого убежал на фронт, — так это тебе и неважно! Себя ты спасла!

— Ты отнял его у меня, — прошептала она.

— Опять за своё! — Александр Сергеевич схватился за голову. — Кто у тебя его отнял? Ты, между прочим, себе тоже ни в чем не отказывала! Думаешь, я не знаю об этой крымской истории?

— Какой истории? — Она широко раскрыла глаза.

— Ах, Господи! Да какая разница? Ты ведь, наверное, и представить себе не могла, что тебя увидят в номерах на Тверской? А вот и ошиблась, моя дорогая! На всякую, знаешь, старуху... Узнали, увидели и донесли!

— Кто?

Александр Сергеевич громко расхохотался.

— Ну и разговор у нас! Хотя... если завтра *всё* кончится...

— Кто меня видел? — повторила она.

— Подробности тебе вряд ли понравятся, — усмехнулся он. — Один мой больной тебя видел. Он тоже был с дамой. Но та была дама простая. Не то экономка, не то приживалка и даже не замужем. А он пациент постоянный, в клинике три раза в год валяется. Ты однажды за кислородной подушкой для горничной прибежала, помнишь? У неё астматический приступ начинался, и ты прибежала. А он, этот тип, он большой женолюб. Увидел тебя и запомнил навеки. Народ-то у нас впечатлительный... К тому же открытый. «Я, — говорит, — вашу супругу с учителем гимназии в номерах видел! Искренне вас преуведомляю».

— А ты что?

— А я ничего. Ну, видел и видел.

— Да ничего и не было! — Она замотала головой. — Он просто меня очень сильно любил.

— Любил? — высоко поднял брови Александр Сергеевич. — Ах да! Да, конечно!

— Я же ничего не говорю об этой твоей девочке. Ну, как её? Танечке?

Александр Сергеевич закусил нижнюю губу.

— Не будем, не будем! — отмахнулась Нина и прижала ладони к щекам. — Ты слышишь? Опять стреляют! Господи! Опять! И как громко! Саша, что это?

Он промолчал. Брезгливое выражение его лица удивило её.

— Я видела сон, — ровным тихим голосом сказала Нина. — Думала не рассказывать тебе, но лучше расскажу. У меня эти женские дела... ну, ты понимаешь, о чём я? Месячные? Они у меня уже года два как закончились. Врачи там, во Франции, сказали, что это от нервного истощения и что это бывает. И вряд ли вернётся. Неважно. А сегодня во сне я чувствовала, как из меня просто хлещет кровь. Два раза просыпалась, проверяла: ничего. Только глаза закрою — опять хлещет!

— Зачем мне эти подробности? — пробормотал Александр Сергеевич, отводя глаза.

— Я проснулась и всё поняла, — не отвечая, прошептала она. — Ты скажешь, что мой сон оттого, что война, и смерть, и раненые везде, калеки, могилы, и мы внутри этого... Но ты пойми: я чувствовала, что кровь льётся прямо из меня, вот отсюда. — Она показала, откуда. — И мне было больно. Почти как тогда, наяву. Ты помнишь, как я всегда мучилась... каждый месяц... Но я поняла, о чём этот сон...

Александру Сергеевичу стало страшно. Он смотрел на жену с этими её расширившимися глазами, слушал её ровный голос, и тихая холодная дрожь колотила его изнутри.

Совсем рядом с новой, угрожающей силой прокатились выстрелы. Наступила тишина.

— О чём же твой сон? — спросил он.

— О сыне. Ведь это и есть моя кровь и...

Она не успела договорить: в дверь застучали.

— Что за ерунда! Десять вечера! — пробормотал Александр Сергеевич, оглянувшись на Нину, и вдруг словно заново увидел её.

Он мог поклясться, что ни разу — за все эти двадцать лет, пока они мучились и убивали друг друга — у неё не было такого лица. Какое-то судорожное торжество горело на нём. Это была не та Нина, которую он знал прежде, это была незнакомая женщина, а может быть, даже не женщина, а дорвавшаяся до свежей жертвы львица или дикая чайка, которая лишь голосит от восторга, приветствуя солнце, и небо, и море, открывши свой клюв, чтобы все в этом мире услышали крик её и изумились.

— Ну вот, — восторженно, блестя всем лицом, прошептала она. — Ведь я же сказала, а ты мне не верил...

Александр Сергеевич открыл дверь. Его сын, совсем молодой ещё мальчик Василий Веденяпин, стоял перед ним в одежде военного, и страшно пахло табаком из его рта, и волосы — мелкие кудри — белели как снег в темноте этой ночи. Он не сделал ни шага навстречу отцу, только застенчиво и жалко усмехнулся, словно не верил своим глазам и не осознавал, что это и в самом деле его отец, а потом отодвинул его правой рукой и вошёл.

...Под утро выстрелы в городе затихли, и в течение получаса — до того, как раздались первые громкие голоса, топот ног и угрожающие посвистывания (но люди, и листья, и дождь моросящий не знали и знать не могли, что то время, когда говорят: «Рождество», «ненаглядный» и дети целуют родителям руки, что то бесконечно счастливое время закончилось и никогда не вернётся!) — под утро отец и мать Василия Веденяпина стояли в тёмном кабинете, где умилённый рассвет дрожал в темноте, увлажняя предметы, — стояли, смотрели, как крепко он спит, боялись дышать, чтобы он не проснулся.

За пару лет до смерти лихой и кудрявый, в рубашечке синей, Сергунька Есенин весьма опрометчиво дал обещание:

— Подождите!
Лишь только клизму
Мы поставим стальную стране,
Вот тогда и конец бандитизму,
Вот тогда и конец резне.

(Не зря не понравился он Дине Зандер, хотя и плясал, и заливисто пел, и друг его, Клюев, был тут же, с гармошкой. Но это когда ведь всё было? Давно! Ещё когда Дина была гимназисткой.) Сейчас он, однако, серьёзно ошибся: не клизму, а ставили к стенке. Вот так. И пол был весь липким и мокрым от крови.

Есенин однажды просился взглянуть, наверное, спьяну, а может быть, сдуру: мол, как там у вас убивают в ЧК? Но Блюмкин скривился: куда тебе с нами? Военное дело не шутки, Серёжа...

ЧК началось в январе 1917-го. И тут же: как будто подпрыгнуло время. Ползло, как улитка, текло, как река, гортензию нюхало, книжки листало и вдруг словно кто-то окликнул: «Пора!»

И время сверкнуло глазами гиены.

Когда во всех учебных заведениях молодого советского государства запретили утреннюю молитву, гимназия Алфёровой, как, впрочем, и все остальные учебные заведения, оказалась в самом что ни на есть бедственном положении. Топить было нечем, и есть было нечего. Девочки кутались в нянины платки, во время уроков постукивали от холода тонкими ногами. Под глазами у них мягко и трогательно легла желтоватая темнота: след страха и недосыпания. По утрам все они, включая педагогов, собирались в актовом зале, уютном и чистом по-прежнему, с прозрачным дыханием воском натёртых полов, с певучим и тоненьким скрипом одной — у дверей — половицы.

— Девочки! — говорила Александра Самсоновна, на каждой останавливая свои бархатные глаза, словно успокаивая. — Молитва запрещена, но можно сейчас помолиться в душе. Давайте немного мы все помолчим и сердцем помолимся.

Девочки опускали глаза. На нескольких лицах появлялись насмешливые выражения, которые умная Александра Самсоновна перехватывала. Ольга Мясоедова, сестра разбойника Валерки, которого и след простыл, кривила тонкие губы, но помалкивала: остальные могли бы её не поддержать. Выждав три-четыре минуты, Александра Самсоновна уходила и возвращалась с большим подносом. На подносе стояли кружки дымящегося желудёвого кофе и чёрные сухарики в большой тарелке. От кофе у девочек розовели щёки, а грызя сухарики, они становились похожи на белок: так быстро и ловко они разгрызали полоски, похожие видом на чёрную гальку.

— Теперь порешаем задачи, а после пойдём поиграем в снежки, — говорила Александра Самсоновна, переводя зрачки с одной на другую. — Сегодня хороший и солнечный день, нисколько не холодно. Хотя конец марта, должно быть не холодно.

И шли на бульвар. И играли. Прохожие, которые постепенно становились всё больше похожими на тени и словно бы только и ждали, чтоб каждому стать своей тенью и жить в виде тени, бежать в виде тени, а если прихватят тебя за рукав, то тенью бы выскользнуть и раствориться, — прохожие с удивлённым страхом смотрели, как разрумяненные, с запорошёнными волосами гимназистки играют в снежки и словно пьянеют слегка от мороза, и всё как в романсе, весёлом и свежем... Ещё большее удивление вызывали муж и жена Алфёровы — она в безрукавке, в платке, в рукавицах, а он — в синем шарфе, с кудрявой бородкой, — которые громко смеялись, играя, как будто им всё нипочём: и сама революция.

— Сегодня услышала новость, — сказала ночью Александра Самсоновна, разбудив своего мужа, который от холода спал не раздевшись, закутавши голову тем синим шарфом, в котором играл на бульваре. — Проснись, Алексаша, послушай.

Александр Данилыч снял шарф и вытер им лицо, просыпаясь. Густые, сильно поседевшие и оттого почти белые в темноте волосы жены осыпали её плечи и грудь, закрыли почти до конца её руки, и казалось, что Александра Самсоновна высовывается из мраморного водопада.

— Ты помнишь ведь Женю Осокину? Она закончила в один год с Варей Котляревской, которая только что вышла за сына Брусилова, Лёшу. Ты помнишь её или нет?

— Конечно, я помню.

— А помнишь, так слушай. Ко мне сегодня прибежала Варя. Я всё от неё и узнала.

В темноте он увидел, как у жены задрожало лицо.

— Женечка была у бабушки где-то на юге, у них там имение, и обратно перебиралась через Екатеринодар. Она застряла в этом Екатеринодаре, ни туда, ни сюда. А там уже красные...

Александра Данилыча передёрнуло.

— Подожди! — мученически стянув пальцами виски, затрясла головой Александра Самсоновна. — А там уже красные. И утром она видит: на каждом столбе объявление...

Она замолчала.

— Что, Шура? — хрипло спросил муж.

— Расклеены объявления, где написано, что женщины возрастом от шестнадцати до двадцати пяти лет подлежат социализации...

Александра Самсонова громко сглотнула.

— Говори! — приказал Александр Данилович. — Перестань спотыкаться на каждом слове!

— Да! Там так и написано: «социализации»! — забормотала жена, глядя вниз и быстро-быстро скручивая и раскручивая край вязаного шарфа, в котором Александр Данилыч сегодня играл на бульваре в снежки. — Это значит, что любой мужчина — любой, понимаешь? — может получить мандат на эту социализацию...

Она опять запнулась и испуганными, заблестевшими в темноте глазами принялась смотреть прямо перед собой, скручивая и раскручивая шарф.

— Да говори же ты! — прошептал Александр Данилыч.

— Мандаты эти выдавал какой-то Кобзырев, начальник большевистского конного отряда, и ещё двое, я не запомнила их фамилии... Какие-то два комиссара.

— Что было в мандатах?

— Там было... что... Нет, не могу!

— Да хватит же, Шура!

— Что человеку, у которого этот мандат, предоставляется право... то есть ему разрешается изнасиловать десять девушек... Там сказано: «Десять душ девушек». Любых. Которых он выберет. Возрастом от шестнадцати до двадцати лет. Или двадцати пяти, не помню...

Александр Данилыч застонал.

— Да! — выдохнула жена. — Да, Саша! Изнасиловать! Там сказано прямо: «использовать»! И под этими словами печать штаба революционных войск Северо-Кавказской советской республики. Ну вот. Я тебе всё сказала.

— Не может же этого быть... — пробормотал Александр Данилыч, оттолкнув её, словно она порола чепуху, которой нельзя верить. — Должны быть какие-то всё же законы...

— Какие законы? — Александра Самсоновна всплеснула руками. — Откуда у этих бандитов законы?

— И сколько же времени... Как их ловили?

— В городском саду. Потом уже просто хватали на улицах. А в городской сад нагнали оркестрантов, приказали играть вальсы. И дурочки эти пошли поглядеть. Тут всех и схватили. Двадцать пять девочек, самых хорошеньких, отвезли во дворец войскового атамана, остальных в «Старокоммерческую» гостиницу и в гостиницу «Бристоль» к матросам. И всех изнасиловали, изуродовали...

— А дальше?

— Почти всех убили и трупы спустили в Кубань и в Кра-сунь. Река там такая.

— Их всех-всех убили?

— Говорят: почти всех. Но Женечку Осокину пожале-ли, не стали её убивать. Она сказала Варе, что ей попался «хороший человек»! «Хороший»! Ты слышишь? Начальник уголовной милиции. Он её изнасиловал, потом накормил и рано утром помог выбраться из города. А в городе Бог знает что творилось! Трупы девочек уже начали всплывать в при-городах.

— О Господи! Нелюди! — простонал Александр Дани-лыч.

— Да, Саша, я тоже так думаю: нелюди.

— Откуда взялись они, ты мне не скажешь?

Александра Самсоновна наконец заплакала и закрыла лицо густыми волосами.

— Мне иногда кажется, что эти... ну, как?.. существа, что они всегда были среди нас, ходили, ели, пили, у них даже дети рождались. А потом они какой-то знак, что ли, получили... Какой знак, от кого, не знаю... Как будто кто-то им головой кивнул: мол, можно, давайте... И всё повалилось.

Александр Данилыч внимательно смотрел на жену.

— Потому что так ведь всегда бывает, — сквозь сильную дрожь продолжала Александра Самсоновна. — Вот, кажется, живут плохие люди. Много плохих, много скверных. Но на каждого скверного найдётся хотя бы один хороший, нормаль-ный, и, кроме того, есть же какие-то законы, чтобы справ-ляться со скверными людьми. Закон говорит, что нельзя уби-вать девочек и насиловать тоже... А сейчас, оказывается, всё можно! Говорю тебе: знак какой-то получили... И все мужики эти, страшные, после войны озверевшие, половина с дурными болезнями, пьяные, грязные... всем им сказали: «Можно!» А что с них-то спрашивать? Ведь им разрешили! Ты понял меня, Алексаша?

— Кто им разрешил? — быстро спросил он.

— Кто им разрешил? — повторила она. — А ты что, не знаешь?

Александра Самсоновна опустила глаза, и странная торжественная горечь разлилась по её лицу.

— В Евангелии ведь как сказано? — продолжала она. — А там просто сказано: «Дети Божии и дети диавола узнаются так: всякий, не делающий правды, не есть от Бога, равно и не любящий брата своего».

— Так что же *мне* делать? — вдруг спросил Александр Данилыч. — Терпеть всё, как есть?

— А ты решай, Саша, — не поднимая глаз, ответила Александра Самсоновна. — Бояться не стоит. «Господь мне помощник, и не убоюсь: что сделает мне человек?»

— Ты что, догадалась? — удивлённо пробормотал Александр Данилыч.

— Не выйдет у вас ничего, — вздохнула она. — На их стороне знаешь кто? Но если совсем не противиться, Саша, то значит, что все — слуги дьявола. А так хоть: попытка. Какой у нас выбор-то, Господи?

Александр Данилыч привлёк к себе жену свою, и они опять легли, опять натянули на себя одеяло. В комнате было холодно, как на улице, и тусклый рассвет, казалось, только добавлял холоду.

— Сегодня в Мерзляковском наткнулась на старуху, — прошептала Александра Самсоновна. — Стоит в котиковом пальтишке, глаза слезятся. Подошла ко мне и плачет: «Барышня, милая, возьми меня на воспитание! Куда мне деваться? Темно очень стало! Совсем ничегошеньки больше не вижу!» Неподалёку ещё стоял какой-то невысокий господин с такой, знаешь, «французской» бородкой. Он услышал её и так сокрушённо головой покачал...

Пухлые серые облака на небе вдруг задвигались, начали наползать друг на друга, и что-то беспомощное, как у животных, которые хотят согреться, тычутся друг в друга мордами и трутся боками, было в их бестолковых и неловких движениях.

— В городе говорят, — прошептала Александра Самсоновна, — что *они* решили перерезать всех до семилетнего возраста, чтобы потом ни одна живая душа ничего не помнила.

Странно, но именно в эту январскую ночь, пока муж и жена Алфёровы шептались, на другом конце света, в спокойном и тёплом, как будто весеннем, кирпичном и пахнущем рыбой Бостоне случилось несчастье. Конечно, нельзя даже сравнивать. Просто несчастье, но всё-таки странно. В Москве начинался холодный и тусклый рассвет, а здесь, в этом городе, вдруг потеплело, и разом запели весенние птицы, и даже дельфины в морском отдаленьи всплеснули хвостами и шумно поплыли. Рабочие люди района Норд-Энд, радуясь теплу, вышли на улицу, покуривая свои коротенькие трубочки и потягивая пиво из горлышек тёмно-зелёных бутылок. Раздался вдруг низкий рокочущий звук, потом он стал грохотом, медленным, жутким, как будто бы что-то в земле возроптало, и толща её, пожелавши свободы, дала людям знак, чтобы ей не мешали, а шли бы подальше с бутылками пива и этим вонючим табачным дыханьем, но люди не поняли и, озираясь, застигнуты были внезапною смертью.

Чугунная цистерна, содержавшая более девяти тысяч литров патоки и находящаяся в самом сердце алкогольного завода, принадлежащего Purity Distilling Company, разорвалась с тою лёгкостью, с какой разрывается всё на земле: засохшие листья, сердечные связи. Гладкая, отливающая золотом на ярком солнце чёрная волна сырой и горячей патоки, поднявшись на высоту третьего этажа, хлынула на город. И люди, и лошади, и целые упряжки, и телеги, и редкие в те времена машины, старухи и дети, и кошки, и мыши, и множество самых различных собак, и черви, которые были обмануты солнцем и выползли, чтобы согреться, наружу, — о, всё, всё на свете накрыло горячим и до одурения сладким потоком. Ни двинуться, ни шевельнуться, ни охнуть. Какая же странная, страшная мука! Обугленных мёртвых несколько дней извлекали из коричневого месива. Коней пристрелили. Мужчины и женщины, попавшие в больницы с ожогами по всему телу, вернулись домой инвалидами, и больше никто не притронулся к сахару. Не съел ни куска за всю жизнь.

В римской гостинице Sole Al Pantheon, построенной ещё в XV веке на пьяцца Делла Ротонда, тоже было холодно, и Дина Форгерер, с ногами забравшаяся в тяжёлое, потёртого бархата, красное кресло, куталась в шершавый плед и оттуда, из-под пледа, широкими заплаканными глазами смотрела на своего мужа, Форгерера Николая Михайловича, который, не обращая внимания на холод, голым сидел на развороченной кровати, обхватив голову обеими руками.

— Я поеду и вернусь, — настойчиво говорила Дина, с жалостливым удивлением и нежностью глядя на его затылок. — Как ты мог подумать, что я брошу мать и сестру, когда там наступает ад? Вернее, уже наступил. И письма перестали доходить. Как ты мог рассчитывать, что я поеду с тобой в Берлин и буду там жить и работать, а мать и сестра мои... Что? Почему ты молчишь?

Николай Михайлович блеснул измученными, красными зрачками.

— Ника! — с сердцем воскликнула Дина Форгерер. — Мы ехали с тобой в свадебное путешествие на три месяца, ты помнишь? А как это всё затянулось! Ты меня всеми правдами и неправдами удерживаешь здесь, ты лжёшь мне, что я в любую секунду могу перебраться в Россию, а я уже не могу! Туда уже не доберёшься!

— На что же ты в таком случае надеешься? — прошептал Николай Михайлович.

— Оденься! — закричала Дина. — Прикройся хотя бы! Не могу я говорить с тобой о серьёзных вещах, когда ты расселся здесь, как... как фавн какой-то! Да, именно: фавн!

— Не фавн, а муж твой! — повысил голос Николай Михайлович.

— Мужья иногда тоже ходят одетыми! — вспыхнула она. — Не всё на кроватях валяются!

— Прости, я увлёкся, — пробормотал Николай Михайлович, натягивая на себя простыню. — Вернёмся, однако же, к делу: когда ты желаешь уехать? Я должен ответ дать театру. Меня ждут в Берлине.

— При чём же здесь ты? — округляя глаза, спросила она. — Ты можешь приступить к работе, и это прекрасно, что ты начнёшь работать, Ника, и, кроме того, если подтвердится, что тебя приглашают сниматься, то это просто спасение для нас, потому что с твоими этими широкими замашками, почти как у моего покойного отца, с твоими замашками, Ника, у нас никаких денег не осталось, тебе очень нужно работать, ты сам говорил, что актёр — не профессия, а образ мышления, правда? Не образ, а, кажется, способ? Неважно! Но нужно работать, а то потеряешь мышление. И кто ты тогда? Без мышления?

Она не выдержала и фыркнула. Потом вынырнула из своего пледа и села на корточки перед понурившимся Николаем Михайловичем.

— Ну, Ника! Ну, что ты молчишь?

— Я люблю тебя, — хрипло и совершенно не к месту сказал Николай Михайлович Форгерер. — Я болен тобою.

Она побледнела, поднялась и снова села на потёртое кресло.

— Я с тобой не могу разлучаться, — сказал он и, оторвав руки ото лба, посмотрел на неё.

Она знала о нём — всё. Так было даже проще: рассказать ей целую жизнь, прижавшись к её тонкой шее, дыша этим пагубным запахом, вечно струящимся от неё, запахом черёмухи, который, может быть, никто, кроме него, и не ощущал, а он ощущал в такой силе, что всякая, даже самая незначительная мысль о ней наполнялась этим запахом, как будто бы в комнату вносили целую охапку мокрых от дождя, пушистых белых цветов, и он рассказал, лёжа рядом с ней, повернувшейся к нему спиной, вжимаясь в неё и принимая в темноте форму её тонкого тела («spoon like», — говорят англичане), он ей прошептал свою жизнь, а она молчала, впитывала, слушала, потом вздыхала осторожно и горестно, поворачивалась к нему и пристально изучала его мелко дрожащее от всех откровенных признаний и словно бы с содранной кожей лицо. Она не только знала о нём всё, она знала главное: Николай Михайлович Форгерер потерял волю. Дина, его молодая жена и, в сущности, собственность (как же иначе?), была ему слишком, *смертельно* нужна.

Нужно было запретить ей эту поездку. Или ехать с ней самому. Но это безумие — ехать в Россию, потому что тогда контракт на театральный сезон в Берлине лопнет. Удержать её нельзя.

Николай Михайлович Форгерер обеими руками зажал сердце: оно было слева под кожей, и он ощущал его вязкую тяжесть.

— Я жить без тебя не могу, — сказал он. Сердце обожгло изнутри грудную клетку и левую верхнюю часть живота, плеснув кипятком, словно из самовара. — Я жить не могу.

— Знаю! — отчаянно и одновременно холодно, словно ей нужно было быстро победить его, быстро вылечить, быстро обезоружить, ответила она. — Я только возьму их и сразу вернусь. Они без меня там погибнут.

— А я?

Он встал во весь рост. Простыня упала на пол. Дина быстро и холодно посмотрела на него и сразу же отвернулась.

— А ты ведь не любишь меня, — тихо сказал Николай Михайлович.

Она слегка поморщилась.

— И это нормально, — сказал он. — Так не бывает, чтобы двое любили одинаково. Ты позволила мне любить себя, и я благодарен за это.

— Послушай! — вскрикнула Дина. — Ну, что ты всегда о себе? Они там погибнут! Пока ты здесь, голый, объясняешься мне в любви, им есть уже нечего! Там ведь ребёнок! Там маленький мальчик! Ну, как же не стыдно?

Он был сейчас маленьким мальчиком. *Он* был младенцем, которого извлекли из тёплого материнского лона, из этой воды животворной, поймали, как неводом ловят покорную рыбу, и бросили на берег, плоский и чёрный.

Николай Михайлович знал, что решение принято и разговор закончен, но одновременно с этим он знал, что сейчас она уже раскаивается в том, что так грубо и безжалостно оборвала его, и, может быть, ей даже хочется приласкать его, задобрить, успокоить, укрепиться в своей этой власти над ним, обнажённым, горячим и полностью преданным ей человеком.

— Иди ко мне, — хрипло попросил он. — Всё будет, как скажешь.

Она умоляюще и испуганно посмотрела на него. Это была та мелкая, как бы и незаметная посторонним (случись в этой комнате вдруг посторонние!), доля секунды, когда ещё можно было отказать ему, потому что, если он возьмёт её на руки и потянет обратно в эту развороченную кровать, отказывать будет нельзя, слишком поздно, и там начинается сразу туман — туман, чернота и огонь во всём теле, и он там — хозяин, — нельзя, о, нельзя отказать, слишком поздно....

Никто и подумать не мог, никто и не догадался бы, какие способности откроются у тихой Алисы весною 1918 года. А что было делать? Алису терзала любовь. Их всех нужно было кормить: и Тату, и мальчика, и самого доктора, который чернел на глазах, и поникшую няню, которая то засыпала в слезах, то в тех же слезах просыпалась.

Алиса Юльевна вставала в рассветных сумерках, в зеркало смотрелась по привычке, по той же привычке приводила себя в порядок: расчёсывала волосы, туго скручивала их узелком на затылке, умывалась ледяною водой — всё стало как будто вокруг ледяным, всё, кроме любви и тревоги, — надевала стоптанные, но ещё крепкие башмаки, длинное, потёртое, крепкое пальто, берет на свою беспокойную голову и тенью — не русской размашистой тенью, но стройной, худою, сухою, спокойной, как быть и должно, потому что Алиса в себе не имела ни капельки русской, несдержанной крови, а только чужую, немецкую кровь с лёгкой примесью шведской, — да, тенью, боясь потревожить их сон, она выскальзывала из дому и шла на добычу. Она шла на добычу, как из лесу рано выходит волчица и, потупив жёлтые, янтарные, умные глаза свои, идёт по дороге, ведущей в деревню, где можно украсть молодого ягнёнка, пушистую кошку, а то и собаку (поскольку собака — не волк, волк сильнее!), украсть, приволочь уже задушенное, но ещё тёплое, парное существо голодным волчатам, которые, разевая розовые, шелковистые, но столь ещё детские рты, её заждались там, в чащобе, в берлоге.

Алиса Юльевна торопилась на Смоленский рынок, где в сумерках раннего утра уже шла торговля. Толкались, меняли, кричали, хрипели. Бывало, дрались. Рынок был полон слухов, сплетен, страхов и предсказаний. Алиса замирала от того, что просачивалось под её чёрный беретик, когда она, крепко ступая по растаявшему снегу, проходила через людские связки, гроздья и узелки.

— А говорят, к нам на Москву пленных австрияков везут! — вдруг подымалось в воздух из какого-нибудь оголтелого, охрипшего горла, и словно бы лопался мыльный пузырь: вокруг начали шуметь, волноваться.

— И что с ними делать? Самим-то жрать нечего!

— А что с ними делать? Порезать их всех! Правительства нету, так кто за них спросит? Порезать, покласть. Пусть гниют!

— А правда! Порезать, покласть. Больше нечего делать.

Алиса Юльевна вынимала свой товар.

— Часы, что ли, бабка? — останавливалась перед ней миловидная, по всему видать, сытая с самого утра молодайка. — А ходют?

Алиса холодно и отстранённо демонстрировала, как ходят её швейцарские, оставшиеся от покойного отчима часы. Молодайка, раздвинув румяные губы, подносила раскрытую серебристую раковинку к высунутому из платка толстому, красному уху: часы мелодично и сдержанно тикали. Потом расходились: довольная Алиса с большим куском сала и копчёной рыбиной в промасленной бумаге и плавная, широкобёдрая молодайка, не стёршая с губ своих сытой улыбки.

В восемь, когда в докторском доме на Плющихе вставали и зажигали свечи и доктор, обжигаясь кипятком с сахарином, на ходу просматривал утреннюю газету и набрякшие усталостью глаза его наполнялись изумлённым ужасом, Алиса Юльевна возвращалась, слегка разрумянившись и запыхавшись.

Садились за стол. Завтракали при свечах — солнце словно бы боялось восходить и, не желая глядеть на эти голодные очереди у хлебных лавок, на эти обгоревшие и разрушенные дома с их вытекшими глазами, мутно-голубоватыми, с кривыми, разбитыми форточками, на этих худых лошадей, столь покорных, что только совсем уж дурной человек мог вдруг ощутить что-то вроде восторга, ударив такую покорную лошадь, — не желая смотреть на это, солнце восходило поздно и медленно, дрожало, раздвинув тяжёлое облако, и тут же под всяким пустячным предлогом опять погружалось в сонливое небо.

Сегодня, в ночь на среду, Таня не сомкнула глаз. Александр Сергеевич, которого она почти и не видела со дня революции и знала только, что сын его, молодой Василий Веденяпин, вернулся с войны, вчера пришёл прямо к ним домой, с парадного входа, как будто так можно, попросил, чтобы Алиса Юльевна, которая, повязанная косынкой, сжимая в руке половник, поспешила ему навстречу, позвала бы из детской Таню и тут же, не снимая пальто и шапки, вручил испуганной Тане билет на оперу «Пиковая дама» в Большом театре. И нынче должна была быть эта опера. Телефоны давно не работали, встречи их давно прекратились. Несколько раз за эту зиму она видела его в сквере: Александр Сергеевич подлавливал её, когда Таня гуляла с Илюшей. Он был всякий раз сильно пьян, но никто, кроме Тани, знавшей его с тою же доскональностью, с которой она знала только себя и только Илюшу, — никто, кроме Тани, не понял бы этого.

Резко, до голубизны, бледный на морозе, он близко подходил к ней и наклонялся к её лицу.

— Ты что, разлюбила меня? — спрашивал он.

— Нет, очень люблю, — отвечала она. — Зачем ты говоришь такое?

— Я всю жизнь только и делал, что терял, — усмехался Александр Сергеевич. — Я даже тебя готов потерять. Тем более что сейчас все теряют друг друга.

Таня отворачивалась и крепче впивалась пальцами в Илюшин воротник.

— Васька ничего не делает, только спит. — Александр Сергеевич криво усмехался. — Мы его не трогаем. Не думал не гадал, что сын мой станет моим пациентом. Теперь нужно дать ему выспаться. Он спит, будто это и не сон, а глубокий обморок. Я ночью встану, подойду, слушаю, как он дышит. Зубами скрипит. Это плохо. Мы боимся спрашивать, как он вернулся, почему. *Она* подозревает, что он дезертировал. Но документы его я видел, документы в порядке. Сам чёрт ногу сломит...

При слове *она* Таня закусывала губу.

— Мне иногда снится, — сказал он однажды и рукою в вязаной перчатке опёрся о мёрзлое дерево. — Мне снится, что мы с тобой входим в церковь, и ты зажигаешь свечку, тянешься, чтобы поставить её, и вдруг я вижу, как загорается край твоего рукава. И ты начинаешь гореть. Хочу подбежать к тебе, накрыть этот огонь, погасить его, а двинуться не могу. Ноги прилипли к полу. Хочу закричать, церковь-то полным-полна, а никто не обращает внимания, что ты горишь. Мне бы закричать, помощи попросить, а я не могу, во рту — какие-то сухие волосы, гадость. Такой вот кошмар.

Она смотрела на него сквозь сырой зимний воздух, сквозь сумерки с мелкими кровавыми прожилками то ли небесного заката, то ли революционных лозунгов, она замирала от любви к нему, от острого, непроходящего отчаяния, которое наступило в день самой их первой встречи, и, как всегда, не могла и не знала, чем ответить на эти его слова, потому что она привыкла подчиняться ему, и, пьяному или трезвому, вдовцу или женатому, жаждущему её или почти чужому, она ему не возражала ни в чём.

Вчера вот пришёл — очень бледный, уставший, — отдал ей билет и сказал, что встретятся вечером прямо в театре. Она не спала нынче целую ночь.

Ночами людей убивали. Несмотря на наступающую весну, ночи продолжали быть морозными, и нежно ползло серебро дымных звёзд на голые спины убитых, и снег засыпал мёртвые разинутые рты, закатившиеся глаза с мутными белками и руки, которые лежали на снегу всегда как будто отдельно от человека, так что, когда собирали тела, чтобы бросить их в кузов уже нетерпеливо ревущего и пахнущего кровью грузовика, эти длинные, свободно болтающиеся руки мешали товарищам, которые торопились быстрей погрузить мертвецов и свезти их на свалку.

Товарищи жили в тяжёлом ознобе. Сначала — идея, потом — кокаин. И дел — свыше меры. Сказал же один, поэтичный товарищ, про музыку этой родной революции. Как в воду глядел. Было музыки много. Вот, например, выгнали монахов лёд колоть на Петровке. Чем не музыка? Скользко, звонко! Колите, мерзавцы! Не всё за иконками прятаться! Идут мимо гимназистки, облепленные снегом, глаза свои детские прячут: неловко смотреть. Старики, голодные, ноги босые, бороды растрёпаны, все в чёрном — монахи! — и вдруг: колют лёд. За Мясницкими воротами мерцают золотом церкви. Солдаты в обтрёпанных шинелях — кто с царской саблей на боку, кто с дикого размера револьвером — лузгают семечки, яростно плюют шелуху в серебристые от подтаявшего снега лужи. Шипучие звуки солдатской слюны — не музыка разве? А то и погромче: знамёна, плакаты и сотни прокуренных глоток: «Вставай, подымайся, рабочий народ!» Как тут не подымешься? Разве заснёшь?

Никто не догадался о самой простой вещи: Владимир Ульянов весьма мало спал. Он не любил спать, с раннего детства не любил. Поэтому плакал, кричал и даже затылочком бился о стену. Читал с выражением: «Жил-был у бабки...», а после гримасничал и возмущался. Когда доходило до «рожки и ножки», гримасничал сильно, кричал и плевался. А что тут такого? Ребёнок. Бывает. Но дети, как правило, любят поспать. Наденут на детку ночную рубашку, и спит тихий ангел, и щёки — как розы. А этот и в детстве не спал, глазки пялил. Он даже не знал, как во сне всё прекрасно, как звёздочки лезут под сонные веки... И кошку увидишь во сне, и собачку. Бывает, и лошадь, но лучше не надо. (Ко лжи и предательству лошади снятся!)

Он даже дремать не любил. Тогда, в шалаше, что ему не дремалось? Вода — голубее лесной ежевики, и верный Зиновьев сопит с тобой рядом, ложись, отдыхай! Нет, не буду, не стану!

Не спал он ночами. Именно это и выяснилось тогда, когда Ульянов умер. При жизни ведь многое нам непонятно. Зато, как умрёшь, так уж всё наизнанку. Кончина Владимира Ульянова, как сообщают документы, не была неожиданностью для партии и правительства. К ней долго готовились. И всё-таки: только она наступила, правительство с партией сильно смутились. Комиссию создали быстро, но это нетрудно: собрались в Кремле, — подстаканники, пепел, — вот вам и комиссия. Дальше что делать?

То ли кремировать, то ли креонировать. Кремировать — значило взять да и сжечь. (И это спокойней всего: не вернётся!) А вот креонировать... Во льду то есть долго держать. Не то чтобы трудно, а как-то неловко. Не рыба ведь, вождь мирового масштаба. Тогда спиртовать! При Петре — спиртовали. Сам Пётр, не сдержавшись, бояр спиртовал. (Живых и здоровых, на то и бояре!) А можно и мумию сделать. Пожалуй, что мумию лучше всего. Ну, что? Голосуем? Всё. Единогласно.

Тогда же, когда потрошили, вскрывали и прочие делали страшные вещи, был вытащен мозг из умершего. Детальное описание немыслимых поражений тканей и сосудов этого органа подтверждает простую мысль: Ульянов не спал, спать не мог и был бесноватым, больным и бессонным.

Вскоре после публикации результатов вскрытия в печати появились философские, психологические и эстетические наблюдения над этим крошащимся, ярко-оранжевым — по весу один килограмм триста граммов — ульяновским мозгом.

«...в момент вскрытия мозг предстал перед присутствующими врачами в обезображенном виде, с рубцами, извратившими очертания наиболее благородных в функциональном отношении извилин его. Краса его — извилины — запали, пострадало серое и белое вещество, окраска изменилась на оранжевую...»

Зиновьев, который навеки запомнил прекрасные дни в шалаше на природе, писал тогда просто, разумно и внятно: «Светила науки сообщили: этот человек сгорел. Он свой мозг отдал рабочему классу без остатка. Ильич связал себя с рабочей массой не только идеей. Нет! Он отдал свой мозг этой связи. Врачи раскрыли его мозг, этот удивительный, поразительный мозг, который не знает себе равного. И они объяснили нам сухими словами протокола, что этот мозг слишком много работал, что наш вождь погиб потому, что не только свою кровь отдал по капле, но и мозг свой разбросал с неслыханной щедростью, без всякой экономии, разбросал семена его, как крупицы, по всем концам мира, чтобы капли крови и мозга Ильича взошли потом полками, батальонами, дивизиями, армиями».

Но сказано в Екклесиасте: «И обратился я, и видел под солнцем, что не проворным достаётся успешный бег, не храбрым — победа, не мудрым — хлеб, и не у разумных — богатство, и не искусным — благорасположение, но время и случай для всех их. Ибо человек не знает своего *времени*. Как рыбы попадаются в пагубную сеть и как птицы запутываются в силках, так сыны человеческие уловляются в бедственное *время,* когда оно неожиданно находит на них».

Из непостигаемой тьмы — ледяного, кромешного мрака — пришел бесноватый, бессонный безумец с оранжевым мозгом, и тут же к нему прилепились те люди, которые ждали его и дождались.

Но дело не в них, дело даже не в нём. Не в людях, не в их суете и бесчинствах. А: *время* пришло.

И оно было: *бедственным*.

«Ещё давно, — утверждают учёные, — психиатры заметили одну удивительную вещь: прогрессивный паралич, прежде чем довести человека до полного умственного истощения, даёт ему возможность невероятной продуктивности и работоспособности. Такую избыточную энергию можно отметить у Ленина в 1917—1918-м и даже в 1919 году. А вот начиная с 1920-го отмечались сильные головные боли, приступы слабости и частые потери сознания. Год 1922-й характеризовался почти постоянным бредом, тяжёлыми галлюцинациями и повторными инсультами. При этом бред почти всё время имел агрессивный и злобный характер. Психиатрия знает феномен так называемого «разделённого помешательства», состоящего в том, что, если в семье есть один сумасшедший, его бредовые идеи, а также и страхи, а также и мании постепенно овладевают всеми остальными членами семьи, которые сохраняют эти болезненные проявления в полной неприкосновенности. Нельзя исключить фантастическую и одновременно вполне правдоподобную возможность того, что бред Ульянова-Ленина не только индуцировал его ближайших помощников, но с помощью мощно развитой советской пропаганды завладел огромными массами людей и сделал возможной победу советской цивилизации».

— Девочка моя! — сказал Александр Сергеевич, обнимая Таню и крепко целуя её в губы и в глаза. — Стою здесь, продрог, думал, что не придёшь.

— Я не знала, что ты будешь меня ждать у дома, — ответила она и зажмурилась, чтобы сильнее почувствовать вкус его губ и дрожь их на своих губах и глазах. — Ведь ты говорил: у театра.

— Не те времена, чтобы ты бегала одна по этим улицам, — с досадой прошептал он и крепко взял её под руку. — Смотри, что творится!

Вышли на Смоленскую. Шёл мокрый, уже весенний своим резким и свежим запахом снег, и небо тускло и темно синело от редких ночных фонарей. На тротуарах лежал ухабистый лёд, ноги то и дело проваливались в ямы.

— Мне утром один больной рассказал под большим секретом, что по всему дну Чёрного моря стоят трупы убитых офицеров, — сказал Александр Сергеевич. — Весь день ломаю голову, правду ли он сказал или приврал. Как ты думаешь?

— Не знаю, — прошептала Таня. — Давай хоть сегодня не будем об этом...

— Не будем, не будем, — торопливо закивал он. — Я рад, что мы идём на «Пиковую даму». Совсем как тогда, помнишь? Как я встретил тебя на «Руслане и Людмиле», помнишь? Почти пять лет прошло, Господи Боже! Пять лет. Ты была ребёнком, у тебя глазки светились таким доверчивым любопытством, как только у детей светятся. И я тогда подумал, что мне повезло. Не понял ещё, в чём повезло, почему повезло, а просто почувствовал счастье. Огромное счастье!

Она глубоко вздохнула и крепче прижалась к нему. Прямо на них, ослепляя фарами, нёсся автомобиль. Александр Сергеевич и Таня отпрыгнули. Автомобиль исчез в темноте, обдав их ледяной кашей и оставив в воздухе сгусток терпкого бензинного запаха.

— Смотри-ка! — сказал Веденяпин, рукою в вязаной перчатке указывая на плакат, наполовину разорванный и свисающий со стены дома. — Ну, как тут забудешь?

На мокром провисающем плакате мужик с топором и рабочий с киркой яростно колотили по лысой голове карапуза-генерала, насквозь проткнутого штыком сурового красноармейца. Под этим смешным генералом чернели слова: «Бей его, ребята, да позазвонистей!»

— Большой сумасшедший дом, — прошептал Александр Сергеевич, и Таня услышала, как он скрипнул зубами. — Мы таких связываем, смирительные рубахи надеваем, а тут говорят: «Убивайте! Душите!» На каждом углу: «Убивайте! Душите!»

Она увидела в темноте, как сильно побледнело его лицо, и глаза, блеснувшие на неё из-под шапки, опять показались ей пьяными. Но водкой не пахло, и походка Александра Сергеевича была устойчивой.

«Не стал бы он пить! — быстро подумала она. — Так долго не виделись! Что ж он напьётся?»

Сильная тянущая боль внизу живота, которая приходила всегда, как только он обнимал её или просто дотрагивался, опять наступила, и Таня покорно узнала её, как после долгой болезни и долгого жара вдруг узнают, например, свою руку и видят, что даже кольцо на руке — то же самое.

— Ты скучаешь? — просто спросил он.

— Я — очень, — смаргивая мокрыми ресницами, ответила она и, подчиняясь его простоте, крепко поцеловала его в губы, хотя они уже вошли в фойе.

И тут же почувствовала на себе чей-то тяжёлый взгляд. Она оглянулась быстро, но никого не заметила.

В театре было почти так же холодно, как на улице, огромные люстры мерцали не в полную силу, отчего лица собравшихся казались слегка золотыми и даже приятными. Сергей

Кусевицкий, совсем молодой, горбоносый и тонкий, наверное, сильно волнуясь, всё время выглядывал из-за кулис, как будто желая понять, что за публика в зале. Оркестранты, кашляя и чихая, заняли свои места: почти все они были в пальто, а два скрипача — в чёрных валенках. Таня и Александр Сергеевич прошли в свою ложу, и Тане опять показалось, что кто-то смотрит на неё снизу. Она перегнулась через барьер, почувствовала, как её сильно и радостно забившееся сердце дотронулось прямо до красного бархата, и начала рассматривать публику. В первых рядах партера сидели новые советские начальники в добротных своих пиджаках и военные. Несколько кожаных курток и кожаных картузов, низко надвинутых на плоские лбы, стояли в дверях, почему-то не торопясь занять свои места, хотя опера должна была вот-вот начаться.

— Надеюсь, хоть тут-то обойдётся без пения «Интернационала», — пробормотал в её ухо Александр Сергеевич.

Она засмеялась и сжала его руку.

— А зря ты смеёшься, — сухо сказал он. — В газете вон сразу за списком расстрелянных написано, что в клубе имени товарища Троцкого, где по вечерам собираются красноармейцы, перед началом каждого концерта исполняется «Интернационал», а в завершение концерта товарищ Лапутько подражает лаю собаки, мычанию коровы и визгу домашних животных, включая свинью.

Его рука скользнула на её колено и сжала его. В их жизни всё стало как будто бы прежним: и эта мерцающая темнота, и запах театра, и их прижавшиеся друг к другу тела на тесно сдвинутых бархатных креслах, и рядом — его худая, нервная щека, на которой при всякой — и даже случайной — улыбке была одна ямочка. (Таня смеялась: «Ну, сделай же ямочку!», на что он всегда отвечал: «Своих — целых две, полно жадничать!»). Их жизнь стала прежней на эту минуту, и Таня вся вдруг напряглась, боясь, что разрушится острый обман, исчезнет и запах, и свет, и рука на колене, а ей так хотелось, чтоб это продлилось — хоть до увертюры, до первого акта!

— Смотри, — прошептал Александр Сергеевич. — Совсем нету пьяных. Как странно, не правда ли? В нашей-то жизни!

Они оба посмотрели вниз на этот шумящий, расправляющий платья, одёргивающий шали и меха на плечах, подкручивающий усы, покашливающий и сгустками тёплых дыханий своих слегка согревавшийся зал и одновременно увидели пьяного. Раскачиваясь и широко расставив крепкие кривые ноги, он стоял в первом ряду партера, не обращая внимания на дёргающую его с кресла, смущённую и огорчённую даму, и прямо глядел на их ложу. Он глядел на Таню своим неподвижным, остекленевшим взглядом, появляющимся у очень пьяных и привыкших к этому состоянию людей, которые умеют фокусировать своё расплывающееся зрение, умеют держать равновесие, чтоб не упасть, правильно чередуют слова в предложении, и только эта неподвижная, эта остекленевшая ненависть в глазах обнаруживает то, что самого человека уже почти не существует, душа его сжата в размеры булавки, а если она разожмётся когда-то, то не до конца и к тому же не скоро.

Таня узнала Мясоедова, которого видела всего один раз в жизни, потому что сестра её, с этими огромными своими, кудрявыми волосами, однажды сказала ей: «Вон Мясоедов!» и вся побледнела при этом. Мясоедов перебегал через Смоленскую площадь и их не заметил, но он и тогда был противен, хотя очень худ, даже жалок, и что-то такое краснело на веке, как будто бы там то ли муха сидела — багровая, вся напоённая кровью, — а то ли ещё кто-то в облике мухи.

Сестра её явно боялась Мясоедова, хотя она была бесстрашной или старалась казаться такой, но Мясоедов, наверное, у всех вызывал страх, и Таня его ощутила тогда, когда сестра Дина сказала ей: «Вон Мясоедов!» и вся передёрнулась.

Теперь этот человек — единственно пьяный в целом театре — смотрел на неё не отрываясь и явно знал, кто она такая.

— Ты что, с ним знакома? — спросил Александр Сергеевич, указывая Тане подбородком на Мясоедова.

Но в это время погасили свет, из тьмы ярко хлынула музыка, и словно бы море надвинулось разом, закрыв все случайные, мелкие звуки. Весь первый акт Таня и Александр Сергеевич сидели, не глядя друг на друга, только крепче и крепче сжимали сплетённые — Танину правую и его левую — руки и даже дышали почти одинаково: он — тихо, и Таня — чуть слышно, он — громче, и Таня — во всю свою силу. В антракте она опять перегнулась через барьер, но Мясоедова не было, и два кресла пустовали в первом ряду партера.

— Наверное, из «нынешних», — брезгливо пробормотал Веденяпин, поняв по её взгляду, кого она высматривала. — Они, знаешь, все на подбор, все рожи какие-то нечеловечьи...

Она заметила, какой тоской налились блестящие глаза Александра Сергеевича, когда растерзанный, с высоким зачёсом чернильно-сизых волос на лбу Германн, партию которого вёл молодой тенор Дмитрий Смирнов, допел знаменитое:

> Добро и зло — одни мечты,
> Труд, честность — сказки для бабья,
> Кто прав, кто счастлив здесь, друзья,
> Сегодня ты, а завтра — я!

— Сашенька, — прошептала Таня, осторожно вынимая свои пальцы из его ладони. — Мне так хорошо здесь сегодня, я так с тобой счастлива! Всё хорошо!

Он удержал её руку, потом провёл ею по своим очень горячим губам и поцеловал.

Зажёгся свет. Германн и Лиза кланялись, прижимая к груди букеты, только что поднесённые им узкоплечим, с лысой, как будто бы мраморной, головой человеком в защитного цвета галифе и щегольских, блестящих сапогах.

— Смотри, здесь сегодня нарком, — тихо сказал Александр Сергеевич. — А мы с тобой и не заметили.

Из царской ложи выходил нарком Луначарский, ловя на себе осторожные взгляды. Лицо его было похоже на заячье.

Гардероб не работал, да и трудно было представить себе безумца, который захотел бы снять с себя верхнюю одежду в такой холод. На улице стояли заждавшиеся, посеребрённые метелью автомобили, и «нынешние», как назвал их Александр Сергеевич, усаживали в них своих дам, которые, переливаясь мехами, капризно цедили слова на морозе, как будто и не было ни революций, ни голода рядом, ни тифа, ни смерти.

До дому шли быстро, почти что бежали: такой дул холодный, пронзительный ветер. Она хотела спросить его о жене, о сыне, но тут же решила, что спрашивать незачем.

— Говорят, на будущей неделе будут опять работать телефоны, — сказал он уже на Плющихе. — Я сразу тогда позвоню. А может быть, даже и раньше приду к тебе в скверик. Смотри, осторожно. Так только темнеет, марш сразу домой и сиди себе тихо. Вас не уплотняют?

— Не знаю, — прижавшись к нему, прошептала Таня и раскрытым ртом нащупала бившийся на его шее пульс. — Пока ещё, кажется, нет.

— А нас, я боюсь, «уплотнят» со дня на день, — раздражённо сказал Александр Сергеевич и, поцеловав её, осторожно отступил в темноту, в лёгкий серебристый снег, кружащийся точно как в опере: блёстками. — Ну ладно, любимая, я побежал.

Махнул ей рукой, побежал. Она стояла, закрывшись от ветра намокшей большой серой муфтой, смотрела, как он убегает.

«Да что это я? Что со мной? — чувствуя, как вся холодеет от страха, подумала она. — Он скоро, сказал, позвонит, мы увидимся скоро. А всё эти арии, Господи!»

«Уж полночь близится, а Германна...» — разламывающей болью поднялось внутри и тут же — под сердцем — вдруг остановилось.

Она вздохнула:

«Мы скоро увидимся, скоро, мы скоро...»

В квартире не спали. Дверь в столовую была настежь открыта, и первое, что увидела Таня, когда вошла, было строгое и похудевшее лицо сестры, слегка поднятое к лампе, отчего её сиреневые глаза казались намного светлее.

То, чего Нина Веденяпина боялась больше всего и предчувствовала так, как предчувствуют только заслуженное наказание, произошло: сын её вернулся домой, и они встретились. Немыслимым счастьем было то, что он жив и вернулся, но мукою стал каждый день в том самом испытанном доме, в котором она и растила его, и пела ему колыбельные песни.

Всё самолюбивое, болезненное, неуступчивое, что началось в ней тогда, когда она оттолкнула человека, влюблённого в неё и робевшего перед нею, потому что Александр Данилыч Алфёров был во всём противоположен её мужу, никогда не робевшему и сильному даже своею к ней страстью, вся месть её мужу, начавшаяся, когда она рассталась с Алфёровым, и пустота, образовавшаяся на месте нежности, начали изматывать её. А месть её мужу и за пустоту, и, главное, за принесённую жертву не могла не сказаться на сыне.

Она их помучила. Вася страдал. Но он был с отцом, он не пришёл к ней, не обнял её, не сказал, что, кроме матери, ему никто не нужен! Он пытался успокоить её, но делал это исключительно по отцовской просьбе и с отцовского одобрения. А в ней всё тогда клокотало. Потом у мужа неожиданно появилась эта барышня с крохотными ямочками на обеих щеках, как будто ей их прокололи булавкой и кожа ещё не срослась. Вот барышня эта, её появленье и было последнею каплей. Муж хотел, чтобы Нина как можно быстрее уехала, да и ей для того, чтобы осуществить свой дикий план, нужно было быть далеко от Москвы, и так далеко, чтобы он не мог добраться до неё. Чтобы дорога к ней заняла не меньше, чем трое, а лучше бы четверо суток. Ведь он, получив телеграмму о смерти, решил бы, конечно, приехать. Одно предположение, что он мог разоблачить её обман, бросало в холод. Она и сама понимала, что план, зародившийся в ней, — за пределом дозволенного, но чем больше она обдумывала этот сумасшедший план, тем труднее становилось отказаться от него.

Вся жизнь её началась с рождения сына. Она это помнила очень отчётливо.

«Ребёночка вам не спасти, — устало сказала акушерка и вынула красные руки из тазика. — Не плачьте, голубка, другого родите».

В ответ на это она вскочила и, зажимая руками свежую рану кесарева сечения, рванулась в соседнюю комнату, где было так тихо, как быть не должно, если в доме ребёнок! Ребёнок ведь должен кричать, если жив! Её удержали, уложили обратно. Сын был так слаб, что у него не было сил кричать, он даже не плакал, и первые две недели Александр Сергеевич сам выкармливал его из бутылочки, и оба не спали — боялись заснуть, — а когда наконец он начал сосать её грудь, когда наконец в первый раз засмеялся, Нина сказала себе, что главное в жизни — лишь он, а всё остальное — неважно. Как будет.

И было всё так, как сказала. Ни ссоры с Александром Сергеевичем, ни их молчаливое, с каждым днём нарастающее отчуждение, ни собственное увядание, которое всё же бросалось в глаза, поскольку бледнела, худела, и волосы стали редеть, и ресницы — всё было неважным. Ребёнок! Он рос, он болел. Иногда ночью он прибегал к ним в спальню и прятался под одеяло с её стороны — а не там, где отец, — и, вздрагивая губами, быстро вытирая мокрые от слёз щёки, рассказывал свой сон, и она прижимала его к себе, целовала ярко-рыжую голову, шептала, что сон — чепуха, всё в порядке, спи, радость, родной мой, спи, мой ненаглядный... И он засыпал.

Александр Сергеевич отрывал кудрявый висок от подушки и был, как всегда, недоволен:

— Он должен спать в детской! Он — мальчик, не девка!

Он был — *её* мальчиком, в этом всё дело.

Ради *своего* мальчика она могла жить и без мужской любви, ей были совсем не нужны адюльтеры, и, когда ей рассказывали, что какая-то дама, имеющая ребёнка, вступила в запретную связь и об этом узнали, она от души удивлялась: зачем этот риск? Что же будет с ребёнком?

Учитель гимназии Александр Данилыч Алфёров, с которым она познакомилась в поезде, когда ехала в Ялту, впервые оставивши Васю на мужа и на гувернантку, произвёл на неё сильное впечатление неожиданным сходством с дедом, покойным отцом её матери, в доме которого Нина провела большую часть своего детства. У деда так же, как у Александра Данилыча, ярко вспыхивали от смеха светлые глаза, и так же краснел он, и так же смущался, и так же упрямо отстаивал в споре свою правоту, но главное, у деда и у Алфёрова был тот же рисунок плечей и спины. Когда Алфёров повернулся к ней спиной, чтобы закрыть вагонное окно, в которое дул свежий, пахнущий прелью и что-то обрывочно произносящий, себя самого заглушающий ветер, она так и ахнула от удивленья: широкие плечи её деда с красиво поставленной шеей и выпуклым, крепким затылком оказались так близко от её лица, что она вновь почувствовала себя девочкой, которая, смеясь и радуясь, карабкалась деду на спину, цеплялась за эти широкие плечи, и дед застывал, как скала.

И лет ему было... больше, разумеется, чем Александру Данилычу, но ведь немногим больше. А ей было пять, или шесть, или восемь.

Тогда, в поезде, она сразу догадалась, что Александр Данилыч влюбился. Но не по его растерянным глазам, не по его радостной и беспокойной улыбке, которая появлялась на этом умном лице, когда он обращался к ней с пустяковым вопросом, а по тому волнению, которое поднималось в ней самой, когда он обращался к ней.

Александра Самсоновна поначалу не показалась Нине ни красивой, ни даже привлекательной, но постепенно, всмотревшись в её всегда немного смущённые бархатные глаза и заметив, как, рассказывая что-то, Александра Самсоновна до корней волос загорается открытым и сизым, совсем подростковым, неловким румянцем, она призналась себе, что в этой невзрачно одетой, совсем не кокетливой женщине есть что-то своё, что сильней красоты. Она увидела, что Александра Самсоновна тоже чувствует состояние своего мужа, но виду не подаёт и будет терпеть, сколько гордость позволит. Без всяких вопросов и без выяснений.

Поезд подошел к Ялте на рассвете, в немного ворсистом от недавнего дождя и прозрачном огне которого уже проступали высокие горы. И там, на вокзале, они попрощались. Она провела три недели одна, смеясь нарочито над своим одиночеством, и в письме домой, Александру Сергеевичу, вдруг подписалась: «Дама с собачкой». Муж ответил раздражённо, упрекнул в безвкусице и гимназической любви к литературным штампам, и ей стало стыдно. Всё это время она ловила себя не на том, что постоянно вспоминает Алфёрова, а на том, что жгуче ревнует его, чужого, едва знакомого ей человека, к его собственной жене. Бархатные смущённые глаза и сизый румянец Александры Самсоновны стали казаться ей ещё привлекательнее на расстоянии, и она с отвращением и слезами представляла себе, как Александр Данилыч целует эти глаза, и сизый румянец становится ярче...

В Москве они встретились у самого её дома через месяц после того, как Нина вернулась из Ялты.

— Что же вы так долго не приходили? — усмехнулась она, и странное чувство победы над ними — над румянцем и бархатным взглядом Алфёровой — вдруг всю охватило её.

— А я разве мог? — прошептал он и вдруг сразу взял её под руку, словно торопясь куда-то.

— Куда вы хотите меня увезти? — спросила она.

Александр Данилыч снял перчатку и вытер ею лоб. Она засмеялась.

— Не бойтесь, — сказала она. — Не такая я любительница приключений. Я в шутку спросила. Зачем вы пришли?

— Вы знаете, Нина, зачем, — твёрдо ответил он и этой твёрдостью вдруг снова напомнил ей деда, его интонацию.

— Вы любите меня, Александр Данилыч?

Можно было назвать его Александром или даже Сашей, но это же имя носил её муж.

— Да, Нина, — просто и твёрдо сказал он. — Наверное, я вас люблю.

— Почему же: «наверное»? — прищурилась она.

— А может быть, вы — нехорошая?

— Как так: нехорошая?

— А вот как бывает. Плохая, без сердца.

— Проверьте, — шепнула она. — Вам никто не мешает.

— Но я всё равно вас люблю, — с мукой в голосе возразил он. — Мне это неважно.

— Но вы ведь женаты, — зачем-то сказала она. — И ваша жена дорога вам, я знаю.

Он сморщился и сердито посмотрел на неё.

— Жена моя здесь ни при чём, — резко сказал он. — Давайте не будем играть мелодраму.

— Вы правы, — кивнула она. — Как мне всё-таки странно, что мы с вами так легко разговариваем! Хотите, пройдёмся?

Он снова взял её под руку, и они медленно прошли по Малой Молчановке, Большому Ржевскому переулку, потом оказались на Собачьей площадке. Здесь они остановились и сели на скользкую от тонкого слоя льда лавочку.

— Вам не холодно? — спросил Александр Данилыч.

Она отрицательно покачала головой. Снег, хрупкий и мелкий, как соль, совсем молодой ещё снег, слегка захрустел под ногами.

— Мне с вами легко, — снова сказала она. — А с мужем всегда было трудно. Всегда.

Он блестящими испуганными глазами взглянул на неё из-под шапки.

— Что, Саша? — спросила она и почувствовала, как слово «Саша» немного царапнуло горло.

— Давайте мы не будем обсуждать этого, — пробормотал он. — Ни вашего мужа, ни мою жену...

— А что будем делать? — засмеялась она.

— Я очень люблю вас, — твёрдо, с тою же знакомой ей дедовской интонацией сказал Алфёров. — И всё, чего я хочу, это быть с вами где-нибудь. Где никого, кроме нас, не будет.

Он перевёл дыхание и прямо в глаза посмотрел ей. Она не ожидала, что можно говорить *так*. И сразу, на первом свидании.

— У вас было много любовниц? — спросила она так же прямо.

— Когда был студентом, да, были. Потом я женился.

— И больше их не было?

— Нет, больше не было. Зачем вы об этом?

— Вы странный человек, Александр Данилыч.

— Я странный? Да что вы. Я очень простой.

— Вы не хотите поцеловать меня? — спросила она.

— Я? Очень хочу. И поцеловать, и не только...

— Тогда поцелуйте.

— Нас могут увидеть, — сказал он, не делая ни одного движения в её сторону.

— И что? Вот расстанемся нынче, и я никогда...

— А это всё — ваше решение. Как скажете вы, так и будет.

И опять блестящими испуганными глазами посмотрел на неё. Она поднялась и протянула ему руку. Он встал.

— Вы всё-таки поцелуйте меня, — прошептала она. — Ведь я своенравная. Как я решу...

Он наклонился к её лицу и поцеловал её в губы. Потом, видимо, не справившись с собой, прижал её к себе обеими руками и начал с еле слышным стоном осыпать поцелуями и лицо, и воротник шубки, и руки, которыми она пыталась оттолкнуть его.

— Когда я увижу вас, Нина?

— Позвоните мне завтра утром, — выдохнула она, то уклоняясь от его поцелуев, то ловя их. — Тогда мы решим...

Утром он позвонил, и через два дня они встретились. Она позволила ему увезти себя в гостиницу, где они провели несколько часов, и лакей с тонким и смуглым лицом в колючем серебре так низко опустил глаза, когда отворял дверь в номер, что стало понятно, что он никого не запомнит, под пыткой не выдаст и слова не скажет.

И было прекрасно. Было так, как это должно было бы быть с мужем, если бы она с самого начала не поставила своею целью отомстить мужу за то, что так и не захотела полюбить его.

Вернувшись домой, где не было никого — сын в гимназии, а муж на службе, — она наполнила ванну очень горячей водой и долго сидела в ней, пока вода медленно остывала. Потом вылезла, завязала мокрые волосы узлом на затылке, посмотрела на себя в зеркало и сказала себе, что больше *этого* никогда не повторится.

Несколько недель подряд Александр Данилыч звонил ей каждое утро, она говорила с ним, как с добрым знакомым, всегда очень кратко. Он попадался ей на улице, один раз — в книжном магазине, куда Нина пришла с сыном и где Александр Данилыч только издали поклонился ей, но не подошёл. Но даже тогда, когда он не звонил и не поджидал её у дома, она чувствовала его присутствие. Он думал о ней постоянно, она это знала. Но ещё отчаяннее она знала причину, по которой *этого* не могло повториться. И этой причиною был её сын. Поначалу она и сама не объясняла себе толком, почему сын, а вовсе не муж стоял между нею и этой любовью. Она не боялась изменять мужу, в душе её многое накопилось против него. Но именно сын оказывался уязвимым и не защищённым от жизни, если бы она вдруг отдала часть своей привязанности другому, постороннему человеку. Ей казалось, что связью с Александром Данилычем она обкрадывает и обделяет своего сына, и всякая радость, всякое жгучее наслаждение уносит из её сердца то, что принадлежит только ребёнку и в чём он, ребёнок, так сильно нуждается.

А потом они оба предали её: и муж, и Василий. Она не притворялась, когда кричала, что сын её предал, переметнувшись целиком на отцовскую сторону. Она не хотела слушать никаких доводов, которые приводил ей муж, объясняя, что мальчики необходимо сближаются с отцами и отдаляются от матерей по мере своего взросления. Он предал её, этот мальчик. Она отказалась от человека, которого готова была полюбить со всей нерастраченной силой, только потому, что испугалась нарушить покой этого мальчика, испугалась того якобы возможного и, скорее всего, вымышленного вреда, который могла причинить ему, она ведь осталась ни с чем и одна, а у мужа вскоре появилась любовница, и сын, когда мать его всё же уехала, вздохнул с облегченьем. Она им мешала! Отдавшая жизнь, она всем им мешала!

Слава Богу, что началась эта война, которая помогла ей спрятаться. Они получили телеграмму о её смерти сразу после объявления войны. Все пути были отрезаны. То, что после этого известия Василий может записаться на фронт, не приходило ей в голову: в её сознании он продолжал быть ребёнком, а дети в войне не участвуют. Но он ушёл на войну, и мысль, что она своим диким обманом виновата в этом, начала разъедать её. Душа кровоточила так же — нет, больше! — чем в те времена, когда она с ними боролась и их побеждала. Вернее: когда она их испугала. Помучила, бросила и настрадалась.

И мальчик её стал солдатом, пошёл на войну, где людей убивают. Его тоже могут убить, изуродовать. Во сне она много

ИРИНА МУРАВЬЁВА

раз видела, как он ползёт к ней по очень зелёной и сочной траве, и у него нет обеих ног. Трава из зелёной становится красной. Ещё страшнее был другой сон: она купала его в ванночке, радостно и любовно поливала из ковшика его ярко-рыжую детскую круглую голову, и вдруг он начинал таять прямо в её руках, как будто кусок земляничного мыла. Она хваталась за его руки, ноги, обнимала его, пыталась схватить даже за уши, но он становился всё меньше, прозрачнее, он был уже частью воды, а она всё кричала, всё пенила эту ужасную воду, искала его и кричала, кричала...

Почему-то ей казалось, что, как только она снова окажется в Москве, он тут же приедет и ужас их кончится. То, как она объяснит свой обман, как встретится с мужем, у которого давно уже есть своя жизнь, почти не волновало её. Да разве всё это имело значенье в сравнении с тем, что ребёнок вернётся?

Теперь он вернулся. Вместо одной войны началась другая. Люди, нелепо разделившиеся по цвету у всех одинаковой крови — на красных и белых, — опять убивали друг друга. И есть было нечего.

Опять они жили втроём: отец, мать, Василий. Но только он был не ребёнком. Он спал теперь сутками, много курил и с нею едва разговаривал.

Её давний сон повторялся: он таял.

Александре Самсоновне Алфёровой не приходило в голову подозревать мужа в скрытности. Особенно теперь, когда вся жизнь их была оголена и лежала на их же собственных ладонях, как будто чужое, только что народившееся, не человеческое и не животное существо, за дикими гримасами и судорогами которого угадывалось его происхождение. Но муж её что-то скрывал, это ясно.

В марте в Москву приехал давний знакомый Алфёровых — архимандрит Кронид, в миру Константин Петрович Любимов, бывший наместник Троице-Сергиевой лавры, человек замечательный, о котором Александра Самсоновна впервые услышала ещё девочкой, когда её дядя, знаменитый петербургский психолог профессор Введенский, объявил себя ду-

306

ховным чадом архимандрита Кронида. История знаменитого дяди вкратце была следующей: прослушав курс лекций Куно Фишера в Гейдельберге и заразившись его скептицизмом относительно тех философов, которые, как говорил язвительный толстяк Фишер, «рассматривали несчастия человечества через бинокль, расположившись в удобном кресле», отчаянный дядя Введенский решил разработать и дальше учение своего германского наставника и круто пошёл по горе идеальной духовности. «Всякая душевная жизнь, — заявил вскоре Введенский (а было начало войны, и уже начали применять ядовитые газы!), — зависит только от наличия нравственного чувства. Последнее же связано с нравственным долгом, верой в бессмертие души и существование Бога». Вот тут-то, когда на него обрушились со всей молодой своей яростью сторонники экспериментальной психологии и прочие крупные материалисты, пришлось прибегнуть к советам архимандрита Кронида, проповеди которого отличались особой какой-то сердечностью и целиком основывались на Священном Писании. Нежная и почтительная дружба, связывающая опального по наступившим временам архимандрита и опального философа, продолжалась много лет и оборвалась со смертью последнего.

Приехав в Москву, Константин Петрович Любимов попросил позволения прожить неделю в доме Алфёровых. А больше и негде: тяжёлое время. Основной же причиной приезда в Москву были невообразимые безобразия, творимые в Троице-Сергиевой лавре и начавшиеся сразу же после выхода декрета Совета народных комиссаров «Об отделении церкви от государства и школы от церкви».

— Думал: похлопочу, — печально сказал высокий и крепкий, как дуб, архимандрит. — Теперь понимаю, что зря я приехал. *Они* даже время меняют.

И правда: во всём началось своенравие. Сперва переместили календарь на тринадцать дней. В приказном порядке после 31 января немедленно последовало 14 февраля. Куда делись остальные февральские денёчки одна тысяча девятьсот восемнадцатого года, о том было лучше не спрашивать. Ну, делись и делись. Февраль оказался весьма неказистым: всего-то пятнадцать смущённых рассветов. Коротеньких, тусклых, однако метельных.

Успел записать живший в том же Посаде распухший от голода Розанов:

«...У меня есть ужасная жалость к этому несчастному народу, к этому уродцу-народу, к этому котьке — слепому и глухому. Он не знает, до чего он презренен и жалок со своими «парламентами» и «социализмами», до чего он есть просто последний вор и последний нищий. И вот эта его последняя мизерабельность, этот его «задний двор» истории проливает такую жалость к Лазарю, к Лазарю — хвастунишке и тщеславцу, какой у Христа и у целого мира поистине не было к тому евангельскому великолепному Лазарю, полному сил, вдохновения и красоты. О, тот Лазарь сиял. Горит в раю и горел в аде. А на этом моем компатриоте — одни вши. И вшей... Но... а, ну его к чёрту!» (февраль, 1918 г. Сергиев Посад).

Потом пришёл тиф прямо в Лавру, унёс с собою более трёх тысяч человек, вздохнулось свободнее: меньше голодных. Потом добрались до мощей. Узнавши, что мощи преподобного Сергия будут подвергнуты осмотру со стороны властей, архимандрит Кронид бросился в Москву просить защиты.

За обедом — картошка, немного селёдки и оставшееся с лета варенье из крыжовника — архимандрит зачитал Александру Данилычу и заплаканной Александре Самсоновне только что написанное им письмо, которое он собирался направить председателю Совнаркома.

— «...не место здесь говорить, — сильным и прекрасным голосом, богатство которого только усиливала горечь, читал Константин Петрович, — чем является Преподобный для нас и других верующих и сколько признания находит также и в среде неверующих как великий исторический деятель, как пример любви и кротости, тех нравственных начал, на которых только и может строиться человеческая жизнь в её личном проявлении и в общественно-государственном. Отсюда понятно, как дорог для нас, для общества, для Русской Церкви Преподобный Сергий и всё, решительно всё, связанное с его памятью».

На этом месте письма Александр Данилыч внезапно вскочил со своего стула, обеими руками схватился за голову и отбежал к окну. Мелкие следы на снегу чернели, как пятна подсохнувшей крови.

Архимандрит перестал читать.

— Что вы, Александр? — понижая голос, спросил он. — Вам не нравится что-то?

— Константин Петрович, — так же тихо, не вынимая пальцев из своих густых волос, ответил ему Александр Данилыч, — не помните вы разве, как сказано у святого Апостола? «И тогда откроется беззаконник — тот, которого приход по действию сатаны будет со всякою силою...»

— Да, помню, — с силой сказал архимандрит. — И больше скажу вам: напрасно пишу и напрасно приехал. И знаю про *них* всё, что вы про *них* знаете. Так что же нам делать?

— Я никогда в политику не совался, — с некоторой даже брезгливостью пробормотал Алфёров. — Но это уже не *политика*. Поэтому мне и придётся...

Он посмотрел на жену, которая, бледнея, медленно приподнималась из-за стола, и замолчал.

— Нет, ты доскажи, — попросила Александра Самсоновна, — а то что у нас за секреты?

— Давай лучше чай пить, — оборвал её Александр Данилыч. — Ведь есть же у нас кипяток? И варенье осталось? Вот это прекрасно! Варенье я, кстати, люблю больше сахара...

Через неделю архимандрит вернулся обратно в Лавру, где вскоре ликвидационная комиссия в составе шести человек, из которых трое были матросами, двое недоучившимися семинаристами, а женщина (верный товарищ по партии) прошла унижение, вроде как Грушенька, за что ненавидела старый порядок и мстила ему так, как мстят только женщины, — ликвидационная комиссия эта опечатала храмы и кельи, и ночью всех лаврских монахов погнали из Лавры. Лавру же решили переименовать. Сначала хотели в Толстовск. Тут, конечно, сыграло огромную роль отлученье от церкви, но Бог уберёг от такого позора.

Весною того же самого, 1919 года в бывшем особняке графини Уваровой, где размещался Московский комитет РКП(б), разорвалась бомба. Если верить свидетельству коменданта Кремля Малькова Петра Дмитриевича, съевшего не одну собаку, а целую, в общем-то, псарню в борьбе за великое дело, взрыв был организован членом ЦК левых эсеров Донатом Черепановым и шайкой его, называвшей себя «кружком анархистов подполья».

«Я и не сразу заметил в горячке, — вспоминал незадолго до своей кончины в 1966 году Мальков Пётр Дмитриевич, чудом покинувший особняк графини Уваровой за семь минут до взрыва, — когда приехал Феликс Эдмундович. Всего вернее, приехал он одним из первых, когда я вместе с другими разгребал развалины. Мы извлекли из-под обломков девять трупов, ещё трое вскоре умерли от ран. Погибло двенадцать большевиков: Загорский, Игнатова, Сафонов, Титов, Волкова... Пятьдесят пять человек было ранено. Сразу по прибытии на место Феликс Эдмундович начал расследование обстоятельств злодейского преступления. В сопровождении группы чекистов он тщательно обследовал садик, прилегавший к зданию Московского комитета со стороны Большого Чернышевского переулка».

Вот с «садика» и началось. Ведь кем были эти эсеры? Гуляки, шпана, анархисты, отребье. Отсюда и садик: там, в гуще сирени, сидели они, развалясь на скамейках, потом шли к графине чесать языками. Пить кофий с ликером, готовить анархию. Дом знали прекрасно и садик — не хуже.

На следующий день взяли их, допросили. Признались и всё подписали, конечно. Допросы провёл Сахарчук, крепкий парень: всегда знал, что делает.

В честь погибшего от взрыва секретаря Московского комитета РКП(б) Загорского Владимира Михайловича, человека редкого обаяния, прожившего множество лет в эмиграции (всё в той же молочной и тучной Швейцарии!) и лично в Швейцарии знавшего Ленина, Троице-Сергиеву лавру назвали, в конце концов, просто: Загорском.

О, если бы этим и кончилось! Если бы не поволоклось — кровью поволоклось, чёрными её ручьями, криками её располосованными — по всей задохнувшейся страхом стране не поволоклось от судьбы до судьбы, от брата к брату, от слова до слова, и начало всё умирать внутри жизни и гнить внутри света, чернеть и гноиться! Пришли те: «со всякою силою...» Их тьма была, тьма! Размножались от ветра...

Дина Форгерер на следующий день после своего приезда в Москву в лёгких заграничных ботинках — совсем не по снегу и не погоде — побежала проведать Варю Брусилову, которая недавно родила сына и теперь тревожилась по поводу своего мужа Алексея, служившего где-то у красных. Вернувшись от Вари, она сразу же, не снимая промокших башмаков, красная от холода, постучалась к сестре. В детской, где Таня кормила Илюшу, топилась печка, и было тепло, сладко пахло ванилью.

— Откуда у нас здесь так пахнет? — спросила Дина Форгерер.

— Ваниль, — усмехнулась Таня. — Алиса на что-то сменяла. Пришла, принесла домой целый мешочек. Теперь добавляем в еду понемножку. А я для Илюши держу в этой комнате, ему запах нравится...

— Приятный, — согласилась Дина и быстро опустилась на корточки перед сидящей на диване сестрой, снизу обхватила её обеими руками. — Татка, здесь жить невозможно!

Илюша облизал большую серебряную ложку с вензелем.

— Вот умница моя, — сказала Таня и поцеловала его, сдёрнула салфетку с тонкой вытянутой Илюшиной шеи и краешком этой салфетки вытерла ему рот. — Ведь правда же: вкусно? А ты не хотел.

Она посмотрела на сестру, словно извиняясь перед ней.

— Он иногда не хочет есть. А я не могу ему объяснить, что сейчас нельзя так. Нельзя ничего оставлять. И выплёвывать тоже нельзя. Нам и разогреть даже не на чем.

— Танюра! — Дина стиснула Танино лицо в ладонях. — О чём ты сейчас говоришь?

— А ты о чём? — тихо спросила Таня.

— Я о жизни! — надавливая голосом на слово «жизнь», ответила Дина. — Вы просто сошли все с ума!

— Ты только приехала, Динка, — прошептала Таня, положив свои ладони на её руки, — ты не всё поняла.

— Нет, я поняла! Я поняла ещё в Финляндии, у мамы. Она ведь ни за что не хочет в Москву.

— Зачем ей в Москву? Мы же ей не нужны!

Дина вжалась лицом в Танины колени.

— А от тебя-то как пахнет, Татка! Духами какими-то дивными.

— Но я не душилась, — простодушно возразила Таня. — Это, наверное, от платья...

— Да нет, от тебя всегда так пахнет. Свежестью, а никакими не духами. И от мамы тоже. Это у вас кожа такая.

— А от тебя знаешь как пахнет? — усмехнулась Таня.

— Не знаю. А как?

— Черёмухой. Только холодной, замёрзшей. Не сильно, как летом, когда уже жарко, а так, как вначале, слегка...

— Послушай, а если мы все здесь умрём? Какая черёмуха, Татка? Мне Варя сказала...

Дина замолчала, поднялась с пола, села на диван.

— Помнишь, я тебе рассказывала, как она на спор Оку переплыла под грозой? Она ничего никогда не боялась. Алёшу в августе арестовали и полгода держали в тюрьме. Из него там всё, как Варя сказала, «выколотили». Она говорит, что он бы ни под какой пыткой не пошёл к красным, а пошёл он только из-за отца, из-за генерала. Они его на этом и подцепили. Алёша ведь тоже бесстрашный. Он мальчишкой был, а уже тогда пешим стрелковым эскадроном командовал. Он точно такой, как отец. Вся порода такая.

— А что с генералом? Он где?

— Здесь, в Москве. Его арестовали прямо в госпитале. Его ранило — в дом попал осколок снаряда. Генерал долго валялся в госпитале, думали, что придётся ногу отнять. Варя его выхаживала. Его арестовали в конце лета, но вскоре отпустили, и он прямо сказал ей, что теперь перейдёт к красным, потому что брата тоже арестовали из-за него и Алёшу. Не из чего, короче, выбирать. Варя тогда ему сказала, чтобы он этого не делал, потому что всё равно после такого поступка жить не сможет. А он достал Алёшину детскую карточку, поцеловал и говорит: «Нет, Варенька, смогу».

— Господи!

— А как же ты думала? — сверкнула глазами Дина. — *Они* ведь не идиоты! Вон папа твой нынче сказал: «Ох, умны! Ох, поганы!» И верно: умны и поганы. Брат генерала так и умер в тюрьме, а Алёшу выпустили, и он стал служить у красных. Понимаешь, почему? Понимаешь? Отец же! Старик, инвалид! Алёша прекрасно всё понял: отец *это* сделал ради него, а он, в свою очередь, — ради отца. Варя говорит, что он теперь командует кавалерийским полком, но она говорит, что ей каждую ночь снится, как он мучается, и письмо пришло от него — ужасное! Как будто не он написал. Варя пошла работать в контору на стройку, им есть совсем нечего. Ребёнок всё время болеет. С ним сидит бабушка, ты помнишь её? А дед только умер.

— Надо отнести им из Илюшиной одежды что-нибудь! — Таня засуетилась, полезла в шкаф, начала вытаскивать оттуда детские вещи. — Вот это и это... И это вот тоже. Пока Алиса не утащила на рынок! Она ведь всё тащит!

— Слава Богу, что у нас есть Алиса! — опять сверкнула глазами Дина. — Без Алисы вы бы тут все в лёжку лежали!

— Я знаю! Я решила, что пойду к папе в больницу медсестрой с начала лета... Илюша уже подрастёт...

— Если мы доживем до начала лета!

— Ты каркать приехала, Динка? Тогда уезжай! И муж твой, наверное, заждался!

— При чём здесь мой муж? У меня, кроме мужа, сестра есть! К тому же с ребёнком!

— Динка, — прошептала Таня. — Тебе что, с ним невмоготу?

— Мне? С кем? С Николаем? С чего ты взяла?

— Не знаю... мне так показалось.

— Тебе показалось! — Дина раздула ноздри и гневно откинула назад волосы. — Ты, Тата, очень похожа на маму! Та тоже блаженная! Она говорит: «Ах, как я надеюсь, что к лету весь этот кошмар закончится! Тогда мы опять будем вместе». Кто — вместе? С кем — вместе? Она твоего отца второй раз бросила, а он ведь смолчал! Не заметил!

— Прекрасно всё папа заметил, — прошептала Таня.

— Я знаю! — И Дина вдруг всхлипнула, изо всей силы закусила губу. — Я знаешь чего боюсь?

— Чего ты боишься?

Дина огненно покраснела и посмотрела на сестру умоляюще, тем взглядом, который был общим для них обеих: исподлобья, низко опустив голову.

— А вдруг это не ты, а я похожа на маму? Вдруг я *его* тоже бросила? И сама себе не признаюсь? Ищу причины, объяснения?

— Ты разве не собираешься к *нему* возвращаться?

— Да, Господи, разве я знаю! — Дина вскочила с дивана и, как тигрица, заметалась по комнате. — Я *его* иногда до беспамятства люблю! Вот он заболел три месяца назад в Риме, я стала за ним ухаживать. Кутала его в плед, термометр ставила, кормила по часам. Сама ему бульон варила — научилась, мы там на квартире жили, — причёсывала его. — Она вдруг покраснела, всплеснула руками и засмеялась. — Он лежит на кровати, жар, знобит его, а я сижу рядом, отпаиваю его с ложечки, волосы ему на прямой пробор расчесала... Он смеётся и говорит: «Всё в куклы играешь!». Я говорю: «Я же тебя лечу!» А он: «Ну играй, играй! Лишь бы не скучала! Я всё от тебя потерплю». Ах, Господи! — У неё задрожали губы. — И как хорошо было! А потом он поправился, и опять...

— Что: опять? — глядя в пол, пробормотала сестра.

— Я не хочу, — плача и раздувая ноздри, прокричала Дина, — не хочу, чтобы из меня делали какую-то вещь, какую-то куклу!

— Ребёнка разбудишь! Не кричи!

Дина испуганно зажала рот обеими руками:.

— Не буду, не буду! Мне иногда кажется: лучше бы я в монастырь постриглась, ей-богу! Не могу я быть ничьей куклой!

— Какие сейчас монастыри? Что ты мелешь! Давно разогнали.

— Да, верно, — пробормотала Дина. Потом прижалась к Таниному уху и зашептала: — Татка, в итальянских газетах писали о том, что «они» сделали с царём и всеми детьми. И о великой княгине Елизавете Федоровне тоже. Я только не знаю, правда ли. Неужели можно было вот так просто — взять да убить?

— Наверное, можно, — еле слышно ответила Таня. — Ты знаешь, что папа дружил с Евгением Сергеевичем?

— С каким Евгением Сергеевичем?

— С доктором Боткиным. Хотя папа всю жизнь работал в Москве, а доктор Боткин в Питере, но они учились вместе в Медицинской академии и там подружились. Евгений Сергеевич однажды приехал к нам со своим старшим сыном Митей, который поступил тогда в Московский университет. Года за четыре до начала войны, я ещё девочкой была. И они с папой много разговаривали, очень много и очень откровенно, потому что...

Она замолчала.

— Почему? — требовательно спросила Дина.

— Потому что от Евгения Сергеевича только что ушла жена. Влюбилась в какого-то студента, лет на двадцать её моложе, из Риги, и ушла. Бросила четверых детей. Митя был самым старшим, а трое других — два мальчика и девочка — совсем маленькие. Я думаю, что Евгению Сергеевичу нужно было просто поделиться, просто поговорить с кем-то, кто может это понять. Ну, а папа...

— Я понимаю! — вспыхнула Дина.

— Потом Митя погиб в самом начале войны. Кажется, в декабре. Он бросил университет и тоже пошёл на фронт, как мой Володя... Доктор Боткин приехал тогда в Москву. У Мити была уже жена в Москве и две дочки. Он погиб, когда прикрывал отступление казачьего полка, где служил хорунжим... Получил Георгиевский крест посмертно. Евгений Сергеевич пришёл к нам в этот день и напился. Я хорошо помню. Он пришёл, мокрый, голодный, — погода была: ужас, а он почему-то не взял извозчика, от самого госпиталя шёл пешком, — и говорит папе: «Дружище, а выпить у вас не найдётся?» И выпил весь запас папиного спирта. Потом залёг на диван, поспал два часа. Проснулся, вымылся, побрился. Вошёл к нам с Алисой в детскую — трезвый, спокойный, — поцеловал Алисе руку, а меня в голову. Он был великаном. Огромного роста, с очень широкими плечами.

— И что?

— И папа проводил его к поезду.

— Да я не об этом! И что с ним случилось?

— Говорят, что его тоже убили. Что ему предлагали уехать с Урала, обещали работу в московской больнице, практику. А он отказался. И его убили вместе с царём. А в газетах сообщили только, что «казнён кровавый палач Николай Романов». А про семью — ничего. Потом написали, что царица с сыном «эвакуированы в надёжное место». А про великих княжон совсем ни слова, как будто их и не было никогда. Одни слухи...

Обе замолчали.

— Тата! — громко сказала Дина и тут же испуганно оглянулась на спящего Илюшу. — Нужно уезжать. Из Одессы можно сесть на пароход, он идёт в Турцию. Всем вместе: с Алисой, и папой, и няней. Коля мой сейчас работает, у него контракт в берлинском театре, мы прокормимся.

— Папа никуда не поедет, он своих больных не бросит. С Алисой тоже непросто. Однажды она сказала, что очень боится здесь жить. Папа у неё спросил: «Чего вы боитесь, Алиса Юльевна? Я за вас — горой!» А она говорит: «При чём здесь вы? Я не *вас*, я *за* вас боюсь! Помните, — говорит, — как мы с вами попали на ярмарку?» А это действительно было: мы ехали в Крым, и в поезде что-то сломалось. Мы пошли гулять и попали на ярмарку. Мне было весело, я всё время хохотала, папа тоже, а Алиса вдруг остановилась как вкопанная и стала просить, чтобы её поскорее отвели обратно. Она потом сказала папе, что её больше всего испугали нищие, и, пока она этих нищих не увидела, она ничего в России не понимала. А как увидела, так всё поняла.

— Что она поняла?

— Там нищие стояли вдоль дороги. Ты ведь никогда не видела церковные картинки, нет? Лубочные? Ах, ты же у нас иностранка! У няни их много, в сундучке. Там и дьяволы нарисованы, и святые, и мученики. Как бесы людей искушают, как грешники в адских котлах кипят, а великомученицам глаза выкалывают, ну, много такого. Они очень яркие, эти картинки, но такие страшные, знаешь... Похожи на нынешние плакаты...

Таня вдруг ахнула и покраснела.

— Да, очень похожи! Как же мне раньше в голову не пришло! Тогда, на ярмарке, всё это словно ожило. Нищие эти... Ну, вот представь: стоят вдоль длиннющей дороги старики, такие засушенные, как будто они в своих киевских пещерах тысячу лет пролежали, слепцы, худые, как скелеты, а бывают и толстые, мордастые, не поймёшь, слепой он или притворяется, и карлики, — такие, как таксы, знаешь? Как будто осели на задние ноги. Горбунов ужасно много, и горбы у них острые-острые, как будто заточены. А эти старухи! Безносые, с палками, руки чёрные, зубы редкие, лошадиные. Так в книжках Смерть рисуют. И все они чего-то просят, просят, за платье тебя хватают, пальцы у них ледяные, мокрые, и всё поют про какого-то гнойного Лазаря, про Алексея Божьего человека, который сам себя захотел помучить, обвязался цепями и всю жизнь в пещере сидел... Голоса тонкие, гнусавые, как будто у них в горле какая-то слипшаяся вата... Алиса, как их увидела, так и застыла. «Вот, — говорит, — чего я здесь боюсь. У русских слишком много сумасшедших. Этого стыдиться нужно, а русские этим гордятся».

— Сумасшедших везде хватает, — спокойно ответила Дина и помолчала. — Так ты что, думаешь, она уехать не захочет?

Таня отрицательно покачала головой:

— Она папу ни за что не оставит. Ни папу, ни няню. Алиса — железная. И потому не оставит, что всё поняла и ужасно боится.

— Танюра! — вдруг быстро спросила Дина. — А доктор твой как?

Таня залилась густой тёмной краской.

— Мой доктор? Ну, как... Я знала, что ты спросишь. Я без него никуда не поеду.

— Татка! — Дина широко распахнула глаза. — Ведь он же женат!

— И что? — пробормотала Таня. — Да, они живут в одной квартире. И сын вернулся. Их того гляди «уплотнят», подселят к ним кого-нибудь, он сам говорит.

— При чём здесь: «подселят»? Я же не об этом!

— О чём ты?

— О том, что ты ему всю жизнь отдала, а он...

— Он тоже мне отдал *всю* жизнь, — вдруг упрямо сказала Таня и так же, как сестра, посмотрела исподлобья.

— Зачем это нужно! — с тоской воскликнула Дина и заломила руки, что вышло немного театрально, но очень уж горестно. — Зачем это нужно: всё время какие-то жертвы! И как будто от этого кому-то станет легче! Твой Александр Сергеевич не может развестись с женой, потому что она вроде бы больна, и сын у них, и я не знаю, что ещё...

— Кто *сейчас* разводится? — прошептала Таня. — Это — то же самое, как в монастырь уходить. Ты как будто забываешь, в какие мы времена живём!

— А раньше ему что мешало? — огрызнулась Дина. — Нет, но я же не только о нём говорю! Все всегда чем-то друг другу жертвуют, а при этом ненавидят друг друга, смотреть друг на друга не могут! И так доживают до самой до смерти! Я сказала Николаю Михайловичу, когда он поправился, что я ни дня не останусь его женою, если я пойму, что...

Она сильно побледнела и отвернулась. Таня вопросительно приподняла плечи, но ни о чём не успела спросить: в дверь постучала Алиса Юльевна, сказала, что каша готова и нужно поесть, пока всё не остыло.

У Ленина и бывшего его озёрного друга Зиновьева начались решительные разногласия по поводу партийной политики. По правде сказать, Ленин немного испугался. Во-первых, в него всё же Фаня стрельнула. А если мне вдруг возразят, что не

Фаня, так точно ведь кто-то стрельнул. Для Фани стрельнуть было трудной задачей, поскольку она, пребывая на каторге, почти до конца потеряла там зрение. К тому же известно, что, будучи зрячей, в руках никогда не держала оружия. А тут пусть не насмерть, но всё же попала.

И он испугался. Ещё бы не страшно!

Однако расправились именно с Фаней, хотя на заводе, где выстрел и грянул, самой этой Фани в тот день не случилось: она безотрывно учила на курсах работников будущих земств (была, как мы видим, большой фантазёркой: какие уж земства, зачем и откуда?).

Слепую безумицу быстро поймали — она и не пряталась, кстати! — и тут же, конечно, в ЧК на допросы. И сразу за подписью Якова Свердлова появилось знаменитое воззвание Всероссийского Центрального Исполнительного Комитета, открытое грозной строкою: «Всем, всем!» Короче: последней букашке и пташке. Тому, кто на смертном одре умирает, тому, кто ещё не родился, но должен. Родишься и слушай: объявлен террор всем врагам революции.

И дату запомни: 30 августа.

Бледного как смерть, широкоскулого Ульянова лечили от раны, а тощую, со впалою грудью и круглой гребёнкой в растрёпанных, но негустых волосах, преступницу Фаню везли уже в Кремль, чтоб там и казнить по всем правилам. Сам комендант Кремля, всё тот же Мальков Пётр Дмитриевич, взвалил на себя эту казнь.

«Забрав Каплан, привёз её в Кремль, — вспоминал перед смертью простодушный Пётр Дмитриевич, — и посадил в полуподвальную комнату под Детской половиной Большого дворца. Комната была просторная, высокая. Забранное решёткой окно находилось метрах в трёх-четырёх от пола. Каплан была прикована к стулу. Возле двери и против окна я установил посты, строго наказав часовым не спускать глаз с заключённой. Часовых я отобрал лично, только коммунистов, и каждого сам лично проинструктировал.

Прошёл ещё день. Вызвал меня Аванесов Варлам Александрович и предъявил постановление ВЧК: Каплан расстрелять. Приговор привести в исполнение коменданту Кремля Малькову.

— Когда? — коротко спросил я Аванесова.

У Варлама Александровича, всегда такого доброго, незлопамятного, отзывчивого, не дрогнул на лице ни один мускул.

— Сегодня. Немедленно.

— Есть.

Круто повернувшись, я вышел от Аванесова. Вызвав восемь человек латышей-коммунистов, которых хорошо знал лично, я обстоятельно проинструктировал их, и мы отправились за Каплан.

Было 4 часа дня. Возмездие свершилось».

Слабеющий телом Мальков Пётр Дмитриевич не всё написал про возмездие, впрочем. Увлёкся своим героическим прошлым и лишнее взял на себя.

Ну, тоже понятно: больница кремлёвская, белые двери, медсестры — не хуже, чем те латыши (все лично известны и проинструктированы!), и всё хорошо, если бы не стояла в дверях эта ведьма, без носа, с клюкою, и пальцем к себе не звала потихоньку: «Пойдём, пойдём, Петя, пора тебе, милый...»

Её бы, как Фаню тогда, взять, скрутить бы, кляп в рот и — в гараж! А ну-ка, стрелки, молодцы удалые! Давайте все вместе: раз, два — по команде! Писатель, гляди! Хочешь подзарядиться?

Известно, что очень хороший писатель, вернее, поэт (псевдоним: Демьян Бедный), просил разрешенья бывать на расстрелах. И в этот раз тоже просил. Как откажешь? Поскольку стреляли все девять (Демьян наблюдал, вдохновение черпал!), пришлось завести грузовик, заглушая работу бесстрашных латышских стрелков-коммунистов.

Потом её в бочку, преступницу эту, и сразу всю бочку облили бензином, свезли в Александровский сад и сожгли там. Вот так. Ничего от неё не осталось. Гуляют детишки по светлому саду, играют в какой-нибудь розовый мячик, и в голову им не приходит ни бочка, ни страшная Фаня с косыми глазами, ни бодрый Мальков, комендант, Пётр Дмитрич, которого Смерть поджидала с клюкою, пока он дописывал воспоминанья.

В наступившем людоедстве не было, в сущности, ничего нового. Бывают такие времена, когда человеку всего вкуснее именно человек и мясо его, пусть и немолодое. Возникает голодная толпа, которая убивает исключительно с целью прокормиться, но и ей, этой толпе, и тем, кого она поедает, трудно согласиться с таким отвратительно простым объяснением, и в силу вступают расчёты о прибавочной стоимости. На самом деле существует одна стоимость: стоимость человеческого тела, которая с каждой минутой опускается и в конце концов доходит до такого предела незначительности, что можно шутить, говоря о предмете, и очень удачно шутить, остроумно. Вот так и шутил, например, Маяковский, и все ему хлопали, все хохотали. А он, говорят, нервным был человеком, к тому же и зубы частенько болели, что лишь прибавляло ему раздраженья.

Когда её сын, в рыжих поредевших кудрях у которого прямо надо лбом, как дым, лежала седина, далеко за полдень просыпался в той маленькой ледяной комнате, которая прежде была её кабинетом, а теперь он прочно обосновался в ней и именно её выбрал своим местом в доме, как это делают коты, — не обращая внимания на предоставленную им хозяйскую кровать или диванную подушку, идут и находят какой-нибудь угол, коробку без дна, бельевую корзину, — когда он просыпался далеко за полдень и, заспанный, в наброшенной на бельё шинели с оторванными пуговицами, шаркая ногами в толстых шерстяных носках, выходил в столовую, она старалась подгадать так, чтобы самовар был горячим и было бы чем покормить его. Он ел, опустив голову, не глядя на неё, а у неё переворачивалось сердце от его ключиц, выступавших в грязном вырезе рубахи, от его заострившегося носа, крылья которого казались тёмными по контрасту с вытянувшимся и очень белым лицом. Он кашлял ночами. Александр Сергеевич, нахмурившись, прикладывал к его мальчишеской груди стетоскоп и слушал, жалобно и сердито наморщившись. Нина не доверяла мужу, который не был терапевтом, и всё просила пригласить профессора Остроумова, пока они не узнали, что профессор Остроумов месяц назад умер. Соседи говорили, что от голода, потому что профессор всё отдавал единственной своей внучке Варе Брусиловой, вернувшейся в дом к деду с бабкой после ареста мужа, сына генерала Брусилова. У Вари ребёнок был, маленький мальчик.

Сегодня Василий вовсе не вышел из своей комнаты, и Нина, заглянувшая в дверь и увидевшая, что он спит, широко раскрыв рот и закинув за голову обе худых, с острыми локтями, длинных руки, выволокла на улицу санки — а ночью опять сыпал снег, несмотря на весну, — и пошла на Смоленскую за дровами. На углу Смоленской можно было получить по талону дрова, а всем в доме занималась она, поскольку Александр Сергеевич даже в эти времена жил так, словно его ничего не касалось.

— Пойми ты, что мы всё равно погибаем! — однажды с ненавистью сказал он. — Днём раньше, днём позже!

Она не удивилась этой ненависти и поняла её. Ненависть не выматывала так, как должен был вымотать страх, в ней открылась странная сила, помогающая терпеть. И главное: ненависть укрупняла наставшую жизнь, наделяя её почти и немыслимым прежде, мучительным смыслом.

Смоленская площадь была скользкой, как каток: вода, вчера пролившаяся мелким дождём, заледенела, и люди на площади боялись упасть и передвигались по ней мелкими и боязливыми шагами. Нина Веденяпина встала в хвост длинной очереди, где лица все были похожими друг на друга выражением застывшей покорности, которая, лишая их индивидуальности, одновременно слегка защищала, потому что стоять в этой очереди с отблеском тоски в чертах могло быть опасным: тоска привлекает внимание. Очередь почти подошла, когда она почувствовала на себе пристальный взгляд и начала озираться до тех пор, пока не увидела своего прежнего любовника Александра Даниловича Алфёрова, которого не видела несколько лет и память о котором застряла в её теле, подобно тому как осколок, застрявши в груди между рёбер, вдруг режет — да так, что боишься вздохнуть, и сознание меркнет.

Он молча подошёл к ней, молча сложил на санки сырые дрова, обвязал их верёвкой, и так же молча, изредка взглядывая друг на друга, они свернули налево, в переулок, и тут наконец остановились. Что странно: нахлынуло солнце, совершенно такое же, каким оно было тогда, когда поезд, урча и полязгивая, остановился на ялтинском перроне, и они вдруг увидели друг друга в его снова летнем, ликующем свете. Все эти годы, которые они прожили врозь, как будто исчезли, и резкий провал между датами, этот пробел, в котором самое главное составляли не события, не люди и даже не переживания, а лишь невозможность вернуться в слепящее крымское утро, все годы растаяли в той темноте, которой сейчас больше не было: солнце светило.

— Милая моя, — сказал Александр Данилыч Алфёров и, наклонившись, дотронулся губами до её выбившихся из-под шапки мокрых волос. — Как ты похудела.

— И ты похудел, — ответила она и, сжав в своих ладонях его руку, провела ею по своим губам и глазам. — Ну, как ты? Ну что?

— Да что? — усмехнулся он, и тут же лицо его приняло то твёрдое и светлое выражение, которое она так хорошо запомнила. — Посмотрим, чем это всё кончится.

— А чем же? Теперь уж понятно, наверное.

— О нет, не понятно! — перебил он. — Да как тут поймёшь, если все вокруг лгут?

— Кто лжёт? Почему?

— Такая пора, — опять усмехнулся он. — Все лгут, потому что человеку свойственно к любому слуху прибавить и своего вранья, ещё хоть чуть-чуть исказить, чтоб только по-своему.

— Простите меня, — неожиданно для самой себя сказала Нина Веденяпина.

— За что мне простить вас? — удивился он.

— Александр Данилыч! — Она подтянулась на носках и быстро поцеловала его в щёку, почувствовав терпкий запах несвежего мужского тела, который надолго запомнился ей. — Мне вдруг показалось сейчас, что вы чего-то главного недоговариваете. Чего?

— Как я люблю вас, — пробормотал он, — и за то ещё особенно люблю, что вы меня чувствуете, как никто. А мы с вами, в сущности, еле знакомы.

И он засмеялся. Она прижалась лицом к его воротнику и, ощущая странную уверенность в том, что это и есть её самый близкий человек, поцеловала его воротник и руку, погладившую её по щеке, и прикрыла глаза, чтобы ничего не видеть, кроме маленьких шерстинок его драпового пальто, торчащих, как нежно торчат из земли её чуть заметные взгляду травинки.

— И я вас люблю, — прошептала она. — Куда вы теперь?

— Я? — И он вдруг смешался. — Мне встретиться нужно с одним человеком. А после в гимназию. А вы? Вы домой?

— Ох, да, я домой. Там Вася один и ужасно нетоплено.

— Так он что, вернулся? Ну, слава Богу! Я слышал, что он был на фронте.

— Вернулся! — радостно сморщившись, ответила она. — Он дома, но трудно... Не знаю, что делать. Лежит целый день, не встаёт...

— Терпите! — И Александр Данилыч крепко прижал её к себе. — Терпите, родная моя, дорогая! Бог даст, я ещё вас увижу. Бог даст...

Он быстро оставил её и побежал, то и дело оборачиваясь на ходу, словно этими короткими прикосновениями своих глаз к её лицу и телу желая запечатлеть её так, как запечатлевают фотографическим аппаратом. Она стояла на подтаявшем снежном бугорке, стояла не двигаясь, чтобы не мешать ему, чтобы он и запомнил её такой, какою она была, когда поцеловала его ладонь.

Саночки летели по колдобинам, дрова звонко стукались друг о друга. Она торопилась. И солнце, изрезавшее мостовую вдоль и поперёк, торопилось вместе с ней. На Молчановке она почувствовала, что воздуха ей не хватает, и пошла медленнее. Куда же он так побежал? Ведь не проводил её даже до дома! Она остановилась. Странная твёрдость, с которой он сказал, что никто ничего не знает и все вокруг лгут, вдруг заново вспомнилась ей. Она медленно дошла до своего подъезда, поднялась на второй этаж и, прижимая к себе обвязанные верёвкой дрова, толкнула ногою дверь. Она помнила, что, уходя, не заперла квартиру на ключ, хотя муж много раз выговаривал ей за это.

В квартире было всё разворочено вверх дном, из шкафов на пол выброшены вещи, книги разодраны. Нелепая мысль, что это и есть «уплотнение», о котором их предупреждали, пришла в голову, и она с ужасом и отвращением бросилась в маленькую комнату, где должен быть Вася и спать там, но в комнате никого не было. Коричневый плед оказался свёрнут жгутом, напомнившим ей поначалу тело её худого и длинного сына, и она даже протянула руку, чтобы дотронуться до него, но тут поняла, что ведь это же плед.

— Вася! — закричала она, боясь поверить тому, что сразу пришло в голову. — Ты где? Вася-а!

Она кричала, но при этом уже знала всё. Она кричала, надрываясь от крика, и знала, что его не только нет в квартире, его нет ни в доме, ни на улице, ни, может быть, даже и в городе. Но где-то он должен был быть. Он должен быть там, где она, — хотя бы на этой земле, — поэтому нужно кричать и громко кричать, звать его, очень громко!

— Вася-а-а! — Она начала разводить руками, как будто этот холодный воздух в его маленькой комнате мешал ей разглядеть его. — Да где же ты? Вася-а-а?

Потом, не переставая разводить руками, она быстро прошла в кухню, где молча смотрела на неё беременная Катерина, третья по счёту жена дворника, крепкого старика, схоронившего двух прежних жён: одна умерла от холеры, а другую раздавил трамвай, тогда он женился на третьей, хорошенькой, с атласным и свежим лицом, странно короткой, почти словно карлице, бабе, которая должна была вот-вот родить.

— Чего вы кричите? — спросила её Катерина. — Забрали его.

И, подхватив обеими короткими и толстыми руками огромный живот, подбросив его вверх, как подбрасывают тяжесть, которую больше невмоготу держать в одном и том же положении, она близко подошла к Нине и выдохнула в лицо ей горячее и рыхлое дыхание.

— Забра-а-али его, увезли! Час назад, а может, и больше. Пришли сразу трое.

— Забрали куда?

— Куда забирают? — переспросила дворничиха. — Туда и забрали.

Нина села на пол, схватившись за первое, что было перед глазами, — замызганный, в тёмных разводах подол Катерины. Красная, ярче мокрой, только что очищенной свёклы, дворничиха низко, насколько позволял её живот, наклонилась над ней:

— Теперь всех туда забирают. Мне брат говорил: заберут и к китайцам. А те — чисто нелюдь, зверьё косоглазое! Мне брат говорил: очень жутко дерутся! Вот Васеньку вашего...

И Катерина всхлипнула, вытерла рукавом глаза.

— Ты что говоришь? — в ярости зашипела на неё Нина Веденяпина. — С чего ты взяла, что его увели? Ты видела это?

— А ка-а-ак же не видеть? — опять рыхло и тяжело задышала Катерина. — Куда же не видеть? Своими глазами. Мужик-то мой там же и был, в понятых-та-а. У них в понятых-та-а всегда чтобы дворник. Та-а-акой вот порядок.

Нужно было бежать к мужу, к Александру Сергеевичу, и вместе с ним — к сыну, спасать вместе сына!

Она вдруг вспомнила, как только что, полчаса назад, поцеловала ладонь Александру Данилычу Алфёрову, и новая волна огня прокатилась по её телу.

— И это ведь я целовалась с любовником? — чувствуя отвращение к себе, прошептала она вслух, широко раскрывая глаза. — Я там целовалась, пока *его* тут забирали!

Ей вспомнилось всё, все последние годы, когда она убивала *его,* и он, мальчик, сын, с его золотыми кудрями, ведь *он* всё терпел! Сперва он пошёл на войну, он вернулся с войны — теперь ей казалось, что он к ней вернулся, — он ждал её нынче, а она зачем-то потащилась за дровами, хотя ещё есть же дрова! Да вон же они, ещё целая связка! И там, на Смоленской, она прильнула к чужому человеку, и он ей сказал, что он любит её, и это ей нравилось, ей было сладко! Запах лица и руки Александра Данилыча защекотал ей ноздри, рвота подступила к горлу.

— А Васю забрали! — морщась от гадливости, сказала она Катерине, в страхе смотревшей на неё и невольно повторяющей своим хорошеньким лицом её гримасу. — И это всё я, вот какая я, вот я!

Вернувшись в Москву и застав свою старшую сестру Татьяну с маленьким сыном, няней, бывшей гувернанткой и отцом в состоянии, близком к голодному истощению, Дина Форгерер решила, что, если Таня не может уехать без своего любовника, которого Дина, ни разу его не видевшая, тихо и жгуче ненавидела, а отец не может бросить госпиталь, а няня стара и слаба, то ей, Дине Форгерер, не остаётся ничего другого, как только сидеть здесь и ждать. Оставить их Дина бы ни за что не решилась, а ехать без них к заждавшемуся её Николаю Михайловичу было бы подлостью.

«*Милый Коля*, — написала она мужу, уже перебравшемуся в Берлин. — *Меня принимают в труппу одного драматического театра. Он начат был как часть Художественного, но сейчас уже существует сам по себе и нравится москвичам. Его режиссёр — человек молодой, но очень, как мне показалось, преданный искусству, всё свое время тратит на репетиции и разработку новой театральной системы. Мне пока ничего серьёзного не обещают, но в труппу приняли, и я буду получать небольшой паёк, поскольку теперь все театры в России стали государственными. Очень пригодилось всё, чему ты меня научил. Когда этот молодой и чем-то, наверное, очень больной режиссер — это сразу заметно, он худой и слабый, зовут его Евгений Багратионович — посмотрел, как я умею перевоплощаться, он сразу сказал, что чувствует во мне не столько дарование, сколько очень хорошую школу подготовки. Спросил, кто это меня так «отшлифовал», и я сказала, что меня «отшлифовал» муж, и назвала твою фамилию. Он поинтересовался, где ты сейчас, и я не нашла нужным скрывать. Тогда он спросил, как скоро я собираюсь перебраться к тебе и бросить его труппу. Но* тут, мой милый Коля, я ведь ничего не могу ответить. Я очень надеюсь, что наша с тобой вынужденная обстоятельствами разлука не продлится долго, но ничего не могу обещать. Тату нашла в ужасном состоянии, она так худа, что носит свои старые, ещё гимназические платьица. Всё, что было в доме ценного, Алиса таскает на Смоленский и там выменивает на еду. У бедного Илюши всё время болит горлышко, ему нужно пить горячее молоко, а одна кружка молока стоит баснословных денег. Вчера Алиса отдала за бутылку молока — но, правда, хорошего, козьего — свою горжетку из чернобурки. Я поначалу пришла просто в ужас: ведь горжетка одна, а молоко нужно давать Илюше каждый день. Но ты, Коленька, знаешь Алису: она так и сверкнула на меня своими совиными глазами и ответила, что мы живём сегодня, и мальчик сегодня болеет, а что будет завтра, нечего загадывать. Может, уже и не только молока, но и ничего никому не будет нужно. Мы с тобой, Коля, совсем её прежде не понимали. Такой это сильный и самоотверженный характер. Отчим работает как вол, мы его почти и не видим. Он тоже получает паёк, но этого пайка на всех не хватает, он всё отдает нам и говорит, что поел в больнице, но я знаю, что это неправда. В больнице у него тоже всё разваливается. Вчера он рассказал нам, что из шести медсестёр в его отделении трое оказались кокаинистками. Их пришлось просто выгнать, потому что они и больных приучали к кокаину и морфию, чтобы те не чувствовали боли и не кричали бы по ночам. На улицах огромное количество бездомных детей. Их никто не подкармливает и все ими брезгуют, как будто бы это не дети, а бешеные собаки. Наша соседка по Большому Воздвиженскому, очень милая и немолодая дама, которая сейчас зарабатывает тем, что шьёт платья и вяжет из самых разных ниток прекрасные вещи, прибежала к нам в слезах и панике: её сын, чудесный, толстый, очень хорошо воспитанный двенадцатилетний мальчик, вдруг пропал. Она сказала, что его увели бездомные. Два дня мы искали мальчика по всем притонам и рынкам, наконец нашли. Мы его еле узнали. За несколько дней он превратился в худого, с провалившимися щеками и искусанными в кровь чёрными губами старичка. Потом мы узнали, что *эти несчастные, никому не нужные дети просто «спасаются» кокаином, потому что на кокаине им легче жить, они уже не чувствуют ни голода, ни холода, могут по целым дням не есть и не спать, а если их бьют, они почти не испытывают боли.*

Ты меня прости, Коля, что я так подробно описываю тебе этот большевистский ад. Ни одна газета не скажет тебе того, что есть на самом деле. И я делаю это так подробно только для того, чтобы ты понял, насколько важно сейчас то, что я здесь, с моими близкими, и могу помочь им, насколько это в моих силах. Я им нужна сейчас гораздо больше, чем тебе. Надеюсь, однако, что вскоре мы вместе сможем перебраться или к маме в Финляндию, а оттуда к тебе, или по морю через Турцию. Мне ещё нужно выяснить, как это лучше сделать, чтобы изложить свой план Тате и отчиму во всех подробностях. В театре мы начинаем репетировать «Синюю птицу», и я, Коля, просто не могу понять, что же меня так восхищало раньше в этой фальшивой пьесе? Ничуть не похоже на жизнь. Роль у меня совсем небольшая, но паёк всё-таки будет.

Не скучай по мне, Коленька. Няня говорит: «Жизнь длинная, а смерть короткая. Живи, так и смерти не заметишь». Я сердцем верю, что скоро мы все будем вместе. Но нужно, наверное, ждать.

Твоя Дина».

Ни один человек на земле, кроме потерявшего рассудок от нежности к Дине Форгерер её собственного мужа, Форгерера Николая Михайловича, не понял бы сдержанного подтекста этого честного и простодушного письма. Но он, потерявший рассудок, подтекст этот понял. Сидя в знаменитом берлинском ресторане «Медведь», только что открытом одним из русских эмигрантов, где в любое время дня и ночи можно было поесть горячего борща с гречневой кашей, ухи и блинов, пирожков, расстегаев и где чудным голосом, глуховатым, бархатным, с внезапным, как будто бы раненым вскриком, пела цыганские романсы Клавдия Истомина, Николай Михайлович читал и перечитывал письмо своей жены с таким ещё детским, и дерзким, и вспыльчивым почерком, в сотый раз спрашивая себя, как быть со всем этим и что теперь делать.

Она не могла возвратиться. Это было *почти* правдой. Зная её силу и эту её страстность по отношению к семье отчима, Николай Михайлович готов был поверить всем тем доводам, которые она приводила, объясняя ему, почему она не может оставить родных. Но *полной* правдой было то, что она и не хотела возвращаться, и если бы не было всех этих действительно серьёзных препятствий, она бы их изобрела. С кровью бы высосала их из своего мизинца. Ему ли не знать!

— Что грустный такой, Коленька? — услышал он над своим затылком, покраснел и оглянулся.

Вера Каралли, только что оборвавшая свой длительный, всем известный роман с Леонидом Собиновым, худенькая и плоская, как мальчик, загорелая дотемна, с длинной ниткой ярко-белого жемчуга на обнажённой груди и дымными серыми тенями вокруг своих «роковых», как говорили все, глаз, подсела к его столику и обнажённую, мускулистую и длинную руку прижала к его губам.

— Меня пригласили на съёмки, — улыбаясь тёмно-красными губами, сказала она.

— Прекрасно, — рассеянно ответил Николай Михайлович. — Кто здесь лучше вас? А то приглашают Бог знает кого!

— Я думала, что после «Умирающего лебедя» не буду сниматься, — вздохнула она. — Но просят. И деньги большие.

— Вы — дарование, Вера Алексеевна. Вы — шедевр, — вяло сказал Форгерер. — Где это вы так загорели? Не в Африку съездили?

Каралли от души расхохоталась и вдруг превратилась в цыганку, мордовку, гречанку из порта: огромные глаза её сузились в щёлочки, на бледных щеках вспыхнул красный румянец.

— А то вы не знаете? Бросьте! Нет, правда: не знаете? Ну, я вам открою: наливаете горячую ванну, дорогой Коленька, разводите в ней йоду побольше и ложитесь. И так полежать с полчаса. А вылезаете юной и загорелой. Смотрите, какая я красная и золотая? Не нравится?

— Очень нравится, — вздохнул Николай Михайлович, отводя глаза от её длинной золотисто-розовой шеи с ниткой вспыхивающего при малейшем движении жемчуга. — Я в вас давно влюблён, не менее пылко, чем Гришка Распутин.

— Да тише вы! — ужаснулась Каралли, и полные губы её побледнели под помадой. — Откуда вы взяли?

— Про Гришку? — засмеялся Николай Михайлович. — Вы, Верочка, нашу эмиграцию плохо раскусили! Они ведь любой секрет из-под земли выроют! К тому же — завистники. Чёрная зависть. Вон Полевицкая ходит и всем жалуется: «Почему меня не приглашают на роль Богоматери? Почему не найдётся никого, кто бы понял, что только *я* могу Её сыграть?»

— Вы мне, Коля, зубы не заговаривайте! — яростной улыбкой сверкнула на него Вера Алексеевна. — Про то, что у Полевицкой вместо мозгов начинка для кулебяки, я и без вас знаю! А вот откуда вы про Гришку взяли? Сколько лет прошло, а всё не могу мерзавцам и сплетникам рты закрыть!

Лицо её стало шире, проще, и злоба, проступившая на нём, как будто бы съела вдруг всю красоту.

— Ах, Верочка, Верочка, — удивляясь на это превращение, пробормотал Форгерер, — да будет вам, право! Что уж за тайна такая? Были вы в любовной связи с великим князем Дмитрием Павловичем? Ну, что тут таиться? Все знают! Ведь он же стрелялся за вас! А то, что Гришку в юсуповский дворец вы в ту ночь помогли заманить, разве не правда? А всё красота ваша! Смертная сила!

— Какая нелепость, — с деланым равнодушием зевнула Каралли. — Меня во дворце князя Юсупова, уверяю вас, Коля, в *эту* ночь не было.

— Считайте, что я вам поверил, — понурил голову Николай Михайлович и быстро опрокинул в рот большую хрустальную рюмку «Померанцевой» водки. — Страшные вы люди: женщины. Зачем вас Господь сотворил? Только чтобы нас, волосатых идиотов, вернее губить. Не вижу другой причины.

— Страдаете, Коля? — вдруг просто и сочувственно спросила Вера Алексеевна. — Вас что, рыжая ваша малышка оставила?

Николай Михайлович почувствовал, как весь покрывается липким потом и сорочка прилипает к спине под просторным пиджаком.

— Вы, Коля, голубчик, боитесь? — усмехнулась Каралли и опять прижала к его губам свою обнажённую и мускулистую руку, но не для поцелуя, а для того, чтобы тихо погладить эти задрожавшие губы. — Я ведь мужчин насквозь вижу. Вы даже на меня не отреагировали, когда я к вам подсела! Дрянь дело. Выкладывайте. Мы с вами — артисты, а значит: товарищи.

Форгерер молча протянул ей Динино письмо. Вера Алексеевна достала из своей змеиной кожи сумочки янтарный мундштук, вставила в него душистую папиросу, закурила, потом близко поднесла письмо к угольным глазам и принялась читать. Дочитав, она молча отдала ему конверт и правой рукой потянула от себя длинную жемчужную нитку, как будто ей стало вдруг душно.

— Нельзя вам было, мой дорогой, жениться на ребёнке, — сказала она наконец. — Знаете, до чего эти дети жестоки? У них ведь другое нутро! Дети, например, могут так мучить животных, как ни одному взрослому и во сне не снилось! А могут и любовью своей на тот свет свести. Полюбит кого-нибудь такая вот пылкая барышня, и никто вам не скажет, что она может выкинуть в своём любовном угаре! Одно мне понятно: не хочет ваша драгоценная половина сюда возвращаться! Но и вас не желает на свободу отпустить! И будете вы, Коленька, сидеть и томиться, как груздь в мокрой бочке, а она будет там, в большевистском аду, спасать человечество! Но ей вас не жалко, поскольку вы сыты, а нынче вот даже и пьяны, а там все голодные. Очень понятно.

Николай Михайлович быстро опрокинул в себя ещё две рюмки «Померанцевой». Голова тяжело закружилась.

— Я, Вера Алексеевна, не мог на ней не жениться, — хмельным низким басом сказал Форгерер и, наклонившись через стол, несколько раз жадно поцеловал хрупкое запястье Каралли. — Она черёмухой пахнет. И не духами, нет, радость моя, не духами. Таких и духов не бывает. Она вся, как куст этой проклятой черёмухи, пахнет! И днём, и ночью! Во сне благоухает! Войдёшь в комнату, где она утром чай пила, сядешь на стул, где она сидела, и голова у тебя идёт кругом! Черёмуха, Вера! Холодная, страшная... У-у-у, как я её ненавижу!

— Что с вами? — испуганно спросила Каралли, всматриваясь в его сине-красное дрожащее лицо с выкаченными, кровью налитыми глазами. — Вам что, Коля, плохо?

— Мне плохо, — закрываясь ладонями, прошептал Форгерер. — Мне так, Вера, плохо, что легче бы в петлю...

А вскоре, в том же 1919 году, частично потерял рассудок главный палач ЧК Магго Пётр Иванович, расстрелявший собственноручно больше десяти тысяч человек. А что? Ведь какая работа? Покоя ни днем ни ночью. В подсобке, правда, всегда стояло два доверху полных ведра: одно с водкой, другое с одеколоном. Из первого пили кружками, не закусывая, из второго, раздевшись до пояса, мылись. Без всякой мочалки. Чтоб кровью и спиртом не пахло. (А кровь пахнет, кстати, сильнее, чем спирт, и не выдыхается долго!)

«Дерзайте быть страшными, чтобы не гибнуть», — учил их бескровный и тихий Дзержинский. Чего там дерзать? Зачерпнёшь из ведра, вопьёшься зубами в казённую кружку и пей сколько хочешь. Ещё принесут! Магго, Пётр Иванович без водки и дня бы не выжил. И часу. Без водки, а также без дела. Дело же — как это было до тех пор, пока Пётр Иванович частично не потерял рассудок, — заключалось в быстром и последовательном умертвлении себе подобных.

Однако нельзя вовсе без предисловия: один из товарищей-чекистов однажды сказал Петру Ивановичу такие слова, которые он, человек простой, не только запомнил до самой до смерти, но прямо на них и налёг всей душою, как, бывает, безногий наляжет на свои костыли и, не замечая, что тела осталось всего ничего, поскачет на них, и его не догонишь.

«Зачем нам, Пётр, разбираться, какое у кого образование, какое происхождение? Я вот пойду к нему, гаду, на кухню, загляну в горшок: если там мясо — значит, враг. И ставь его к стенке!»

Слова эти полностью определили поведение Петра Ивановича. Он был, повторяю, простым человеком и по внешности мог бы легко сойти за портного или даже бухгалтера. Глаза, правда, белые. Это от водки: она убивает все краски природы. Петру Ивановичу было далеко до своих соратников: он не писал стихов, как следователь петербургской ЧК Озолин, к которому в ужасе от собственной решимости пришёл однажды бледный как смерть Александр Блок и, высоко оценив поэтические опыты Озолина, попросил за арестованных литераторов. Нет, стихов Пётр Иванович не писал. Ни одного за целую свою жизнь, даже маленького, даже какого-нибудь о родной осенней природе скромного стихотворения. Но зачем ему? Хватало того, что другие писали. Вот, например, какое стихотворение напечатал в тифлисском сборнике «Улыбка Чека» Александр Эйдук, ближайший товарищ товарища Лациса:

> Нет большей радости, нет лучших музык,
> Как хруст ломаемых жизней и костей.
> Вот отчего, когда томятся наши взоры
> И начинает бурно страсть в груди вскипать,
> Черкнуть мне хочется на каждом приговоре
> Одно бестрепетное: «К стенке! Расстрелять!»

Окончивший всего два класса сельской школы, не мог, разумеется, Пётр Иванович идти ни в какое сравнение по разным учёным и барским привычкам или, скажем, по манере одеваться (простые любил пиджаки, брюки — тоже простые, на красных подтяжках!) и с доктором Кедровым, начальником Особого отдела ВЧК.

О Кедрове что говорить? Окончил лицей, папа — крупный нотариус. Конечно: усадьба, и няньки, и мамки, подарки, балы, фортепьяно, конфеты. А как музицировал! Известный знаток и любитель Бетховена Ульянов Владимир Ильич поделился с женою: «Надюша! Как Кедров играет! Ах, как он играет!»

А уж про учёность и не заикайтесь: в Германии долго учился на доктора, экзамены сдал хорошо, присягнул Гиппократу. От этого и фантазия у него была развита лучше, чем у незаметного Петра Ивановича, и воображение куда богаче. Приехал, к примеру, на Север, а там беспорядки. Пришлось усмирять. По снежку, по морозцу. Велел, чтобы подали баржу. Извольте. Вот баржа. На ней восемьсот человек: все — преступники с семьями. Детишки визжат так, что с берега слышно. Открыли по барже огонь. Визг затих. Но стоны, но крики! О музыка смерти! Что с нею сравнится? Стоял на откосе, смотрел. Колени дрожали, как лужицы в парке. И сердце дрожало от боли и счастья. В отличие от утончённого Кедрова Пётр Иванович и жил просто, и думал неглубоко. Расстреливал лично, своими руками. Страдал, если вдруг промахнётся. (От водки, бывало, промазывал!) Тогда багровел и стрелял сразу в голову. Желал, чтобы мозг разлетался, как вата. Любил малолетних: пытать и расстреливать. (А «так» — не любил, был отцом и супругом!) Работать мог сутками, не засыпая, имел ордена, много грамот, квартиру, в которой частенько простукивал стены: в обоях могли быть враги — недосмотр.

Теперь пару слов о рассудке: частично утрачен зимой 1919-го.

В один из особенно морозных и неприветливых дней, когда город, казалось, был погружён в оцепенение страха и каждая улица его, каждый двор, каждое опасливо мерцающее окно передавали друг другу один и тот же беззвучный, помертвевшими губами задаваемый вопрос: «Ты жив? Ты жива ли?» — в один из таких дней Петру Ивановичу особенно хотелось крови. Это было знакомое и томительное недомогание, почти лихорадка. Как будто всё тело чесалось, да как! Ногтей не хватило б — начни он расчёсывать. По опыту знал: нужно много работать. Пора. Залежался, расслабился. Прикинул в уме: десять взять или мало? Нет, мало. Набрали из двух сразу камер. Пётр Иванович любил такой порядок: никогда не брать на расстрел из одной камеры. Помещения нужно опустошать помаленьку. Днём народу поубавится, ночью новых привезут, пустыми не будем. Не те обстоятельства: красный террор. Взяли из двух сразу камер двадцать шесть человек. Жадно взволновалось сердце Петра Ивановича, когда белые глаза его, особенно в этот день мутные, встретились с глазами иеромонаха Чудова монастыря Макария — в миру Александра

Телегина — и, встретившись, вспыхнули, словно кошачьи. Петру Ивановичу очень запомнилась сцена в келье Макария, когда забирали того после обыска.

«Жду не дождусь, — сказал статный, с белыми и волнистыми, как у девушки, волосами иеромонах, — встречи с Господом моим. Скорее бы, Господи!»

На что Пётр Иванович и отреагировал: Макария велено было не трогать. Морили, конечно. И голодом морили, и спать не давали, и били частенько. Пытать — не пытали. Опять всё по той же причине: а ну как помрёт? Сам Пётр Иванович и в Бога не верил, и чёрта не боялся, но стали к нему приходить по ночам какие-то странные лошади. Ему ли не знать лошадей! Когда батраком на помещика горбил, уж он и чесал, он и скрёб их, поганых! Ну, лошадь и лошадь. Скотина, короче. Но эти, ночные, как облако, белые, все пахли какой-то кислятиной. Войдут, значит, в дверь и стоят. Потом, как светать начинает, разинут свои эти пасти и ржут. А голос у них с хрипотцой, мальчуковый.

— Puika! Puika! — на родном латышском языке начинал уговаривать Пётр Иванович. — Мальчик! Мальчик!

Но мальчики-лошади не уходили, а ржали сильней и надсадней. Тогда Пётр Иванович во сне своём жутком хватал пистолет, стрелял прямо в морды. И морды из белых вдруг делались чёрными. Но не уходили. Стояли и ржали.

Проснувшись, Пётр Иванович долго не мог прийти в себя, до крови расчесывал покрытую седым колким волосом грудь под рубахой.

— Puika! Puika! — ни с того ни с сего вдруг начинал давиться он. — Puika! Puika!

От этого сна даже спирт не спасал. Зальёшь его в горло и ждёшь облегченья, а в сердце — одни червяки, слизь да гадость, и воздух в нутро не проходит.

Сегодня всю ночь простояли проклятые кони, отчего Пётр Иванович и ворвался в свой кабинет в доме под номером 14, где размещалась Московская чрезвычайная комиссия со своею тюрьмою и собственным подвалом расстрела, ни свет ни заря. Руки по привычке сполоснул одеколоном и, маленький, белый — белее, чем чудища эти из сна, — понёсся по коридорам в сопровождении верных людей: двоих латышей, Рыбу и Берзина, пригретых Петром Иванычем из самых душевных соображений (зверьё, а не парни!), и одного русского, Головкина, совсем молодого и с рожей такою невинной и нежной, что только цветы собирать по полянам.

Вытащили в коридор двадцать пять человек. У Петра Ивановича внутри отлегло. Почувствовал: вот ещё час — и начнём. Рядком — прямо к стеночке: р-р-раз! И готово. Потом снова: р-р-раз! И готово. Пока всех положишь, с души-то и черви сползут, развиднеется. Повеселевший, с красными, вроде первомайских знамён, щеками — кровь, значит, взыграла! — Пётр Иванович Магго вдруг вспомнил Макария.

— Где поп? — заревел он и дулом заряженного револьвера упёрся в первое, что попалось на глаза: молочно-нежное горло русского парня. — Его тоже — к стенке!

Привели Макария.

— Что, поп, не боишься? — весело и с некоторым даже восторгом спросил его Пётр Иванович.

Макарий с трудом поднял перебитую правую руку и медленно перекрестился. Пётр Иванович посмотрел на него белыми своими глазами, и сердце забилось так сильно, что стало вдруг больно дышать.

— Ко мне в кабинет! — свистом и клёкотом выдохнул он в лицо латышей. — Один разговор есть! Сурьёзный!

Руки его были ледяными, в голове мутилось, и, как сквозь разводы, он и не видел толком, а скорее угадывал ту темноту, которая сгустилась перед ним, приняв очертания человеческого тела. Сверху было посветлее: там, стало быть, лоб находился и белые волосы.

— Давай говори, — приказал ослепший Пётр Иванович. — Всю правду мне, белая сволочь, выкладывай!

— У нас с тобой разная правда, — громко ответил Макарий, намеренно повысив голос настолько, чтобы слова его могли быть расслышаны сквозь гул и грохот, стоявший в голове Петра Ивановича.

— Свою, сука, правду я знаю! А ты мне свою, блядь, выкладывай!

— Скажу, — согласился Макарий. — «Горе вам, законникам, что взяли ключ разумения: сами не вошли и входящим воспрепятствовали...»

Пётр Иванович не дал ему договорить. Коршуном — не крупным, а хилым и сморщенным коршуном, с разинутым клювом, и острым, дрожащим внутри языком, и прогорклым дыханием, — налетел он на тёмного снизу и белого сверху Макария и, тыкая дулом своего тоже горячего от липкой и мокрой руки револьвера, брызгая горькой и мелкой слюной, принялся избивать его, путая русские ругательства с латышскими, всё больше и больше бледнея.

Потом всех поставили и расстреляли. Стрелял Пётр Иванович сам и ни с кем не делился. Такой был денёк: самому не хватало. Устроили казнь во дворе. Снежок мелкий шёл, и дышалось там легче. В подвале, расположенном под автобазой ЧК, всегда было душновато, воздух кровянистый, спёртый, и нынче Пётр Иванович решил не спускаться в подвал, а дело закончить на улице. Все двадцать шесть, включая Макария, который по-прежнему виделся Петру Ивановичу не то сквозь туман, а не то сквозь мерцание, раздетые до нижнего белья, выведены были во двор и вплотную притиснуты к ровным и аккуратным штабелям дров. Пётр Иванович стрелял из тяжёлого нагана в затылки. Раскалывались наподобие арбузов. Мозги залепляли дрова чем-то вроде помёта, жемчужным и белым. Хорошее место! И тихо, и быстро. Потом, правда, поползли по Москве слухи, что чекисты устроили во дворе какую-то снеготаялку, благо дров много, жгут их и во дворе, и на улице полсаженями. От снеготаялки текут кровавые ручьи. Однажды перелилось через двор и вытекло прямо на улицу. Стали заметать следы. Открыли какой-то заброшенный люк и слили в него весь кровавый поток. Стекло хорошо, только запах был сильный.

В тот день (ну, к вечеру, правда!) Пётр Иванович и перестал различать своих от чужих. Встретил в коридоре, уже собираясь домой и трясущимися руками натягивая пальтецо на своё тщедушное тело, соратника верного Берзина и вдруг как выхватит револьвер, как приставит его к груди пламенного революционера:

— А ну, гада к стенке!

Хорошо успели наброситься и отнять боевое оружие. Берзин так и остался стоять как приклеенный, пока вяло выкрикивающего чепуху Магго Петра Ивановича уводили к доктору. Доктора он тоже потребовал расстрелять, рубаху с себя снять не дал и больно, как белка, кусался. Отправили сразу в лечебницу. В лечебнице, правда, пришлось повозиться: держали во льду, кипятком обливали, кормили насильно, легонько пороли. Лекарств настоящих тогда ещё не было: ну, бром, валерьяна. Кого этим вылечишь? Зато, уже выздоравливая и смущённо покашливая в прокуренный кулачок на прогулках по скучному дворику лечебницы, познакомился Пётр Иванович с такими же, как он, пострадавшими за дело красного террора, не пожалевшими себя товарищами. Многие и симптоматику имели похожую: перестали отличать своих от чужих и классовых врагов видели в каждом, совсем и случайном лице и предмете: животных и даже, бывало, деревьях. Были, однако же, и другие, к которым запросто захаживали расстрелянные, требовали, чтобы им объяснили причину их собственной смерти, детей приводили и жён с матерями. Но эти встречались не так чтобы часто.

На Таню стало страшно смотреть: Александр Сергеевич пропал. Потом Алиса сбегала в больницу, спросила, что с доктором Веденяпиным. Отводя глаза, старшая медсестра сказала, что с сыном там что-то. Забрали, короче. У Алисы Юльевны перехватило горло: как Тане сказать? Сказала осторожно. Таня опустилась на диван, обхватила себя руками крест-накрест и закачалась из стороны в сторону.

— Танюра! — строго, как будто Таня плохо написала французский диктант, сказала Алиса Юльевна. — Ты знаешь, сейчас очень многих берут. Ты знаешь ведь это?

— Я знаю, — испуганно ответила Таня.

— Помочь мы не можем. Бог даст, — и Алиса быстро, как это делала няня, трижды перекрестилась, — Бог даст, и отпустят. Тебе в эти вещи не нужно мешаться.

От волнения она делала ошибки в русском языке, но тут же всегда исправлялась.

— Тебе не нужно вмешиваться в такие вещи, — сказала гувернантка, с болью наблюдая за Таниным лицом.

При этом Таня изо всех сил натягивала на лицо волосы с обеих сторон головы, как будто пытаясь в них спрятаться.

— Я сейчас пойду туда, — не переставая закрываться волосами, забормотала она и вскочила. — И не держи меня!

— Куда ты пойдёшь? — спросил отец, входя в комнату. — Позволь мне решать. Никуда не пойдёшь. Ты дома останешься, с сыном.

— Но ты же не знаешь! — закричала Таня. — Куда вы все лезете? Что вам за дело?

Отец вопросительно перевел глаза на Алису Юльевну.

— Нашёлся герой? — с легким презрением, которое всегда появлялось в его голосе, когда речь заходила об Александре Сергеевиче, давно переставшем быть тайной для дома Лотосовых, спросил он.

— О да! — громко вздохнула Алиса. — Несчастье такое. Там сына забрали.

— Не смей ничего говорить! — ещё громче, звенящим, срывающимся голосом закричала Таня, хотя отец подавленно и угрюмо молчал. — Не смейте все лезть! Я знаю, что делать, и я это сделаю!

— В таком состоянии ты не пойдёшь! — резко оборвал отец и сам побагровел. — В таком состоянии ты не дойдёшь! Ты хочешь свалиться на улице? И чтобы тебя подобрал *их* патруль?

— Папа! — забормотала она как безумная и вдруг опустилась перед ним на колени. — Отпусти меня! Ради Бога, не держи!

Он подхватил её под мышки и начал поднимать с пола. Руки её показались ему слишком горячими. Он вновь посадил её на диван и быстро пощупал ей лоб.

— Да жар у тебя! Ведь ты вся горишь!

Алиса Юльевна села рядом с Таней и обняла её. У Тани стучали зубы.

— Алиса! Чего вы расселись! — зарычал доктор Лотосов. — Ведь это же тиф! Ребёнок пусть спит вместе с няней, а Таню немедленно в детскую! И чтобы там было тепло! Подите там перестелите, я сам уложу!

...Александр Сергеевич вёл её по пушистому и тёплому — как солнцем согретая в поле трава, — по очень блестящему белому снегу. Она цеплялась за его плечи, но он почему-то выскальзывал и вдруг становился невидимым. Вокруг зазвучала «Аида». Так громко, что стала болеть голова, потом заболело всё тело. Ей стало казаться, что Александр Сергеевич задумал украсть у неё Илюшу и отвести его к отцу. Но кто был Илюшин отец? Этого она никак не могла вспомнить. И где он сейчас? Старый цыган с сизой и раздувшейся мордой утопленника катался по белому снегу, и рядом каталась гитара на шёлковой ленте... Александр Сергеевич начал вдруг до боли целовать её в грудь, и она, смеясь от восторга и от того, что ей стало щекотно, просила его: «Крепче! Крепче! Ты их не кусай, ты соси!» — «А как же тогда молоко?» — спросил её Александр Сергеевич. Ужас она почувствовала от этого его простого вопроса. А как же тогда молоко? Чем Илюшу кормить? Она молоко-то своё отдала! Ей стало стыдно, и она хотела оттолкнуть от себя Александра Сергеевича, который собирался украсть у неё Илюшу и отдать его отцу, но Александр Сергеевич впился в её тело своими знакомыми ей, бешеными губами, и она обмякла, растворилась в его поцелуях, перестав даже и обращать внимание на то, что ей больно, особенно горло, особенно там, где ключицы, и там, где живот, куда спрятан Илюша...

Отец говорил Дине и Алисе, что главное — не давать бредить, силой возвращать её к действительности, но именно этому она и сопротивлялась. Как только Дина, с растрёпанными, дыбом стоящими над выпуклым лбом медными волосами, заплаканная от постоянного страха, что сестра её умирает, увидев, что Таня проснулась и смотрит на неё ничего не выражающими глазами, начинала спрашивать у неё, какое сегодня число, год и месяц, Таня отвечала ей такой незнакомой, прозрачной улыбкой, что Дина пугалась. Температура держалась долго, а когда она наконец упала, Таня не могла пошевельнуться от слабости и даже не сопротивлялась тому, что её пришлось обрить наголо. Теперь она лежала в детской, которую два раза в день хорошо топили, её кормили вкусным перловым супом и котлетами (о том, откуда берутся дрова и почему в супе плавает картошка и кусочки моркови, она не спрашивала!), и самым главным ощущением её, как только утихла ноющая боль в спине, стало ощущение потери своего тела. Иногда она приподнимала руку и искренно удивлялась: что это? Рука? Она помнила, что это *её рука*, но каким образом эта рука вдруг приподнялась и что это значит: *рука* — она не понимала.

— Что ты чувствуешь, что? — кричала на неё Дина и трясла её за плечи. — Ответь же мне, Танька! Меня хоть ты чувствуешь?

— Тебя? — прозрачно улыбалась Таня. — Конечно. Вот ты.

И проводила бескровными пальцами по своему локтю, замеревшему в Дининых ладонях.

— Нет, это не я, это — ты! — ужасалась Дина. — Рехнулась ты, Татка! Да что же с тобой?

Домашние не могли понять, почему она так долго не спрашивает об Илюше. На восемнадцатый день она всё же спросила о нём, но спросила с таким вежливо-старательным выражением, как будто ждала, что её похвалят за этот вопрос. Она очень много спала, а когда не спала, то с отсутствующим и в то же время внимательным выражением тихо лежала на спине — с обритой круглой головой, вылезшими бровями, на месте которых остались розоватые припухшие полоски, без ресниц, отчего её огромные на похудевшем и бледном лице сине-голубые глаза казались какими-то прямо озёрами, — лежала не шевелясь, и лёгкая досада появлялась на этом безразличном и худом лице, когда её вдруг беспокоили.

Утром четырнадцатого апреля за Диной заехала машина. Таня встала с постели, подошла к окну и увидела, что её младшая сестра в чёрной шапочке, с выбившимися из-под неё, светящимися от солнца волосами, осторожно, чтобы не намочить ног в весеннем и бурном ручье, бегущем с горы, где белеет церквушка, в которой когда-то венчался сам Чехов, усаживается на сиденье рядом с шофёром. Вошла Алиса Юльевна с подносом. На подносе стояли чашка с цикорием и тарелка с овсянкой, на поверхности которой маленькой золотой розой расплывалось масло.

— О Господи! Встала! — И Алиса поцеловала её дрожащим ртом.

Таня слегка отодвинулась и покачала головой.

— Я лягу опять.

Голос её был ровным и даже приветливым, но, казалось, не принадлежал ей, как будто говорил кто-то, кто тоже был в комнате.

— Тебе, наверное, непонятно, откуда у нас такое богатство, да? — настойчиво спросила Алиса.

Таня покачала головой. Глаза её были отсутствующими.

— Только благодаря этому новому Дининому знакомству, — с заминкой сказала Алиса и сильно покраснела своим сухим швейцарским лицом. — Мы выжили, Тата. И выкормили и тебя, и ребёнка.

От Алисиных слов шёл такой напор, что Таня растерялась. Она нервно провела ладонями по обритой голове, но ничего не сказала. Алиса же чуть не расплакалась: Танины глаза уплывали от неё. Казалось, они сейчас высвободятся из глазниц и поплывут дальше, как плавают пёстрые рыбы в фонтане.

— Послушай меня! — Алиса схватила Танины руки, но Таня тотчас же с извиняющейся улыбкой высвободила их. — Ну, я не буду, я не буду, Тата!

Таня поспешно отвернулась.

— Садись, — прыгающими губами попросила Алиса. — Садись, моя девочка, я тебя покормлю.

Таня опустилась на стул, Алиса обвязала салфетку вокруг её тощей и длинной шеи, покрытой крошечными чёрными точками (доктор объяснил, что это пройдёт: загрязнённые поры!), и принялась кормить её кашей из ложечки. Таня ела с удовольствием, вытягивала губы к ложке, как это делают дети, когда их кормят, но при этом не произносила ни слова и не улыбалась. Съев всю кашу, она пробормотала что-то вроде «спасибо», легла на кровать и отвернулась к стене.

— Поспишь? — тревожно спросила Алиса. — Поспи, подремли. А мы погуляем с Илюшей. Он песенку выучил.

Она прислушалась с надеждой: бритая голова с натянутым на неё краем одеяла была неподвижна.

— Она нездоровая! — бормотала про себя гувернантка, широкими шагами пересекая коридор и входя в хорошо протопленную и чистую кухню, где няня, держа на коленях Илюшу, расчёсывала ему льняные волосы. — Она никого не узнала сегодня! Она не узнала меня! И себя! Она ещё больше больная, чем раньше!

Таня чувствовала, что все они ждут от неё чего-то, и помнила, что этих людей она любит или, по крайней мере, очень сильно любила раньше, но ужас был в том, что она больше не понимала, что это такое. Со дня на день ей должны были показать сына. Прежде она, бывало, не могла дождаться, когда закончится ночь и мальчик проснётся, поскольку не было ничего радостнее, чем взять его на руки и заботиться о нём. Теперь ей было страшно, что она прижмёт его к себе, а пустота на душе будет такой же, как сейчас. Утром, подойдя к окну, она увидела, что Дина садится в большую чёрную машину, и на ней чудесное чёрное пальто и каракулевая шапка, из-под которой, светясь, торчали волосы. Она понимала, что должна беспокоиться: в чью это машину так властно и самоуверенно садится её сестра и какая связь между этой машиной и котлетами, которыми пахнет из кухни? А ей это всё безразлично. Да, села в чужую машину. И шапку поправила. Шапку? Да, шапку.

«Умрём, и репей из нас вырастет», — вспомнила она нянину поговорку и тихо засмеялась, но тут же и всхлипнула.

На самом дне её существа лежало что-то настолько болезненное, что этого нельзя было касаться даже дыханием. Она не хотела помнить, что *это*. Так не хотела, что заболела тифом и провалялась без памяти больше двух недель. А когда тиф, не сумевший убить её, отступил, она, чтобы только *не вспомнить*, перестала чувствовать. Всё её существо защищалось от *этого*, как загнанный и обречённый зверь защищается тем, что притворяется мёртвым.

— Нет, я никого не люблю, — съёжившись, пробормотала Таня и потрогала мизинцем вспухшие розовые полоски от выпавших бровей.

И вдруг ощутила, что ещё немного, ещё одно слово, и она коснётся того, чего *нельзя* касаться.

Вечером доктор Лотосов, дёргая левой щекой так, что больно было смотреть на него, сообщил Алисе Юльевне и Дине, что тиф может дать любые осложнения, в том числе и на мозг, и психика переболевшего так же уязвима, как и все остальные органы. Радоваться нужно тому, что Таня не умерла, а на всё остальное не обращать внимания, поскольку она молодая, здоровая, и психика справится, всё придёт в норму.

— Она потеряла рассудок? — мрачно спросила Дина, наматывая прядь на палец и глядя на всех исподлобья.

От Дины пахло духами, и нога её в шёлковом чулке, положенная на другую — тоже в шёлковом чулке — ногу, начала непроизвольно постукивать по полу.

— О, не стучи ты! — сжимая руками виски, простонала Алиса Юльевна.

Дина сверкнула на неё глазами, но стучать перестала.

— Я не думаю. — Доктор Лотосов поднял красные, опухшие от бессонницы глаза. — Я надеюсь. Рассудок её, я надеюсь, в порядке. У нас есть кипяток? — вдруг сердито оборотился он к вошедшей из кухни няне.

— А как же:... — испуганно отозвалась та.

— Вы, может быть, чаю хотите? — торопливо спросила Алиса Юльевна. — Так я вам налью.

— И чай тоже есть? — Он искоса, быстро взглянул на Дину.

— И чай тоже есть, — громко ответила она. — И есть молоко. Для вашего внука. И мёд есть для Таты.

— За что я тебе благодарен, — хмуро ответил он. — Я всё оценил, и давно. И рад отплатить бы, да нечем.

Дина открыла рот, но ничего не сказала, только сильно, до корней волос покраснела.

— На Востоке, — продолжал доктор Лотосов, — когда человек перестаёт чувствовать, то есть ему всё становится безразличным, считают, что это хорошо, потому что такой человек ближе к просветлению и, как они говорят: слиянию с Богом. Не так давно немцы ввели в медицину термин De'personalisation, то есть потеря собственного «я», и этот психический феномен достаточно хорошо изучен. Началось, правда, не с немцев, а с французов, они, как известно, самые въедливые и самые изысканные...

— О чём мы сейчас говорим! — прошептала Дина. — Какие французы, какие открытия!

— К святому угоднику надо, — шамкая ртом, заплакала няня. — А кроме него, и никто не поможет. Теперь по церквам-то такое творится! Туда не зайдёшь! А к угоднику надо.

— Дайте вы мне закончить! — дёрнул щекой отец. — Я надеюсь и буду надеяться. Она бы, может, и не заболела вовсе, если бы не сильнейшее нервное потрясение. Мы знаем, о чём идет речь. И ты, Дина, знаешь. И вы, дорогая Алиса, поскольку вы ей и сказали...

Из круглых и выпуклых глаз Алисы Юльевны хлынули слёзы.

— Я виновата в том, что она стала как сумасшедшая? А разве, когда мне сказали, и я к ней пришла, и она мне сказала: «Ну что?» — разве я бы могла...

Дина вскочила со стула и обеими ладонями зажала ей рот.

— Алиса, вы здесь ни при чём! Папа! Алиса Юльевна не могла скрыть от Таты, что у этого... что у её...

— Я знаю! Да знаю я всё! — Доктор Лотосов резко отодвинул от себя чашку. Лицо его стало несчастным. — У Веденяпина забрали сына в ЧК, ему не до Таты. Он даже не знает, я полагаю, что она у нас тут чуть не померла!

Махнул рукой и закашлялся.

— И что же теперь? — тихо спросила Дина. — Теперь-то что будет?

— Я советовался со своими коллегами, в частности с доктором Лернером, психоневрологом. Он умный человек и врач первоклассный. Доктор Лернер считает, что эти симптомы должны постепенно пройти. Она увидит ребёнка, возьмёт его на руки... С ней нужно постоянно разговаривать, не оставлять её одну. Короче: я очень надеюсь.

— Я могу позвонить Веденяпину, — пробормотала Дина и посмотрела исподлобья. — Я попрошу его...

— Не смей! — крикнул доктор Лотосов и весь затрясся. — Я тебе запрещаю! Он ей и так всю жизнь искалечил, чёрт бы его побрал! Без него справимся! Ты слышала? Я тебе запрещаю!

В коридоре резко зазвонил телефон. Дина, как кошка, мягко, почти не касаясь пола, выбежала из столовой. Няня посмотрела ей вслед мокрыми глазами, из которых слёзы не выкатывались, а так и стояли, как будто не знали, куда им деваться.

— И Динку к угоднику... — прошамкала няня. — Ох, сглазили девок...

Через двадцать минут Дина Форгерер в лёгкой шубке, с лицом молодым, бархатистым от пудры, ещё сильнее пахнущая духами, заглянула в столовую, где Алиса Юльевна кормила румяного и пухлого Илюшу.

— Я на репетицию, Алиса Юльевна, — быстро сказала Дина и взмахнула ресницами. — Вернусь очень поздно.

Алиса Юльевна сердито и покорно посмотрела ей вслед.

— Какие сейчас репетиции? — пробормотала она и погрозила залезшему рукою в тарелку Илюше. — А ты не шали! У нас мама болеет!

Машина с потушенными фарами ждала Дину у той самой церкви, где много лет назад влюблённый, снимая и вновь надевая пенсне на шнурочке, Антон Палыч Чехов смотрел на свою черноглазую Книппер, как кролики смотрят на сытых удавов. «Согласен взять в жёны?» — «Согласен, согласен».

Но это и впрямь было очень давно. «Кто старое, — как говорится, — помянет...» А вот в ту минуту, как Дина спешила к погасшей машине, сама Ольга Книппер, весьма постаревшая, с седыми нитями в своих всё ещё густых, мелко вьющихся волосах, в тяжёлом весеннем пальто, подъезжала к Берлину, где труппа мечтала остаться навеки, но не получилось: вернулись обратно.

В Берлине же в эту минуту, в том самом большом ресторане «Медведь», где пели и шумно плясали цыгане, ел карпа в сметане муж Дины, и Соня, цыганка, с увядшею розой, большая, вся в огненном бисере пота, сидела, смеясь, на коленях артиста и розой его щекотала по горлу.

А так и бывает: всё в ту же минуту, и в ту же секунду, и в то же мгновенье. И главное: вечно. Пока ещё живы.

За рулём сидел плотный, смуглый даже в полутьме, со слегка опухшим лицом человек, белая рубашка которого, видная в до конца расстёгнутом пальто, казалась мраморной: столь жёстко была накрахмалена.

— Давно меня ждёте? — открывая дверцу, спросила Дина.

— Нет, только подъехал. Садитесь.

— Куда мы сегодня? — нахмурясь, спросила она.

— Хотите, я вас кое с кем познакомлю? Весьма любопытная дама. К тому же красива.

— Куда же мы едем?

— Мы едем в гостиницу. Сейчас она называется «Красный флот», а в прежние времена называлась «Лоскутная». Здесь недалеко, в Лоскутном переулке.

— Зачем она мне, ваша дама? — так же хмуро спросила Дина Форгерер.

— А вы познакомьтесь сперва и поймёте.

Бывшая «Лоскутная» даже внешне поражала своею грязью и запущенностью. Швейцара давно упразднили, и вместо швейцара у подъезда стояла группа молодых матросов, нетрезвых, в широких брюках-раструбах, и лузгала семечки. Рядом с ними на уже освободившемся от снега асфальте валялись пустые бутылки из-под коньяка «Мартель» и сильно пахло спиртным.

— Куда вы, товарищи? — Матросы заслонили вход.

— К товарищу Рейснер, — ответил спутник Дины Форгерер.

— Документ ваш, товарищ, — осипшим и злым голосом сказал один из матросов.

Динин спутник достал из кармана документы. Матрос долго изучал и наконец вернул с некоторым недоумением.

— У товарища Рейснер сейчас посетители. Товарищи писатели и товарищи поэты. Ей сообщили о вашем приходе?

— Можете проверить, — равнодушно ответил Динин спутник.

— И женщина с вами?

— И женщина со мной. Дина Ивановна, покажите товарищам свои документы.

— Не надо, — вдруг сказал матрос и смачно сплюнул себе под ноги пахнущую коньяком густую слюну. — Пускай так проходит.

— Алексей Валерьянович, пойдёмте отсюда! — зашипела Дина. — Ну, я не хочу!

Но матросы уже подтолкнули их к двери, пришлось войти. Старые бронзовые лампы, прежде миролюбивым светом освещавшие фойе с развешанными по стенам картинами, были побиты, и всюду валялись осколки. На картинах чернели пробитые пулями дыры. Бархатные диваны ржавели винными потёками и вмятинами от погашенных папирос. Грубо и кисловато пахло немытым телом и табаком.

— К товарищу Рейснер на третий этаж! Она в угловых апартаментах! — крикнул вдогонку тот матрос, который проверял документы.

В гостинице было тепло, и Дина скинула шубку, сбросила с головы вязаный шарф. На третьем этаже стоял дикий шум, словно за закрытыми дверями поселился табор. Алексей Валерьянович без стука вошёл в номер, на вызолоченной ручке которого чернела записка: «Ни шагу — без стука!»

Перед треснутым зеркалом стояла и красила губы очень высокая женщина, сложённая, как античная богиня. Всё было большим и прекрасным: и руки в больших перстнях, и ноги в щегольских ботинках, и волосы, крупными коринфскими завитками уложенные надо лбом, и глаза — спокойные и бешеные одновременно, похожие на спелые виноградины своим чистым зеленовато-солнечным цветом, которые вдруг очень ярко темнели, когда опускались густые ресницы. На женщине была стянутая широким ремнём кожаная куртка, верхние пуговицы которой от тепла в комнате были расстёгнуты, и плавная, длинная, статная шея белела, как шеи у статуй.

На кровати нарочно, как показалось Дине, чернел кусок пайкового хлеба и валялась непочатая бутылка водки, но рядом, на столе, дымилось блюдо с чем-то горячим, краснела тонко нарезанная колбаса, блестела икра с сизоватым налётом на мелких своих, плотно сдавленных зёрнах, и тот же «Мартель», разомлевший в бутылках, раскинул, как сеть, по неубранной комнате свой ярко цветущий, пылающий запах.

— Приветствую вас, Алексей Валерьянович, — весело сказала женщина в кожанке и протянула большую прекрасную белую руку.

Алексей Валерьянович шутливо поднёс эту руку к губам и вдруг отшатнулся.

— О Боже! Откуда же это?

— Колечко? — ещё веселее спросила женщина. — А это мы экспроприировали!

Алексей Валерьянович обернулся к Дине, удивлённо и исподлобья смотрящей на них.

— Знакомьтесь: Лариса Михайловна Рейснер, Дина Ивановна Форгерер, актриса нового театра.

— Вы что, комиссар? Почему вы вся в коже? — громко и резко спросила Дина.

— Я? Да, — прищурилась своими золотисто-зелёными глазами античная богиня. — Пойдёмте к моим знаменитостям, они здесь, в соседнем номере. Вовсю расшумелись, мерзавцы! Боюсь: напились там до чёрта! Пора бы прогнать, да душа не велит!

В соседней комнате Дининым глазам открылась совсем уж странная и, правду сказать, отталкивающая картина: три очень заросших и пьяных матроса с неправдоподобно большими маузерами, наполовину торчащими из чёрных штанов, с лицами свирепыми и опухшими от многодневного пьянства, бормотали частушки и громко выстукивали каблуками чечётку, не вставая со стульев, а рядом на диване, тоже пьяный и мертвенно бледный от этого, лежал златовласый Сергунька Есенин, хорошо запомнившийся Дине Ивановне Форгерер с того поэтического вечера, когда он читал о печальных берёзах. Томную и золотую голову поэта Есенина с помощью кобуры поддерживал коротко стриженный, с густыми чёрными бровями мужчина, который радостно оскалился при виде вошедшей в комнату Ларисы Михайловны Рейснер.

— Читали стишки да заснули. Уж вы не сердитесь, — свежим и тонким голосом сказал коротко стриженный товарищ. — Поэт! С поэта ведь спросу — как с птицы!

— Вы, Яшенька, тоже поэт, — светло засмеялась богиня.

— Какой я поэт! Я на службе. И вы, моя радость, на службе! Нам с вами не до развлечений.

— Знакомьтесь! — Лариса Михайловна плавно, как сам упоённый своей красотою и царственной силой взволнованный лебедь, развернулась к Дине и Алексею Валерьяновичу. — Товарищ Барченко и Дина Ивановна.

— А вы здесь зачем и откуда? — выпучил на Алексея Валерьяновича чёрные и живые глаза неизвестный Дине «Яшенька». — Какая нелёгкая вас занесла?

— Одна есть на свете «нелёгкая», товарищ Блюмкин, — спокойно ответил Алексей Валерьянович. — И вас занесла, и меня.

— А вы — коварная! — обнажив гниловатые зубы, засмеялся товарищ Блюмкин, обращаясь к Ларисе. — Никого не пропустите! Жадны вы до жизни, Лариса Михайловна!

— А я и до смерти жадна, — вдруг уронила голову с коринфскими своими локонами античная статуя, Рейснер Лариса Михайловна. — Кто знает, где смерть меня встретит? Сама не боюсь и других не жалею.

— Жестокая женщина, — усмехнулся Блюмкин, — ведь как усмирила восстание в Ижевске! Она ещё всем нам покажет!

— И что вы покажете? — вдруг так же решительно, резко и громко спросила Дина.

— А что захочу! — решительно, властно и громко ответила Рейснер и так же, как Дина, блеснула глазами.

Дина побледнела и закусила губу.

— Мне завтра на Волгу, потом дальше — в Крым. Кто знает, вернусь ли? Давайте хоть выпьем. Серёжа! Сергей Александрыч! Вставайте, дружочек! Прочтите нам что-нибудь... что погрустнее.

Мертвенно-бледный, с распухшими тёмными губами, Есенин разлепил невидящие ярко-голубые глаза и вдруг громко всхлипнул:

— Какую я видел дорогу! Зачем разбудили?

— Какую дорогу, Серёженька? — прищурилась Рейснер.

— А я прочитаю, какую, — мрачно сказал Есенин. — Эй, Яша! Плесните «Мартелю»!

Блюмкин доверху налил коньяку в стакан. Есенин припал к стакану тёмными своими губами и выпил до дна, без отрыва. Кадык на тщедушной, с маленькими детскими родинками шее ходил ходуном.

> Серебристая дорога,
> Ты зовёшь меня куда?
> Свечкой чисточетверговой
> Над тобой горит звезда.
> Грусть ты или радость теплишь?
> Иль к безумью правишь бег?
> Помоги мне сердцем вешним
> Долюбить твой жёсткий снег.
> Дай ты мне зарю на дровни,
> Ветку вербы на узду,
> Может быть, к вратам Господним
> Сам себя я приведу.

— Что, черти, молчите? — хрипло крикнул он на притихших матросов, закончив чтение. — Небось такого не напишете! Всё «пиф» вам да «паф»! — И он прицелился дрожащими, мучнисто-белыми и словно бы детскими кулаками в матросов. — А я — да, поэт! И во всей, — пьяным взглядом обведя комнату, крикнул он, — во всей, — понимаете, черти? — России мне равного нету поэта! И не было!

И снова упал головой на подушку.

— Ну, это ты складно стихи сочинил, — возразил один из матросов. — А мы тоже дело делаем! Мы всю эту гниду, всю мразь, мы её... — Он вдруг затрясся. — Мы её именем товарища Троцкого и нашей великой пролетарской революции, мы её всю по твоей этой дороге, как дохлую муху, размажем! В кровавую жижу затопчем! Верно я сказал, товарищ Рейснер?

— Верно, товарищ Железняков! — отчеканила товарищ Рейснер. — Казнили и будем казнить! Расстреливали и будем расстреливать! Без всякой пощады, и х... с ними!

Она озорно засмеялась и подмигнула Дине.

— Ах, Лариса Михайловна! — с деланой грустью вздохнул Алексей Валерьянович. — Что с вами-то, голубушка моя, эта жизнь делает!

— Со мной? — заливисто расхохоталась Лариса. — А ничего она со мной не делает! Пули меня не берут, от голода не подохла, в походе была, из вонючих луж вместе с братвой воду пила, у всех животы закрутило, а мне — ничего! А что матюгнусь под горячую руку, так как же без этого? — И белой античной своею рукой поправила выпавший локон.

— Пойдёмте отсюда! — шёпотом попросила Дина и по-детски потянула Алексея Валерьяновича к двери.

На улице она перевела дыхание и приостановилась.

— Перепугались? — спросил он.

— Я не из пугливых... — начала было Дина.

— Вы из непуганых, — перебил он. — Из *ещё* не напуганных. Пугливые здесь ни при чём.

— Кто эта Рейснер? — с надменной брезгливостью спросила Дина.

— Я думаю: сумасшедшая, — спокойно ответил он. — Кардинальное нарушение психики. В ней несколько разных людей: она и пишет, и музицирует, и политикой увлекается, и восстания подавляет. Сама и стреляет, сама и стихи сочиняет. Какая красавица, видели? Остра на язык, даже слишком. По суткам не ест и не спит. Нелепейший сгусток энергии. У нормальных людей такой энергии не бывает, а вот у сумасшедших — сколько угодно! Меняет любовников с варварской скоростью. Я вам не поручусь, что в этом номере был хотя бы один мужчина, с которым она не спала. Сейчас, слава Богу, революция, — он ядовито усмехнулся, — так что под революционную идею и не такое сойдёт! Вы видели, какие на ней кольца?

— Да, видела. Чьи это кольца?

Алексей Валерьянович пожал плечами.

— Да мало ли чьи. Хоть царицы. Она вон на бывшей царской яхте всю Волгу прошла, подавляла восстания. А там уж, на яхте, чего только не было! Ведь бегством спасались!

Они сели в холодную машину.

— Почему вы говорите со мною так откровенно? — прямо спросила Дина. — Отчего вы мне так доверяете?

— Милая моя! — Свободною правой рукой он обнял её за талию, а левой продолжал крутить руль. — Одной только вам я и верю. Кому-то же нужно мне верить, иначе рехнусь. Очень просто.

— А вы? — вдруг спросила Дина. — Вы тоже с ней спали?

— Я — нет. Хотя этого было не так-то просто избежать. Я сказал ей, что меня совершенно не интересуют женщины, она мне поверила.

— Но ведь они вас действительно не интересуют, — пробормотала Дина и тихо сняла его руку со своей талии.

— Я — мистик, Дина Ивановна. Мистики почти не разделяют людей на мужчин и женщин. Нас занимает исключительно душа, а если вдруг тело, то только такое, как ваше.

Она молча, исподлобья, посмотрела на него.

— Блюмкин меня знает прекрасно, — продолжал он. — А разыграл неожиданную встречу! Актер-недоучка! Он вам кого хочешь сыграет!

— Вы с ним... — запинаясь, спросила Дина. — Вы с ним на работе встречались?

— Ах, какая же вы прелесть! — засмеялся он. — Как в вас это прелестно: прямота ваша! Год назад ко мне на квартиру нагрянули гости: некто Карсавин, философ, поклонник стихии огня, тоже мистик, и Блюмкин, чекист.

— Откуда они узнали про вас?

— Ну, откуда? Вы думаете, в ЧК одна братва собралась? Нет, там есть люди самые разные. Авантюристы, одержимые, просто сумасшедшие. Убийцы, огромное число убийц. Вампиры, уроды. Ну, разные люди. Карсавин-то — кролик, блаженный, с него взятки гладки, он сам на крючке, а Блюмкин — опасный мерзавец. Набивается со мной в экспедицию, не знаю, что делать. Дзержинский велел, мне придётся терпеть.

— И вы не боитесь?

— Дина Ивановна! Мы же с вами обо всём говорили! Я боюсь. Но я умею выходить из страха. Пойдёмте, приехали.

Он выключил мотор и откинулся на сиденье.

— Вы подниметесь ко мне?

— А вы хотите этого? — спросила она дрогнувшим голосом.

— Я вас не хочу ни к чему принуждать.

— Да, я поднимусь.

Квартира Алексея Валерьяновича была на втором этаже большого дома в Староконюшенном переулке. Вошли в столовую — огромную, барскую комнату с высокими тяжёлыми стульями.

— Сейчас позвоню прислуге, нам принесут поужинать, — сказал он, не глядя на Дину.

Она отрицательно покачала головой:

— Я есть не хочу.

— Дина Ивановна! Я начинаю себя презирать. Я не понимаю вас. Вернее сказать: понимаю, но то, что приходит мне в голову, так оскорбительно, что я стараюсь об этом сразу же забыть.

— Я от вас ничего не скрываю, — сказала она и начала расстёгивать пуговицы на блузке.

— Да. Вы — редкая женщина. Я таких не встречал. А ещё актриса. Кого вы можете играть? Только саму себя.

— Те роли, которые мне предлагают, большого таланта не требуют.

— Пойдёмте, — прошептал он, отводя глаза от её тела, заблестевшего в расстёгнутой блузке.

В кабинете стоял простой диван, на котором лежали две большие подушки в пёстрых наволочках, горела настольная лампа и везде были книги: на столе, на полу, на подоконнике. Из-за книг были не видны ни инкрустации, ни шкафы с львиными головами на ручках, ни очень пушистый ковер, в котором ноги слегка даже вязли, как в пышной траве.

Дина Форгерер, молодая жена только что вконец опьяневшего в ресторане «Медведь», расположенном на Люксембургштрассе, и всё ещё мрачно склонённого над белыми следами съеденного карпа в сметане Форгерера Николая Михайловича, свободно прошла к дивану, свободно уселась на него, подложив себе под спину большие подушки. Посторонний ей мужчина, мистик и маг, хиромант и психолог, Барченко, Алексей Валерьянович, сел у её ног и поднял к ней голову так, как это делают собаки, не вполне уверенные в том, что их присутствие приятно хозяину. Нетерпеливым движением спины и шеи она освободилась от своей расстёгнутой блузки и теперь сидела перед глазами этого постороннего ей человека в тонкой белой сорочке, из которой её молодые и круглые груди выступали с тою же прямотой и открытостью, которая ей и во всём была свойственна.

Алексей Валерьянович осторожно провёл пальцами по её левой груди и осторожно поцеловал сосок, еле дотрагиваясь губами. Она слегка вздрогнула.

— Ложись, — попросил он.

Дина покорно легла на диван, не снявши своих лакированных туфель с большими блестящими пряжками, — подарок далёкого мужа. Хиромант, тёмный человек, работник научно-технического отделения Высшего совета народного хозяйства Алексей Валерьянович Барченко ловкими руками стянул с неё чёрную юбку, и теперь, белея в темноте слегка угловатым, заметно напрягшимся телом, она лежала перед ним с открытыми, блестящими глазами и, сдерживая дыхание, смотрела на него.

Он начал целовать её ноги в шёлковых чулках, потом её узкие бёдра. Тонкая сорочка мешала ему, и он одним резким движением сорвал её и отбросил на ковер. На ней остались только кружевные панталоны и чёрные чулки на подвязках.

— Сними, — прошептал он.

По-прежнему не отводя глаз от его лица, она сбросила с себя всё и замерла.

— Моя красота, — хрипло сказал Барченко. — Моё откровение...

Он быстро разделся до белья, быстро прошёл во глубину кабинета и вернулся с кальяном. Странный, слегка тошнотворный запах расплылся по кабинету. Дина лежала, не шевелясь.

— Вот это и есть то, что мне нужно, — шептал Алексей Валерьянович, вдыхая и выдыхая дым и в промежутке дотрагиваясь до её груди осторожными губами. — Твоя красота и твоё откровение...

Прикосновения его пальцев стали горячими. Дина слегка застонала, но тут же притихла.

— Не двигайся, не шевелись, — попросил он, — мне только смотреть на тебя...

Он прикрыл глаза и начал губами ощупывать низ её живота.

— Да, я был уверен, что это существует... такая красота... — бормотал он, всё глубже и глубже впиваясь в неё. — Никто мне не верил... А я говорил: она есть, и только она — откровение. И вот я нашёл... я обрёл наконец... Вы слышите музыку? Это *оттуда*.

Дина закрыла лицо руками, почувствовав его губы глубоко внутри. Алексей Валерьянович оторвался от неё, поднял голову:

— Твоя красота подтверждает догадки... лежи, ради Бога, не двигайся.

— Вы снова... гипнозом? — прошептала Дина.

— Ты сильная, ты очень сильная, гипнозом тебя не возьмёшь...

Она начал опять покрывать её тело легкими и осторожными поцелуями. И Дина опять застонала.

— Тихонько, тихонько, — зашептал он. — Ты хочешь поглубже?

Она замотала головой. Глаза её наполнились страхом.

— Давай я не буду касаться, а буду смотреть на тебя... Просто буду смотреть.

Ладонью он приподнял её голову, и Динины волосы, хлынув из-под его пальцев, закрыли половину его руки.

— Вот так, — прошептал он и отложил кальян в сторону. — Ты — тайна земли, ты — её откровение.

Несколько минут он молча смотрел на неё. Дина беспокойно рванулась над его рукой и громко, безудержно застонала.

— Что ты чувствуешь? — спросил он. — Мою силу ты чувствуешь?

Она закусила губу так, что кожа сразу же вспухла.

— Не хочешь? — прошептал он. — Хочешь сама?

Динино тело вдруг стало горячим и влажным. Она прижала к горлу пальцы левой руки, как будто хотела сдавить внутри горла свой стон, но стон разрастался: она закричала.

— Кричи! Ты свобода! Ты жизнь! Ты — Женщина Мира, — продолжал бормотать Алексей Валерьянович, всматриваясь в её запрокинутое лицо своими расширенными зрачками. — Умрут, все умрут, ты — останешься... В тебе родники всей Вселенной... Ты чувствуешь их?

Он вынул ладонь из-под её головы. Динино тело начало извиваться, почти падая с дивана. Лицо искривилось восторгом, которым, бывает, кривится лицо потерявшего разум. Горячая влага, напоминающая сильно разведённое молоко, хлынула из неё: ноги и диван стали мокрыми. Алексей Валерьянович подставил свою ладонь под эту влагу и радостно засмеялся:

— Вот так, моя девочка! Так, моя радость! Они говорят: революция! Они говорят: коммунизм! Да разве им, мёртвым, дано это счастье?

Дина зажмурилась, слёзы заливали её щёки.

— Какие потоки в тебе! Родники! И соли, и крови, и млека, и мёда! Вот так, моя девочка! Плачь, моя радость!

Через минуту она крепко спала, а Барченко Алексей Валерьянович, накинув пиджак на широкие плечи, сидел за столом и, пригнувшись к бумаге, писал, задыхаясь.

Через два часа Дина в купальном белом халате Алексея Валерьяновича, с полотенцем на только что вымытой голове, сидела с ногами на кресле в столовой и пила горячее молоко. Барченко, очень бледный и словно бы даже больной, сидел у её ног так же, как тогда, в кабинете.

— Что нынче? — тихо спросила Дина. — Удачно? Удался ваш опыт сегодняшний, да?

— Если вы так уверены, что я ставлю опыты, зачем вы приходите? Вы замужем. Я ни на чём не настаивал. На *вас* я никаких опытов не ставлю. Вы мне самому больше жизни нужны.

— Алексей Валерьянович! — резко перебила Дина. — Так не любят. Во всяком случае, я о такой любви не знаю. Но я другое знаю: вы меня сводите с ума. Я только и жду вашего звонка, я к вам бегу, как собачонка, я жить не хочу! Отпустите меня!

— Я вас не держу, — спокойно сказал Барченко.

— Нет, вы меня держите! Вы меня держите!

— Чем? Не пайками же! — Он брезгливо поморщился. — Я вас и без этого буду кормить. И вас, и всю вашу семью.

Она вспыхнула и вскочила с кресла.

— Я, наверное, единственный человек на земле, который знает, чем это всё кончится. Вся эта затея, — продолжал он. — Моя смерть мне тоже известна. Но я напоследок хотел бы пробраться...

Он замолчал.

— А впрочем, неважно. Не стоит об этом. Я вас отвезу. Куда вы? Домой или сразу в театр?

Она опустила голову в намотанном на неё полотенце и исподлобья посмотрела на него:

— Когда вы меня позовёте опять?

— Не знаю. Я, может быть, скоро уеду.

— Опять на Тибет? К мудрецам?

— Нет, сначала на Кольский. Простите меня, я устал.

— Выгоняете? — хмуро спросила Дина, и ярко-сиреневые глаза её почернели от слёз. — А я не уйду! Где ваш шофёр? Велите ему отвезти в Большой Воздвиженский молока побольше — мы Илюшу вашим молоком после ангины отпаиваем! — а я никуда не уйду! И не гоните меня! Вы же на мне, чёрт бы вас побрал, опыты ставите! Вам тело моё очень нужно для опытов! И мозг мой, и тело! А то, что во мне сердце есть, это вам безразлично! Кто там в ЧК у вас сердцем заведует?

Алексей Валерьянович медленно поднял на неё усталые глаза.

— У вас опять истерика, Дина. Это я виноват. Я переусердствовал. Простите меня.

Вдруг она вскочила с кресла, опустилась на пол, сильными руками развернула его к себе и прижалась к нему.

— Пусть у меня истерика, пусть! Вы же говорите, что истерика — это самое высокое состояние! Вы вон шаманов любите, потому что они всё время в истерике! Вы опиум курите! Вы и на Тибет собрались, чтоб только проверить, как там у них с истерикой, на что они способны, китайцы эти!

— Они не китайцы, — тихо возразил он.

— Ну, пусть не китайцы! Там все всё равно косоглазые!

— Дина, я не истерику изучаю, а массовые психозы, поэтому мне и чекисты любопытны, и сам...

Он вдруг замолчал. Она понимающе кивнула.

— Я знаю, про что вы, ведь мы говорили...

— Они меня тоже убьют, — прошептал он, усмехаясь. — Но, может быть, правда, не сразу. Там тоже есть мистики. Орден бесовский. А я им пока ещё нужен.

— Алёшенька, — умоляюще сказала Дина и изо всей силы обвилась вокруг него. Полотенце упало, и мокрые блестящие кудри завалили его плечи. — Не мучайте меня. Давайте хоть раз: так, как *это* бывает. Ну, как у людей. Без шаманов, без опия...

Совсем рассвело, когда машина Алексея Валерьяновича Барченко остановилась у церкви, где восемнадцать лет назад обвенчали Антона Чехова, великого русского классика, и Книппер, по паспорту немку, актрису из МХАТа.

Дина Форгерер, белая, как зубной порошок, в низко надвинутом на брови вязаном шарфе, и нестарый, но, судя по всему, утомлённый жизнью человек с немного опухшим лицом, одетый в ворсистое заграничное пальто, вышли из этой машины, причём в руках у мужчины была корзина, и, кажется, очень тяжёлая, и сбоку торчала из этой корзины бутылка с янтарным подсолнечным маслом. Не глядя друг на друга, они подошли к двухэтажному обшарпанному дому, и мужчина передал ей в руки и эту корзину, и масло с ней вместе. Потом Дина сразу исчезла в дверях, а он сел в машину и тоже уехал.

История знакомства Дины Форгерер и Барченко Алексея Валерьяновича была довольно простой. На одном из предварительных показов спектакля «Синяя птица», когда режиссёр театра, молодой и смертельно больной человек Евгений Багратионович, с глазами хотя и слезящимися, но очень яркими, как это бывает у очень больных, в сотый раз объяснял, как именно робкой цепочкой идти вслед за синей, невидимой птицей, когда он, смертельно больной человек, с еле заметными следами только что втянутого во глубину носа нежно сверкающего порошка, показывал сам, невзирая на боль, как двигаться сквозь белизну облаков (а целая сцена была в облаках, недавно пошитых из марли!), явились в театр большие начальники. И был среди них Алексей Валерьянович. Он сразу увидел в шеренге статистов, которых учили взбираться на небо (хотя не кормили давно и не грели, и кофе был жиже воды и грязнее!), он сразу увидел в шеренге статистов совсем молодую и гибкую Дину.

Надо сказать, что за год до этого в нетопленую квартиру к Алексею Валерьяновичу нагрянули нежданные, незваные и непрошеные гости в составе чекиста Якова Григорьевича Блюмкина и философа Карсавина Льва Платоновича, знатока религиозных учений европейского Средневековья и брата родного Тамары Карсавиной, волшебницы сцены, известной танцовщицы. Блюмкин Яков Григорьевич себя вёл довольно развязно и всё норовил заглянуть в разложенные на столе Алексея Валерьяновича рукописи. Карсавин слегка был смущён и расстроен, а может быть, просто завидовал славе хозяина этой холодной квартиры. Состоялся разговор, которого не запомнили даже водосточные трубы: настолько он был тих и предельно опасен. А ещё через два дня Алексея Валерьяновича отвезли прямо на Лубянку и прямо в объятья Дзержинского.

Что может быть хуже подобных объятий? А я вам скажу: ничего быть не может. Он, к счастью, и сам не любил обниматься, а если случайно и обнял кого-то, то этих людей очень скоро не стало. (По разным причинам, но дело не в этом!) А Барченко он, кстати, даже не обнял, напротив: был сух, хотя стул предложил.

Одним из недостатков сильного характера Феликса Эдмундовича было катастрофическое неумение выражать свои мысли. Он часто срывался на крик и на шёпот, поскольку совсем не умел говорить. Начнёт говорить и тотчас же сорвётся.

И в детстве таким был. Всё время молился, часами и днями стоял на коленях. Вокруг Рождество, детвора, мармелад, качели в саду и крокет с фейерверком, а он — на коленях. Увидит сестричек, бегущих смеясь, и тут же хватает за хрупкие локти: «O, to bardzo zle! Bardzo zle!» («О, это очень плохо! Очень плохо!») А дальше рыдания, клёкот конвульсий. Тяжёлый был, крайне тяжёлый ребёнок и мучил домашних, отчаянно мучил.

И вырос, а легче не стал. И так до конца не любил разговаривать. Пришёл он, к примеру, 20 декабря 1917 года в Смольный. На улице ветер, а в Смольном заседание Совнаркома. Тепло, но неубрано, грязь, матерщина. Кто хочет плевать, тот плюёт прямо на пол. Залез на трибуну товарищ Дзержинский. И тут же от всяческих слов отказался, так прямо им всем резанул, словно бритвой:

— У нас не должно никаких разговоров! Борьба — грудь со грудью! И только расправа!

А как обещал, так и сделал. Без всяких пустых разговоров, ненужных. Ведь как у поэта, который: «глашатай»? Мы, мол, помолчим, а уж вы говорите: теперь ваше слово, товарищ наш «маузер»!

С Барченко Дзержинский тоже был немногословен. Предложил прочесть курс лекций по оккультизму. В ответ на удивлённо поднятые брови Алексея Валерьяновича пояснил, что к оккультизму, равно как и к хиромантии, магии, психологии, гипнозу, телепатии и внушению, развивается большой интерес в среде товарищей чекистов, которые мечтают овладеть тайнами древних цивилизаций. Алексей Валерьянович не мог не согласиться, что это и важно, и крайне полезно. Из кабинета Дзержинского можно было выйти обратно на улицу лишь при одном условии: на всё навсегда согласившись. В ответ на это краткое и решительное согласие Алексею Валерьяновичу немедленно выделили большую и всегда прекрасно отапливаемую квартиру, прислугу, живущую этажом ниже, машину с шофёром и прочие вещи. Блюмкин, который изредка заходил, как он выражался, «на огонёк», всё время вёл речь о Тибете: пора бы нам всем на Тибет. Поучиться. Пополнить бы наши неполные знания. Алексей Валерьянович отмалчивался и просил передать «наверх», что лучше начать прямо с Севера, с лапландских шаманов. И там есть чему поучиться.

Сын Александра Веденяпина и Нины, жены его, Василий Веденяпин, недоучившийся в школе молодой человек, прошедший войну и истерзанный ею, второй месяц находился в заключении на Лубянке. Архитектура Лубянки была вся подчинена одному: наличию тюрем и мест заключения. Громадный дом бывшего страхового общества «Россия», выходящий своими окнами и на Большую Лубянку, и на Малую Лубянку, и на саму Лубянскую площадь, теперь занимала Всероссийская чрезвычайная комиссия с огромным количеством секций, подсекций, отделов и всяческих там подотделов. И здесь же, во внутреннем корпусе, где раньше была гостиница, размещалась и тюрьма Особого отдела ВЧК. На Большой Лубянке самым важным был дом № 14, бывший дом графа Растопчина — (до графа он принадлежал Салтычихе!), — в котором трудилась теперь МЧК (Московская чрезвычайная комиссия), и там находилась большая тюрьма и очень удобный подвал для расстрелов.

...Он спал, когда они пришли. Всё последнее время он старался как можно больше спать, потому что в том, что они придут, сомневаться не приходилось. Во сне он видел себя самого, едущего в переполненном и грязном вагоне, и слышал, как кто-то повторяет одну и ту же фразу: «Что, батюшка? Отвоевались!»

Он знал, что его документы в порядке, но он также знал, что это не имеет никакого значения. То время, которое он провёл в Самаре, в этих выправленных новых документах значилось как время, проведённое в госпитале на лечении. При том беспорядке и хаосе, которые навалились на страну и принялись крутить ею, ломая и кости, и зубы, сметая дома, выжигая леса, но, главное: всё удобряя обильной, горячей, солёною кровью, к которой покорно привыкла земля и даже ждала её так же, как раньше ждала, пока стают снега, чтоб напиться, — при этом беспорядке и хаосе можно было случайно уцелеть и так же (случайно, конечно!) — погибнуть. Он почувствовал гибель задолго до того, как переступил порог родительского дома, и, коротко ответив на вопросы отца и матери, солгав им про госпиталь и про лечение, пошёл в свою комнату и провалился. Его долгий сон был настолько глубок, что напоминал то, как, бывает, спят люди, перенёсшие болезнь, чудом не отнявшую у них жизнь.

Жить было уже ни к чему, да и страшно, но спать было можно, и он много спал.

Сквозь сон он видел напуганные лица своих родителей, причём особенно часто возникало красивое, очень худое лицо матери, которая, как он всегда об этом догадывался, нисколько и не умерла, а вернулась и снова вцепилась в него своей страстью. Он знал, что на их, на *чужом*, языке есть слово «любовь», но в эти большие кровавые годы, когда на глазах уходили под землю и люди, и лошади, и разверзалась земля, принимая в себя плоть за плотью, само это слово вдруг стало ненужным. Любовь заменилась желанием, страстью. Желанье и страсть никуда не исчезли, и даже почти погружённые в землю умершие лица людей и животных несли на себе искажение страстью, свидетельства их неостывших желаний.

Хорошо, что мамы не было, когда за ним пришли. Она могла сделать что-нибудь ужасное: вцепиться им в руки, к примеру. А так всё прошло хорошо и спокойно. Был дворник, знакомый ему человек, зачем-то всё время сморкавшийся в тряпку, и трое других — незнакомых, в тужурках.

В Москве было солнце, когда его вывели из подъезда, и он успел подумать, что скоро наступит весна. Странно, но это была первая свежая и здоровая мысль за последние несколько месяцев. Это была *отдельная* ото всего мысль, которая долго ждала той минуты, когда и ей тоже позволят родиться. Она родилась и вздохнула наивно: «Ах! Скоро весна!» Он не задал ни одного вопроса, ни разу не спросил: «Куда вы меня везёте?» Ни разу не крикнул: «За что? Вы ошиблись!»

Василий Веденяпин, который, уйдя из дому на фронт, был юным взволнованным мальчиком, и яркий, совсем ещё детский румянец стекал в его огненно-рыжие кудри, не сделался взрослым за все эти годы. Он сделался старым, седым, молчаливым, но мальчик внутри его так и остался.

Его привели в переполненную камеру, из которой ежедневно уводили десять, а иногда и двенадцать человек и тут же приводили других, новых. Первые три дня его даже не пытали. Следователь с очень белыми руками, на которых тонкая кожа блестела, как только что снятая со змеи шкурка, спросил его рвущимся девичьим голосом:

— Вам известно, почему вы здесь?

Василий Веденяпин отрицательно покачал своей поседевшей и только на лбу всё ещё ярко-рыжей головой.

— Расскажите нам о своих связях с генералом Каппелем, под началом которого вы служили в Самаре.

— Я не служил под началом генерала Каппеля, — ответил Василий Веденяпин, — я лежал в госпитале.

Следователь усмехнулся и вдруг по-французски сказал:

— Вы вредите самому себе, сударь.

Василию Веденяпину показалось, что он ослышался.

— Не вы один знаете иностранные языки, — сказал следователь по-русски и щёлкнул холодными пальцами. — Но мне не до шуток. Нам нужны имена людей, с которыми вы сталкивались, когда служили у врага социалистической революции генерала Каппеля в Самаре. Не упорствуйте, мы выбьем из вас имена. И не только.

Несколько красных пятен появилось на его шее. Василий молчал. Следователь вынул золотые часы, щёлкнул крышкой.

— Идите и думайте. Bonne nuit! (Спокойной ночи!)

Краткость этого первого допроса поразила его не меньше, чем поведение и лицо следователя. Соседом Веденяпина по нарам оказался Николай Иванович Тютчев, внук великого поэта. От страха он тихо молился всю ночь, а утром спросил у Василия:

— Как вы думаете: нас всех расстреляют?

Василий увидел, что внук низковат, с большим светлым лбом, и в круглых глазах было что-то медвежье.

— А вас-то зачем? — спросил он у внука.

— А всех остальных? — пробормотал внук. — Хотите: напомню?

И начал читать:

> Неохотно и несмело
> Солнце смотрит на поля,
> Чу! За тучей прогремело,
> Принахмурилась земля.
> Ветра тёплого порывы,
> Дальний гром и дождь порой...
> Зеленеющие нивы
> Зеленее под грозой.
> Вот пробилась из-за тучи
> Синей молнии струя:
> Пламень, беглый и летучий,
> Окаймил её края.
> Чаще капли дождевые,
> Вихрем пыль летит с полей,
> И раскаты громовые
> Всё сердитей и смелей.
> Солнце раз ещё взглянуло
> Исподлобья на поля,
> И в сияньи потонула
> Вся смятенная земля.

Дочитал и закрыл лицо руками.

— Это, наверное, Тютчев? — вежливо спросил Веденяпин.

— А кто же ещё? — глухо ответил внук из-под ладоней. — Он был монархистом, меня расстреляют.

Потом отнял ладони от щёк и засмеялся истерическим смехом:

— Если они меня выпустят, я всё им отдам! Все наши реликвии, вещи, картины! Всё, что осталось от деда и бабушки, все портреты. Даже икону Корсунской Божьей Матери отдам, фамильное наше сокровище. И сам буду тоже служить. Хоть сторожем в собственном доме, хоть кем... Но ведь всё равно расстреляют?

— Не знаю, — ответил Василий, всматриваясь в медвежьи глаза.

— А вы ведь такой молодой. Боже мой! Намного моложе меня! За что они вас? Да не отвечайте, не отвечайте! Я написал прошение на имя Ленина, мне говорили, что он был адвокатом или что-то в этом роде, он должен понимать! Я написал, что приношу в дар Советскому государству всё наследие Фёдора Ивановича Тютчева и в нашем бывшем доме, в Муранове, предлагаю устроить музей Фёдора Ивановича, где я готов совершенно бесплатно и бескорыстно работать... но он мне пока не ответил...

Ночью Веденяпина повели на допрос. В коридоре, освещённом маленькими лампочками, прямо на него вытолкнули человека, только что взятого из соседней камеры.

— Плотнее держитесь! — сказал конвоир. — Плечом подпирайте друг дружку! А ну, зашагали!

Он чувствовал жар чужого плеча на своём плече и чужое горячее дыхание рядом. Притиснутый к нему человек дышал тяжело и со свистом. За их спинами раздался выстрел, и тот, кто шёл рядом, упал, но упал он не сразу, а поначалу вцепился в его руку своею рукой и, падая, потянул его за собой, однако Веденяпин устоял, а только что бывший живым и так крепко дышавший, с горячим плечом человек опрокинулся навзничь, и на каменном полу, источая особенно резкий и густой в этом со всех сторон закупоренном коридоре запах, уже растеклась лужа крови. Веденяпин пошатнулся и остановился.

— Шагай, шагай! — приказал конвоир. — Пока мы тебя не прикончили так же!

Эта была не первая, не вторая и даже не сотая смерть из тех, которые ему выпало увидеть за четыре года, но страшная близость, телесная близость незнакомого человека, секунду назад с таким жаром и свистом дышавшего рядом и смешивающего своё дыхание с дыханием Веденяпина, вдруг что-то с ним сделала. Что? Он не знал. Как будто одновременно со смертью этого человека закончилась часть его собственной жизни. Он продолжал идти по коридору, освещённому редкими лампочками, он знал, что его ведут на допрос и что это тюрьма, но на этих простых вещах обрывалось всё то, в чём он был почему-то уверен. Он начал вспоминать свою жизнь, пытаясь привести в порядок хотя бы цепочку недавних событий, но вдруг ощутил, что вокруг пустота, он не понимает уже ничего и даже не знает, что значит «родился».

Весна в Берлине была чудо как хороша. Но, кроме весны, в жизни задержавшихся в этом городе русских людей наступило какое-то лихорадочное оживление. У всех появились вдруг планы. Солнце припекало так сильно, что женщины начали разгуливать по улицам без пальто, и в моду стремительно вошли брючные костюмы, мужские галстуки и короткие стрижки. Все были или казались красавицами, так шли женским лицам и тёмные тени, и яркая до исступленья помада, и эти тяжёлые длинные чёлки. Неделю назад замелькала Тамара Карсавина, жена британского дипломата. Поползли слухи, что её пригласили на те же самые пробы, в которых уже сняли Каралли. Так кто же получит ведущую роль и станет партнёршей великого Рунича? Роскошная фильма готовится, чудо! Название: «Зверь-человек», не слыхали?

Вечером второго мая в «Медведь» пришли обе: Каралли с Карсавиной. Обе голые, если не считать легчайших вечерних платьев, сквозь которые ВСЁ просвечивало. Соски так торчали у Веры Каралли, что дамы в «Медведе» глаза опустили: ведь всё по эскизам известных художников, таких туалетов нигде и не купишь! У Тамары Карсавиной вырез на худой, с торчащими лопатками спине не только доходил до талии, но даже и ниже спускался, а юбка была столь развязно короткой, что часто мелькали подвязки на бёдрах.

«Медведь» так и замер: смотрели, как голые звёзды, отставив свои мундштуки и выжав из губ по цветочку из дыма, прижались друг к другу щеками. Шептались, конечно. Ну, здравствуй, Тамарочка! Верочка, здравствуй! Как твой англичанин? А как там твой Лёня? Кто? Собинов? Что ты! Давно уже в прошлом! Ах, вот как! Да, так, дорогая! А кто же сейчас? Да вон он сидит! Узнаёшь?

Тамара Платоновна вскинула фиолетовые ресницы и подошла к Форгереру, вильнув своим шлейфом, как рыбка виляет хвостом в тихом море.

Николай Михайлович тяжело поднялся навстречу, припал к её нежной горячей ладони.

— Письмо получила от Лёвушки, брата, — быстро заговорила Тамара Платоновна. — По дипломатическим каналам пришло. Сочувствую, Коля, всем сердцем. Нужно вашей жене оттуда выбираться. Страшные вещи Лёвушка пишет. Он, правда, всегда фантазёр был, лунатик, но нынче, я думаю, правду сказал.

— И что он вам пишет? — потянувшись рукой к запотевшей бутылке, пробормотал Форгерер.

Жена британского дипломата понизила голос до шёпота. Вера Каралли деликатно отодвинулась.

— И те, и другие сошли с ума, озверели. Мне вот в фильме «Зверь-человек» роль предлагают, а мне стыдно! Стыдно мне, Николай Михайлович, в детских играх участвовать! Вот *там* теперь звери, а вовсе не в фильме! А мы здесь гуляем... Несчастная наша Россия!

— Что брат ещё пишет? — перебил её Николай Михайлович.

— Брата очень приблизил к себе некто Блюмкин, любитель всяческой мистики и авантюрист. Он брата буквально замучил вопросами. А сам, как напьётся, выбалтывает чёрт знает что под горячую руку. Не Лёвушку же моего ему бояться! А брат мне сюда часто пишет и очень подробно, как будто дневник. Душа разрывается, а поговорить-то ему там не с кем. В ЧК работает некто Романовский, женатый на одной очень плохонькой артистке, она начинала со мной в балетном училище, я её с молодости знала. Противная, мелкая тварь, завистливая до крайности. Во вчерашнем письме брат мне рассказал такой случай: у этого Романовского в подчинённых работал какой-то Мясоедов, недоучившийся гимназист, очень ревностен был по службе. Расстреливал тоже, но больше всего любил обыски. И произошло какое-то недоразумение: этот самый Мясоедов налетел с обыском на квартиру артистки, подружки жены Романовского...

Вера Каралли всплеснула руками:

— Господи Боже мой! Какое счастье, что нас там нет!

— Да не то слово, Верочка! Не счастье, а чудо. Божественный промысел! Так этот Мясоедов нашёл у артистки бриллианты, спиртные напитки, несколько очень дорогих отрезов, меха и всё это отобрал себе для личного пользования. Не будь эта артистка подружкой жены Романовского, никто бы ему и слова не сказал, но тут нашла коса на камень. Романовский узнал и рассвирепел. «В одиночку, — кричит, — мерзавца и расстрелять безо всякой пощады!» Но, вроде бы Блюмкин вступился. «Не стреляй, — говорит, — он отчаянный, мы его на самые опасные дела посылать будем! Он нам пригодится!» Брат пишет, что готовится какая-то экспедиция то ли к шаманам, то ли ещё куда-то, на Крайний Север, что ли, не знаю, но только оттуда никто не вернётся. Может, этих отпетых в подобные экспедиции посылают, а может, ещё куда-то...

— Нет, что про Москву брат вам пишет? — нетерпеливо спросил Форгерер.

— Тамара, ты не отвлекайся, дорогая, — с лёгкой иронией вставила Каралли, — у нас всё-таки законная супруга в Москве.

Николай Михайлович повёл на неё красным от лопнувших сосудов глазом.

— Да, Коленька, я понимаю! — воскликнула Тамара Карсавина. — Я сама как подумаю, каким опасностям Лёвушка подвергается, так меня в жар бросает! Я ему пишу: уезжай! А он всё медлит, не может решиться! То одно ему посулят, то другое, дергают, как куклу, за верёвочку! А ведь ещё месяц-другой, и поздно ведь будет! Сам написал мне, как Блюмкин ему проговорился, что верить нельзя никому: одни провокаторы! В ЧК знаете какой самый излюбленный метод? В камеру к заключённым подсаживают «наседку»!

И Вера Каралли, и Форгерер удивлённо посмотрели на неё.

— «Наседку»! — страстным шёпотом повторила Карсавина. — Это человек, который сидит в той же самой камере и заводит разговоры, чтобы как можно больше информации вытащить из заключённого. А потом, конечно, доносит куда нужно. А сколько там курьёзов, Господи! Страшно на улицу выйти: никогда не знаешь, вернёшься домой или нет! У брата был друг, врач, загнали его служить в Красную Армию — что делать? Жена, двое детей. Начал служить. Вдруг ночью машина и — сразу в ЧК. За что? За взятки, которые он якобы брал, освобождая от службы в Красной Армии. Сидит в одиночке. Потом случайно узнаёт, что по тому же самому делу ещё десять врачей арестовано, и все те арестованы, которые освобождение от службы получили. Однажды утром бросают ему в одиночку газету «Известия», а там список всех расстрелянных по этому делу! И в списке он видит свою собственную фамилию!

— Ошибка? — побледнела Каралли.

— Да никакая не ошибка! Всех их должны были ночью расстрелять, а в гараже, где расстреливают, места не было, там других расстреливали. А газета утром вышла со списком. Никто не подумал исправить.

— И что же? Его отпустили? — спросил Николай Михайлович.

— Кого там отпустят? Конечно, его расстреляли, но позже, на третьи сутки.

Форгерер подозвал официанта и расплатился. Официант, смазливый мальчик с усыпанным мелкими родинками лицом, ловко опустил деньги в карман, ловко и аккуратно пересчитал сдачу, поймал подброшенные Форгерером чаевые, быстро наклонил и снова вздёрнул прилизанную, чёрную, как у галчонка, голову.

— Вы воевали? — вдруг спросил его Форгерер. — Откуда вы здесь?

— На теплоходе «Корнилов» приплыли, — звонким голосом ответил мальчик. — С последним рейсом. Буря была, не приведи Господь! А воевать не воевал, не довелось, возрастом не вышел.

Николай Михайлович сгорбился и пошёл к выходу. Вера Каралли догнала его на улице.

— Коля! Вы, ей-богу, как ненормальный! Вы что, про меня забыли? Куда вы идёте?

— Домой, — буркнул Николай Михайлович.

Каралли мягко взяла его под руку.

— Я понимаю, что вы чувствуете, Коля, поверьте!

— Оставьте меня, — прошептал Николай Михайлович, — мне лучше побыть одному.

— Коля! Актёришка вы несчастный! Вам лучше побыть одному? А кто меня вчера умолял: «Ах, не оставляйте меня одного! Только не оставляйте меня одного!» Кто руки хотел на себя наложить?

Форгерер сморщился, будто лизнул лимон.

— Какие там руки! Пошлость какая! О Господи, Вера, неужели вы не слышите: ведь это всё фарс! Удрали мы с вами, вот и в ресторанах сидим, а *там* убивают.

Они остановились под фонарём, и видно было, как Вера Каралли сгорбилась и постарела на глазах.

— Мы спасаемся, Николай Михайлович, вот и всё.

— Крысы тоже спасаются, — резко ответил Форгерер.

Она помолчала, потом нежно и ласково попросила:

— Не убегайте от меня, я ведь вас не съем. Я вас даже от жены не уведу! Бросьте, Коля, ей-богу! Вам одиноко, мне страшно. Зачем нам сейчас расставаться?

Ночью Николай Михайлович проснулся и сел на кровати. Сквозь неплотно задёрнутые шторы пробивалась луна, и ранние робкие птицы уже пробовали свои вопрошающие голоса, отчего Николаю Михайловичу вдруг показалось, что он снова дома, в России, — быть может, на даче, а может, в усадьбе, — где тоже поют оробевшие птицы и пахнет травою... Но светлое это и тёплое чувство всплеснуло в душе и пропало: Форгерер вспомнил, что в России теперь революция, большевики, с которыми воюют белые, и кровь проливают и те, и другие, и будут её проливать ещё долго, но он, слава Богу, сейчас в безопасности... Тут Николай Михайлович отдёрнул одеяло и вскочил. *Она* ведь в России! А он в безопасности! В груди поднялась резкая разламывающая боль, и, схватившись обеими руками за сердце, он вышел в маленький коридор, потом на кухню, где медленно и тоскливо капала вода из плохо закрытого крана, сел на стул, согнулся и вдруг весь затрясся в рыданиях. *Она* была там, в этом аду, маленькая девочка, его жена! Он слизывал слёзы, поскольку давно отвык плакать, но они лились всё сильнее, затопляли лицо, широкие ключицы, голую, волосатую грудь, и руки его стали мокрыми. Он живо видел её перед собою: вот она стоит, в своём старом клетчатом платье, покусывая белыми зубами вздрагивающий лютик, и смотрит на него исподлобья. От солнца вспыхивают волосы, прилипшие к её потному лбу, приподнимаются брови, и страх в этих синих — нет, в этих лиловых — огромных глазах, детский страх! А вот она сидит с поджатыми ногами на диване и ест прямо из банки только что сваренное няней вишнёвое варенье: у неё ярко-румяные щёки, и растрёпанные свои волосы она отводит от лица рукою с зажатой в ней ложкой. Она отводит, забрасывает назад свои волосы, ловит его взгляд и вдруг так ужасно краснеет, до слёз, до испарины! Он вспомнил венчанье, во время которого она отводила глаза, не смотрела на него, как будто ей было неловко, а когда он надел наконец обручальное кольцо на её длинный и худой, с обгрызенным заусенцем палец и священник сказал им: «Поцелуйте жену, и вы поцелуйте своего мужа», она вдруг широко раскрыла эти глаза, блеснула ими так, что он чуть не отшатнулся, и вдруг обеими руками обняла его за шею, притиснула его лицо к своему.

Николай Михайлович заметил, что сильно запахло черёмухой, и птицы в окне стали громче, живее, но он не заметил того, что давно громко разговаривает сам с собою и стонет, и в кухне уже не один, потому что прямо за его спиной застыла знаменитая на весь мир балерина Вера Каралли в длинной и прозрачной ночной сорочке, с распущенными, волнистыми, ярко-чёрными волосами, которые подчёркивают бледность её лица и недоумённо приоткрытого, без всякой помады, почти что бескровного рта. Наконец она переступила босыми ногами по холодному полу и дотронулась до его плеча. Николай Михайлович сильно вздрогнул.

— Коля, — прошептала Вера Каралли, — идите ложитесь. Вы рыдаете так, что мне страшно.

Форгерер обхватил её обеими руками и мокрым лицом прижался к её молочно-белому животу, отчётливо обрисовавшемуся под прозрачной сорочкой и напоминающему закрытый и узкий бутон тюльпана.

— Мне ехать пора, дорогая, — пробормотал он. — Пора собираться.

— Зачем вам так рано? — наклонившись и губами захватив прядь его поседевших волос, спросила Каралли. — Поспите хоть час.

— Нет, ехать в Россию, в Москву.

Каралли ахнула:

— В какую Москву? Из Москвы все бегут!

— Ну, что же мне делать... У них там никто не остался: пускай их бегут...

— Коля, да там заставы на каждом шагу! Вы же не будете, как князь Гвидон, то комаром, то мухой оборачиваться! Вас сцапают на границе и расстреляют, как немецкого шпиона. И вы ей совсем не поможете!

Николай Михайлович остановившимися глазами смотрел в одну точку и не возражал ни слова.

— Вы первый человек, Коля, который держит меня в объятиях и думает при этом о другой женщине! — Каралли закинула голову и крепче прижала к своему телу его ладони.

Он быстро опустил руки и пошёл обратно в спальню. Покусывая губы и слегка усмехаясь, Вера пошла за ним. Он сидел на кровати и застёгивал рубашку.

— Да подождите вы, месье Форгерер! — с досадой сказала она и села к нему на колени. — Вы, Коля, ей не изменяете!

Разве вы меня любите? Нет. А я вас? И я вас. Мы просто товарищи, мы артисты, мы с вами друзья по несчастью. Ну, капелька, может, разврата закралась. Так это же капелька! Её в океане любви и не видно! Никто и разглядывать даже не станет! Мы с вами немножко погрелись, потёрлись слегка друг о дружку. Вы, кстати, знаете, что балерины — самые холодные женщины на свете? Я разве вам не говорила? Так я вам скажу. Нас почти с детских лет начинают поднимать мужчины. А как они нас поднимают? Вот так: между ног. — Она расставила ноги и показала, как поднимают балерин. — И там у нас самое твёрдое место! Железная кость! — Каралли засмеялась и поцеловала его нахмуренный лоб. — Я, Коля, вам вроде сестры. Ко мне ревновать — просто дикость.

— Замолчите, Вера, прошу вас, — сморщившись, сказал Форгерер.

Каралли встала с его колен и села рядом на постели.

— Я вас не удерживаю, кстати. — Она пожала плечами. — Хотите рискнуть? Ну, рискуйте. Но только сначала всё-таки напишите ей письмо и перешлите его через дипломатическую почту. Карсавина сделает. Она в этом может помочь, иначе письмо не дойдёт, перехватят. А вы не подумали, Коля, что ей ваше появление сейчас там, в Москве, головы может стоить?

— Алексеев, я слышал, приезжает сюда вместе с Немировичем, всю труппу везут на гастроли, — пробормотал Николай Михайлович. — Они собираются вернуться обратно, им там присвоили звание академического театра. Взяли под защиту государства.

— Ох, Константин Сергеевич! Купеческий ум, оборотистый! — засмеялась Каралли. — Тот ложного шага не сделает! Великий актёр, величайший! И Васька Качалов не промах!

— Я хотел попроситься к ним в труппу и с ними вернуться.

— Не надо! — вдруг страстно сказала Каралли. — Коля, родной мой, голубчик мой, только не возвращайтесь в Россию! Это чума, Коля! Оттуда сейчас бежать нужно, выползать оттуда, людей на руках выносить! Вы ей там не поможете, вы всех их погубите! Или вы, Коля, думаете, что подвал, где расстреливают по двести человек за день, это сказка? Газетам не верите, так хоть людей послушайте!

— Хорошо, я ей напишу, — пробормотал Николай Михайлович. — Вы правы, наверное. Я напишу и Христом Богом буду умолять её.

У него вдруг мелко задрожало лицо.

— Я буду умолять её, совру ей, что болен смертельно, я на всё пойду, лишь бы она послушалась!

Каралли задумчиво покачала головой:

— Там ведь у них маленький мальчик, вы мне говорили?

— Да, сын сестры Тани.

— В газетах писали недавно, что большевики собираются всех детей до семилетнего возраста вырезать, чтобы никакой памяти о том, что сейчас происходит, у детей не осталось.

— Но это ведь бред! — содрогнулся Форгерер.

— Конечно, на то и газеты! Но вы напишите в письме, что о ребёнке они обязаны подумать. Что ждёт там этого ребёнка? А он из дворянской семьи, между прочим!

Ребёнок из дворянской семьи спал, и мама его лежала рядом — она опять была рядом, и сегодня ему наконец-то сказали, что мама выздоровела и можно пойти к ней и даже обняться, — мама лежала рядом, вся заплаканная и почему-то в шапочке, похожей на ту, в которой ходила купаться в купальню, когда они, кажется, жили на даче, но он был тогда слишком мал и шапочку эту почти не запомнил. Они лежали рядом на маминой кровати, его лоб прижимался к её плечу, и мама то и дело поворачивала голову и целовала его в затылок. Он спал и почти не чувствовал её губ, зато сильно чувствовал тепло, которое насквозь пронизывало его сон, и помнил, что этим теплом была мама, лежащая рядом и всё ещё плачущая.

В самой середине сна он вдруг тоже заплакал, и это случилось потому, что ему приснилась девочка, которую они с Алисой видели вчера в сквере, и девочка поразила его тем, что не шла, как все люди, ногами, а ныряла на больших костылях, которые держала в обеих руках, упираясь в них и вскидывая очень острые плечи, под которыми торчали чёрные набалдашники этих её костылей, и, поравнявшись с ними, она внимательно, ласково и горько посмотрела на него своими очень ясными тёмно-карими глазами. И так посмотрела, что у него в душе перевернулось что-то, хотя он не понял: зачем, отчего, и знать ничего он не знал о душе, поскольку и слово «душа» ему не попадалось.

А мама, услышав, что он плачет, крепко обняла его — ещё крепче — и начала тихо раскачиваться вместе с ним и еле слышно бормотать ту песенку, которую он хорошо помнил:

> Молодец ты будешь с виду
> И казак душой,
> Провожать тебя я выйду,
> Ты махнёшь рукой!

И девочка сразу исчезла, а сон стал густым, светло-жёлтым, просторным.

И тут ворвалась, вся холодная, Дина и тут же залезла к ним под одеяло.

— Весна, а смотри: холодрыга какая!

— Тише! — прошептала Таня. — Ты так топаешь, что весь дом дрожит!

— Танька, какое счастье, что ты опять в здравом рассудке! Ей-богу, я думала, что ты так и останешься!

Таня показала глазами на Илюшу:

— А с ним что бы было?

— Вырастили бы! — присвистнула Дина. — Ты обедала?

Таня покраснела в темноте:

— Откуда у нас эта рыба, котлеты?

Дина вытянулась на кровати и руки закинула за голову.

— Я вас люблю, хоть я бешусь, хоть это труд и стыд напрасный, и в этой глупости несчастной у ваших ног я признаюсь!

Таня всмотрелась в её сильно и бессмысленно блестящие глаза.

— А ну подыши на меня!

— Да что дышать? Пьяная я, Господи, в дым я пьяная! Тебе ещё дышать нужно? Ну, дышу!

И сестра, широко раскрыв рот, задышала на Таню ароматным алкоголем.

— Где ты была? — отворачиваясь, спросила Таня.

— Татка, подожди! — зашептала Дина и быстро несколько раз поцеловала Таню в плечо. — Я вот думаю: что это за жизнь у нас, а? У тебя и у меня? Мать какая-то безумная, ей-богу! Сначала тебя бросила, потом меня бросила, и где она теперь, кто ей целует пальцы, мы с тобой даже и не знаем! Одно письмо в год: «Ах, милые доченьки!»

— Что ты гадости говоришь? — сморщилась Таня. — Какие сейчас письма? Бог знает, увидимся ли...

— А ну её, право! — пьяным смехом засмеялась Дина и тут же зажала рот рукой. — Я её раньше так любила, так любила! В детстве, бывало, она меня уложит спать и заходит в нашу с нянькой комнату на ночь меня перекрестить. А они с отцом каждый вечер куда-то уезжали: то в театр, то в гости. Она войдёт, вся разодетая, элегантная такая, что у меня от восторга горло перехватывало, — над губой эта её родинка, лицо молодое, узенькое, ресницы, чёлочка, а смотрит уже невнимательно, не обо мне уже думает, а о том, как вот она сейчас отцу покажется, и он ахнет...

— Она же из-за тебя, из-за твоего ревматизма, — возмутилась Таня, — они же с твоим отцом и жили тогда за границей только для тебя! Так что ты тогда говоришь?

— Ой, Татка, какая ты прелесть! Из-за моего ревматизма? Да у меня в три года никакого ревматизма уже и в помине не было! Вылечили! Мы в Биаррице его оставили! На тамошнем солнце!

Таня привстала на кровати.

— Ложись! — Дина сильной рукой уложила её обратно. — Я бы тебе в жизни этого не сказала! Но я сегодня пьяная, сегодня мне всё можно! Знаешь такую песню: «Ты едешь пьяная и очень бледная по тёмной улице совсем одна»? Или, может быть, это какая-то другая песня, а я слов не знаю...

— Ну что ты сейчас наврала? — прошептала Таня. — Про маму? Ведь ты наврала!

— Нисколько не вру, помолчи! — огрызнулась Дина. — Она там сидела, на этих курортах, потому что ей нужно было убежать ото всего! От тебя, от твоего отца, от своей совести! Ей трудно было жить с вами в одном городе в то время, как она давно в другой семье, с другим ребёнком, с другим мужем! А ты подрастала, у тебя глазки такие уже становились... Ну, как? Вопросительные! Вот именно: вопросительные! Она ведь всегда убегала. Сначала от твоего отца к моему, потом, когда мой отец умер, она от страха, что одна, опять к твоему бросилась, потом, когда революция началась, убежала в Финляндию — теперь уже ото всех: от тебя, от меня, от Илюшки даже, хотя очень ахала: «Мальчик, наш мальчик!»

— Замолчи!

— Я и молчу. — Дина закрыла глаза. — И больше тебе скажу: я на неё очень похожа. Ты, Татка, другая, ты в своего отца пошла и в Алису Юльевну. Этих можно на кусочки разрезать, они свой долг выполнят, а мы с мамочкой нежные, мы из другой породы, понимаешь? Нам знаешь что нужно? Не знаешь?

— Что? — отворачиваясь от её тяжелого дыхания, спросила Таня.

— Одно только нужно нам: счастье! Я про себя знаю, что я ничего не смогу вытерпеть, совсем ничего! Я всего боюсь! Это только кажется, что я такая бесстрашная, а я хуже Илюшки! И я совсем не могу, чтобы меня не любили, понимаешь? Чтобы мужчины меня не любили!

— Но Форгерер ведь тебя любит...

— Ах, Колечка мой? Да, он меня любит, но мне-то всё мало, всё мало! Я, Татка, скоро умру, поэтому мне всего мало! Я сумасшедшая, и в театр меня взяли потому, что я сумасшедшая! В театре таких очень ценят. Какая из меня актриса? Я шагу ступить не умею! Ну, может быть, шаг-то умею, а вот петь не могу, мне вообще медведь на ухо наступил, а там все умеют! Там все заливаются! «Ты едешь пьяна-а-ая и о-о-очень бледна-а-ая...»

Она закашлялась и засмеялась.

— Да что с тобой, Ди-ина! — Таня затрясла её за плечо. — Ну, ты мне скажи всё, как есть! Ну, Динка, голубка! Я, ей-богу, сейчас папу с Алисой позову!

— Папа в больнице, а Алиса спит сном праведницы, её не добудишься. Ляг. Вот так. Прижмись ко мне, обними меня. Татка, мне страшно. Я сейчас закричу, до того мне страшно.

— Ты видела что-нибудь? Слышала?

— Татка, ты знаешь: пока ты болела, я познакомилась с одним человеком?

Таня опустила глаза.

— Алиса сказала мне. Она сказала, что он какой-то большой начальник, и поэтому у нас теперь вся эта еда...

Дина хрипло засмеялась прямо в ухо сестры, прикрытое купальной шапочкой.

— Какая ты, Татка, смешная! Обритая! Ты без своих кос выглядишь как беспризорник. Их отлавливают на улице и сдают в детприёмник, там бреют и бьют. Кормить почти не кормят, самим не хватает, на улицу не выпускают. Они все убегают, конечно, при первой возможности! А что это я о беспризорниках вдруг заговорила? Не помню... А, ладно! Неважно. Алиса тебе говорила? Да что она знает, Алиса?

— Ну, ты мне скажи.

— Татка! Я такая грешная, такая тёмная, дурная! Ты таких и в глаза не видывала! Я гашиш курю.

Таня прижала ко рту обе ладони, глаза её почернели.

— Да нет! Ну, ещё не курю! — с досадой и в то же время смеясь, воскликнула Дина. — Но пробовала, мне понравилось. Летишь! О-ля-ля! А вокруг облака, облака! И тоже летят! Потом начинает сверкать, а потом чернота, проваливаешься куда-то, но весело! Страшно и весело! Чудо!

— Дина!

— Да я не об этом! Не перебивай меня! Видишь, я пьяная? Сейчас вот засну, будешь знать! Он пришёл на репетицию. А знаешь, какие у нас репетиции? По три, по четыре часа и всё без перерыва! А мы же голодные, нам же есть хочется! И зима, холод собачий! Багратионыч ведь ненормальный! Нет, правда, без шуток: совсем сумасшедший. У него — все врачи говорят — рак. Знаешь, есть такая болезнь? От неё никто не вылечивается и все сразу умирают. А он не знает, что ему осталось-то, может, один только год, а может быть, даже и меньше. Понюхает своего порошочка, глаза закроет и сразу — румяный, счастливый! Сидит в жениной шубе, в двух платках, — у него уж небось после всех его операций и кровь-то не движется, — ноги в валенках, руки в варежках. «Играйте мне праздник! Играйте мне солнце! Играйте мне радость!» А у нас зуб на зуб не попадает!

— Ну, дальше про *этого*... И не отвлекайся.

— Про *этого*? Ладно. Могу и про *этого*. Мы репетируем, стараемся, и вдруг они входят. И *этот* мой с ними. У него, Татка, глаза тоже сумасшедшие: пустые. Но это если только его уже хорошо знаешь, тогда и видишь, что они пустые. А если не знаешь, то кажется: тёмные, бездонные. Смотришь, смотришь, и голова начинает кружиться... Он подошёл ко мне и говорит: «Мне кажется, что вам пора отдохнуть». А я смутилась ужасно, хоть сквозь землю провалиться! Курить у тебя здесь нельзя? Или можно?

— Какое: курить? Здесь ребёнок!

— Ну ладно. Нельзя так нельзя. Я стою перед ним красная, но глаз не опускаю. Он говорит: «Пойдёмте покурим». Выходим из зала, стоим на лестнице. Он на меня смотрит, как на чучело в музее, и ничего не говорит! Совсем ничего!

— А ты что?

— И я ничего. И вдруг с меня всё начало падать.

— Как это?

— Не знаю. Сначала обручальное кольцо упало, потом цепочка, Колин подарок, потом трусы начали сами сползать, еле подхватила! Прижала рукой через платье и стою, боюсь пошевелиться.

— А он?

— Говорю тебе: ничего! Курит и смотрит как-то даже в сторону, мимо. Докурил и говорит: «Вы во сколько освобождаетесь?» Я говорю: «В четыре.» — «Мой шофёр может за вами заехать». — «Зачем?» — «Привезёт вас ко мне. Мы с вами поужинаем вместе. Согласны?»

Таня вздрогнула под одеялом:

— Я ни за что бы к нему не поехала!

— Ты? — презрительно спросила сестра. — Да ты побежала бы, Татка! Я-то холодная, меня не растормошишь, вон спроси у Николая Михайловича! Тот от отчаяния стихи читает: «О сколь милее ты, смиренница моя! И как мучительно тобою счастлив я!» Знаешь, о чём это? О том, как женщине ничего не нужно, лишь бы её в покое оставили! А ты — горячая, ты — другое дело! Ты вон от убитого Шатерникова младенца умудрилась родить, Александру Сергеевичу своему так давеча посочувствовала, что чуть на тот свет не отправилась! С тифом слегла! Он знает хоть, что с тобой, где ты?

— Молчи! Не хочу!

Дина вдруг схватилась за голову и зарыдала:

— О Господи! Как же мне плохо! Даже ты, Татка, даже ты...

— Не смей здесь рыдать! — оборвала Таня. — Илюшу разбудишь! Кому сейчас весело? Мне, что ли, весело? Волчаниновым, думаешь, весело? Ольга на базаре пирожками торгует! Мать слегла, о брате я не говорю...

Дина вытерла слёзы обеими руками.

— Да, верно: поплакали, хватит. Я тебе в двух словах расскажу. А раньше, учти, и сказать было некогда: ты же болела! Как я боялась, что ты помрёшь! Няня сидит на своей перине, причитает: «Помрёт наша Танечка! Ой, сердце чует!» У нас уже тогда и молоко в доме появилось, и шоколад, даже сардины, — да, даже сардины! — а ты губы сжала, не ешь, пить не хочешь! Горишь вся, притронуться страшно!

— Откуда сардины-то вдруг появились? — тихо спросила Таня.

Дина порывисто вздохнула.

— Смотри: а ведь я протрезвела! Откуда сардины? Танюра, *он* маг, понимаешь? Ты думаешь, это вот «я»? — Дина размашистым жестом ударила себя в грудь. — Какое там «я»? Он у меня всё отобрал: и волю, и мысли, и всё. И с самого первого дня! Привёз меня шофер. В квартире блестит всё. Я книг столько в жизни не видела! Стол накрыт. На столе... Ну, лучше не спрашивай! В наше-то время! Едим, вино пьём. У меня кусок в горло не лезет. Он спрашивает: «Что это вы так скромно? Вы разве не проголодались?» Я говорю: «Очень проголодалась. Но у меня дома сейчас тоже, наверное, ужинают, оладьи из гнилой картошки едят». Он сразу нахмурился: «Я позабочусь». А ты меня знаешь: я ведь всегда сразу говорю, что в голову приходит, два раза не думаю! Я говорю: «Вы меня своей любовницей собираетесь сделать, Алексей Валерьянович? Иначе бы не обещали, наверное!» А он говорит: «Мне, Дина Ивановна, женщины не нужны! Я другими вещами интересуюсь». И объяснил, почему его большевики на работу взяли, откуда все эти богатства, квартира и всё это... И просто так, знаешь? Вдруг взял да и всё рассказал. Я говорю: «Но вы-то зачем им?»

Она замолчала, блестящие глаза её заметались по комнате.

— И что он ответил? — испуганно прошептала Таня.

— Какие мы все глупые, Тата! Мы ведь самого главного не понимаем! Ты думаешь, что большевики — это просто так? Шваль какая-то, да? Нет, он объяснил! Только у меня голова совсем слабая сегодня, зря я столько коньяку выпила, я пить не умею! Не смогу тебе толком пересказать. Но он говорит, что большевики — это и есть приход Антихриста. Да! Что ты так смотришь? Он сказал: «Вы знаете, что такое конец света?» Но я, конечно, не помню, я Библию совсем не знаю. Он говорит: «Общего для всех людей конца света не будет. У каждого человека, у каждого народа — свой конец света». Я говорю: «Так мы, значит, все умрём?» — «Для этого, — говорит, — даже и умирать необязательно». И что-то ещё объяснил. Ну, неважно! Тогда я его спросила: «А как же народ?» И он засмеялся: «Наш народ про самого себя так сказал, что точнее не бывает: «Из нас, как из дерева: и дубина, и икона».

— Я не поняла: зачем он всё-таки большевикам? — прижавшись губами к Илюшиным волосам, пробормотала Таня.

— Зачем? Они же боятся! Боятся, что всех их убьют. Не верят друг другу. Им тоже ведь нужно спасаться! То ли на Север бежать, то ли на Тибет, то ли под землю уйти! И там тоже что-то построить, какие-то жуткие тюрьмы! Сейчас они других убивают, а потом друг друга начнут убивать. Он мне сказал, что среди них такие есть, которые и в другие миры верят. Но не так, как мы привыкли, не в Царство Божие, а в какие-то другие миры! А он ведь про это всё знает. Он маг. И по звёздам умеет читать.

— Откуда ты знаешь, что не шарлатан? — Таня подняла голову. Лицо её горело.

— *Я* знаю, — ответила Дина

— Откуда ты знаешь?

— Он на мне свою силу проверяет. Вот откуда. Он сразу сказал, в первый вечер: «Вы очень упрямая, Дина Ивановна, у вас невероятная воля. Хотите со мной поработать?» — Она словно вспомнила о чём-то, лицо её потемнело на фоне белой подушки. — Только больше меня ни о чем не спрашивай! Я тебе ни слова не скажу! И не смотри на меня! Что ты на меня так смотришь? Хочешь, чтобы я из дому ушла? Я уйду! Я ведь тебе сказала, что очень на маму похожа! Не смей на меня так смотреть!

— Да я не смотрю! Голубчик ты мой! И спрашивать тоже не буду! Ты только не мучайся так! Ты всех нас спасла! Ты ведь всех нас спасаешь!

Дина уткнулась лицом в её плечо.

— Тата! Я ни маму, ни папу, ни Колю — никого! — даже наполовину, на сотую долю так не люблю, как тебя! А ты от меня всё скрываешь. Ты об Александре Сергеиче знаешь что-нибудь?

— Почти ничего. — И Таня тихо заплакала, стащила с обритой головы шапочку, вытерла ею глаза. — Он мне передал записку позавчера. Зашёл к нам сюда, подниматься не стал и сунул записку Алисе.

Дина развернула клочок бумаги, близко поднесла к глазам. Написано было: «Я *в ужасе*».

— Сын его *там?* — поежилась Дина.

— Да.

— Татка, я знаешь что слышала? Мне Алексей Валерьяно-вич говорил. У *них* можно человека выкупить!

— Как: выкупить?

— Ну, как выкупают?

Таня рывком села на кровати.

— Я пойду к нему! Он ведь этого, наверное, не знает!

— Не ходи никуда! Ты и не дойдёшь, свалишься по дороге! Я поговорю с Алексеем Валерьяновичем. Задам ему один вопрос. Он сам ведь сказал мне...

— Что?

Обеими руками Дина подняла над головой свои огромные запутанные волосы.

— Что я — это вся его жизнь.

И так тихо, так страстно и уверенно произнесла она эти слова, так просияло в темноте её вдруг ставшее жадным и даже слегка сумасшедшим лицо, что Таня испуганно вздрогнула.

Когда же, наконец, за её младшей сестрой, которую она первый раз в жизни увидела пьяной и испугалась этого почти так, как если бы вдруг увидела её раненой или мёртвой, захлопнулась дверь, Таня подошла к окну, откинула занавеску и в тусклом свете единственного на весь переулок фонаря ещё раз прочла: *«Я в ужасе»*. Она стиснула зубы, зажмурилась. Как хорошо было, когда она начала уже выздоравливать и душа её ничего не хотела ни знать, ни помнить! И как дымно, как странно путались в голове мысли, — нет, даже не мысли, одни их обрывки, из которых невозможно было связать даже самого простого узора! Она помнила, что первое, что ей хотелось сделать, когда болезнь отступила от неё, это спросить у тех, кто радовался тому, что она выжила, и ухаживал за ней: заметили ли они, что все эти три недели её не было здесь, с ними? Они ухаживали за ней и спасали её тело, которое то сухо горело, то покрывалось испариной, и ноги её отекали, и сердце останавливалось, и мелкая, как бузина, сыпь осыпала живот, — они спасали это тело, которое, оказывается, само по себе ничего и не значило, потому что душа, испугавшись того, что происходило с ним, как будто бы сразу куда-то исчезла и вместе с собой унесла и всё то, что было действительно Таней: и страх за ребёнка, и страх за отца, и любовь к Александру Сергеичу, и колкую нежность к уехавшей матери, которая перемежалась с обидой, и много всего, очень много, что к телу её вовсе не относилось...

Те несколько дней, когда она почти не реагировала на окружающее, ни о чем и ни о ком не спрашивала, но только пила, с дикой жадностью ела, и снова пила, и спала так беспечно, в такой глубине, тишине, безразличье, что близкие люди не знали, что думать, — те несколько дней было отдыхом тела не столько от боли, озноба и жара, но больше всего: от души самой Тани...

Теперь она уже знала, как именно и в какую минуту отдых её оборвался. Она лежала в постели после завтрака, принесённого Алисой Юльевной с её швейцарской чистотой и точностью, особенно странной сейчас, в это дикое время, лежала в своей купальной шапочке, похожая на мальчика-подростка, вытянув вдоль одеяла почти голубоватые от проступивших вен руки, и вдруг няня, опухшая от беспрерывного тихого плача, вошла к ней с Илюшей. Она помнила, как увидела сначала няню и её большое, мокрое от слёз лицо, которое почти не вызвало в ней ничего, кроме досады и смутной вины, поскольку няня и плакала-то больше всего от вечного страха за Таню, и тут же, после этого красного няниного лица, что-то вдруг со страшною силой ударило её изнутри, она ощутила боль, от которой нужно было закричать, но силы кричать ещё не было, и она застонала. Её собственный родной ребёнок, с глазами такими голубыми, что они как будто цвели под шапкой пушистых и лёгких волос подобно тому, как цветут васильки, как фиалки цветут, незабудки, лаванда, — её ребёнок, в котором больше всего было доверчивости и только слегка ощущался испуг (вернее сказать: не испуг даже — робость!), так близко подошёл к её кровати, держась за няню, что она почувствовала на своей щеке его дыхание. Она застонала и потянулась к нему. И он потянулся к ней, прижался к её исхудавшим рукам, которые начали быстро и судорожно гладить и ощупывать его так, как слепые ощупывают тех, которых никогда не видели глазами.

Феликс Эдмундович Дзержинский, насколько мы можем судить, не убил ни одного человека, и ни одна, стало быть, капелька крови не запятнала ни его чистых рук, ни его старых, давно не чищенных и разношенных сапог, которые он, не считаясь с врождённой дворянскою, польскою склонностью к шику, ни чистить, ни даже сменить не подумал. Однако с котёнком играл, чему были свидетели. На каторге где-то, а может, в остроге, приблизил котёнка и долго играл с ним. А скромности был, говорят, необычной. Хотя... Это, кстати, не скромность, а хуже: унылое бешенство мёртвой идеи. Как всякое бешенство — крайне опасно.

Вот, скажем, к примеру: обед в ВЧК. Приносят судки, всевозможные плошки. Обедать, товарищи! Хриплые и суровые товарищи встают в весьма длинную очередь. А Феликс Эдмундыч? Работает, ясно. А кушать он будет? Ну, надо покушать, такого труда даже лошадь не стерпит!

Феликсу Эдмундычу всё норовили скормить чего-нибудь сытного и повкуснее: родной человек и к тому же начальство. Несут ему, скажем, котлету с перловкой, кисель из морошки, сметану, яичко.

А он побледнеет весь в негодованье:

— Сегодня, товарищи, что там к обеду?

— Сегодня конина, товарищ Дзержинский.

— Зачем же вы *мне* дали эту котлету? Я проше конины и только конины!

Короче: он был человеком идеи.

(В отличие от своевременно покинувшего шалаш Зиновьева, который именно в одна тысяча девятьсот девятнадцатом году, ставши главою Коминтерна, очень увлёкся постыдными предметами бытовой роскоши и даже в еде себя не ограничивал!)

Были ли у Феликса Эдмундыча какие-то фантазии? А как же не быть? Очень даже и были. В восемнадцать с половиною лет, когда нежная отроческая пора во всей своей пылкой, цветущей наивности вступает в суровую зимнюю пору — поскольку сурова, загадочна юность, и многого хочется, даже и злого, и бесы тебя раздирать начинают, скрипят по твоей нежной шее когтями (а кажется: «Ах, золотые денёчки, ах, время невинности и упоенья!»), — вот именно в эту суровую пору высокий и стройный паныч с золотистой, хотя уже острой и гордой бородкой утратил любовь и доверие к Богу. Из сердца его злые бесы когтями своими кровавыми выдрали Бога. Осталась одна пустота, сгустки крови. Но так, как уже повелось в этом мире, увидев своё отражение в небе, где было по-прежнему тихо и ясно, своей пустоты пустота ужаснулась и тут же наполнилась строгим марксизмом. (Не целым, конечно, но этой программой... Да как её, Господи? Вроде: «этрусской»!)

И вот, уже кашляя палочкой Коха, слегка полысевший, но с той же бородкой, Эдмундыч пришёл в ВЧК. Он часто там и ночевать оставался: постелют ему в кабинете, и дремлет. То часик подремлет, то два, но не больше. А дома что, лучше? Нисколько не лучше. Жена да сынишка по имени Янек, тишайший, не любящий папу ребёнок. Хотя тот же Янек и вспомнил однажды, как папа на даче ходил на охоту. А сколько зверей приносил он из лесу! Придёт, весь в крови, разбросает по лавкам: и лисы, и белки, и зайцы, и дятлы! Конечно: разрядка — великое дело.

Так вот о фантазиях. В отличие от тех товарищей, которые работали рука об руку с товарищем Дзержинским, но не обладали фантазией вовсе, он часто, закрывши глаза цвета пепла, себе представлял то прекрасное место, где нет и не будет врагов революции. Здесь, в этой огромной и страшной, покрытой лесами, снегами России, он, бедный, до изнеможенья, до дикой мигрени, сидел и писал: «Расстрелять», «Утверждаю». В отличие от сильно пьющих и — если уж правде в глаза — то ленивых, но истинно русских людей Эдмундович с ленью нисколько не знался. Какое там спать, когда принесут часов в десять, скажем, вечера к тебе в кабинет списки для утвержденья, и сердце в груди сразу бьётся, как колокол?! Какое там спать и зачем, если нужно под каждым вот этим чернильным листочком поставить своё: «Утверждаю. Дзержинский»?

Рука немела, губы были почти синими, и синее, мёртвое безумие стояло в его небольших глазах, когда, подписавши всю груду расстрелов, он падал на стол головою, а сердце всё не затихало, всё ныло: «Ещё мне несите! Ещё! Проше, проше!»

Однажды вот вышел курьёз, все смеялись (не очень, конечно, а так, усмехались!). Сидели товарищи на каком-то важном совещании. И, чтобы не терять драгоценного времени, товарищ Дзержинский передал через другого товарища в президиум товарищу Ленину список на ровно полторы тысячи фамилий со своим — под каждой фамилией — вопросительным знаком. Ильич пробежал засмеявшимся взглядом, прищурился ленинским добрым прищуром и сразу под всеми поставил свой крестик. Дзержинский кивнул и тихонечко вышел. К утру все полторы тыщи расстреляли. (Пришлось обратиться к китайским товарищам, своим бы не справиться за день: пять тысяч!) А Ленин узнал, так и ахнул: «Ну, Феликс! Я крестик-то этот поставил: мол, знаю, потом потолкуем!»

Идея была: в чистоте. Чтобы чисто! Пусть кровь. Это чисто. Пусть даже и сгустки мозгов на дровах. Пусть кожи куски на песке и цементе. (Китайцы-товарищи очень вот любят: отрежут кусочек спины и рассмотрят!)

Всё это, телесное, грубое, — мелочь. Чиста быть должна лишь *душа революции*. Эдмундыч старался. Не спал, ел конину. А если бы нужно, то съел даже кошку. Котёнка того, кого гладил в остроге, уж точно бы съел, не моргнув даже глазом. Но с новой немыслимой силой отчаяние охватывало его, когда на машине он ехал по улицам. О Боже мой правый! Да вот они: люди! *Живые*. С детьми, с кошёлками, с сумками, в шляпках. И платье в цветочек. А что там — под шляпкой? Что там — под цветочком? Нет. Надо работать. Работать. Работать. Но только достичь чистоты, Боже правый!

Он не уважал Блюмкина. Впрочем, он никого не уважал. Но Блюмкин был юрок, как ящер. И он выполнял поручения. Не пил, как Магго. Не срывался, как Кедрин. И когда Блюмкин рассказал ему про затею этого Барченко — найти на Кольском полуострове ушедшую под землю древнюю цивилизацию, которую сам Барченко именовал Гипербореей, когда этот странный, с гудящим из горла и медленным голосом Барченко предстал, наконец, перед глазами самого Феликса Эдмундыча и ясно сказал, что есть два только места, где можно достичь чистоты революции: Тибет — это раз и ещё —

Крайний Север (вернее сказать, подземелье на Кольском!), Дзержинский вдруг свято поверил. Так свято, как только умел. До самой последней кровинки безумья. Барченко не сомневался в том, что одного его не оставят, что за каждым проводимым им в подвальной лаборатории ЧК опытом по передаче мыслей на расстоянии следят во сто глаз, и уйти не удастся, но нужно тянуть было время, тянуть! К тому же теперь была женщина. Дина.

За пару недель, проведённых в камере, сначала переполненной людьми, потом — в одиночной, где свет резал ночью зрачки, словно бритва, Василий Веденяпин понял, что всё в его странно коротенькой жизни, наверное, было ошибкой. Не нужно было бросаться ни в какие крайности, нужно было просто тихо — о, тихо, беззвучно, неслышно! — дышать. Ведь это же главное. Потому что, когда его начали бить, именно дыхание принялось останавливаться. Его били в живот, по спине, по голове, ему выкручивали руки, надавливали на глазное яблоко пахнущими табаком пальцами, и боль была адская! Но когда в самый первый раз его ударили так, что остановилось дыхание, и он начал судорожно ловить губами ускользающий воздух, а воздух не шёл, и всё стало темнеть, и вдруг он увидел, как сам он уходит (какая-то доля секунды возникла, бруснично-кровавая, с синим и жёлтым!), — тогда он и понял: дышать! Только это.

Тогда же возник дикий страх. Ужас смерти, которую он вроде знал, вроде видел. Но всё это было не то: умирали *другие*. И смерть была тем, что бывает с *другими*. Теперь, когда это должно было вот-вот случиться с ним самим, он закрывал глаза и видел перед собою одно и то же: не маму, как раньше, не папу, не женщин, среди которых главной и самой сияющей, самой горячей была неизменно Арина, он видел не их и вообще не людей, он видел огромную целую землю. Всякий раз, забываясь коротким, но странно глубоким, похожим на обморок, сном, он видел перед собою райские картины. Все они были странно знакомыми, потому что он чувствовал, как близко цветёт сирень, как шуршит под пальцами белая накрахмаленная скатерть, как его губы обжигает горячим шоколадом, но за всем этим — знакомым и давним — стояли необычайной красоты горы, белели снега, и прямо в руки ему катились холодные спелые волны никогда прежде не виденного океана... И там он дышал глубоко, во всю силу.

А главное: он не хотел ничего. Ничего того, что только помешало ему и притянуло смерть к его прежнему, глубокому и счастливому, дыханию. Зачем он пошёл на войну? А раньше, ещё до войны, зачем ему нужно было вмешиваться во всю эту распрю меж мамой и папой? Зачем он отпустил от себя Арину, а не бросил всё, не переоделся каким-нибудь сербским крестьянином, не утопил в реке документы, не ушёл вместе с нею куда-нибудь в горы, к холодным вершинам, названья которых он даже не ведал, но где-то должны они быть, ведь должны же! А зачем он взялся донести никому не нужную уже информацию генералу Каппелю, спрятавшемуся в Самаре, зачем нужно было с фальшивым удостоверением пробираться через половину России к этому великодушному, наивному, безрассудному и жестокому — как все, кто хоть раз воевал и убил, — генералу? Бессмысленно, глупо, да, глупо.

Ночью его разбудил знакомый крик: «На допрос!» Его повели. В кабинете следователя боком к вошедшему Веденяпину сидел грузный, с лохматыми волосами незнакомый человек. Как только Василий вошёл, в лицо ему направили сильный электрический свет.

— Садитесь, — сказал ему следователь. — Вот товарищ Барченко, знаменитый учёный, приехал поговорить с вами.

Товарищ Барченко встал со стула.

— Василий Александрович, — медленным и слегка гудящим голосом сказал он. — Ответьте: вы видите сны?

Веденяпин вздрогнул: ему показалось, что он ослышался.

— Нет, вы не ослышались, — усмехнулся знаменитый учёный. — Вы видите сны?

— Да, вижу, — сказал Веденяпин.

— И что же вам снится?

— Бывает, что горы.

— А воду вы видите?

— Воду? Да, вижу.

— Холодную?

— Очень.

— Вы можете плыть в ней?

— Во сне?

— Да, во сне.

— Наверное, могу.

— А сны ваши — в цвете?

— В чём — в чём? — он не понял.

— Вода ваша цвета какого?

Он молчал.

— Ну, синяя, белая?

— Вода? Очень белая.

Товарищ Барченко перевёл на следователя погасшие неподвижные глаза.

— Я думаю, мне подойдёт.

— Уведите заключённого, — торопливо распорядился следователь.

И Веденяпина увели.

С того дня, как его арестовали, мать и отец почти перестали разговаривать друг с другом, и в доме поселилась тишина. Утром отец, как всегда, уходил на работу, а мать, резко постаревшая, плелась на Лубянку.

Уже наступила весна. Женщины скинули тёплые платки, от кос их запахло горячей картошкой. Простенькие красные стёклышки бус перекатывались по шее. Хотелось бы взять тебя за руку, женщина, пойти вместе к речке, и пусть там стемнеет, пусть еле заметные дымные звёзды нам светят своим понимающим светом. Несмотря на страшные слухи, ползущие по зазеленевшему городу, несмотря на тиф, который, оскалившись, перепрыгивал с одного горячего тела на другое, весны этой было так много, так сразу, и так засияли промытые краски, и вся эта зелень её молодая, и весь перламутр раскрывшихся почек, что этой весне ничего не мешало: ни тиф и ни слухи, ни смерть и ни слёзы, — она распалялась, как пляска, как песня, она становилась всё громче, всё жарче, и только одно: эти серые бабы своими ужасными серыми ртами, своим вечным страхом, своим разговором всё время пытались разрушить картину.

Часами они простаивали в очереди к тёмному окошку на Малой Лубянке, в котором маячило прыщеватое и немного голодное лицо дежурного, быстро отыскивающего в списке нужную фамилию и быстро кричавшего бабе в окошко: «Нет сведений. Дальше!» И снова: «Нет сведений!»

Эту очередь Нина Веденяпина выстаивала каждый день. Передачи не принимали, на вопросы не отвечали. Тогда она научилась разговаривать с собственным сердцем. Она вопрошала: «Он жив?» И слушала стук: «Да, он жив».

Она чувствовала, что мальчик жив, поскольку — умри он, исчезни отсюда, — ей сердце бы сразу об этом сказало.

Однажды у неё неожиданно приняли передачу. Потом ей вручили записку: *«Дорогие мама и папа! Я жив, всё в порядке. Всего рассказать не могу, это письмо, конечно, прочтут прежде, чем оно попадёт в ваши руки. Я ещё не освобождён, но, может быть, даже и это случится. Если это случится, мне предстоит принять участие в одной научной экспедиции на Север, но я надеюсь, что до экспедиции мы непременно увидимся. Целую, люблю вас. Василий».*

Сжимая записку в потном кулаке, она не бежала — летела домой, как на крыльях. Мимо неё, задевая за ресницы и цепляясь за её беретик, летел жёлтый свет, внизу были ручьи, и пахло землёй — да, землёй и свободой, — а в небе (она не глядела туда, боялась упасть и к тому ж торопилась!), а в небе сияло такое тепло, и так оно победоносно сияло, и так, только к ней обращаясь одной, оно подтверждало, что жив и вернётся.

Николай Михайлович Форгерер передал в Москву через дипломатическую почту не одно, а целых четыре письма своей очень юной жене Дине Форгерер, но не получил ответа. Тамара Карсавина, жена британского дипломата, уверяла, что письма, переданные через дипломатические каналы, не проверяются и доходят. И нет ничего проще, чем забросить ответ за ограду британского посольства — есть люди, которые знают, как это всё сделать, и с этими людьми Дину Форгерер давно должны были связать в Москве. Николай Михайлович не знал, что и думать. Она не возвращалась, и связи с ней не было. В газеты просочились слухи о том, что, кроме расстрелов, голода, доносов и дикой разрухи в деревне и в городе, кроме того, что на красный террор ответил такой же: кровавый, но белый, ЧК занято тем, чтобы утвердить на всей земле свою власть, и для этого в подвалах на Лубянке день и ночь работают подпольные лаборатории, подчиняющиеся самому Дзержинскому, где ставят опыты на приговорённых к смерти заключённых.

Ей нужно было бежать оттуда, ей нужно было спасаться, а она не только не отвечала на его письма, она, с этой дикой её красотой, с её этим голосом, детским и странным, и взглядом её исподлобья, и смехом, всегда неуместным, а главное: с полным неведеньем жизни, — она ведь жила прямо там! От Лубянки минут, скажем, сорок пешком, на машине — и вовсе пятнадцать, не больше, не больше!

Николай Михайлович начал ходить в церковь Святого Николая, самую старую церковь Берлина, где доктор богословия Вильгельм Вессель имел с ним беседы о жизни и смерти. Странным покоем наполнялось сердце Николая Михайловича Форгерера, когда тихий, с глазами приятного серого цвета, настоятель храма выходил к нему неслышными шагами. Он почти ничего не знал о горе Николая Михайловича, а Николай Михайлович совсем ничего не знал о страшном горе настоятеля Весселя, в доме которого подрастал сын Хорст, уже опалённый безумьем нацизма, стремительный, странно неистовый юноша, которому судьба уготовила участь штурмфюрера СА, нацистского активиста, поэта и автора гимна Национал-социалистической немецкой рабочей партии под пылким названием «Песнь Хорста Весселя». Ни сам отец, тихий настоятель храма, ни его русский прихожанин не знали, что Хорста Весселя, с сияющим взглядом подростка, объявят святым после смерти в тридцатом году — поскольку он умер от раны, героем, и песен своих не допел, так как умер! — и отец проведет остаток дней в еженощных молитвах, прося всех святых за безумного сына...

«Читайте пророков, — сказал доктор богословия Вильгельм Вессель своему прихожанину, русскому артисту Форгереру, — читайте пророков. Там ясно написано...»

Вернувшись из храма и протелефонировав Вере Каралли, его очень верному другу и нежной любовнице, что снова хандрит и не хочет обедать, Николай Михайлович открыл наугад и прочел:

И было ко мне слово Господне: Сын человеческий! Ты живёшь среди дома мятежного: у них есть глаза, чтобы видеть, и не видят, у них есть уши, чтобы слышать, и не слышат, потому что они — мятежный дом. Ты же, сын человеческий, изготовь себе нужное для переселения, и среди дня переселяйся пред глазами их, и переселяйся с места твоего в другое место пред глазами, и, может быть, они уразумеют, хотя они — дом мятежный. И вещи твои вынеси, как вещи нужные при переселении, днем, пред глазами их, и сам выйди вечером пред глазами их, как выходят для переселения. Пред глазами их проломай себе отверстие в стене...

(Иезекииль, глава 12)

Откуда ему было знать, что в эту минуту жена его Дина сидит на полу у ног грузного, лохматого человека в ослепительно-белой рубашке, по виду пришедшего из ресторана, немного хмельного и слишком свободного, поскольку он гладил её по затылку — (чужую жену, а не дочь и не внучку!), — и странный какой-то, загадочный перстень блестит на его указательном пальце? Грузный этот человек гладил её по затылку, а Дина смотрела, но не исподлобья, как часто смотрела, о нет, по-собачьи с ковра на его очень плотные губы.

— Ты хочешь о чём-то меня попросить, — сказал Алексей Валерьянович Барченко.

— Да, — прошептала Дина и вдруг поцеловала этот перстень.

— Ещё, — усмехнулся он и закрыл глаза. — Люблю твои прикосновения страшно...

Она покраснела и вскочила с пола.

— О чём попросить? — пробормотал он

— О сыне любовника Таты, — твёрдо сказала она.

— О сыне любовника Таты, — повторил он. — Кого попросить?

— Не знаю. Дзержинского! Ты знаешь лучше.

— А в чём обвиняют?

Дина опять опустилась на ковёр и лбом прижалась к его коленям.

— Тата вчера первый раз вышла на улицу. К ней пришла Оля Волчанинова — она попросила, чтобы Оля пришла, боялась, одна не дойдёт. Они пошли в ту больницу, где работает его отец. Этого молодого человека. Тата сказала, что она его еле узнала, так он изменился. Он сам ничего толком не знает, а даже, может, боялся говорить при Волчаниновой. Он даже не знает не только за что, а где сына держат.

— А сын не расстрелян?

Дина вздрогнула всем телом.

— Откуда мы знаем? Надеюсь, что нет.

Барченко встал и вдруг повёл плечами, как будто собирается плясать.

— А мы пить будем, и мы гулять будем, а как смерть придёт, так умирать будем, — запел он и прищёлкнул пальцами.

Она знала за ним это странное свойство: вдруг сделать что-то неожиданное, нелепое — верный признак того, что он встревожен.

— Не хочешь? — в страхе спросила Дина.

— Конечно, хочу, — спокойно ответил он. — Фамилию, имя ты знаешь?

— Я знаю. Но только скажи: а тебе не опасно?

— Мине? — опять, словно он передразнивал кого-то, скривился Барченко. — Мине ничего не опасно. А кто тогда Шамбалу будет искать?

— Кого?

— Шам-ба-лу! — Барченко сверкнул крупными белыми зубами. — Страна на Тибете. Давно уплыла в облака.

— А Гиперборея?

— А та ещё раньше. Но, правда, под землю. Пока я найду, *их* уже и не будет.

— Чекистов? — наивно спросила она.

— Антихристов, а не чекистов. Вообще-то *он* должен прийти был один. Но, видно, решил, что так будет вернее.

— Я не хочу, чтобы ты делал то, что может принести тебе беду, — всхлипывая, проборомотала она. — Никто не смеет подставлять другого. Но я совсем ничего не могу, совсем!

— Знаешь, сколько заключённых на Лубянке? — вдруг спросил он.

Она покачала головой.

— Ну, и нечего тебе знать! Сколько ему лет, этому парню?

— Мне кажется: двадцать один.

— Фамилия как?

— Веденяпин. А имя: Василий.

— Ну, есть одна мысль... Я не знаю, посмотрим...

Она робко подошла к нему и робко положила руку на его большое плечо. Он обнял её за талию и пристально, погасшими глазами, посмотрел на неё.

— Меня всё равно убьют, — сказал он.

Она прижалась головой к его подбородку.

— Я думала, что никогда не буду любить *постороннего* человека.

— Какого человека? — усмехнулся он

— Постороннего. То есть не нашего, чужой крови. Вот я маму люблю — хотя сейчас уже не так, как раньше, но всё-таки люблю, а Тату люблю просто очень. Я на неё смотрю, и у меня всё сердце переворачивается от боли. А про мужчин думала: ну, разве я могу кого-то любить так, как маму, Тату или Илюшу? Ведь это чужое, понимаешь?

— Какой ты ребёнок, — вздохнул он, — маленькая девочка...

— Нет, подожди! Я ведь замужем была, и я думала, что Коля, вернее то, что между нами, это и есть любовь между мужчиной и женщиной. Вот мы с Колей: муж и жена. И всё, что у нас происходит: и ссоры, и крики, и все эти ласки, и его постоянная подозрительность, и ревность его сумасшедшая, — всё это так, как должно быть. Он любит, как должен любить меня муж, а я принимаю. И хватит. А потом всё изменилось... Потом, когда ты появился, я почувствовала, что я могу обойтись без всех, понимаешь: ужас какой? Без всех могу обойтись, только без тебя не могу! Вот ты сиди так, на кресле, думай о чём-нибудь, даже спи, если хочешь, а я буду смотреть на тебя. И мне ничего не нужно! И никто мне не нужен! И пусть там хоть Всемирный потоп за окном, хоть войны, хоть все революции вместе, мне только бы ты...

— А если это гипноз? — Он улыбнулся уголками губ.

— И что? И какая же разница?

Дина стала красной, как огонь, глаза её застилали слёзы, но она не смаргивала их и сердитым от своего унижения и одновременно умоляющим взглядом смотрела на него.

— Возьми меня с собой на Север или на этот Тибет, я буду просто идти за тобой, просто буду идти, и всё!

Он выпустил из своих рук её талию и слегка отодвинулся, как будто желая понять, что с ней происходит.

— Когда ты почувствовала это?

Она истерически, сквозь слёзы, засмеялась.

— В тетрадку тебе записать? Ты всё ведь там пишешь!

— В тетрадку? — спросил он задумчиво. — Можно в тетрадку... Чего-то такого я ждал, но нескоро. И ты меня опередила...

Она опять опустилась на пол, закрыла лицо руками, всё её худое тело тряслось от слёз.

— Одна восточная мудрость говорит, что простым камнем можно подбить женщине глаз, а драгоценным — сердце. — Он погладил её по голове. — Видит Бог: я не хотел...

— Чего не хотел? Чтобы я привязалась?

— Я не хотел твоей зависимости. — Он громко сглотнул. — Я не имею на это никакого права.

— Ты только не чувствуй себя виноватым! — озлобленно закричала она. — «Хотел — не хотел»! Мне нет дела до этого! Я тебе говорю: пойду за тобой хоть на юг, хоть на север! И ноги твои стану мыть! Ноги, слышишь? Так мама отцу говорила, я помню: «Я ноги твои стану мыть!»

— Придётся морочить их, сколько смогу. И этот фигляр мне поможет. Ему приключенья нужны, он — маньяк приключений, — с какой-то тихой мстительностью сказал Барченко. — Мне нужно убраться отсюда быстрей и подальше. На горы, под землю, неважно. Но только бы с глаз их долой. Но прежде я должен знать, что тебе ничего не угрожает. А как это сделать?

— Я буду с тобой, вот и всё, — прошептала она, глядя на него исподлобья.

— Со мной быть нельзя, — бесстрастно сказал он. — Мы это даже и обсуждать не станем.

Она промолчала.

— Дина! Я хочу, чтобы ты уехала обратно в Берлин, к мужу.

— Как: к мужу? Зачем? Я его не люблю.

— Ну, значит, не к мужу. Ты должна уехать отсюда, вот и всё.

— Но я не могу! — задохнулась она. — Ведь здесь они все: Тата, няня! Илюша! Я разве их брошу?

— Я сделаю всё, что смогу, для любовника, — он неприязненно, но чётко выговорил это слово, — твоей сестры. И после этого вы все уедете. Дай мне слово.

Она затрясла своей растрёпанной головой:

— Нет! Я не могу!

— Тогда я не буду и пробовать, — сухо сказал он и пошел в столовую.

Она застыла, прижав к вискам ладони и глядя в пол. Потом, не отнимая рук, тихо пошла за ним. Барченко сидел за столом, спиной к ней, и не обернулся.

— Хорошо, — хрипло сказала она. — Я всё, как ты хочешь... как скажешь...

В гимназии Алфёровых произошло радостное событие: было получено разрешение Наркомпроса на выезд в деревню, где предполагалось провести всё лето и прокормиться собственным трудом. У Александры Самсоновны была небольшая дача в подмосковном Пушкине, в двух шагах от которой пустовало помещение бывшего интерната, закрытого из-за отсутствия педагогического состава. Стало быть, там можно было и разместиться, и там же вскопать огород, засадить его картошкой, согнать червяков всех с малины и вишен, варенья сварить на всю зиму, купаться. Река эта Клязьма, как уверяла вдохновенная Александра Самсоновна, полным-полна рыбы. И рыбы поесть можно будет, как раньше. Варёной и жареной: рыбы с картошкой.

Выехать решили в конце мая, как только отыграют ежегодный спектакль, на который раньше, в прежние времена, собиралась половина Москвы.

Спектакль, поставленный по пушкинской «Сказке о мёртвой царевне», прошёл хорошо, и особенно хороша была царевна, которая, сидя за прялкою, спела романс. И романс был хорош. Александра Самсоновна едва не расплакалась, хотя была вовсе и не из плаксивых, когда эта девочка, Надя Бестужева, с полураспустившейся русой косой и яблочным свежим румянцем, выводила своим грудным — из прошлого ясного времени — голосом:

В лунном сияньи снег серебрится,
Вдоль по дороге троечка мчится.
Тили-бом! Тили-бом!
Колокольчика звон!
Тили-бом! Тили-бом!
То ли явь, то ли сон...

За окном было почти лето, уже отцветала черёмуха, и первые бабочки летали в согревшемся воздухе, словно цветы, и так же, как прежде, вовсю пели птицы, не знавшие или, по счастью, забывшие, какой идёт год и как много стреляют. Надя Бестужева лежала посреди сцены, накрытая куском тонкой белой материи, сквозь которую нежно и загадочно обрисовывались контуры её молодого тела, её круглого лица с неплотно закрытыми ресницами, а Александра Самсоновна, глотая горячие слёзы, просила Бога, чтоб всё это кончилось, всё усмирилось, зима бы опять наступила такая, как в этом романсе, вся в лунном сияньи... И чтобы не ходили по улицам эти жуткие патрули, не уводили бы людей по ночам люди в кожаных куртках, не пропадали бы целые семьи и не голодали бы, не умирали. Она просила Бога помиловать всех, и простить, и уже не наказывать, а люди, наверное, поймут и, наверное, исправятся, досталось ведь всем, даже тем, кто стреляет, досталось и им, и их детям достанется, — как детям расти, когда всех убивают...

Надя Бестужева лежала под тонкой материей, и губы её дрожали от смеха, и ресницы были неплотно прикрыты, потому что она подглядывала, как королевич Елисей, которого играл двенадцатилетний брат другой гимназистки, Мани Олсуфьевой, весь красный от смущения, звонким своим, ещё детским голосом спрашивает у месяца:

> Месяц, месяц, мой дружок!
> Позолоченный рожок!
> Ты встаёшь во тьме глубокой,
> Круглолицый, светлоокий,
> И обычай твой любя,
> Звёзды смотрят на тебя.
> Аль откажешь мне в ответе?
> Не видал ли где на свете
> Ты царевны молодой?
> Я жених ей...

Александра Самсоновна не отирала радостных слёз, и ей первый раз пришло в голову, что ведь, наверное, оттуда, сверху, и впрямь всех их видно, и есть ещё жизнь, где не одни только страдания и убийства, а много всего: и цветов, и плодов, и дети играют, как прежде играли: мячами и куклами, и не может быть, чтобы свет этой жизни, солнце её не согрели когда-нибудь и голодную Москву, и толпы куда-то бегущих, орущих, лишившихся разума русских людей...

Большая и полная Александра Самсоновна, сильно постаревшая за эту зиму и в свои тридцать девять лет казавшаяся пятидесятилетней, плакала, как девочка, стараясь так низко опустить свою поседевшую кудрявую голову, чтобы ни гости, ни, главное, муж не заметили того, что с ней происходит. Она смотрела на высокого мальчика Петю Олсуфьева с нежно-голубоватыми голодными тенями под глазами, и душа её разрывалась от страха за него, пытаясь вместить в себя то, чего она не понимала, хотя и пыталась понять. Несколько раз за эту страшную зиму Александра Самсоновна мысленно возвращалась к тому разговору, который состоялся между её мужем и Константином Петровичем Любимовым, в монашестве архимандритом Кронидом.

— Страшно мне, Константин Петрович, — сказал тогда муж, — страшно, что люди, увидевши беззакония и жестокость, потерявшие, скажем, близких, особенно детей, — эти люди не оборотятся к Богу, а отвратятся от Него.

— И мне очень страшно, — ответил архимандрит. — Не услышало сердце человеческое того, что сказано Пророком: «Ибо пути Мои — не ваши пути, и мысли Мои — не ваши мысли». А без этих слов какая вера? Пустые обряды, вот ужас-то в чём....

> Елисей, не унывая,
> К ветру кинулся, взывая:
> «Ветер, ветер! Ты могуч,
> Ты гоняешь стаи туч,
> Ты волнуешь сине море,
> Всюду веешь на просторе,
> Не боишься никого,
> Кроме Бога одного...»

Спектакль уже завершился, и Надя Бестужева, смеясь от радости и крепко держа за руку высокого и нескладного, как все мальчики в этом возрасте, королевича Елисея, низко кланялась благодарным зрителям, и русая полураспущенная коса её почти доставала до полу. Александра Самсоновна поймала на себе вопрошающий взгляд мужа и быстро, обеими руками, крепко вытерла глаза, но странная, радостная и одновременно мучающая её своей силой дрожь внутри не унималась, сердце колотилось с таким гулким звоном, как будто желало, чтоб все его слышали, и в конце концов, неестественно улыбаясь, Александра Самсоновна вышла из маленького актового зала, тяжело ступая, добралась до рукомойника в самом конце коридора — воды давно не было, водопровод не работал — и начала жадно умываться. Но тут её вдруг затошнило, голова закружилась, и она, боясь упасть, осторожно села на корточки и вжала в колени мокрое лицо. Вышедший следом Александр Данилыч увидел, что она сидит на полу — одна в пустом коридоре, — и испуганно окликнул её:

— Что, Саша? Ты что, нездорова?

Александра Самсоновна подняла на него заплаканные, сияющие любовью и страхом глаза.

— Здорова. Но знаешь, мне кажется...

— Что?

— Мне кажется, что я беременна, Саша...

Через неделю гимназия Алфёровой переехала в Пушкино. Первые два дня шёл проливной дождь, было холодно, печи дымили, не хотели разгораться. Девочки жались к Александре Самсоновне, которая вместе с кухаркой сбилась с ног, пытаясь приготовить обед из тех продуктов, про которые кухарка говорила с привычною злобой:

— Лучше в нас, чем в таз!

В доме было сумрачно, неуютно, мокрые деревья покорно дрожали под бегущими на них потоками, и красные цветы, распустившиеся у самого крыльца, казались необычайно яркими. Аист стоял на краю своего почерневшего гнезда в верхушке большой величавой берёзы, ветер трепал его намокшую обвислую косицу, в то время как аист, волнуясь, сердясь на стихию, которая готова была лишить его крова, тепла и уюта, выстукивал клювом привычную жалобу: «Да сколько же можно! Ах, сколько же можно!»

На третий день проглянуло солнце, и в брызгах мелкой водяной пыли вспыхнул тёмный от влаги сад, к полудню стало почти душно, и сладкий запах цветов и трав поднялся от земли, а ещё через час ни следа не осталось от прежнего мрака и холода: всё высохло, всё засияло, и ветер, вернувшийся с поля, стал светло-зелёным.

Теперь Александра Самсоновна уже не сомневалась в том, что ждёт ребёнка, да и знаменитый доктор Отто Францевич, когда-то приговоривший её к бездетности, отменил этот приговор, когда перед самым отъездом в Пушкино Александра Самсоновна позвонила в дверь его квартиры на Старом Арбате, боясь, что ей скажут, что Отто Францевич умер или завершил свою практику, но в тёмной и чистой квартире всё было по-прежнему, и так же тикали старинные бронзовые часы на стене, и строго, сжав тонкие губы до нитки, старая горничная спросила её, в котором часу ей назначено, и тут же пошла доложить в кабинет, что дама её умоляет принять, хотя и назначено не было.

И сам Отто Францевич, вышедший через несколько минут навстречу, был тем же: худым и подтянутым, хотя совсем старым, с тёмным от старости худым лицом, — он моментально узнал её, как привык узнавать всех, кто хоть раз лежал под его цепкими руками, а он, прощупывая горячую нежную плоть, навек заносил в свою память лицо пациентки. Он не только узнал её, но и вспомнил, что почти восемь лет назад сказал ей на этом вот месте, что больше детей быть не может, и был абсолютно уверен, что прав, поэтому сейчас, когда она пришла к нему и он цепко прощупал то, что было её будущим ребёнком, ему ничего другого и не осталось, как только развести своими старческими руками, поднять к потолку всё ещё голубые, в коричневых точках — как будто бы их прокололи иголкой — зрачки и вздохнуть: «Воля Божья!»

Александр Данилыч, которому жена, давясь счастливыми слезами, сказала, что будет ребёнок, сначала почему-то испугался так сильно, что Александра Самсоновна сникла: этого она совсем не ждала.

— Когда? — спросил он, хотя это было глупым и ребяческим вопросом.

— К Рождеству, — ответила Александра Самсоновна.

Он обнял её, стиснул обеими руками.

— Дай мне слово, Саша, что, если со мной что-то случится, ты уедешь отсюда к моим сёстрам в Саратов, потому что они помогут тебе *с ним.*

— Откуда ты знаешь, что *с ним*, а не с *ней?*

— Знаю. Так ты даёшь слово?

— Но, Шура, постой! Что же может случиться?

— Даёшь ты мне слово? — упрямо повторил муж.

— Даю, — прошептала Александра Самсоновна и услыша-ла, как прямо в горле Александра Данилыча, к которому она прижималась лицом, стучало его всполошённое сердце.

Счастливее этого лета, вернее, неполных двух месяцев лета, не было в жизни Александры Самсоновны времени. Она даже не обращала внимания на то, что муж её всё время куда-то отлучался, часто ночевал в городе, откуда возвра-щался с воспалёнными и встревоженными глазами. Никакой *женщины* — это Александра Самсоновна знала точно — у него не было. И не могло быть. Ребёнок их, мальчик (она тоже чувствовала, что это был мальчик!), несколько дней назад осторожно, как будто боясь беспокоить, толкнулся ей в бок своей ножкой, и Александра Самсоновна снова не справилась с собой, снова залилась слезами и сквозь слёзы увидела его *всего*: крошечные ноги, руки, глаза, волосы, ко-торые будут кудрявыми, как у них обоих. Она почувствовала его запах — такой же, как запах травы и цветов, но с нежной молочною примесью, которою пахнет любое младенчество: ягнёнок, щенок и дитя человечье.

Девочки старались вовсю. На огороде уже рос зелёный лук, поспела клубника, и ждали крыжовника. В реке оказалось не то чтобы очень много рыбы, но кое-что было, и раков ис-кали в песке, и улиток, поскольку Александра Самсоновна рассказала девочкам, что в Париже, например, не только не брезгуют такой водяной и невзрачною мелочью, но очень смакуют, едят во всех видах.

— Они и лягушек едят там! Вот люди! — вздохнула Надя Бестужева. — Мне брат говорил.

Вечерами, когда солнце уходило и вдруг становилось тем-но, так что даже не видно было тех белых и жёлтых цветов, которыми заросли глубокие колеи дороги, натаскивали хворо-сту, разжигали костёр, картошку пекли и ели её с серой солью и луком. Надя Бестужева пела романсы, а потом все вместе заводили ту старую песню, которой научила их Александра Самсоновна, проведшая детство на хуторе.

Чёрный ворон, чёрный ворон!
Что ты вьёшься надо мной?
Ты добычи не добьёшься,
Чёрный ворон, я не твой!
Что ты когти распускаешь
Над моею головой?
Иль добычу себе чаешь?
Чёрный ворон, я не твой!

Странно и тревожно было смотреть на этих серьёзных, разрумянившихся от костра девочек в деревенских косынках, с блестящими и чистыми молодыми глазами, которые, словно забыв всё на свете, просили судьбу за чужого солдата:

Завяжу смертельну рану
Подарённым мне платком,
А потом с тобой я стану
Говорить всё об одном.
Полети в мою сторонку,
Скажи маменьке моей,
Ты скажи моей любезной,
Что за родину я пал.
Отнеси платок кровавый
Милой любушке моей,
Ты скажи — она свободна,
Я женился на другой.
Взял невесту тиху-скромну
В чистом поле под кустом.
Обвенчала меня сваха —
Сабля вострая моя.
Калена стрела венчала
Среди битвы роковой,
Вижу, смерть моя приходит,
Чёрный ворон, весь я твой!

Каким был чудесным и тихим тот день. Какой день? Когда? Я сейчас расскажу. Утром этого дня, 15 августа 1919 года, к зданию школы подъехала повозка, запряжённая слепой на один глаз старой лошадью. Привезли молоко. Такое случалось в неделю два раза. Выпив по кружке тёплого, не успевшего остыть молока, девочки гимназии Алфёровой принялись за работу. Сегодня нужно было окопать все яблони в саду, а завтра, сказала старуха, топившая печи, — «должно быть дождю и студёно, из дому не выйдешь».

Светлая сочная зелень деревьев свободно пропускала сквозь себя солнечный свет, который пёстрыми, то золотыми, то синими пятнами дрожал на земле, и белые мелкие цветочки, повсюду рассыпанные в густой траве, — как будто они были щебетом лета, — сияли от счастья. Александра Самсоновна пошла проверить, как готовят обед — простой, но добротный: щавелевый суп и картошку с укропом и после десерт: жжёный сахар со сливками, — но, не дойдя до кухни, обернулась на звук подъехавшей машины. Из машины вышли трое. От ужаса, сковавшего её, Александра Самсоновна не запомнила лиц. Вместо лиц появилась сразу же вызвавшая тошноту неприятная дрожь серых пятен, насаженных на человеческие тела. Двое близко подошли к Александре Самсоновне, а третий загородил собою калитку, как будто Александра Самсоновна собиралась бежать.

— Гражданка Алфёрова? — спросили её. — Где ваш муж?

Она вдруг поняла, что они ни в коем случае не должны догадаться, где Александр Данилыч. Часа полтора назад он пошёл в домик садовника, стоящий в глубине двора, и, наверное, задремал там. Вся кровь бросилась ей в голову, но голос был громок и очень спокоен:

— Он в городе.

— В городе? — переспросили её. — А вот мы проверим, в каком он там городе. А вы здесь постойте. Не двигаться, поняли?

Александра Самсоновна заметила, что птица, только что бывшая светло-серенькой, вдруг стала малиново-красной, как будто её искупали в крови. Она перевела глаза на белые перила крыльца, но и перила оказались того же яркого, малиново-красного цвета. Испугавшись, что сейчас потеряет сознание и упадёт и тогда они непременно отыщут Александра Данилыча, она отвела волосы от лица и тем же ясным и громким голосом, которым растолковывала девочкам арифметические задачки, повторила:

— Он в городе.

И сразу добавила:

— Нечего всем вам тут делать!

— Поговори мне, контра белогвардейская! — крикнул один из троих, лицо которого особенно сильно дрожало. — Чего захотела!

— Подите все прочь! — не слыша себя, громко, на весь сад, выдохнула Александра Самсоновна и тут же закрыла рот рукой, потому что Александр Данилыч мог услышать её из домика.

— В машину её! — приказал тот же человек. — Наручники! Тряпку на морду!

Тот, который закрывал своим телом калитку, подошёл к Александре Самсоновне и несильно ударил её по лицу, а тот, который стоял близко от неё, скрутил ей руки за спиной. Через минуту она уже сидела в машине, рот её был заткнут тряпкой, руки связаны, и бархатные карие глаза всё больше и больше переполнялись ужасом. Двое чекистов, низко пригибаясь к земле, побежали во глубину двора, а третий, тоже для чего-то низко пригнувшись, скрылся в доме, но через минуту вышел на крыльцо, волоча за собой старуху-кухарку, которая от страха приседала к земле и только беззвучно и широко раскрывала рот.

— Ну, где он?! Показывай, дура безмозглая!

Кухарка махнула рукой в сторону садового домика, и чекист, с досадой отбросив её так, что она еле удержалась на ногах, побежал догонять своих. Александра Самсоновна посмотрела на неподвижный затылок молчаливого шофёра и замычала. Шофёр оглянулся. Потный лоб был низким, щёки желты от веснушек.

Тут она увидела, как его ведут. Руки Александра Данилыча были так же, как и у неё, связаны за спиной, свешенная голова болталась из стороны в сторону. Двое держали его за локти, а третий прикладом подталкивал в спину. Изо рта Александра Данилыча обильно шла кровь, и всё лицо представляло из себя сине-чёрное месиво. Правый глаз заплыл, но левый был наполовину открыт, и из этого наполовину открытого глаза смотрел страх. Александра Самсоновна хорошо знала своего мужа и причину этого страха угадала тотчас же: он не ожидал того, что увидит её в приготовленной для него машине. Она затрясла головой, давая ему понять, что так только лучше, что вместе они и должны быть в любых обстоятельствах, но Александр Данилыч, судя по тому страданию, которое выразилось на его избитом лице, не согласился с ней и сильно закашлялся кровью.

Его втолкнули на заднее сиденье рядом с женой, двое чекистов втиснулись по краям, а третий сел рядом с шофёром, и в эту минуту из сада, плача и размахивая руками, высыпали девочки. Александра Самсоновна изо всех сил развернулась всем телом назад, чтобы ещё раз — последний! — увидеть их лица, но один из чекистов прикрикнул на неё: «Смотри вперед!» — и так надавил на плечо, что Александру Самсоновну передёрнуло от боли. Она перевела глаза на мужа, на его чёрное лицо, но тут что-то странное произошло с ней: она смотрела на изуродованного Александра Данилыча, но глаза её отказывались видеть то, что им показывали, и, как это бывает, когда плёнка вдруг начинает прокручивать один и тот же кадр, повторяли и повторяли ослепительный летний день, разомлевший и пахнущий травами, и голову облака в небе, и ветки корявых деревьев, а главное, этих родных, кричащих им вслед её девочек, каждая из которых могла бы быть Александре Самсоновне доченькой.

Когда машина подъезжала к Лубянке, пошёл дождь, и Александра Самсоновна ощутила сильную жажду, глядя на светлую воду, мощными потоками льющуюся на землю. Рот её был по-прежнему заткнут тряпкой, руки связаны. Справа от себя она чувствовала родное горячее тело привалившегося к ней Александра Данилыча, который несколько раз за дорогу терял сознание, слева — кожаный рукав чекиста, который источал особенно сильный запах кожи оттого, что разогрелся на солнце. Она не задавалась вопросом, за что их взяли, потому что брали кого угодно и не только без какой-нибудь видимой причины, но и наперекор ей: брали людей, которые руками и ногами присягали новой власти, рвались, чтобы ей услужить, доносили на других людей, поэтому искать ответа на вопрос, за что же их взяли, не имело никакого смысла. Но важно другое: как выйти на волю? Сейчас их поймали, как ловят зверей, но даже зверей иногда выпускают. Вся Москва знала о пытках на Лубянке — слухи просачивались, — но никто не знал, что нужно сделать, чтобы избежать их, и никто не видел своими глазами тех, кто вышел живым после пыток. Таких *убирали*.

*...Алфёров, Александр Данилович, директор женской гимназии, учитель словесности, по образованию филолог, запертый в клетке, где ни днём, ни ночью не гасили света, закрывал глаза, чтобы душа его вспоминала, как в белом глубоком снегу сперва волокли до кареты, но вскоре, поняв, что дольше волочь невозможно: слишком сильна была боль, причиняемая раненому, разобрали забор из жердей и сделали носилки, на которые погрузили этого раненого, нет, лучше сказать: умирающего, ведь в том, что он вскоре умрёт, не сомневался ни один из присутствующих, настолько явственна была моментально преобразовавшая весь облик его — **человека живого** — печать скорой смерти. Черты русского поэта Пушкина, как только пуля пробила его тело и засела глубоко внутри живота, выразительно обострились: под кожей проступили сосуды, губы почернели, а взгляд, голубой и безумный от боли, блестел лихорадочным блеском.*

Всякий раз, когда душа Александра Данилыча Алфёрова доходила до той минуты, как истекающего кровью Пушкина усаживали в карету, и он терял сознание от боли, и ехать уже не могли, и тёрли виски ему снегом, боялись смотреть друг на друга те, которые дрожащими руками укутывали его бекешей и со всех сторон подтыкали её, чтобы ему, умирающему, не надуло в спину, пока они будут добираться до Мойки, и кто-то вдруг вспомнил, что нужно жене сообщить поскорее, иначе нельзя, — когда душа Александра Данилыча Алфёрова доходила до всех этих подробностей, дверь его клетки отворялась, и голос без всяких оттенков кричал: «На допрос!»

На допросе повторялось одно и то же: сперва избивали, потом отливали водой и опять избивали. Он хорошо понял, что, если подписать все предлагаемые ему бумаги, жену, Александру Самсоновну, беременную на четвёртом месяце, отпустят немедленно. Так обещали. Он знал, в чём его обвиняют. Нельзя отрицать, что зерно чистой правды лежало на дне их безумного бреда. Его спрашивали:

— Желали ли вы, Алфёров, скорейшего падения нашей революционной народной власти?

И он отвечал:

— Да, желал.

Вот это и было единственной правдой.

Когда же в лицо ему сунули бумагу, где содержался отчет гражданки Павлушиной Анны Сергеевны, учительницы его гимназии, которая, оказывается, сообщила на Лубянку, что к директору Алфёрову Александру Данилычу всё время приходят подозрительные личности, — когда ему сунули эту бумагу, велев прочитать, а затем подписать, Алфёров с трудом закачал головой:

— Не стану я это подписывать.

Его избили так сильно, что он не выдержал и от боли начал мочиться прямо там, в кабинете. Моча вместе с кровью лилась безудержно, и он с ужасом, на секунду заставившим его почти забыть о боли, смотрел на то, что с ним сталось.

— Подписывай, сволочь! — сказал ему следователь.

Александр Данилыч подписал, и его сразу же после этого увели.

...дядька Никита Фролов, с ранних лет служивший Пушкину и везде сопровождавший его, выбежал на крыльцо, подхватил умирающего на руки и внёс его в дом.

«Грустно тебе нести меня?» — спросил его Пушкин.

Жена выбежала на шум в передней и, побледнев, замерла при виде того, что открылось глазам её.

«Не входи!» — крикнул Пушкин по-французски.

Рану перевязали около семи часов вечера. Обработка и перевязка раны были произведены двумя врачами: профессором акушерства Шольцем и доктором медицины, главным врачом

411

придворного Конюшенного госпиталя Карлом Задером, имевшим большой хирургический опыт.

Врач Арендт, отвечая на вопрос Пушкина, каковы его дела, ответил, что не смеет скрывать от больного всей правды: рана его смертельна. Пушкин поблагодарил Арендта и сказал:

«Теперь я займусь делами моими».

— На допрос! — услышал Алфёров.

— Нам известно, — сказал следователь, — что вы входите в пятёрку тех людей, которые стояли во главе белогвардейского заговора, имеющего целью свержение советской власти. Назовите этих людей.

Опять он покачал головой.

— Тогда я вам их назову, — неожиданно спокойно сказал следователь, — а вы подпишите. Шипов, Щепкин, Штромберг, Оболенский, Андроников. Ну?

Александр Данилыч молчал.

— И, кроме того, Алексеев! — угрожающе добавил следователь, заглянув в какую-то бумагу.

Александр Данилыч попробовал усмехнуться разбитыми губами.

— Я не знаю никого из этих людей...

— С какой целью вы устраивали собрания на своей квартире летом, в отсутствие вашей жены и прислуги?

При слове «жена» Александр Данилыч поднял на следователя красные глаза.

— Вы обещали отпустить её.

— А вы нам не указывайте! Хотите на очную ставку с женой? Она всё давно подписала!

Ему лгали в лицо. Он знал свою жену: она бы никогда ничего не подписала. Потом он вспомнил о ребёнке, и его обожгло ужасом. Лучше бы она подписала. Какая же разница? Он понял, что разницы нет никакой. Во всех этих страшных человеческих делах всегда наступает момент, когда то, что было внутри человека, перестаёт отличаться от бесовского, и люди, руками которых творится зло на свете, есть не более чем несчастные жертвы, пополнившие бесовское воинство. И с ними бороться — пустая затея, обманывать их бесполезно, потому что они не собственной волей совершают дикие дела свои и не по собственной воле безумствуют. Он понял это ещё прежде, чем вступил в религиозно-богословское общество, затеянное архимандритом Кронидом с одной только целью: делиться душевным и нравственным опытом, а также и собственным честным примером противостоять бесовскому набегу на человеческую душу, который сейчас происходит в России. Он знал, что рано или поздно их всех уничтожат, но то же самое за много лет до революции знал и Константин Петрович, принявший монашество и ставший архимандритом не для того, чтобы удалиться от этого мира, а для того, чтобы хоть чем-то помочь ему.

— Бывает, что нету иного пути, — сказал ему однажды архимандрит, и Александр Данилыч его услышал.

— Какие люди приходили в вашу квартиру в отсутствие жены?

— Не помню.

— А я вам напомню! Шипов, Щепкин, Астров, Андроников, Алексеев...

— Этих людей я не знаю и никогда не слышал их фамилий.

Александр Данилыч чувствовал почти блаженство тогда, когда говорил правду. Да, он подписал мутный бред их безумья, в который они, может, верили сами, во-первых, от дикого страха друг друга, но, главное, потому, что не различали добро ото зла. Он подписал нелепое подтверждение своей принадлежности к никому не известной контреволюционной организации под названием «Национальный центр», но, когда его спрашивали о людях, имён которых он даже не слышал, ему доставляло блаженство сказать: **я не знаю**. А он ведь и вправду: **не знал**.

...в ночь на 28 января состояние больного достигло крайней степени тяжести. Боль его становилась непереносимой. Сознание оставалось, однако же, ясным с кратковременными провалами в беспамятство. Умирающий вёл себя мужественно и изо всех сил старался не стонать, чтобы не пугать жену, поминутно входившую к нему в кабинет, садящуюся на пол у его дивана и

плачущую. Забывшись, он вскрикивал от боли, но опоминался тотчас же и говорил:

— Нельзя... Она — бедная... жена... моя... ей достанется.

Утром 28 января Пушкин попросил, чтобы к нему привели детей. Их разбудили и, сонных, привели к нему в кабинет. Пушкин не мог говорить. Он молча благословил детей и движением руки попросил увести их.

— Смерть **идёт,** *— тихо, с особым выражением, сказал он доктору Спасскому.*

В ночь на 15 сентября муж и жена Алфёровы были расстреляны. По непроверенным слухам, их тела тою же ночью были перевезены из помещения внутренней тюрьмы на Лубянке в морг Яузской больницы, а оттуда вместе с остальными сотнями людей, расстрелянных в ту же ночь в разных местах Москвы, свезены на Калитниковское кладбище и там похоронены в братской могиле.

Ночью у Пушкина появилось мучительное чувство тоски.

«Ах, скоро ли это всё кончится? Какая тоска!» — говорил он врачам.

«Истаивает», — сказал доктор Спасский.

Днём умирающему захотелось мочёной морошки. Он попросил жену покормить его. Она опустилась на пол у его изголовья. Пушкин с наслаждением съел две ягодки и выпил ложку сока.

«Как хорошо», — сказал он.

Жена приникла своим лицом к его лицу. Он ласково погладил её по голове и что-то тихо и нежно сказал ей.

Нина Веденяпина почти каждый день получала от своего сына записочки, в которых он сообщал, что жив и здоров, находится в тюрьме, но в очень приличных условиях, его кормят и ночью дают ему спать, а днём он занимается разработкой «психических опытов» и готовится к экспедиции на Крайний Север.

Однажды он написал ей, что, может быть, перед экспедицией им разрешат повидаться, а ещё через неделю добавил, что его обещали отпустить домой на двадцать четыре часа для того, чтобы попрощаться с родителями и взять с собою тёплую одежду. С этой минуты Нина начала лихорадочно надеяться и ждать. Она распустила все оставшиеся в доме, ещё не обменянные вязаные вещи, чтобы связать ему носки, варежки и свитер. Растительное масло, изредка приносимое Александром Сергеевичем из больницы, аккуратно сливала в бутылочку, на мужа и себя больше не тратила: масло пригодится для сына. И сама начала вдруг излучать счастье такой силы, что Александр Сергеевич однажды посмотрел на неё с недоумением и пробормотал:

— Чему ты так рада? Его ещё не отпустили!

Что было хорошо в эту осень, так это особенный, небывалый урожай яблок. Подмосковные сады стояли золотыми от налившихся и мягко падающих плодов, которые, падая, с шёлковым стуком ударялись не о землю, а о те яблоки, которые уже лежали на ней, и на жёлтой траве вырастала как будто бы новая почва из этой гниющей, скисающей мякоти, в которой слегка увязали подошвы. Запах яблок стоял в Москве даже по ночам, тем более что и дождей почти не было: ну, разве что утром, пораньше немного покапает с неба и стихнет.

От яблок, от всей их божественной сути у тех, кто повлюбчивей да помоложе, пошли кругом головы. Хотелось запеть, закружиться, заплакать, надеть голубое и красное платье, а после стоять на мосту и прощаться.

Дина Форгерер была твёрдо уверена, что никто на свете так не предавал, как она, так дико не лгал, как она, и так, как она, не запутывал жизни. И хотя она думала об этом по-прежнему очень часто, горе от предстоящей разлуки с Алексеем Валерьяновичем разрывало её, и, погрузившись в своё горе, она почти перестала замечать всё, что происходило вокруг.

Часа в четыре, возвращаясь домой с репетиции и проходя через перекрёсток на Арбате, она заметила большое скопление людей перед фонарным столбом, на котором было наклеено броское, огромными буквами набранное объявление. Она остановилась.

Силами нашего доблестного ЧК был раскрыт крупнейший контрреволюционный заговор «Национальный центр», основные очаги которого были расположены в Москве и Петрограде. «Национальный центр» подчинялся злейшим врагам нашей большевистской власти, гидрам контрреволюции и пособникам империализма генералам Деникину и Колчаку и существовал на кровавые деньги международной буржуазии. Но враг просчитался. Пособники империализма и грязные слуги генералов Деникина и Колчака обезврежены. Справедливое возмездие рабоче-крестьянской власти настигло их до того, как они сумели осуществить свои подлые замыслы. Мы заявляем, что рабоче-крестьянская власть не потерпит, чтобы дело светлого будущего нашей страны было перепачкано жадными лапами врагов-контрреволюционеров. Следствие по раскрытию контрреволюционного белогвардейского заговора «Национальный центр» продолжается. Всех без исключения лиц, принимавших прямое или косвенное участие в этом заговоре, постигнет справедливое возмездие со стороны нашей рабоче-крестьянской власти. Красный террор пущен в ход! И загуляет он по буржуазным логовам, затрещит буржуазия, зашипит контрреволюция под кровавым ударом красного террора.

Под этим воззванием шли списки расстрелянных. Алфёров Александр Дмитриевич, — прочитала Дина, — Алфёрова Александра Самсоновна, Богуславский Михаил Спиридонович...

Она отступила на шаг назад и оглянулась. И справа и слева от неё были одинаковые, серые, с испуганными и мрачными глазами люди.

— Алфёров? — вскрикнула вдруг маленькая женщина слева от Дины. — Но это неправда! При чём здесь Алфёров?

На неё злобно, со страхом зашикали.

— Уж там разобрались: при чём — ни при чём! — выдохнул костлявый, в огромной кепке, почти закрывшей его больное, полное ненависти лицо, человек. — Ведь ясно написано: гидра! Вот то-то! А то разжирели на нашей-то кровушке!

Динины глаза в упор посмотрели на ту, которая только что крикнула: «Алфёров!» Не сговариваясь, они выбрались из толпы, перешли дорогу и остановились на углу Арбата и Староконюшенного переулка.

— Вы знали его? — прямо спросила Дина. — Вы кто?

— Я — Веденяпина Нина Алексеевна. Да, я хорошо его знала.

Она зарыдала, затряслась и пробормотала сквозь рыдания:

— А вы? Вы его тоже знали?

— Я — Дина Ивановна Форгерер. Окончила гимназию Алфёровых. И я, и моя сестра Таня.

— Он ничего, поверьте мне, — захлёбываясь слезами, зашептала Нина Алексеевна, — он ничего не мог сделать такого! Он же не военным был человеком, совсем не военным, нисколько! Я даже не думаю, что он умел стрелять! Какой там Колчак и Деникин?

— Тише! — одёрнула её Дина. — Пойдёмте отсюда!

— Куда? — прошептала Веденяпина. — Нам некуда идти! А у меня *там* сын, понимаете? Сын у меня *там*! У них!

— Вы сказали: Веденяпина? — опомнилась Дина. — И мужа вашего зовут Александром Сергеевичем? И он у вас врач? Психиатр?

Глаза Нины Алексеевны потемнели от страха.

— Откуда вы меня знаете? И мужа? Откуда?

— Неважно! — отрезала Дина. — Не бойтесь, я не из ЧК!

— Скажите: откуда? — прошептала Веденяпина и дотронулась до Дининого рукава своей мокрой от слёз рукой. — Сейчас всё так страшно, ужасно... Скажите!

— Я сестра Тани Лотосовой. Той Тани, какую вы видели.

— Ах, Тани! — Веденяпина опустила голову и тут же снова подняла её. — Вы, может быть, думаете, что я сейчас возмущаться буду? Жаловаться? Да разве сейчас нам до этого? Господи! Вы видели? Их расстреляли! И Сашу...

Она опять сморщилась, стараясь удержать подступившее рыдание.

— Подумайте только! — хрипло забормотала она. — Мне сын мой записочки пишет! Мы с мужем всё ждём: он вернётся... А что, если завтра...

И замолчала.

— Его отпустят! — неуверенно сказала Дина. — Я вас уверяю, что отпустят...

— Откуда вы можете знать?

Дина закусила губу.

— Я не могу вам сказать. Об этом нельзя говорить.

— Нельзя? Даже мне? Он — мой сын!

— Совсем никому! Даже вам! Вы поверьте...

— А я очень верю! — страстно, дико, восторженно переби́ла Веденяпина. — Я очень вам верю! Если бы я не верила, если бы все эти месяцы, как его увели, если бы я не верила, неужели бы я прожила так долго?

И вдруг словно вспомнила что-то.

— Я Сашу, Алфёрова Сашу, Александра Данилыча, видела в тот день...

— В какой? — испугалась Дина.

— В *тот* день, — повторила Веденяпина. — Я пошла за дровами на Смоленскую. А мне и не нужны были дрова, у нас ещё были дрова, меня что-то словно толкало... Шёл снег, небольшой, зима-то кончалась, но снег ещё шёл... И вдруг он окликнул меня. — Голос её сорвался. — Когда я вернулась домой, то Васю уже не застала. Они его взяли, пока я ходила...

— Говорю вам: его должны отпустить... Его очень скоро отпустят!

— Сестра ваша здесь? — тихо спросила Веденяпина.

— Сестра моя здесь ни при чём, — так же тихо ответила Дина. — И вы о ней не говорите, пожалуйста! Куда вы сейчас?

— Я в церковь. Я часто хожу. Проводите меня.

Дина пошла было рядом с Ниной Алексеевной по Староконюшенному, но, пройдя несколько шагов, остановилась.

— Нет, я не могу. Мне тут нужно... по делу...

— Прощайте! — сказала Веденяпина.

— Прощайте! — ответила Дина.

В семь часов утра за Алексеем Валерьяновичем, как всегда, приехала машина.

— В лабораторию, — коротко приказал он шофёру и отвернулся, поднял глаза на свои окна, где горел свет.

Дина Ивановна Форгерер, сегодня первый раз за всё их знакомство проведшая в его квартире всю ночь, стояла, слегка отодвинув тяжёлую штору, и смотрела на него. Волосы окружали её лицо размётанным, похожим на густую листву, покровом. Барченко помахал ей перчаткой. Она приподняла худую, слегка сверкнувшую белизной среди темноты руку и слабо пошевелила ею, потом прижалась губами к стеклу и прошептала что-то.

— Подожди! — сказал Барченко шофёру.

Важно было понять, что она шепчет.

Дина Ивановна подышала на стекло и написала на нём очень короткую фразу: *я без тебя не могу.* Алексей Валерьянович усмехнулся.

— Поехали!

Пустая и грустная, засыпанная листвой, пахнущая яблоками Москва мерцала неяркими окнами. И только огромное здание на Лубянке пылало от низа до верха: огня не жалели.

— Куда мы приехали? — спросил Барченко шофёра, притормозившего у центрального входа со стороны Лубянской площади. — Мне нужно быть в лаборатории.

— Сказали: сюда. Я привёз, — коротко ответил шофёр.

Барченко, судя по всему, ждали: за дверью послышалось какое-то движение, выглянул охранник, и тут же, отстранив его, навстречу вышел незнакомый человек в кожаной куртке.

— Алексей Валерьянович? — коротко спросил он. — Мне приказано проводить вас к Феликсу Эдмундовичу. Он ждёт вас.

В большом кабинете Дзержинского было сильно накурено, а сам хозяин сидел за столом и курил, не вынимая изо рта папиросы, так как обе руки его были заняты: одной он писал что-то, а вторая сжимала телефонную трубку.

— Барышня, — пустым голосом сказал Дзержинский сквозь новое, густое кольцо вытолкнутого изо рта дыма, — соедините меня с товарищем Менжинским.

Увидев Барченко, он положил трубку на рычаг и показал на стул:

— Садитесь.

Барченко сел.

— Наши товарищи, — с сильным акцентом продолжал Дзержинский, — ознакомились с результатами проведённых вами опытов на людях и животных. Мы довольны полученными результатами. Мы верим в ваши возможности передавать мысли на расстоянии, и особенно мы довольны тем, что вы умеете внушать на расстоянии нужные нашему государству мысли и идеи. Это очень важно. Мы верим, что вы не преувеличивали, когда говорили о том, что эти возможности являются новым видом ещё не разработанного до конца современной наукой оружия.

Прыгающими руками он потушил папиросу и тут же закурил другую.

— Сейчас нам важно понять одно: в какие сроки могли бы быть выполнены поставленные перед вами задачи?

— Я бы попросил вас, Феликс Эдмундович, прежде всего ещё раз сформулировать эти задачи, — спокойно ответил Барченко.

Жёлтые узкие глаза Дзержинского блеснули сквозь дым.

— Во-первых: вы должны в самые кратчайшие сроки завершить опыты по передаче мыслей на расстоянии, с тем чтобы мы могли без помощи телефонного аппарата, телеграфа и так далее связываться с нашими товарищами по революционной борьбе во всех уголках земного шара.

Барченко покорно наклонил свою большую голову.

— Мы предоставили в ваше распоряжение более сорока заключенных, которых вы сами отобрали для этих опытов по фотографическим снимкам. Вы сообщили нам, что для скорейшего успеха вам требуются молодые и особенно опасные политические преступники, так как именно у них встречаются наиболее развитые системы психического характера. Правильно ли мы вас поняли?

Барченко опять наклонил голову.

— Партии и правительству, — продолжал Дзержинский, покашляв в узкий жёлтый кулак, — нелегко было решиться на то, чтобы вместо справедливого наказания для этих людей отдать их в ваше почти полное распоряжение. Но к этому вопросу мы с вами ещё вернемся. Теперь о другом. Вы чаю хотите?

— Не откажусь.

Дзержинский пошевелил седой бородкой.

— Чаю товарищу.

Вошла сухая и длинная, как жердь, в военной форме женщина с подносом, на котором стояли два стакана чаю.

— Вы пейте, — сказал Дзержинский.

Барченко отпил глоток.

— Кроме принципиально важного для нас освоения передачи мыслей на расстоянии, мы должны в самом скором времени не только полностью покорить себе Крайний Север, но и обнаружить ту цивилизацию, которая, как вы утверждаете, продолжает существовать под землёй, где содержатся новые, ещё неизвестные человечеству формы биологического существования. Мы правильно поняли вас?

Барченко наклонил голову.

— Мы поручаем вам, товарищ Барченко, осуществить экспедицию на Крайний Север, обнаружить то, что вы называете «лазóм», — он сделал ударение на «о», но тут же поправился: «лáзом», — и вернуть нам ушедшую под землю цивилизацию и её открытия. Советской власти было бы очень сейчас кстати получить эту добровольную помощь подземных товарищей.

Барченко ярко покраснел и быстро сделал несколько глотков чаю, один за другим.

— Последний наш пункт: о Тибете. Товарищ Блюмкин сообщил мне, что он берётся за то, чтобы попы, живущие на Тибете, перешли на сторону советской власти и освободились бы от цепей векового мракобесия и невежества. Мы готовы горячо поддержать инициативу товарища Блюмкина, который собирается проникнуть на самые высокие вершины Тибета, присоединившись к группе, возглавляемой художником Рерихом, от которого мы регулярно получаем сообщения. Товарищ Блюмкин заверил нас с Ильичом, что, обрившись наголо и переодевшись в костюм местного монастырского служащего, он сольётся с группой художника Рериха и будет неузнаваем.

Дзержинский закурил новую папиросу.

— Ваши знания этой гористой местности и её загадок должны нам помочь. Как, вы сказали, называется та страна, которая существовала в этих краях и поднялась столь высоко, что её перестало быть видно? Цимбала?

— Шамбала, Феликс Эдмундович, — ответил Барченко.

— А, да! Шамбала! Красивое слово. И это задание вам, товарищ Барченко: найти и вернуть Шамбалу.

— Я понял вас, Феликс Эдмундович.

Дзержинский замолчал. Пальцы его прыгали. Он зажёг спичку, но не сразу погасил её, а поджёг какую-то бумажку и некоторое время с тихим и радостным безумием неподвижно смотрел, как она разгоралась в железной пепельнице.

— Ваши опыты на вверенных вам заключённых подошли к концу, товарищ Барченко. Мы договаривались, что вы выберете для своей экспедиции на Кольский полуостров троих человек, отвечающих вашим научным требованиям. Остальные контрреволюционеры вернутся в свои камеры, и мы поступим с ними по закону. Вот у меня здесь есть список всех, кто принимал участие в ваших научных разработках. Вот их фотографии. Утрудите себя тем, чтобы назвать мне имена и фамилии выбранных вами людей.

— С радостью сделаю это, товарищ Дзержинский, — сказал Барченко, поднялся и наклонился над списком и фотографиями.

Перед ним было сорок шесть молодых лиц. Каждого из них он знал поименно и каждого ежедневно наблюдал в организованной им лаборатории. Кроме Василия Веденяпина, спасая которого по просьбе Дины Ивановны Форгерер, он и придумал эти опыты, сейчас нужно было отобрать двоих, а остальные сорок четыре человека «вернутся в свои камеры, и с ними поступят по закону».

Впервые за этот почти целый год страшной своей игры с советской властью, в которой — если бы не опиум, рождающий во глубине его мозга самые нелепые фантазии, — он давно бы потерпел поражение, давно бы сломался на чём-то, впервые за этот свой год, главным сокровищем, опасностью и украшением которого стала Дина, — впервые за всё это время Барченко почувствовал себя не только виноватым перед теми людьми, которые «вернутся обратно в свои камеры», но и почти заодно с этими вот уродами и безумцами, один из которых сидел перед ним, жёг спички в железке, чтоб заново вспомнить огонь преисподней, вдыхал её дым, полагая, что курит, и только просил, чтоб его увели обратно, откуда он родом! Под землю.

Барченко почувствовал лёгкую дурноту.

— Простите, товарищ Дзержинский, нельзя ли немного открыть форточку?

— Конечно, конечно!

Запах яблок ворвался в распахнутую форточку вместе со странно напомнившим коровье мычание звуком далёкого паровозного сигнала, и Барченко, жадно вдохнув его всею грудью, отложил в сторону три фотографии: Василия Веденяпина, Аркадия Солонникова и Оганеса Мркичана.

Заключённый Веденяпин провёл дома не сутки, как предполагалось вначале, а целых три дня. Те же три дня были отведены на сборы и самому Алексею Валерьяновичу. В конце третьего дня Барченко, сильно опьяневший от бутылки только что выпитого вместе с Диной Ивановной Форгерер коньяку, лежал на полу в своём кабинете, прижимая к себе в одном только чёрном прелестном белье Дину Форгерер, и шептал в её вечно растрёпанные, тёмно-золотые, огромные волосы:

— Если бы я мог увезти их отсюда! О если бы их увезти! Очистить весь мир... Ты подумай, голубка! Одни только яблоки, птицы... В траве васильки цвета глаз твоих, ангел... А я не могу, не умею!

— Иди ко мне, иди ко мне, ну, что ты опять о своём? — бормотала заплетающимся языком Дина Форгерер. Слёзы лились по её красному лицу, и чёрное кружево было солёным. — Ведь я тут помру без тебя, вот и всё! Ищи меня после в твоей... как?... Шимбале! Среди всех других шимбалих с шимбалятами! Ха-ха-ха!

Она истерически засмеялась и всей золотою своей головою упала ему на живот, осыпала его звонкими детскими поцелуями.

— Не смей целовать меня так! Мне щекотно! — зарычал Барченко и вдруг изо всей силы оторвал от своего тела её голову и привстал на ковре. — Ты что мне сказала? Помрёшь? Повтори-ка!

— Помру! — звонко крикнула Дина.

Большою и толстой ладонью Барченко ударил её по щеке. На щеке отпечатались его пальцы.

— А мне и не больно совсем, — прошептала Дина и опять приникла к нему. — Ну, бей! Бей ещё! Мне не больно!

— А мне очень больно! — забормотал он, лихорадочно глядя её шею и спину. — Я не позволю, чтобы вот это, всё это, ты слышишь меня? — Обеими руками он поднял и развернул к себе её лицо. — Ни одна волосинка твоя, ни одна ресница, ни одно твоё пятнышко, болячка, царапина, родинка, глаза твои, все твои косточки, — не позволю! Не отдам! Другие, да пусть их гниют! Пусть в пыль рассыпаются! Только не ты! Ты чудо земли, ты её украшение!

— Ха-ха-ха! — заливаясь слезами, хохотала она. — Кого украшать-то? Тебя или Колю?

Он вдруг быстро вскочил, накинул на своё большое тело махровый халат, пошёл в ванную, где долго лилась вода, — Дина лежала на ковре неподвижно, как будто спала, — вернулся, вынул из стола большой пакет.

— Вставай! — негромко, своим обычным спокойным голосом приказал он. — Ты в пятницу едешь в Берлин.

Она подняла голову, посмотрела на него ослепшими глазами.

— Куда? С кем я еду?

— Вы едете все. Вот билеты. Ты, твой отчим, сестра с её ребёнком, Алиса Юльевна Шнейдер и нянька Степанова Ольга Васильевна. Вот билеты и вот ваши заграничные паспорта.

Дина задрожала, хотя в комнате было очень тепло.

— Неправда. Ты шутишь! Алёшенька...

— Вы едете все, — медленно, раздельно выговаривая каждое слово, повторил он. — Это было нашим условием. Я забираю с собой Веденяпина и несусь с ним к чёрту на рога искать подземелье на Кольском. Не бойся, найду! Не такое искали! А ты забираешь семью и всех их увозишь. И нянек, и бабок! Но чтобы и духу здесь вашего не было!

— А как же... — залепетала она. — А как я увижу тебя? И где? И когда? Что ты, право, ей-богу... Куда я поеду...

— Нигде. Никогда, — почти грубо сказал он. — Ты сейчас это должна понять, Дина. Ты меня нигде и никогда больше *не увидишь*. Ну, может быть, только во сне. Хотя вряд ли.

В тот же вечер Александр Сергеевич Веденяпин сидел на краю постели в одном белье. На полу перед ним стояла пустая из-под разведённого спирта бутылка, а другая, только что начатая, сильно дрожала в правой руке в то время, как левой он тёр поочерёдно то один, то другой висок и всё время морщился от боли. Отпив глоток, он поставил только что начатую бутылку на пол и, опрокинувшись на кровать, заскрипел зубами. Жена, заплаканная, с высоко поднятыми бровями, приотворила дверь комнаты.

— Неужели ты даже сейчас... — прерывающимся злым голосом заговорила она, — ...сейчас, когда он здесь, не можешь сдержаться? Ты мерзок мне, гадок, когда ты такой! Но я не о себе, я — что! А он? Какую память о родительском доме он унесёт с собой?

— Позволь: каком доме? Где ты видишь «родительский дом»? Да и сына у нас нет прежнего, ничего нет!

— Не смей! Как ты смеешь?

— А ты посмотри на него! — Александр Сергеевич нетвёрдыми шагами пересёк отделяющее его от Нины расстояние, за руку втянул её внутрь. Они стояли, глядя друг на друга с тем отчаянием, которое выражается только в ненависти, потому что у него нет другого языка. — А ты посмотри! Где там Вася? За всё это время он не сказал ни тебе, ни мне ни одного связного предложения! Три раза «да», два раза «нет»! К нему притронуться страшно! Не смей возражать мне! — Он повысил голос, когда Нина хотела было перебить его. — Сколько часов в сутки он спал, когда вернулся домой с фронта? Двадцать? А то даже больше! Ты что, думаешь, я тогда не понял, что он...

Александр Сергеевич бросился к стоящей на полу бутылке, запрокинул голову, и судорожно заглатывающее его горло раздулось.

— Это больше не он! Сломали, убили! Спать он хочет, понимаешь ты? Ничего другого, только спать! Я думал, что, может, пройдёт. У меня в практике бывали случаи, когда человек восстанавливался. Но не в таких условиях! Слышишь ты меня? Не тогда, когда...

И снова запрокинул голову.

— Не тогда, когда вокруг власть Советов! — Лицо Александра Сергеевича задрожало смехом. — А *там* что с ним было, ты спрашивала? Да толку что: спрашивать? Он что, тебе скажет? Да он как будто и говорить-то разучился! Вчера я видел: ты его кормишь на кухне дрянью какой-то, дотрагиваешься до него, а он от твоих прикосновений, как от раскалённого утюга, подскакивает! Ты к нему придвигаешься, а он от тебя отползает! Животные, через которых ток пропустили, только они себя так ведут, да люди, из которых душу вытрясли! Из сына нашего душу вытрясли! Ни-и-и-на-а!

Он поднял кулаки, потряс ими и с размаху сел за письменный стол.

— Я что, не люблю его, думаешь? Я, думаешь, Ваську своего не люблю?

— Тогда и лечи, — с усилием сказала жена. — Лечи тем, чем можешь: любовью. Других нет лекарств.

— Нина! — неожиданно спокойным, вкрадчивым и прояснившимся голосом, как будто он дразнит кого-то, сказал Александр Сергеевич. — Да времени нету у нас, дорогая! Всего-то два дня! Что ты сможешь? Да он их проспит, он и глаз не раскроет!

Нина прислонилась к косяку книжного шкафа и беспомощно разрыдалась. Потом глаза её снова сверкнули ненавистью.

— И ты это мне говоришь! Ты, отец! Он жив у нас чудом остался! Это я его вымолила, я! Я на коленях дни и ночи стояла! Я таскалась на эту проклятую Лубянку! Это Бог меня пожалел, не тебя! Потому что я за ним и за мёртвым бы пошла! Я бы за ним поползла в преисподнюю! Один у меня этот сын мой, один! А ты ещё с девушкой будешь...

Она не закончила, задохнулась.

— С девушкой? — тем же ясным лживым голосом переспросил муж. — А знаешь ли ты, что именно «девушка» нам его и вытащила оттуда?

Нина отняла руки от лица.

— Ты бредишь?

— А кто поручится тебе, что он знает, откуда придёт благодать? Кто? Какие умники? Какие врачи, чёрт бы всех их подрал! Какие философы? Все только морочат друг друга! Ты вон на коленях стояла, лбом об пол стучала, откуда ты знаешь, что Он тебя слышал? Да разве не знал Он заранее, да разве не знал Он всего, когда создавал этот мир? Всего, понимаешь? Всего? Любую травинку с букашкой? Как вы надоели мне все! — вдруг с отвращением сказал Александр Сергеевич и снова припал к бутылке, допил всё, что в ней оставалось. — Да! Васька жив! И пусть спит, раз живой! Но ты на своё трудолюбие материнское, на эти походы свои по Лубянкам, на это, дружок мой, не списывай! Тут другие дела! Огромного, ни мне, ни тебе не ведомого свойства! А раз это так, то я всё принимаю! И смерть принимаю как есть! Поскольку и смерть — это жизнь! Что я знаю о смерти? Вот выпью маленечко, чтоб полегчало, и всё! И бери меня, ангел!

— Какой ещё ангел? — прошептала жена.

— Какой ангел? — пьяно усмехнулся Веденяпин. — Который меня осенил от рожденья. Куда ж ему деться? Здесь где-нибудь, в доме...

Он уронил голову на стол и через секунду снова поднял её.

— Девушка! — с силой прошептал он. — Это ты хорошо сказала про Тату: «девушка твоя»! Это прямо как в песне... как её? «Девицы, красавицы...» А, ладно! Неважно, не помню. А вот через девушку всё и пришло... Гляди, какой фортель!

Ты бы ей глаза выцарапала, дай тебе волю, а тут вот какие повороты! А я ничего не просил! Ты заметь! Я даже и думать забыл: что за девушка? Какие тут девушки! Ваську забрали!

— Так как же? — спросила жена.

— А так же! Неисповедимы пути...

И опять уронил голову.

— Скажи мне! — умоляюще зашептала она. — Да что ты со мною всё время, как враг? Что я тебе сделала, Господи Боже!

— Что сделала, а? — удивился Александр Сергеевич. — А что ты могла мне, голубушка, сделать? Одно ты могла: не любить. Ты меня не любила.

— Неправда! — вздрогнула Нина.

— Какое: «неправда»! — с тем же отвращением перебил он. — От нелюбви у человека печень может воспалиться, волосы вылезают, ослепнуть он может, оглохнуть! Когда, скажем, баба беременная своего младенца ещё в утробе проклянёт или избавиться от него захочет, да не сможет, то на таком младенце, когда он на свет появится, сразу можешь крест поставить! Больным и несчастным он будет! Несчастным! И тут никого не обманешь! А ты не любила меня, дорогая...

Стон послышался из комнаты Василия Веденяпина, сильный, но тонкий, мальчишески тонкий, удивлённый стон, от которого они оба замолчали, прислушиваясь, а потом Нина быстро вытерла глаза, и на лице её появилось озабоченное выражение, сразу же смывшее с него прежнее отчаяние. Она обеими руками пригладила волосы, откашлялась, поправила платье.

— Иду, мой хороший! — чистым и грудным голосом прокричала она навстречу стону. — Проснулся, мой милый? А мы с папой ждём. Сейчас ужинать будем!

Александр Сергеевич сердито убрал бутылки под диван и начал торопливо завязывать кисти халата.

— Иди! Догоню! — приказал он жене. — Умоюсь вот только. Кормить его надо!

По дороге домой Дина попросила шофёра остановиться в Неопалимовском переулке. Варя Брусилова вместе с бабушкой, вдовой только что умершего профессора Остроумова, и маленьким сыном, на полтора года моложе Илюши, жили на четвёртом этаже большого каменного дома, похожего на одинокую скалу.

— Подождите меня, — холодно сказала Дина шофёру, хотя можно было бы и отпустить его: от Неопалимовского до Большого Воздвиженского было десять минут ходу.

Шофёр угрюмо кивнул. Она поднималась по лестнице, и чей-то чужой голос внутри отсчитывал ступени так, как отсчитывают такт в музыке: и раз, и два, и три, потом начиналось сначала: и раз, и два, и три... Тяжёлая ладонь Алексея Валерьяновича всё ещё чувствовалась на её правой лопатке и прожигала кожу. Дина поморщилась и передёрнула плечами под жакетом. И раз, и два, и три... В пятницу мы сядем в поезд... и раз, и два, и три... До пятницы остаётся четыре дня. Он уезжает в четверг. И раз, и два, и три... В четверг уезжает на Север искать подземелье. А я уезжаю в Берлин. И-и раз! В Берлин. И-и два! В подземелье. И три! Так надо. Я всех увезу. И-и раз! Он забудет меня. И-и два!

Обитая коричневой кожей, знакомая дверь. На двери табличка: «Профессор А.Я. Остроумов. Лечение и профилактика детских болезней». Она постучала. За дверью послышались быстрые торопливые шаги, и Варина бабушка, Елизавета Всеволодовна, похудевшая настолько, что и прежде очень большие глаза её теперь подавляли своею огромностью не только лицо, но, казалось, всё тело, всплеснула руками, увидев холодную стройную Дину в прекрасной жакетке и лаковых туфлях. Елизавета Всеволодовна пропустила Дину в квартиру, припала к ней и с наслаждением, как будто она дорвалась наконец, во всю свою силу расплакалась. Потом прошептала:

— Варвару вчера увезли на Лубянку.

Отстукивающий такт чужой голос внутри Дины Форгерер сразу замолк.

— Где Павлик?

— Он спит, — ответила Елизавета Всеволодна. — Дина, я его одна, без матери, не подыму! Откуда я силы возьму? Чем кормить-то? И так, что могла, обменяла!

— За что Варю взяли?

— Ах, Боже мой! За что? — Елизавета Всеволодовна махнула рукой и пошла на кухню. Дина пошла за ней. Сели за чисто вымытый стол. Чистота и порядок в квартире были такими же, как и прежде. — За что всех берут? Но она бешеная девка, Варвара моя, бешеная! Я тебе всегда говорила! И тебе говорила, и Тате! Я знала, что она не вытерпит, тихо сидеть не будет! Она ведь за год три работы поменяла! Слава Богу: обходилось как-то! Увольнять увольняли, но хоть не трогали! А тут Ленину письмо написала. Мне ни словечка! Разве она посоветуется? Да я бы ей руки отрезала! Позавчера она мне вдруг говорит: «Я, бабуля, Ульянову письмо написала. Что они с церковью делают!»

Елизавета Всеволодовна закрыла ладонями свои огромные глаза.

— А ночью пришли и забрали.

— Алёша-то где? — тихо спросила Дина

— Откуда я знаю? Сперва говорили, у красных. Давно не писал. Жив ли... Отец, генерал, здесь, в Москве. Всё время болеет. Он тоже у красных теперь...

— Мы уезжаем в пятницу, — сказала Дина.

— Куда? — И Елизавета Всеволодна слегка отстранилась.

— В Берлин, к моему мужу.

— Ну, с Богом. И правда: раз можете ехать, конечно, езжайте.

Дина встала со стула, села перед ней на корточки и снизу обеими руками обняла её.

— Никуда я от вас не уеду, вот что. Отправлю своих, и будем ждать, что с Варей решится. Отправлю своих, а сама здесь останусь. Я слово дала, что мои все уедут.

Она говорила отрывисто и так, словно обращалась к кому-то другому, а не к вспыхнувшей от её слов Елизавете Всеволодовне.

— Да, — быстро и решительно продолжала Дина. — В четверг мы простимся, и он не узнает. А слово я выполню, Татка уедет, возьмёт с собой папу, Илюшу, Алису и няню, конечно. А я здесь останусь. Когда он вернётся, скажу, что я тоже вернулась. Что жить без него не смогла. Не убьёт же!

Она всхлипнула.

— Что ты, Дина? — зашептала Елизавета Всеволодовна. — Разве я такую жертву приму от тебя? Боже сохрани! А что я Варваре скажу? Она гордая! Её даже Лёша ведь бросил!

— Как бросил?

— После того, что отсидел у *них* четыре месяца, он к ней не вернулся! — Елизавета Всеволодна всплеснула руками. — А как ведь любили друг друга! Ромео с Джульеттой! А вот посидел там, у них, и как будто отбили! Ни чувств, ничего! Старый, страшный! Варвара тогда никому не сказала. Стыдилась ужасно! Генерал пришёл к нам сюда, обнял её, зацеловал всю: «Прости меня, — говорит, — детка, прости! Это я виноват! Ведь это он из-за меня к ним перешёл!»

Елизавета Всеволодовна быстро перекрестилась.

— Такие времена! Ты, Дина, езжай. Меня тут уже научили кой-чему, я знаю, куда прошение подавать, что в нём писать... Завтра на Лубянку пойду, соседка обещала с Павликом посидеть... Бог даст, и отпустят.

Дина упрямо покачала головой:

— Никуда не поеду. Останусь с вами. Уеду, как Варя вернётся.

— А если... — еле слышно спросила Елизавета Всеволодовна. — Боюсь даже думать! А если она не вернётся?

Дина вжала свою голову в её колени. Елизавета Всеволодовна поцеловала её волосы дрожащими губами.

— Я, если бы не Варя с Павлушей, ни минуты на этом свете после Дмитрия Павловича не осталась бы! Прожили мы с ним жизнь, любили друг друга, во всём доверяли. А теперь я говорю: «Господи, — говорю, — благодарю Тебя, что Ты его к себе отозвал!» Варвара-то в деда пошла! Норовистые! А ты уезжай. Ты себя не губи.

Дина встала с колен.

— Ну, хватит об этом, — ответила она теми словами, которыми часто отвечал ей Алексей Валерьянович. — Сказала: останусь, так, значит, останусь. Меня там шофёр внизу ждёт, мне неловко. А вечером я к вам зайду. С Илюшей и с Татой. Еды принесём. Вам хватит надолго.

Она помолчала.

— Но Татке ни слова, что я остаюсь!

— А муж-то твой как же? — всхлипнула Елизавета Всеволодовна. — Жене ведь при муже положено быть...

Дина Форгерер вспыхнула до корней волос.

— Я хотела! Вы что, не верите мне? Я хотела! Вы вот с Дмитрием Павловичем встретились, а потом всю жизнь в любви прожили! А меня как будто связали! И с самой свадьбы так было! С самого первого дня! А я его правда любила! Ну, может быть, мне так казалось... Да разве сейчас в этом дело?

Шофёр стоял рядом с машиной, курил и разговаривал с человеком, которого Дина узнала даже прежде, чем он обернулся к ней.

— Откуда вы здесь, Мясоедов?

— Смотри-ка! Фамилию вспомнили! — засмеялся Мясоедов, и красная родинка на левом его веке опустилась, как будто хотела сползти под зрачок. — А я вот стою, поджидаю знакомых!

— Меня? — презрительно спросила Дина, вынимая шпильку из густых волос и снова вкалывая её в другое место, но не замечая при этом, что одна из огромных прядей выпала, напоминая то ли пучок тёмно-жёлтых водорослей, то ли клубок змей. — И сколько же времени вы поджидали?

— Не бойтесь: не вас! — ответил Мясоедов, разглядывая её. — А вы всё такая же! Не изменились!

— Пустите меня, я хочу сесть в машину! — приказала она.

— Так что? И езжайте! — вежливо посторонился он, по-прежнему изучая её глазами. — Отыщем, когда будет нужно.

— Вы что? Тоже служите? — не выдержала она.

— А как же? — приподнял брови Мясоедов. — Нельзя не служить революции, Дина Иванна.

Она села на сиденье рядом с шофёром, откинулась, рукою в перчатке прикрыла глаза.

— Сестрице привет! — негромко сказал Мясоедов и сплюнул сквозь зубы.

«Боже мой! — с ужасом и одновременно восторгом думала она, пока машина неслась по почти пустой Плющихе. — Боже мой! Ведь я же останусь! И здесь будут все эти люди! Да, все! Мясоедов...»

Она не успела додумать того, что пришло ей в голову: навстречу ей по тротуару почти бежала взволнованная Алиса Юльевна.

— Затормозите!

Шофёр затормозил.

— Алиса! Куда вы? — Дина Форгерер высунулась из окошка.

— Иду за отцом! Няне плохо!

Дина вспомнила, что няня в последние дни ходила обвязанная тёплым платком и держалась за левый бок.

— Садитесь! — Дина, перегнувшись, открыла заднюю дверцу. — Езжайте в больницу! — приказала она шофёру. — Вы знаете адрес? Остоженка, восемь.

Шофёр с тихой яростью посмотрел, как неуклюжая, в шляпке под тёмной вуалькой, Алиса Юльевна усаживается в машину.

Дома пахло нашатырным спиртом, и Таня, бледная, с Илюшей на коленях, сидела у няниной постели и гладила её по рукаву. Няня тяжело, со свистом дышала.

Отец вымыл руки над тазиком, достал стетоскоп. Таня, Дина, Алиса Юльевна и маленький Илюша вопросительно смотрели на него. Няня приоткрыла глаза, с бессмысленным выражением обвела комнату, как будто не узнавая, где она, но тут глаза её остановились на Тане, и всё выражение их изменилось.

— Помру, — горьким шёпотом выдохнула няня. — А ты как?

Слёзы поползли по щекам, и няня высунула язык, пытаясь достать их. Лицо её странно вдруг помолодело.

— Помру, — прошептала она. — Вы меня не держите. Обузой вам буду.

— Ну, так уж сразу помрёшь! — бодро ответил отец. — А я-то на что? Я тебя не пущу!

Няня с упрёком посмотрела на него мокрыми глазами.

Под утро она заснула, и отец, еле держась на ногах от усталости, прошёл в кабинет и свалился на диван, не раздевшись. Алиса тихо звякала чашками в столовой. Илюша, розовый, с длинными ресницами, бросающими тень на щёки, лежал поверх аккуратно застеленной кровати Алисы Юльевны в маленькой комнате и чмокал губами во сне.

— Идите позавтракать, — с акцентом, который всегда становился особенно заметным от усталости, сказала Алиса Юльевна Тане и Дине.

Они молча вошли в столовую, сели за стол, накрытый хрустящей скатертью. Алиса Юльевна внесла только что сваренные яйца, хлеб в серебряной хлебнице, строго посмотрела на них, села и развернула салфетку.

«Мы все никуда не уедем! — вдруг с беспощадной ясностью поняла Дина. — Няня больна. Но она не сейчас умрёт, и никто её не оставит. Мы все сейчас связаны. Мы — как одно».

И вдруг дикая, огненная надежда, что никто ни с кем не расстанется, никто никогда не умрёт, и этот ужасный человек, благодаря которому у них на столе хрустят салфетки и белеет настоящий сдобный хлеб, — этот человек рано или поздно вернётся обратно в Москву, не погибнет, поскольку она будет здесь, будет ждать и молиться, — эта дикая огненная надежда охватила её с такой силой, что Дина вскочила из-за стола, отошла к окну, отвернулась.

— Точить ножи-ножницы! — послышалось снизу, и чёрная, приросшая к своему лотку фигура точильщика выросла прямо под окнами. — Точить ножи-ножницы-ы-ы-ы!

МЫ ПРОСТИМСЯ
НА МОСТУ

Что радует сердце, когда наступает май? Тепло. Тепло, и цветы по полям и по взгорьям. А вот в мае 787 года по всей Европе стояли такие холода, что сердце у птиц на лету разрывалось, и, мертвыми, все они падали наземь. Кто помнит теперь этих птиц? Да никто. Точно так же, как никто не помнит и тех очень грубых, курносых ребят, которые без счета погибли от холода зимою 1408 года, когда набежали татары. А в 1417 году, спасаясь от голода, русские люди пошли в Литву (да что там «пошли»! — поползли, потащились, детей своих поволокли) — и тут уж морозы настали такие, что прямо с детьми и вмерзали в снега.

Ах, Господи, не перечислить!

«Мразы стояли великие, — говорят летописцы, которых никто больше тоже не помнит. — Зима бысть люта. Поньтское море померзло на 30 локоть, а снег паде на нем 20 локоть». А в ту зиму, когда по Дунаю крестились болгаре, «зима бысть тяжка, студена велми зело, за 120 дён одержаще гололед землю и глад бысть великий...»

Никто нас не помнит, никто нас не вспомнит. И все мы друг друга забудем. Неважно, когда кто замерз. О, неважно! Хоть в прошлом столетии, хоть в понедельник. Замерзла ведь та быстрокрылая птичка? Замерзла и стала комочком надгробья. Потом вместе с веткой продрогшей сирени смешалась с землей. В земле, кстати, кто? В ту пору — девица, поодаль — военный. Ходили к девице папаша с мамашей и тоже почили. К военному часто ходила невеста, пока не просватали. Ча-а-а-сто ходила!

А взять бы да вспомнить: замерзших, голодных, зверей по берлогам и рыб по озерам, беременных мертвыми детками женщин, старух, выметаемых на тротуары, больных, пересохших от жара и жажды, младенцев, подростков... Зачем? Они *были*. А толку? Ну разве заметно пылинку, песчинку? Вон сколько земли и песка, сколько снега, зеленой травы, а в траве насекомых — а в каждом и крылышки, и перепонки, и каждое вертит кудрявой головкой, а дождик пойдет — так и черви полезут, и божьи коровки взлетят прямо в небо. И всех нас так много, так неисчислимо... Никто нас не вспомнит, никто не заметит.

Странно, однако, что эта мысль не приносит облегчения.

Зима 1920 года была одной из тех лютых зим, о которых прежде писали летописцы. И поэтому, когда знаменитый певец Федор Шаляпин позировал прикованному к креслу живописцу Кустодиеву, он сидел в бобровой своей шубе, а любимый им черно-белый французский мопс был закутан в пушистый платок, хотя и в платке то чихал, а то кашлял. Картина уже получалась прекрасно, но верить ей было нельзя. И страдающий от тяжелой болезни позвоночника живописец Кустодиев нисколько не верил тому, что он пишет, и Федор Иваныч не верил. И даже большая бобровая шуба, в изображении живописца величаво распахнутая над пестрым собраньем людей и церквушек, была вся, от верху до низу, застегнута.

— Вернетесь с гастролей? — вежливо спросил у певца живописец.

— Вернусь ли? А кто его знает? — хмуро ответил Шаляпин. — А кто его знает...

— А я прямиком да на кладбище, — вдруг повеселел Кустодиев. — И Волги своей не увижу. А как хороша! Как прекрасна!

— Какая уж Волга... Теперь не до Волги.

— С женою поедете?

— Да. Вместе с Машей. Иола останется.

— Как вы, Федор Иваныч, умудрились устроиться: в одной столице — одна семья, в другой — другая?

— Да что... Одни хлопоты...

— Вы были в Кремле? Я так слышал... — посмеиваясь, словно речь шла о чем-то забавном, спросил Кустодиев.

— Да, был, — с вызовом ответил Шаляпин. — Дочь погибала, Маринка. Через Горького передал: так и так, певец Федор Шаляпин просил принять по личному делу. Безотложному. О жизни и смерти ребенка. Назначили: завтра. Пришел. У них там тепло, не в пример вашей мастерской, и печи хорошие. Везде стоят эти... ну, с ружьями. Охрана, короче. Рожи бандитские. Поганые, наглые рожи. Ведут — два сзади, два спереди. Спрашиваю: куда, мол, идем? Вас, говорят, товарищ Шаляпин, товарищ Ленин ожидает в своем кабинете. Сам Ленин, слыхали?

— Ну, ну... — посмеиваясь, сказал Кустодиев. — Везет вам! Сам Ленин...

— Прихожу. И он выбегает навстречу. Я даже не понял откуда. Как будто сквозь стену. Короткий, совсем недомерок. Глаза очень юркие. Я терпеть не могу, кстати, когда у кого глаза юркие. Я сразу ему говорю: «Помогите. Ребенок мой, дочь. Лекарств не достать и питания тоже. А главное — врач. Всех врачей как смело. Кого пристрелили, кто съехал, кто умер». Он сразу вскочил. «Барышня, соедините...» Прокартавил там что-то. Потом говорит: «Завтра у вас, товарищ Шаляпин, будет отличнейший доктор! Наипревосходнейший! Манухин Иван Иваныч. Лучший специалист по туберкулезу». Ну, вот. И Манухин помог.

— Милый мой Федор Иваныч, — ласково и просто сказал живописец. — Езжайте отсюда быстрее и не возвращайтесь. А то они вас подомнут.

— Не думал, не гадал, — мрачно сказал Шаляпин. — Вот уж правду вам говорю. Как на духу. Что только бежать и останется... Как на духу!

— Куда вы сначала?

— Сначала в Берлин. Потом в Штаты.

— Я тут недавно «Братьев Карамазовых» прочитал, — усмехаясь, сказал Кустодиев. — Как он хотел Митю своего в Штаты отправить, не помните?

— Да я не читал! — с раздражением отозвался Шаляпин. — Ну его к чертям собачьим. Пророк называется... Всё он наврал. Народ-богоносец-то что вытворяет!

Через полчаса, расставшись с бледным от усталости живописцем, Шаляпин вышел на улицу, взял на руки мопса, спрятал его под шубу и зашагал по направлению к Московскому вокзалу. Никого уже не удивляли эти страшные, как страшны бывают скелеты в музее, улицы Петрограда. Люди, пробегающие по этим мертвым улицам, напоминали голодных мышей не только тем, как лихорадочно и темно блестели их испуганные глаза из-под надвинутых на лбы шапок и накрученных друг на друга заиндевевших платков, но и тем одинаковым для всех страхом, который объединял их, как форма объединяет солдат. Во всем была смерть: в облупившихся вывесках заколоченных магазинов, в темных окнах, в разбитых витринах, в самом этом снеге, летящем на землю, — была неподвижная, жадная смерть.

Тем более странным показался огромному в своей бобровой шубе, оттопыренной на груди разомлевшим под нею мопсом, Шаляпину цветочный магазин на самом подходе к вокзалу. Магазин этот был открыт, и внутри его, за мутным морозным стеклом, стояли букеты и вазы с цветами. Шаляпин зашел. В магазине, маленьком, но красиво и аккуратно прибранном, топилась железная печка, и стебли цветов были чуть красноватыми. У самого огня, вытянув из-под черной короткой юбки ноги в валенках и закутавшись в вязаную шаль, сидела молодая девушка, бледным лицом и волнистыми русыми волосами живо напомнившая Шаляпину русалку из одноименной и сто раз пропетой им оперы. Русалка посмотрела на вошедшего с удивлением и даже испугом. Шаляпин слегка улыбнулся.

— Неужто цветы еще кто покупает?

— А как же? — охрипшим, простуженным голосом ответила русалка. — Всегда покупали и будут.

— Да, странно... — пробормотал он. — У людей платья не осталось переменить, а тут у вас розы...

Она вдруг покраснела так горячо, как краснеют только очень молодые люди с нежной и чувствительной кожей.

— Цветам-то что делать? Они ни при чем!

— Ну, дайте мне розу, — попросил Шаляпин.

— Одну? — испугалась русалка.

— Зачем же одну? Штук двенадцать.

— Пять тысяч букет. А если возьмете вчерашних — четыре.

— Нет, дайте мне свежих.

— Цветы покупают! — вдруг, словно бы вспомнив о чем-то, воскликнула она. — Ведь люди встречают друг друга... Им нужно!

Она произнесла это так страстно, с такой убежденностью, как будто и впрямь на вокзале встречают друг друга с букетами, будто, как прежде, бегут поезда, и на сиденьях вишневого цвета, как прежде, сидят аккуратные люди, а дети в матросках и бархатных куртках грызут шоколад, и кудрявые няньки платком вытирают их липкие пальцы, — она произнесла это так, что Шаляпин, весь день находившийся во взвинченном и раздраженном состоянии, приоткрыл рот от удивления и, когда она протянула ему красиво завернутый в бумагу букет, пожал ее тонкую, слабую руку повыше запястья.

По расписанию московский поезд отходил через полтора часа, но верить расписанию было нельзя, и вполне могло случиться, что из Петрограда не удастся уехать не только сегодня днем, но даже и ночью, а может, и утром. Те же самые люди, которые испуганными тенями, согнувшись от холода, пробегали по сверкающим белизной улицам города, теперь словно все собрались на вокзале. Шаляпин был почти уверен, что именно этого господина со злыми глазами он видел вчера на Литейном, и эту старуху с котомкой, и девку, которая так же, как утром на Мойке, кусала кудрявую, жирную косу. Люди потеряли то, что раньше отличало их друг от друга, все стали похожими, сплющились, сжались, и, чувствуя это, но не понимая, какого еще унижения ждать, все стали сердитыми, захлопотали, как будто боясь, что иначе их просто в канавы сметет или снегом засыплет.

В помещении вокзала работал буфет, где ничего не было, кроме водки и морковного чаю. Буфетчик с угреватым лицом монотонно объяснял сгорбленному молодому человеку в продранной шубе, что завтра должны быть «пирожные с манкой». И тот кивал радостно и удивленно. За водкой, только что опять разрешенной к продаже, стояла угрюмая возбужденная очередь, состоящая из мужчин и женщин, которые не обращали никакого внимания на косо висевший плакатик со строчками из нового стихотворения Бедного:

Аль не видел ты приказа на стене
О пьяницах и о вине?
Вино выливать велено,
А пьяных — сколько ни будет увидено,
Столько будет расстреляно.

— Двери! Двери-то прикрывайте! — озлобленно крикнул буфетчик. — Всю залу мне выстудят!

В помещении вокзала было тепло от большого скопления человеческих тел и пахло дыханьем, тяжелым и грубым, и потом, и запахом мокрого снега.

Шаляпин со своим белым «свадебным» букетом и мопсом, мирно сопящим внутри его бобровой шубы, стоял перед буфетной стойкой и ловил на себе острые и озлобленные взгляды. Ему показалось странным, что его никто не узнает и, стало быть, слава, которая казалась ему прочной, как собственная рука с холеными ногтями, есть не что иное, как плод самолюбивого воображения, и он будет так же забыт, как и все, в безрадостном этом и скученном мире.

В залу, широко ступая по мокрому от растаявшего снега полу, вошла женщина с таким же, как у Шаляпина, «свадебным» букетом. Он усмехнулся, увидев, что кто-то еще здесь купил эти розы и выглядит так же нелепо, как он. Надо заметить, что Федор Иваныч был большим любителем женщин и к женской красоте относился с некоторым даже почтением, как к красоте хороших лошадей или к чистокровным породам собак. Он расстегнул шубу, вызвав этим недовольство пригревшегося мопса, и, усевшись за буфетной стойкой, спросил себе водки, не спуская при этом взгляда с вошедшей женщины. В том, что она была красавицей, сомневаться не приходилось, хотя красоту этого румяного лица сильно портило то, что она явно брезговала окружавшими ее людьми, их терпкими запахами, их выбившимися из-под шапок и платков сальными волосами и не скрывала того, что ей гадко находиться сейчас среди всего этого. Брезгливость, как все неизящные чувства, конечно, мешает любой красоте. На девушке была короткая шубка и круглая, такого же меха, боярская шапочка с наброшенным сверху пуховым платком, который она раздраженно откинула, как только вошла в эту залу с мороза. Она дождалась, пока подойдет ее очередь, и спросила у буфетчика стакан морковного чаю и рюмку водки, потом пристроилась на краешек деревянной лавки, спинка которой была вся испещрена похабными надписями, залпом опрокинула водку, закрыла глаза, глубоко задышала и принялась пить жидкую коричневую бурду, откусывая понемножку от куска завернутого в бумажку сахарина. Шаляпин удивлялся все больше. Подойти к ней с каким-то вопросом было неловко: он представил, как она, с этой брезгливостью на лице, может посмотреть на него, и внутренне весь покорежился.

Она допила чай и теперь сидела неподвижно, не обращая больше внимания на ругательства, слезы и крики, наполнившие перегретую большую комнату. Два бывших солдата в обмотках — у одного было отморожено ухо и, черное, как гриб, торчало теперь из-под шапки — встали с той лавки, на краешке которой она примостилась, и Шаляпин тут же подсел.

— Да я вас узнала, узнала! — с досадой сказала она и, вынув шпильку из пучка, свисавшего на шею из-под шапочки, зажала ее в губах, обеими руками подбирая рассыпавшиеся волосы и глядя на него исподлобья. — Уж вас не узнать! Вы ведь Федор Шаляпин.

— А вы кто, позвольте спросить?

— Я — Дина Ивановна Форгерер, актриса в театре.

— И муж ваш... — начал было Шаляпин. — Знакомое что-то мне имя...

— Муж тоже артист, — равнодушно сказала она. — Сейчас он играет в Берлине.

— Он выслан?

— Да нет, он нисколько не выслан. Контракт предложили, и он там остался.

— А вы почему здесь? — прямо спросил он, поражаясь никогда не виденному им прежде темно-бронзовому с красным и золотистым цвету ее мокрых от растаявшего снега волос. — Вы что, развелись?

— Мы не развелись, — ответила она. — Мы просто расстались. Вернее, не просто. Он очень не хотел меня отпускать.

— Но вы-то... Зачем вы вернулись?

— Федор Иваныч, — сказала актриса Форгерер и опять посмотрела на него исподлобья, — вы мне слишком уж много вопросов задаете. Если бы не то, что вы такая знаменитость, я бы, знаете, и совсем не стала вам отвечать.

— Простите меня, ради Бога! — воскликнул Шаляпин. — Но все-таки странно: на этом вокзале, среди этой мерзости, хаоса, грязи, вдруг встретить такую, как вы... Ради Бога, простите!

— Пойдемте отсюда, — вдруг попросила она и набросила на голову платок. — Здесь нечем дышать.

Они вышли и медленно пошли по платформе, по-прежнему полной какого-то люда, темной и кисловато пахнущей промороженными рельсами.

— Куда вы едете, Дина Ивановна? В Москву?

— Я думала, что сегодня встречу его, — не отвечая на вопрос, сказала она и остановилась. — Но поезд пришел, а я никого не встретила. Он не приехал. Вот так. Не приехал, и всё.

Она словно бы забыла, что рядом идет человек, который слышит то, что она произносит, ей не было никакого дела до этого человека. Шаляпину стало неловко. Эта молодая женщина с поразительной внешностью не могла стать дорожным приключением: подобно тому, как чужой виноградник, просвечивая сквозь колючую изгородь своими тяжелыми гроздьями, дразнит и лишь раздражает голодного, так и ее красота раздражала, дразнила, но не подавала и малейшей надежды.

— Но вы ведь не мужа встречали, конечно? — спросил он, сердясь на самого себя за эту неловкость.

Состав подошел, их ударило паром. Они отступили.

— Пойдемте обратно, — сказала она. — А то еще поезд пропустим. Вы в первом, наверное, едете?

— Да, в первом, — ответил Шаляпин. — Хотя в этой неразберихе...

— И я, разумеется, в первом. А ведь никудышняя из меня Анна Каренина! — вдруг засмеялась Дина Ивановна. — Напрасно я это затеяла.

Она отбросила свой букет далеко в сторону и, не оглядываясь, быстро пошла назад.

Проводник, немолодой, с выпуклыми, пестрыми, как пчела, глазами, принес два стакана кипятка, зажег золотистую тусклую лампу и, получив от Шаляпина на чай, закрыл за собою дверь, пожелав «товарищам» доброй ночи.

— Вы знаете, Федор Иваныч, — хмельным и слишком бодрым голосом сказала Дина, прижимая оттопыренные губы к оконному стеклу и дуя сквозь них. — Вы, наверное, думаете, что раз вы артист, вы все понимаете, правда? А это не так. Я знаю, что все вы — артисты и всякие там музыканты, художники, даже писатели — нисколько не умные люди.

Она оторвала губы от стекла и улыбнулась ему через плечо мягкой и веселой улыбкой, никак не соответствующей ее хмельному и громкому голосу.

— Мы все совсем разные люди, — удивляясь ее поведению, сдержанно ответил Шаляпин. — Есть глупые, есть поумнее. При чем здесь — артист и писатель? Уж кто кем родился...

— Артисты и писатели, наверное, думают, что самое главное — это любовь между мужчиной и женщиной, поэтому они все время пишут и сочиняют только о любви. А это вранье. Ох, вранье! Я-то знаю...

И снова приникла к стеклу.

— Вы словно истерзаны, Дина Ивановна, — пробормотал Шаляпин.

— При чем здесь «истерзана»!.. Кто не истерзан? Я мужа-то бросила, кстати. Взяла да и бросила сразу после нашего медового месяца, вернулась к сестре... И вот ведь я знаю, что больше никогда не увижу его, а ничуть не переживаю. Меня даже совесть не мучает! Что вы молчите?

Она отлепила лицо от стекла: губы ее были пухлыми, едва розоватыми в полутьме. Шаляпин вдруг понял, что она совсем молода: не старше двадцати.

— Как вы думаете, — быстро спросила она, — ведь мы все погибнем?

— Почему погибнем? — Шаляпин сердито посмотрел на нее. — Первая жена родила мне девятерых детей, один сынок помер, Илюша...

Дина Ивановна торопливо перекрестилась.

— У меня племянник тоже Илюша, — испуганно сказала она. — Дрожим все над ним... Страшно любим!

— Вторая жена моя, Маша, троих родила, — продолжал Шаляпин. — Все дочки, красавицы. Если я так буду думать, как вы сказали, что, мол, все погибнем и все давно к черту летит, зачем же я этих детей нарожал?

— Да, да! — откликнулась она. — А в моей семье все наоборот. Мама родила Тату от своего первого мужа, потом полюбила моего отца и бросила этого мужа, и дочку свою тоже бросила. Потом уже я родилась, за границей. С Татой мы первый раз увиделись, когда мне четырнадцать было, а до этого мама о ней почти и не рассказывала... Странно, правда? Этого я ей до сих пор простить не могу. Потом умер мой отец. Это было очень страшно, никогда не забуду! У него была немецкая фамилия, его дед был немцем, и к нам в квартиру ворвались пьяные мерзавцы. И все разгромили, разбили, разграбили. Тогда ведь война началась, немцев все не любили. И папочка умер, сердце остановилось. Он так и упал, в коридоре. А мне тогда было пятнадцать.

— Владыка Небесный! — сказал Шаляпин и медленно, картинно перекрестился, словно на сцене. — Вам много пришлось пережить.

— Мы переехали к маминому первому мужу — он маму мою очень сильно любил, сейчас тоже любит, — и начали жить уже вместе, семьей. Потом моя мама уехала. Ей дом нужно было продать, он в Финляндии, но тут революция... — Она прикусила губу. — И мама пока еще там. Не вернулась.

Шаляпин поразился соединению детского, наивного, простодушного с каким-то упрямством и даже жестокостью на этом красивом румяном лице.

— Вы молоды, Дина Ивановна, — помолчав, сказал он. — А многого, верно, хлебнули. Досталось вам, вижу.

— Кому? Мне досталось? Ах, что вы, нисколько! Сестре вот досталось, да и достается. А я — что? Как с гуся вода!

— Кого вы сегодня встречали?

— Федор Иваныч! — надменно отрезала она. — От того, что мы с вами сейчас так разговариваем, вовсе не следует, что я вам должна столько сразу открыть. Я, может быть, выпила лишнего, очень замерзла. А вы подумали, что я вам всю душу сейчас так и выложу? Вы, верно, романов начитались, Федор Иваныч, или уж очень много с разными артистами водитесь. У них это принято. А я, хоть и играю на сцене, но я другая, Федор Иванович! Мы с мамой и Татой совсем не такие! Мы скрытные, вот что.

— Сестра ваша тоже такая красавица? — кротко спросил Шаляпин, невольно любуясь ею.

— Намного красивей, намного! — вспыхнула она. — И сравнивать нечего. Она, правда, тихая. Терпит, и все. А я не могу. Не умею. Что ж делать?

Дина Ивановна Форгерер отвернулась от него и снова прижалась губами к стеклу. Шаляпин осторожно погладил ее по голове. Бронзовые волосы пружинили под его ладонью. Он ощутил привычное мужское волнение, которое возникало всегда, когда он притрагивался к привлекательной женщине, но сейчас оно не перерастало в телесное желание и не мучило его своею неопределенностью. Он вдруг почувствовал, что ее хочется защитить так же, как собственных детей, и, когда она, оторвавшись от окна, взглянула на него несчастными глазами, Шаляпин ее не притиснул к себе, не впился всем ртом в эти пухлые губы, а тихо прижал ее голову к шарфу, пропахшему шерстью французского мопса, и начал слегка напевать ей в затылок:

Как у нашего кота
Была мачеха лиха,
Она била кота,
Приговаривала:
«Не ходи-ко, коток,
По чужим, по дворам,
Не качай-ко, коток,
Чужих детушек,
А качай-ко, коток,
Нашу Динушку...»

Дина Ивановна притихла, и вскоре он почувствовал горячую влагу на своем плече.

«Ну, слава Те, Господи! — подумал Шаляпин. — Пускай хоть поплачет! Вот так-то вернее...»

— Как же я буду жить теперь? — прошептала она, крепче прижимая свою голову к его груди. — Ведь это конец! Федор Иваныч, ведь это конец! Ведь он не приехал сегодня!

— Да кто это «он»? — терпеливо спросил Шаляпин

— Он — Бог мой! — шепнула она. — Как Бог может все, так и он. Вы встречали таких? Конечно же, нет! И не встретите. Но я не могу вам всего рассказать. Он год был на Севере, вы понимаете? Мы год с ним не виделись. Это где-то на Кольском полуострове, страшно далеко! Он поехал в экспедицию, чтобы найти там пропавшую цивилизацию. Так он мне тогда говорил. Он очень известный ученый, философ. К тому же и доктор, и маг, и профессор. Но с этой экспедицией... Он ее нарочно придумал. Он просто хотел нас спасти. Не только себя и меня, но и Тату, сестру мою, и... Ну, неважно! Там много всего было, много замешано. И он все продумал, он все сотворил. Как Бог, понимаете? Взял с меня слово, что я сразу тоже уеду отсюда. Что все мы уедем. С Алисой и няней...

Она судорожно всхлипнула.

— А я не уехала, я не смогла! Я подумала, что, если я уеду отсюда, уже никогда не увижу его! Где я тогда могла бы увидеть его? Когда? Мы долго обсуждали это с Татой, и она согласилась со мной. Она тоже была уверена, что мы, наверное, погибнем здесь, но она мучается еще больше, чем я, потому что у нее же Илюша, у нее сын, а она из-за своего любовника не может уехать и говорит, что она преступница, потому что не думает об Илюше, которого надо спасать... Мы с ней тогда сказали друг другу, что мы обе такие же, как мама, потому что мама не за детей переживала, не за Тату и не за меня, а только и думала о том, с кем она хочет жить, а с кем не хочет. Она любила моего отца и ушла к нему! Сразу! Вы понимаете, что это такое: бросить маленькую дочку, бросить хорошего доброго мужа и даже на разводе настоять только потому, что она никаких адюльтеров не хотела, она хотела честно! А то, что за честностью этой стояло... Такая жестокость ужасная, правда? На это ей было плевать совершенно! Но я не хочу быть как мама. И Тата не хочет. Теперь понимаете?

— Вы прелесть, Дина Ивановна, — пробормотал Шаляпин и не удержался, поцеловал ее волосы, но она даже не заметила этого.

— Какая там «прелесть»! Я Колю замучила, мужа. А он мне все пишет и пишет! Все пишет и пишет! Я больше всего боюсь, как бы он не придумал вернуться. А вы знаете, что уже закон вышел: расстреливать тех, кто возвращается? Потому что все, кто возвращается, шпионы! Мой Коля — шпион. Вы представьте! Он всю свою жизнь был актером и больше никем. Он актер от природы. Ему ничего и не нужно другого, как только на сцене играть! Сейчас вот, со мною, он тоже играет... Ах, нет, это грубо, что я говорю! Но он увлекается ролью. Вот осенью он написал, например: «Меня и опасностью не напугаешь». Я просто руками всплеснула: дур-р-рак! Ведь я-то все знаю, я все понимаю! И очень давно. Раньше всех, раньше многих...

Дина Ивановна поняла, что проговорилась, и закусила нижнюю губу.

— Наверное, он объяснил? Тот, кого вы встречали? — деликатно спросил Шаляпин.

— Да, он, — кивнула она, прямо глядя ему в лицо своими блестящими глазами. — Он мне не писал почти год. А тут телеграмма, что экспедиция закончена и они сегодня, в пятницу, возвращаются мурманским поездом в Питер. Я бросила все и помчалась. А он не приехал!

— Ну, мало ли что...

Она вдруг устало махнула рукой:

— Я знала, что все так и будет. И Тата увидела сон.

— Да кто же снам верит? — возразил было Шаляпин, но она не дала ему договорить.

— Еще бы не верить! Она увидела, что я вхожу в кухню с черного входа и у меня в руках корзина с бельем. И я будто начинаю из этой корзины вынимать какие-то сорочки — все белые, чистые — и вдруг достаю одну, а она в крови. И я говорю: «Не бойся, это моя».

Дверь отворилась, в купе заглянул проводник с пестрыми пчелиными глазами.

— Местечко найдется? Входите, товарищ!

Втиснувшийся вслед за проводником человек был огромного роста — едва ли не выше Шаляпина, в добротном сером пальто с меховым воротником и черных высоких ботинках на пуговицах. Он сел рядом с Диной, размотал шарф, открыв большой тяжелый подбородок со шрамом, упирающимся в угол узкого рта, где кожа казалась прихваченной изнутри, как ткань бывает прихвачена английской булавкой.

— Прошу извинить за вторжение. Поезд забит.

Он раздраженно снял очки, протер их вынутым из кармана носовым платком и снова надел, а платок аккуратно сложил и спрятал в карман.

Дина Ивановна пожала плечами и немедленно отвернулась к окну, ловящему мутные волны метели. Шаляпин сказал:

— Добрый вечер.

И вновь наступило молчание. По лицу пассажира маслянисто скользнул свет станционного фонаря.

— Приятно, оказывается, ехать в столь близком соседстве с великим артистом. — Новый пассажир усмехнулся. — Сидишь — и как будто в театре. Я — Павел Андреич Терентьев.

Шаляпин насупился и промолчал. Павел Андреич близко поднес к глазам волосатое запястье.

— Нам с вами придется потерпеть друг друга, граждане, не так уж и долго. Предлагаю спокойный дружеский разговор. Не хотите?

— Нет, я подремлю, — отозвался Шаляпин. — Глаза просто сами слипаются.

— И верно! Человеку гораздо чаще хочется побыть в одиночестве, чем в этом принято признаваться. Читали вы «Робинзона Крузо»? Весь успех этого малого состоял в том, что он остался один и никто ему не мешал. Вы как полагаете, мадемуазель?

Дина удивленно повела на него глазами и ничего не ответила.

— Ну, спать — значит, спать! — бодро воскликнул Павел Андреич и, сняв очки, крепко зажмурился. — Еще раз прошу извинить за вторжение.

Ничего особенно неприятного не было в этом массивном и хорошо одетом человеке, но и Дина Форгерер, и знаменитый на весь мир певец Федор Иванович Шаляпин почувствовали неприятную неловкость.

— У моей сестрицы покойной, — не открывая глаз, сказал Павел Андреич Терентьев, — был попугай. Муж ее капитаном служил на торговом судне, в экзотических странах посчастливилось побывать. Привез попугая. Болтун был ужасный. Сестрица его научила — по-русски, разумеется. Так вот, как сейчас помню, загонят его вечером в клетку, накроют платком, а он оттуда, из-под платка, гнусавит: «Увидимся завтра! Увидимся завтра!» — Он приоткрыл глаза. — Вот так же и я говорю: «Увидимся завтра!»

Дина и Шаляпин переглянулись. Опять наступило молчание. Федор Иванович мог бы поклясться, что он не собирался спать в эту ночь, и странное предчувствие, что вот-вот должно произойти что-то особенно безобразное не то с ним самим, не то с кем-то из очень близких ему людей, не оставляло его с момента, как только он сел в этот поезд; но мерный стук колес и мягкая темнота вызвали в нем легкое и приятное головокружение, от которого Федор Иванович, в конце концов, уселся поудобнее, вытянул ноги и вскоре заснул очень крепко и сладко.

Очнулся он оттого, что мопс лизал его щеку своим горячим шершавым языком, и голос женщины, с которой Шаляпин вчера познакомился на питерском вокзале, сказал возле самого уха:

— Исчез, слава Богу! Какой неприятный!

Дина Ивановна Форгерер, в шубке и шапочке, низко надвинутой на лоб, обращалась к Федору Ивановичу, и требовательность в ее интонации приказала ему немедленно вернуться к действительности.

— Проснулись? Медведь так в берлоге не спит, как вы спали! Завидую вам. Я и глаз не сомкнула. Сейчас выходила; он был здесь, дремал. Вернулась — его уже нет. Куда же он делся?

Ему показалось, что она еще больше похудела и, может быть, даже постарела за эту ночь. Видно было, что она борется с собой и ни за что не хочет возвращаться ко вчерашнему, слишком откровенному разговору.

— Кто делся? — не понял Шаляпин. — Ах, этот! Да что он вам, право? Исчез — и прекрасно.

Она не ответила. Поезд со скрежетом остановился. За окнами замелькали лица, узлы на плечах, чемоданы, коробки... Шаляпин засунул собаку под шубу и в руку взял трость. Букет, как бывает со всеми, которых внезапно бросают, вдруг переменился: стал вялым, бесцветным, напуганным, жалким, остался, как мертвый, лежать на сиденье.

— Куда вы теперь? — спросил Шаляпин у Дины.

— Домой, — сонно ответила она. — Куда же еще?

— Дина Ивановна, — чувствуя, что нужно непременно успокоить и ободрить ее, пробормотал Шаляпин. — Вы так молоды, так собою хороши... У вас еще все впереди...

— Да хватит вам, Федор Иваныч! — оборвала она. — И так все понятно.

— Хотите, я вас провожу?

— Увольте. Зачем же? Не те времена. И холод какой! Вы на автомобиле?

— Нет, я на извозчике.

Они уже стояли на перроне. Утренний мороз колкими своими, рассыпающимися искрами забеливал темную жизнь. Человеческие тела, угрюмые лица, шаркающие по снегу валенки, разинутые рты, раздутые ноздри — все уродливое, растерзанное, охваченное паникой и оттого кажущееся первобытным, грубо животным и, может быть, даже немного червивым, как будто бы все это стыло в земле и грызло друг друга, стремясь на поверхность, — все это кричало, бежало, неслось, и снег серебрил исступленные крики...

— Прощайте, Федор Иваныч, — сказала Дина Форгерер, и у Шаляпина сжалось сердце. — Спасибо вам, милый. Вы милый, чудесный...

— Прощайте, — ответил Шаляпин, и в горле почувствовал соль. — Осторожней...

Она подхватила дорожную сумку, ладонью закрылась от ветра и побежала к выходу. Шаляпин провожал ее глазами. Она не сделала и двадцати шагов, как сбоку от нее вдруг выросла огромная фигура Павла Андреича Терентьева, который властно взял ее под руку, как будто имел свое право на это. С другой стороны к Дине Ивановне Форгерер подошел совсем уж незнакомый человек, весь в черной облупленной коже, в которой многие ходили в это время благодаря тому, что пошитые для будущего авиационного батальона в первые месяцы Мировой войны куртки так и остались невостребованными и перешли в распоряжение ЧК. Шаляпин заторопился вперед, чтобы вмешаться, но толпа оттеснила его, от сильного толчка в спину бобровая шапка упала на снег, и мопс завозился под шубой. Федор Иваныч, чертыхаясь, надел свою шапку и палкой пытался пробить себе путь сквозь вокзальное месиво, но Дина и оба ее провожатых куда-то исчезли.

Прославленный на весь мир русский бас не мог знать того, что случилось. Обнаружив прямо у своих глаз закутанное шарфом лицо Терентьева и почувствовав себя намертво схваченной с одной стороны богатырской рукою этого самого Терентьева, а с другой стороны маленькой, но жесткой и цепкой рукою кого-то, кого она даже не видела прежде, Дина Форгерер попыталась было закричать и вырваться, но они держали ее крепко, и Павел Андреич сказал ей настойчиво:

— Тише вы, тише!

— Да кто вы такие? — возмутилась она. — И как же вы смеете...

— Тише, Дина Ивановна, тише! — повторил Терентьев. — Без нервов, прошу вас.

— Откуда вы знаете, кто я?

— Да кто вас не знает? — развязно пошутил он в то время, как легкая ее фигурка в темной меховой шубе и шапке такого фасона, как прежде носили боярышни, почти повисала на сильных руках их, влекомая к выходу с той быстротою, с которою ветер гнал снег над вокзалом.

В машине они отпустили ее. Терентьев сел слева, а кожаный справа, и сильно запахло бензином.

— К портнихе, — сказал раздраженно Терентьев.

— К портнихе? Зачем? — И Дина опять начала вырываться.

Кожаный засмеялся отрывистым смехом:

— Пошьем тебе платьице. Шоб ты не мерзла!

— Потише, товарищ Астахов, — оборвал Павел Андреич и негромко ответил Дине: — Вы все сейчас сами увидите.

На Молчановке машина обогнула низенькую старинную церковь и остановилась у ничем не примечательного каменного дома.

— Я вам не советую кричать, Дина Ивановна, — сказал Терентьев, вылезая на улицу. — Вы здесь не на сцене. И рано к тому же. Жильцы еще спят.

Вошли в холодный, затоптанный подъезд, поднялись на четвертый этаж. Дина не могла объяснить себе, отчего она вдруг подчинилась этим людям и молча, покорно идет по ступенькам, которые сильно стесались за годы и стали пологими и бестелесными. Дверь отворила пожилая, со следами жгучей красоты женщина, вся в резких, глубоких морщинах, с темными встревоженными глазами.

Висевшее в коридоре тусклое зеркало с черными от старости пятнышками отразило массивную фигуру Терентьева, кожаную авиационную куртку товарища Астахова, на которой слегка заснеженная голова его казалась почти что ненужной и лишней, и словно бы где-то вдали, за их спинами, в надвинутой шапочке Дину Ивановну.

454

— Раздеваться не предлагаю, — негромким, как будто припудренным голосом сказала хозяйка. — Сейчас только топим, еще не прогрелось.

В комнате вокруг стола, покрытого рыжей бархатной скатертью, чинно стояли такие же рыжие кресла со львами, открывшими пасти. В одном углу медленной смертью умирало утратившее запах, сухое тропическое растение, к которому либо привыкли, как привыкают к умирающему, кротко лежащему на своей постели и ничего от живых не требующему, либо просто всё забывали выбросить его на верную, быструю смерть, на мороз. В другом углу тускло чернел хоботок граммофона. Хозяйка, опустив набрякшие глаза, тут же вышла.

— Садитесь, Дина Ивановна, — устало попросил Тереньев и со скрипом отодвинул два рыжих кресла.

Астахов, которого Дина наконец рассмотрела, был низок ростом, кривоног и очень широк в плечах. Теперь, когда он расстегнул свою куртку, как будто ему одному было жарко в нетопленой этой квартире, под грязной, измятой рубахой обрисовалась мощная и выпуклая грудная клетка, в которую словно ввинтили такую же мощную крепкую шею.

— Замучились мы в этом поезде, — зевая, пробормотал Тереньтьев, всматриваясь в разгорающееся за окном утро. — Вон снег перестал. Вроде солнышко... Чаю хотите?

— Я ничего не хочу! — закричала Дина. — Зачем вы меня привезли? Что вам нужно?

— Смотрите, смотрите, — заговорщицки, как будто между ними была тайна, заговорил Павел Андреич. — Смотрите, вот я вам сейчас покажу! Прекрасные снимки. Прекрасного качества. Фотограф попался хороший...

Он полез во внутренний карман своего добротного костюма и, достав из кармана пачку фотографий, начал раскладывать их на столе так, как раскладывают игральные карты. На всех фотографиях был Алексей Валерьянович Барченко, и сердце внутри этой гордой, внутри этой любящей Дины Ивановны, актрисы в одном из московских театров, замедлило ход свой. Потом она вдруг ощутила его — совсем высоко, возле самого горла, — и там, где оно быстро билось, горела, как будто стегнули крапивой, вся кожа.

— Водички нам, Софья Семённа! — крикнул Павел Андреич Терентьев. — Сейчас они в обморок тут упадут!

Дина сделала глубокий вдох, потом такой же резкий, глубокий выдох, как ее учил когда-то законный муж Николай Михайлович Форгерер, и сердце вернулось на прежнее место.

Алексей Валерьянович казался постаревшим лет на двадцать. Он густо зарос бородою, и взгляд его, бешеный и незнакомый, испугал ее. Алексея Валерьяновича окружали большие снега, и на одной фотографии он так и сидел, прямо в этих снегах; а рядом, весь скрюченный, как обезьянка, к нему притулился старик в пушистых богатых мехах, украшеньях, а мордочка плоская, словно тарелка.

— Шаман, — объяснил Павел Андреич. — Они там все пьяницы, эти шаманы.

— Послушайте, — чувствуя, что и лицо ее, и затылок, и даже спина становятся ледяными, а голос дрожит, прошептала она. — Чего вы хотите?

— Давайте мы с вами под музыку потолкуем, а? — предложил Терентьев. — Беседа у нас непростая, а тут везде уши... Зачем нам свидетели? Товарищ Астахов! — обратился он к застывшему у дверей Астахову. — Да я же вам чаю велел принести!

— Велели вы ей, а не мне, — грубо ответил Астахов, однако вышел, и слышно было, как он громко говорит кому-то за дверью: «Товарищ Терентьев с дороги, уставший, а вы даже чаю не можете...»

Его перебил припудренный голос Софьи Семеновны, которая объясняла, что не было воды. Павел Андреич подошел к граммофону, поставил пластинку, раздалось шипенье, треск, и голос Шаляпина громко запел:

> Запрягу я тройку борзу
> Черногривых лошадей,
> И помчусь я в ночь морозну
> Прямо к любушке своей.

Терентьев придвинул свое кресло поближе к Дине.

— Ну, вот и побеседовать можно, а нам там пока чайку сделают. Как давно вы находитесь в любовной связи с товарищем Барченко Алексеем Валерьяновичем? — И сильным ногтем щелкнул по глазам Алексея Валерьяновича, глядящего на Дину с заснеженного фотоснимка.

Она задохнулась.

— Вы что? Как вы смеете...

— Дина Ивановна, — перебил ее Терентьев, — вы даже и представить себе не в состоянии, сколько я всего *смею!* Давайте к окну подойдем.

Он с силой приподнял Дину за локоть, сдернул ее с кресла и подвел к окну. Тихий и сонный московский двор казался каменным от мороза, но наверху, в небе, где только что поблескивало холодное солнце, метались какие-то рваные тени, как будто на небе случилось сраженье и души погибших искали приюта.

— Открою окошко, — задумчиво, словно он не хотел мешать Шаляпину, заговорил Терентьев, — возьму вас и сброшу в сугроб. Четвертый этаж. Умрете не сразу, но точно: умрете.

Она опять набрала полную грудь воздуха, задержала его и выдохнула.

— Дышите, дышите! — усмехнулся Павел Андреич. — Перед смертью, как говорится, все равно не надышитесь... Так мне повторить свой вопрос?

— Я познакомилась с товарищем Барченко два года назад на репетиции спектакля.

— Это нам известно. Наш сотрудник по фамилии Мясоедов, — он быстро взглянул на Дину, — пустой, впрочем, малый, утверждает, что вы регулярно проводили время в квартире Алексея Валерьяновича Барченко и участвовали в его этих... как там? — ну, опытах, что ли. И были при этом его же любовницей. Об этом вот я и хотел побеседовать.

— Никаких опытов я не делала!

— Дина Ивановна, — прошептал он, приблизив свои губы к самому уху Дины, закрытому бронзовыми волосами. — Вас в этом не подозревают. Я говорю вам, что он, то есть Алексей

Валерьянович, проводил свои опыты с вашей, так сказать, помощью, то есть вы служили ему материалом. Как, знаете, мышки, лягушки...

Дверь отворилась, и Софья Семеновна, переодевшаяся в какой-то пестрый восточный халат с наброшенным на плечи платком, с зажатой в углу неряшливо накрашенного рта папиросой, вошла с подносом, на котором стояли две чашки настоящего крепкого чаю и рядом на блюдце был целый лимон, нарезанный тонкими дольками.

— Прошу, — выдохнув кольцо папиросного дыма, произнесла Софья Семеновна.

— Спасибо, спасибо, голубка, — быстро откликнулся Терентьев. — Попейте чайку, Дина Ивановна. Не хотите? А может, покрепче чего-нибудь?

Дина с отвращением замотала головой. Волосы упали из-под шапочки, накрыли плечи.

— Ну, просто картина — сейчас в галерею! — усмехнулся Терентьев. — Думали небось, что с такой красотой вам все дозволяется? А вот и ошиблись! Другая эпоха. Что ж вы меня не спросите, почему товарищ Барченко не приехал вчера, как обещал?

Она посмотрела на него исподлобья.

— Софья Семенна! — крикнул Терентьев. — Будьте так добры, голубка моя, плесните чайку там Астахову! А нам коньяка принесите. Так что, пить не будете? — обратился он к Дине, наливая коньяк, принесенный Софьей Семеновной, в чашку из-под чая.

— Не буду.

— Да? Странно. А мне говорили, вы пьете... Ведь вы же актриса. Актрисы все пьяницы. Или неправда?

Дина вдруг почувствовала, как все поплыло перед глазами, зацепляя мелкие подробности этой комнаты, налившейся вновь темнотой после солнца: кусок паутины на ножке дивана, потом бахрому этой вытертой скатерти...

— Выпейте, выпейте! Доктора здесь нет, некому с вами возиться, — громко сказал Терентьев, поднося к ее губам чашку с коньяком.

Она отпила глоток. Комната перестала кружиться, голос Шаляпина стих, и в граммофоне что-то зашипело.

— Лимончик возьмите. Заешьте. Ну вот... Теперь отвечайте.

— Я что, арестована?

— Нет, вы свободны. Ответить, однако, придется. Иначе...

— Убьете?

— Не сразу, не сразу! Сперва поработаем, дел у нас много. Так что же проделывал с вами товарищ Барченко Алексей Валерьянович?

— Что значит «проделывал»?

— Что значит «проделывал»? — Терентьев скучающе приподнял брови. — Я вам помогу. Нам известно, что по части мужского, так сказать, энтузиазма товарищ Барченко не отличается особыми способностями. Весьма, как мы знаем, умерен...

Она сдавленно застонала от стыда, ярости, унижения и тут же уткнула в ладони лицо. Терентьев поднялся, достал из застекленного буфета рюмку и доверху наполнил ее.

— Глотните, глотните, — сказал он брезгливо, как будто ему это все надоело.

Дина выпила залпом и задохнулась.

— Вы состояли в любовной связи с товарищем Барченко, а нам известно, что он обладает особой, еще не изученной силой, с помощью которой подчиняет себе людей, и, в частности, женщин. Красивейших женщин! А сам он, заметьте... — Павел Андреич опять щелкнул ногтем по фотографии. — А сам по своей, так сказать, конституции совсем не силен...

— Подождите! — не выдержала она. — Ответьте хотя бы: он жив?

— Да, жив, — отозвался Терентьев. — Но жизнь его на волоске.

— Почему?

— Об этом и весь разговор! Ведь вы же хотите продлить его годы? Ведь вон как с букетиком давеча мерзли...

— Откуда вы знаете? Вы меня видели?

— А как же еще доказать, — не отвечая на ее вопрос, продолжал он, — свою роковую любовь? Вот так, как вы сделали, Дина Ивановна. С букетиком роз три часа на морозе!

— Если вы не собираетесь отпускать меня, — осмелела она, коньяк все же действовал, — тогда задавайте вопросы...

— Куда торопиться? — Терентьев нахмурился. — Не вы здесь решаете. Я здесь решаю. Использовал ли гражданин Барченко какие-то порошки или пилюли, когда добивался вашего подчинения?

Она вздрогнула всем телом.

— Нет, он ничего...

— Напитки какие-то пили?

— Пила. Молоко.

— Ах, вот как! Прекрасно! Шутить пожелали? Но вы мне скажите: чувствовали ли вы постороннее влияние на свою волю во время физической близости с Барченко? Не были ли вы под гипнозом?

— Дайте мне, пожалуйста, еще глоток, — дрожа всем телом, попросила Дина. — Я не могу отвечать на такие вопросы... пока я с ума не сошла... Или не опьянела...

— Да пейте, пожалуйста, — отозвался он. — Еще принесут.

Она выпила. Дрожь ее утихла.

— Мне нужны все подробности вашей связи с гражданином Барченко. Это раз. — Он загнул большой палец правой руки. — Мне нужно знать, какие именно приемы, упражнения или что-то еще он использовал для того, чтобы привести вас в состояние подчинения. Это два. — Он загнул указательный палец. — Мне нужно знать, что он рассказывал вам о целях своей будущей экспедиции. Это три. Ну, и последний общий вопрос: насколько гражданин Барченко был лоялен по отношению к Советской власти?

— Не стану я вам ничего говорить! — засверкав глазами, выдохнула она.

— Тогда вам каюк. Вы не догадались разве, что не выйдете из этой комнаты, пока документ не подпишете?

— Какой документ?

— Такой... — повторил он со скукой, но глаза его заблестели, и жизнь заиграла в них так же, как рыба играет в морской глубине. — Берете и пишете: я, Дина Ивановна Форгерер, обязуюсь помогать органам Советской власти во всем, что касается разоблачения и обезвреживания подрывной и враждебной деятельности контрреволюционно настроенных элементов...

— Я ничего такого не напишу, — прошептала она белыми губами. — Вы меня не заставите...

— Ах, вы не подпишете? — И он с той же брезгливостью посмотрел на нее. — Но неужели вы сами не догадались, милая моя Дина Ивановна, что ваша встреча с товарищем Барченко целиком зависит сейчас от вашего поведения? Не *он* не приехал, моя дорогая, а *я* не позволил вам встретиться...

— Скажите: вы — кто? — с наивным страхом перебила она и даже приоткрыла рот в ожидании ответа.

— Терентьев я, Павел Андреич. Учитель гимназии в прошлом... Ну, к делу давайте, а то уже поздно. Я буду сидеть в этом кресле, молчать. А вы шаг за шагом повторите всё, что происходило между вами и товарищем Барченко с того момента, как вы пересекли порог его квартиры. Что он говорил, как встречал? Когда вы ложились в кровать? Шаг за шагом. Хотите хлебнуть?

Он быстро наполнил рюмку.

— Подите вы к черту! — с яростью произнесла Дина Ивановна, поднимаясь с кресла. — Я лучше умру. Вы меня не заставите!

Павел Андреич тоже поднялся.

— Заставим, заставим!

— Нет. Лучше умру, — повторила Дина Ивановна Форгерер и широко шагнула к двери, как будто она свободна и собирается покинуть комнату.

— Ваш Барченко, кстати, в Москве, — спокойно произнес Терентьев ей в затылок.

Она застыла на месте.

— Вы сейчас подпишете бумагу о том, что обязуетесь не разглашать содержание нашей с вами беседы, — продолжал он. — Кроме того, вы соглашаетесь на то, чтобы доводить до сведения наших органов все подозрительные слухи, разговоры, высказывания, планы и прочее, которые остановят ваше бдительное внимание. Наши сотрудники будут сообщать вам о том, где и когда вы будете обязаны отчитываться в своей работе. А за это... — И он сделал паузу.

— За это...? — не оборачиваясь, повторила она.

— За это вы получите возможность увидеть дорогого вам товарища Барченко, который находится не только под нашим неусыпным наблюдением, но так же, как и вы, является нашим рьяным помощником. И я вам даю слово, что вашей горячей любви ничего не грозит. Ну, скажем, в ближайшее время. Решайте быстрее.

Она молча покачала головой.

— Да, чуть не забыл! У вас ведь племянник, хорошенький мальчик... Мне тут Мясоедов сказал: просто ангел! Так вот вы его пожалейте, голубка. Сестра у вас — барышня хрупкая, слабая...

— При чем здесь племянник? — Она повернулась к нему, красная, как будто ее обварили.

— Да как же при чем? — задумчиво ответил он. — Ведь дети-то вон пропадают... И в городе как неспокойно... Решайте.

Через час после этого разговора Дина Ивановна Форгерер соскочила с извозчика на углу своего Воздвиженского переулка. Гувернантка Алиса Юльевна шла ей навстречу, ведя за руку закутанного в платки Илюшу, которого полагалось прогуливать утром в любую погоду.

— И тогда русалочка ответила прекрасному принцу, — мерным и спокойным голосом, как будто вокруг не лилось столько крови и не было войн, революций и смерти, рассказывала Алиса Юльевна. — «Я сделаю все, что вы скажете, принц мой...» — Она увидела Дину и остановилась, не выпуская Илюшиной руки. — А мы и не ждали так рано! — воскликнула она со своим твердым немецким акцентом.

Илюша весь просиял сквозь платки.

— Где Тата? — Дина старалась не дышать на вплотную подошедшую к ней Алису Юльевну. — Проснулась?

Алиса Юльевна смотрела успокаивающими глазами.

— Проснулась и снова заснула. Ей всё нездоровится. Верно, простыла. Пойди к ней, и вместе хоть чаю попейте.

— Вы будете долго гулять? — избегая этих глаз, пробормотала Дина.

— Недолго! Недолго! — защебетал четырехлетний Илюша, с размаху уткнувшись лицом в шубу Дины. — Я к маме хочу! И с тобой!

Дина почувствовала такой страх, которого не чувствовала никогда прежде. «Царица Небесная, пошли мне смерть!» — подумала она, обхватывая Илюшу обеими руками и прижимая его к себе.

— А мы идем в сквер, — спокойно сказала Алиса Юльевна.

— Гуляйте у дома, — дрожащим голосом попросила Дина. — Зачем вам ходить далеко? Слишком холодно...

Таня не спала и, узнав быстрые, но неуверенные шаги сестры по деревянной лестнице, вышла в прихожую и ждала ее.

— Вернулась? А что ты так долго?

— Я очень устала, — резко сказала Дина. — Вода у нас есть?

И пошла к себе, не снимая ни шубы, ни теплых ботинок.

— Постой! Ты куда? Он приехал?

Дина остановилась на пороге.

— Нет.

— Как нет? Почему?

Нужно было накричать на сестру, чтобы она не смела никогда ни о чем спрашивать, но Танины глаза, умоляющие и словно бы виноватые в чем-то, всегда приводили к одному и тому же: она прижалась лбом к Таниному плечу и разрыдалась.

— Ты водку пила? — со страхом спросила Таня. — А где ты была?

...Она вжималась в Танино плечо, а перед глазами крутилось одно и то же: Терентьев вынимает из кармана бумагу, на которой напечатано, что она, Форгерер Дина Ивановна, 1900 года рождения, обязуется доводить до сведения органов власти все вызывающие у нее подозрение разговоры и настроения граждан, с которыми она вступает в контакт, включая членов семьи и родственников, а также обязуется уделить особое внимание и проявить особую бдительность по отношению к разговорам и настроениям Барченко Алексея Валерьяновича. Настоящий документ является строго секретным, разглашению не подлежит, и любое нарушение со стороны подписавшей карается по законам военного времени. Потом он протягивает ей карандаш, и она подписывает.

Ни Таня, ни отчим, ни Алиса никогда об этом не узнают. Она подписала потому, что Терентьев припугнул ее Илюшей. Илюшей! Они сейчас в сквере с Алисой. Она оторвала лицо от Таниного плеча: в окне проплывало прозрачное облако, и на тонкой белизне его таяли голубоватые пятна, похожие на следы детских валенок.

Балерина и актриса, которой, если верить русским газетам, выходящим в Берлине, на свете нет равных и больше не будет, Вера Алексеевна Каралли уже второй месяц не выходила из дому. За это время в газетах появилось несколько некрологов, где лучшую исполнительницу партии умирающего лебедя, захлебываясь, проводили в лучший мир.

В субботу вечером Вера Алексеевна, просматривая последний из этих некрологов, сказала лежащему тут же, на диване, Николаю Михайловичу Форгереру, только недавно вернувшемуся с очередных съемок новой фильмы, уставшему и обессиленному:

— Какие подлецы! На что угодно готовы пойти, лишь бы продать мерзкие свои газетенки. И ведь отлично знают, что я жива! И знают, что просто была инфлюэнца... А вот утерпеть и не сделать сенсации просто не могут! Надо нам с вами, дорогой друг, перебираться в Америку, подальше от всей этой дряни. Поедемте, Коля, в Америку?

Николай Михайлович приоткрыл глаза:

— Нет, Верочка, я не поеду.

Вера Каралли немного побледнела. Отношения с Николаем Михайловичем с самого начала были несколько утомительными в силу их неопределенности и явного отсутствия его любви. Ей, может быть, и не нужна была мужская любовь после всего, что Вера Алексеевна узнала про мужчин, но странно мешало то, что Николай Михайлович, всегда нежно заботливый по отношению к ней и лучше всякой горничной помогавший во время бесчисленных ее болезней, щедрый и ненавязчивый, — этот Николай Михайлович нисколько не скрывал того, что не любит ее, царицу балета, звезду и богиню, а просто проводит с ней время, но любит при этом — отчаянно, горько — кудрявую и большеглазую дурочку, бросившую его в Италии, свою законную жену, маленькую актриску одного из сумасшедших большевистских театров, и ждет только удобного момента умчаться обратно, в Россию. Россия же теперь виделась Вере Алексеевне в образе лебедя, огромного, угольно-черного, в пачке, без всяких сомнений почти что умершего.

Гордость Веры Алексеевны была уязвлена, но при этом какое-то фантастичное, трудно объяснимое чувство охватывало ее все чаще; она переживала ни разу в жизни не испытанное ею наслаждение от борьбы с женщиной, которую никогда не видела и знала только по фотографическим портретам. Если бы ей сказали, что она победила эту женщину, и в душе Николая Михайловича Форгерера наконец-то погасла любовь к ней, и стал он таким же, как все остальные, а именно: ищущим плотской забавы, красивым и сильным самцом, — то она бы смирилась. Она знала многих мужчин, они были похожи. Но все время чувствовать рядом с собою, у самого сердца, чужую тоску по какой-то вертушке! К тому же его так безжалостно бросившей... Нет, дудки! Николая Михайловича нужно было лечить, как лечат больных от болезней, и этот их дивный, их пылкий роман, известный и здесь, и в Париже, и в Праге, роман, которому люто завидовали все и опускали глаза, когда эти двое, статные, сильные, в прекрасной одежде, под руку входили то в ложу театра, а то в ресторан, — этот роман не должен был закончиться его бегством обратно, в страну, которая, как писали берлинские газеты, вернулась в «доисторическую эпоху»!

Разумеется, она не обсуждала с Николаем Михайловичем своих этих чувств. Она не просила и не упрекала, но когда ей пару раз показалось, что Николай Михайлович взглянул на нее тем самым потерянным взглядом, который она ловила на его лице, чуть только речь заходила о жене, или внезапно притронулся к запястью Веры Алексеевны теми же дрожаще-сухими губами, какими, должно быть, касался *ее,* — звезда мирового кино и балета почти ликовала победу. А зря ликовала: он опоминался, и все шло как прежде. Театр, прогулки, постель, рестораны — и вежливый холод, когда не в постели. Последнее время ей стало казаться, что если увезти упрямого Форгерера в Америку, вода океана, как сонная Лета, отрежет его от жены. И навеки. Но он отказался.

— Вы наверняка не хотите уезжать из Европы, Николай Михайлович? — дрогнувшим голосом спросила балерина и даже немного закашлялась.

Она закашлялась нарочно, хотя и не отдавая себе отчета в притворстве, закашлялась для того, чтобы напомнить Форгереру, как чуть было не умерла от инфлюэнцы, и умерла бы, если бы не его забота; напомнить, что весь этот месяц тяжелого жара, бессонницы, боли так сблизил их, что расставаться — нелепость; но взглянула на лицо Николая Михайловича, и кашель ее очень быстро затих.

На лице Николая Михайловича Форгерера установилась, как показалось Вере Алексеевне, какая-то блаженная, сродни идиотизму, уверенность, словно он перестал заботиться о жизни сам и отдался на волю ангела, который прозрачным своим, тихим взором глядит на него с высоты и вздыхает.

— Вы знаете, Коленька, мне тут давеча зоолог один рассказывал — он московский, в институт Пастера собирается, а мальчик сам милый и любит искусство, — так он мне рассказывал про лососину...

— Про что он рассказывал? Про лососину?! — искренно удивился Николай Михайлович.

— Ну, Господи, Коля! Рыба эта, лососина, вы что, никогда не ели? Так вот эта рыба, когда ей приходит пора размножаться, она не просто так размножается — она выплывает обратно из моря опять в свою реку и там поднимается вверх по течению... Вернее, плывет прямо против течения. А там ведь пороги, коряги, препятствия... И вот эти рыбки, Коленька, они бьются, разбиваются, некоторые даже в кровь, и погибают, но всё продвигаются вверх через эти пороги... Их разбивает, а они — дальше! Он сказал, что смотреть на это страшно. «Были, — говорит, — бледные такие рыбешки, голубоватые, невзрачные, а как им идти размножаться, так красными тут же становятся, бурыми... Потом умирают». Не все, правда. Многие.

Она замолчала и выжидающе посмотрела на него. Николай Михайлович привстал на диване и шутливо поклонился.

— Польщен вашим рассказом, Вера Алексеевна... Я, значит, лосось?

Вера Алексеевна грациозно опустилась на ковер у самого дивана и положила чернокурчавую, с бархатной ленточкой через выпуклый лоб голову на руку Николая Михайловича.

— Не жар ли у вас снова, Верочка? — спросил он внимательно.

— Нет, Коля, не жар. — Она подняла лицо с блистающими черными глазами, о которых те же самые русские газеты писали, что многие отдали бы жизнь за один этот взгляд, а если уж сравнивать Веру Каралли с известной египетскою Клеопатрой, так вот, Клеопатра бы и проиграла. — Нет, Коля, не жар, а печаль. Ужасная печаль, Коленька! И не за себя — я нигде не пропаду, — а за вас. Вы, Коля, всплывете наверх по теченью, а после погибнете. Но главное, Коля, вы ей не нужны. Она вас не хочет, мой милый, не любит...

— Вера Алексеевна, — грустно ответил ей Форгерер, — скольких женщин я знал под собою...

Вера Алексеевна слегка усмехнулась на этот дерзкий оборот речи.

— Да, радость моя... Вас включая, уж не обижайтесь. Но эта жена моя... Она не на счастье мне послана, вот что. Люблю я ее? Ну, пожалуй. Желаю? Да, очень, но это не просто желанье. Смотрю: вот она разувается, скажем... Сидит на ступеньках, а вечер был жарким, и ножки вспотели... Вот она стягивает башмаки со своих этих ног, а пальчики слиплись, опухли немножко, и я наблюдаю за ней, и мне страшно. Помру и не пикну за эти вот ноги... За каждый их пальчик. Да, это безумье. А что про отъезд... Так это не я ведь решил.

Вера Алексеевна со страхом посмотрела на него.

— Конечно, погибну. Иду напролом, вот и всё. Как лосось.

— При чем тут лосось? — бледнея, как будто ее вдруг густо напудрили, спросила Вера Алексеевна.

— Просыпаюсь по ночам, — продолжал Николай Михайлович, — холодом меня обдает. Страшно. Душа просто в пятки уходит. А дикий при этом восторг. Скорее бы только! А там уж как будет. Нет, я ничего не решал. *Мной* решили.

Пошли слухи, что в Москве поселился юродивый, который имеет страсть поджигать, поэтому в городе участились пожары. Времена наступили советские: юродивых, а с ними вместе и не юродивых всех приструнили — кого разогнали, кого расстреляли, кто сам убежал. И поэтому, когда товарищу Блюмкину доложили, что за одну неделю случилось три пожара в бывшей Анненгофской слободе и виновник этому безобразию юродивый Ваня Плясун, товарищ Блюмкин приказал привезти к себе немедленно Ваню Плясуна, хотя дел было много в последнее время — так много, что шла голова даже кругом.

Причина же особого интереса товарища Блюмкина ко всей этой нечисти была еще и в том, что сам он находился под сильным влиянием отъехавшего в экспедицию товарища Барченко, ученого самого что ни на есть новейшего психологического направления, с помощью открытий которого можно будет целиком взять на себя управление человечеством. Тут, кстати, тоже было не все так просто. Это со стороны могло показаться, что в сером доме на Лубянке, где горит по ночам электричество, все товарищи живут одной дружной большою семьей, искореняя врагов революции с целью быстрее обеспечить трудящимся рай на земле; едят сухой хлеб, пьют холодную воду. Неправда, неправда и снова — неправда. Сам товарищ Блюмкин, собиравший живопись, антиквариат, драгоценные камни, старинную мебель, меха и посуду, и то поражен был недавно случившимся. История мелкая, но характерная: один незначительный чин (как водится, из латышей) повадился воровать из столовой ВЧК золотые вилки. Товарищи думали, что они были всего-навсего позолоченными, большого внимания не обращали. Кому нужна дрянь и подделки? А вышло-то как? Золотая посуда! Другое дело, почему эта посуда попала в столовую? А всё потому же: бардак, произвол. О чем говорить? Мерзавца — в подвал и в расход, разумеется.

Сверху, как кипяток на голову, сливали одно: расстрелять. Без пощады. Он сам любил кровь и стрелял очень метко. Когда вот была заварушка в Тамбове, стрелять пришлось столько — рука уставала. А как их иначе учить, допотопных? Стоит, скажем, баба, не воет, не плачет. Как окаменела. Глядит прямо в дуло. Грудной на руках, остальные под юбкой. А нужно попасть, чтобы сразу, не мучить. И он попадал. Помирали без визгу.

Окунувшись здесь, в столице, в партийную работу, Блюмкин заметил, что вокруг одни мертвые. Заглянешь им в лица — сплошной кокаин. Он сам ходил в кожаной куртке, сам ездил ночами обыскивать и арестовывать, но сердце у него вдруг начинало колотиться: хотелось чего-то красивого! Стихов, например. Или драмы в театре. И женщин в вуалях, духах и туманах. А тут — одна смерть, один холод кровавый. Приказ за приказом, стрельба да припадки. Ведь сколько народу с ума посходило! Посмотришь: чекист, не горит и не тонет. А утром тебе говорят: застрелился. Записку оставил: «Прощайте, мамаша!»

Чтобы спастись от тоскливых мыслей, товарищ Блюмкин вскакивал иногда из кровати, недавно конфискованной им в особняке Рябушинского, а прежде принадлежавшей самому Савве Морозову, и мчался под снегом к собратьям-поэтам. Те тоже ночами не спят, куролесят. Сергунька напьется — такого городит, святых выноси! А Володя? Володя стишки ему дарит, боится. В стихах-то он громкий, а так — вроде зайца. И Блюмкин не хуже поэт, чем Володя. К тому же герой революции. То-то. Он чувствовал, что они не считают его своим, и ненавидел их за это лукавство, за то, что они хлопают его по

469

плечу, чокаются с ним неразбавленным спиртом, который он сам приносил им на сборища, и нюхают с ним порошок из его же ладони. Половину этих ребят давно нужно было бы пустить в расход, если бы они не были такими мастерами! Блюмкин — хороший поэт, никто с этим и не спорит, но так сочинить вот, как Мариенгоф, пока что не может. Одно радует, что и эти прекрасные стихи Мариенгоф не Сережке посвятил, не дураку Ивневу, пьянице и подхалиму, которого Луначарский себе в секретари взял, а все же ему, Яшке Блюмкину!

Стихи-то отменные:

> Кровью плюнем зазорно
> Богу в юродивый взор.
> Вот на красном — черным:
> Массовый террор!

Блюмкину бы самому до смерти хотелось рассчитаться с этим Стариканом, который засел в небесах и за всеми следит. Как он Его в детстве боялся! Кто знает: там Он или нет? Страх человека долго не отпускает, его порошком не занюхаешь! Вот разве что кровью зальешь...

Хорошо это у Мариенгофа про кровь получилось, крупное вышло стихотворение, его никогда не забудут:

> Что же, что же, прощай нам, грешным,
> Спасай, как на Голгофе разбойника, —
> Кровь твою, кровь бешено
> Выплескиваем, как воду из рукомойника!

Лубянку бы тоже хотелось почистить. Романка Пилляр, например. Какой он Пилляр? Барон Ромуальдес Пилляр фон Пильхау! Товарищ Дзержинский сказал, что Пилляр происходит из обедневшего и захудалого дворянского рода. Вранье! Блюмкин не поленился, выяснил, из какого он рода. Богач и вельможа, и замок фамильный. Его расстрелять или, к черту, повесить! А мы доверяем. А как же? Матушка барона Ромуальдеса, Софья Игнатьевна баронесса фон Пильхау, была при дворе императора фрейлиной, но матушку тоже не тронут:

родная по матери тетка Дзержинского. В Германии полгода назад объявился еще один родственник: двоюродный брат фон Пильхау. Сказал, что он начальник «Русского объединенного народного движения». Набрал себе целый отряд идиотов и всех нарядил, как на дачном спектакле: белые рубашки, на рубашках алые нарукавники, на каждом — белая свастика в синем квадрате. Себя величает: Иван Светозаров. И эти, в рубашках, с проборами в масле, ему козыряют: «товарищ Дер Фюрер!» Der Fuehrer! Пришлось — на паром и обратно в Россию. А тут церемониться долго не стали.

На некоторых своих соратников комиссар Блюмкин не мог смотреть без хохота. Кого, например, взяли Политбюро охранять? Начальник-то кто над охраной? Как кто? Парикмахер! Рудольф Вильгельм Паукер. Из Будапешта. А Венька Герсон, секретарь у Железного? Бухгалтером в Риге сидел, серой мышкой.

Все время хотелось сбежать. Он сбегал: то в Персию, то в Бухару, то на Север. Самое, однако, прекрасное случилось полгода назад летом. Кто знал город Решт до недавнего времени? Никто его толком не знал. Глухой городишко, седые потоки и горы вокруг. И тут-то, на самом отшибе Ирана, вдруг как повезло! Провозгласили большевики в городе Реште Гилянскую советскую республику. Революционное правительство тут же объединилось вокруг одного очень крепкого хана, поджарого, словно олень, но с изъяном: везде за собою таскал свой гарем. Война, революция, дела по горло, а тут эти бабы! Сидят, вышивают. За них-то, за баб своих, и поплатился: правительство свергли, а хана убили. Приходит приказ из Москвы: поставить на место казненного хана другого, живого. И строить Советы. Откуда-то сразу возникла компартия, и Блюмкин в ней стал коммунистом. Не шутка. Что тут началось! Оборона Энзели (еще городишко один, неказистый), потом Первый съезд угнетенных народов. Собрались в Баку, поорали, поели. И все разошлись кто куда. Он думал: опять в Бухару — ан не вышло! В Москве вас заждались, товарищ Дзержинский немедленно требует, вот телеграмма.

Блюмкин был нужен действительно срочно. Тысячи белых офицеров, уцелевших после разгрома генерала Врангеля силами победоносной Красной Армии, «прошли регистрацию», то есть живыми сдались в красный плен. Поехали их регистрировать трое: товарищ Землячка, товарищ Бела Кун и товарищ Блюмкин. Но Блюмкин решил поскорее удрать: при той быстроте, с которой Розалия черное море превращала в красное, ему почти нечего было и делать. Прекрасно там Бела с Розалией справились. Товарищ Троцкий сказал, что Крым — это бутылка, из которой ни один контрреволюционер не выскочит. Никто и не выскочил. Демон (партийная кличка Розалии) придумал простую уловку: всем бывшим военнослужащим царской армии прийти по указанному адресу и сообщить свою фамилию, звание и адрес. За уклонение — расстрел. Конечно, пришли, сообщили. Тут же начали брать людей прямо по адресам. К солдатам и офицерам прибавились сразу и сотни, и тысячи. Работы было столько, что Роза с ее изворотливым быстрым умом придумала всем им, троим, облегчение: топить эту контру, не тратить патронов. Воды в море хватит. По камню на брата — и быстро на баржу! Потом сквозь морскую соленую воду, когда ее солнце насквозь прожигало, виднелись рядами стоящие трупы. Враждебная, но безопасная армия.

Блюмкин, кстати, и не уехал бы так поспешно из Севастополя, если бы не Розино на него нападение. Тут уж он ничего не мог с собой поделать. Одно дело — борьба за дело революции, а другое дело — любовь; и поэтому, когда пропотевшая от утомительного, полного событий дня, растрепанная, с ее уже седеющими мелкими кудряшками, Розалия однажды ночью просто-напросто влетела к нему в комнату, как ведьма на помеле, и тут же стала срывать с него, спящего, одеяло, впиваться губами в живот и подмышки, товарищ Блюмкин быстро ее успокоил и с некоторым даже гневом выпроводил из своей комнаты. Наутро Роза собственноручно расстреляла из пулемета наполненную контрреволюцией баржу, не ела весь день, а вечером, накручивая на желтый от махорки палец свою поседевшую прядь, сказала, что тут они с Белой управятся сами и Блюмкин им больше не нужен.

Он любил женщин как поэт, любил не хуже Володи, и красота в женщине привлекала его неудержимо: он мог и рискнуть, мог сделать любой безрассудный поступок. Уродливая женщина или просто, скажем, невзрачная отталкивала сразу: никакой порошок не помогал. И когда товарищи по партии уверяли его, что любая сойдет, лишь бы было за что ухватить да задвинуть поглубже, он только брезгливо кривился.

Вчера товарищ Терентьев, на которого Блюмкин давно, кстати сказать, собирал материал, но поскольку Терентьев принадлежал к масонскому ордену и был там своим человеком, его приходилось терпеть, — вчера этот жирный и скользкий Терентьев принес фотографии женщины Барченко. Она стояла на перроне в ожидании мурманского поезда. День был морозным, и низкое солнце, случайно попавшее в объектив, казалось дрожащим от холода прямо на снимке. А женщина, которую Терентьев сумел ухватить только в профиль, была такой тонкой и юной, что Блюмкин покрылся испариной: он тут же представил себе ее тело. При этом и вспомнил, как выглядит Барченко: большой, под глазами мешки. Да кто же поверит, что эта вот киска, прижавшая розы к губам, в черной шубке, с огромным клубком очень светлых волос, так сохнет по старому Барченко? Дудки!

Ведь он ее заколдовал! Терентьев собрал все бумаги, касающиеся Дины Ивановны Форгерер, в девичестве Зандер. Актриса в театре, замужем за белым эмигрантом и тоже актером Николаем Михайловичем Форгерером, в настоящее время находящимся в Берлине. Несколько писем от Форгерера к жене удалось перехватить. Обычные сопли. «Люблю, умираю! Позволь мне приехать...»

Езжай, а уж мы тебя, козлика, встретим. Товарищ Блюмкин мысленно усмехнулся в лицо подлецу-эмигранту. Такая красавица не про тебя. Он близко поднес к своим близоруким глазам фотографию, где Дина Ивановна Форгерер была снята в тот момент, когда она бросила розы прямо на перрон и обернулась к Шаляпину. И мука такая на этой мордашке, и губки закушены... Ах, моя пери! Сейчас вот Терентьев придет и расскажет. То, что она подписала бумажку, ни о чем не говорит: многие подписывают, а потом исчезают. А другим никакой и бумажки не нужно: и так, без бумажки, расскажут. Особенно бабы. Женщины, как справедливо считал товарищ Блюмкин, с юности питавший страсть к эзотерическим наукам и лично одолевший таинства каббалы, по природе своей чистейшие ведьмы, в них много змеиного, нечеловечьего. Им только залезть бы повыше. И лезут! По мужьим хребтам, по беспомощным шеям. Опутает телом, вопьется всем жалом — и лезет, и лезет со свистом и шипом. Вон Ларочка Рейснер, огонь-комиссарша, вон Лиличка Брик. Эти не за колечки безумствуют, не за собольи палантины. Им надобно власти; они, как в сказке «Золотой петушок», всех перестреляют и всех перессорят, а сами наверх! Только зубы скрипят. Не зря же Володька повеситься хочет.

С Барченко у товарища Блюмкина были свои отношения. По правде сказать, не было бы уже никакого Барченко, давно бы истлели в земле его кости, если бы не защита товарища Блюмкина. У Барченко были ученики — пытались пробиться в слои ноосферы, — и сам он царил среди них, как павлин. Конечно, донос. Тут Блюмкин его и отбил. А было непросто: у нас не посмотрят, что ты оккультист. Китайцы всем кожу в подвале снимают. Им что оккультист, что профессор, не важно. Но Барченко трогать нельзя. Блюмкин хотел с помощью Барченко всему *этому* научиться. От слова «магия» у него самого волосы на голове шевелились. Несколько раз он присутствовал при опытах: Барченко передавал мысли на расстоянии, потом усыплял своим взглядом, потом приводил в состояние страха. И всё — только взглядом! Блюмкин после этих опытов неделю спать не мог. И никакой экспедиции не было бы, если бы не его вмешательство. Железный не очень-то верил в затею, ему лишь бы крови напиться да кашлять. Товарищ Блюмкин все поставил на карту, даже собственную карьеру. И добился: экспедиция состоялась. Он и сам хотел поехать, но ему запретили, отправили в Германию секретным агентом.

Опять подымать революцию, учить глупых немцев взрывать да шпионить. А ведь благодаря этому лохматому, с мешками под глазами, Барченко новый мир начал разворачиваться перед товарищем Блюмкиным!

Поначалу он погорячился: припугнул колдуна, дал ему понять, что только полной откровенностью с ним, то есть с Блюмкиным, есть шанс задержаться на этом свете. Нельзя сказать, чтобы оккультист так уж сильно испугался. Похоже, что он и сам присматривался к Блюмкину, даже не скрывал этого. Хотел и его приручить. Два года назад взял его с собой на празднование Рождества в масонском «Ордене духа». Жизнь товарища Блюмкина была столь кипуча и разнообразна, что все в ней смешалось, как карты в колоде, но этот поход он запомнил в деталях. Пошли в Первый Ржевский. Снежок. Какое, к чертям, Рождество? Не до праздников! Однако Москва — такой город: ее хоть ты в землю зарой, так из-под земли будут петь, из могилы! За столом, накрытым белой скатертью, стояла чаша с вином. Еды сначала не было никакой. Рядом с чашей лежало Евангелие, заложенное голубой шелковой лентой. Барченко хмурился, а у Блюмкина живот сводило от любопытства. Кроме них, за столом сидели три женщины и четверо мужчин. Все сосредоточенные, с опущенными глазами. Один из мужчин, черноглазый, с сухим орлиным профилем и белыми от голода губами, спросил у всех присутствующих, существует ли на этом свете совершенная красота. Начали отвечать по кругу. Ответили все, кроме Барченко с Блюмкиным. Потом одна из женщин, не подымая глаз, удалилась и минут через десять принесла угощение. Блюмкин запомнил только пирог с вареньем из яблок. Его ели долго и пили вино. Особенно есть было нечего. На стене висели изображения разноцветных рыб, а в руках председателя с сухим профилем и белыми губами мелькала все время какая-то веточка. Потом поднялись, опустили глаза и начали петь. Пели гимны Архангелу Михаилу и кланялись низко рыбешкам на стенах.

Когда возвращались обратно, Барченко сказал, что все это — чушь, ерунда. Самозванцы.

— А что тогда не ерунда? — спросил Блюмкин.

Ах, какое лицо было у этого человека, когда он остановился, задрал к небу голову — а там, в вышине, сколько звезд, сколько тайн! — и, полузакрыв свои глаза, сказал, что *не ерунда* только поиск Гипербореи. И знание *смерти*. Блюмкин и сам это чувствовал. Именно так: знание *смерти*. Что *там? Кто* нас ждет? А если — *никто?* Каббала, конечно, многое толковала, но времени не было на каббалу. А Барченко — рядом, живой. И он — знает.

Месяц назад чахоточный дьявол Дзержинский приказал завершить поиски Гипербореи и вернуться в Москву. У большевиков, мол, нет лишних денег на подобные экспедиции. Блюмкин знал, что деньги есть. Денег у них было немерено-несчитано, успели наэкспроприировать. Но спорить не стал, слишком было опасно. Барченко вернули, но из поезда не выпустили. Нужно было подстраховаться, понять, с чем он едет в Москву. Терентьев сообщил, что у Барченко есть только одна слабинка: актрисочка Форгерер, Дина Иванна. Вернулась в Москву из Берлина. Живет в одном доме с сестрой, отчимом и племянником. Сестра — любовница доктора Веденяпина, психиатра из бывшей Алексеевской клиники, в которую пришлось однажды, прямо из «Кафе поэтов», доставить Сережку Есенина в белой горячке. А сын Веденяпина, белогвардеец, сидел на Лубянке, и Барченко этого парня затребовал. Сказал: уникальные данные, парапсихолог. Короче: клубок. Хорошо бы распутать. Сейчас Барченко перевезли в Москву, а парень этого доктора, Веденяпина, остался в Мурманске. За ним Мясоедов присмотрит.

Терентьев даже и не постучался. Скребнул ногтем дверь и вошел. Блюмкин прикрыл фотографии Дины Ивановны вторым толстым томом товарища Маркса.

— Садитесь, Терентьев.

Терентьев тяжело развалился, сел по-барски. Знает, что сам на крючке, а поведение наглое.

— Что скажете? — И спичкой ковырнул в зубах. — Вы время-то не тяните, Терентьев.

— Вы должны, товарищ Блюмкин, лично посмотреть на эту женщину. Характер весьма любопытный.

— Работать согласна? — быстро спросил Блюмкин.

— Я же вам говорил, товарищ Блюмкин: она подписала, но... кто ее знает...

— Пригрозил ты ей? — хрипло спросил Блюмкин, побледнел и облизнулся.

Терентьев привстал: вся Лубянка знала, как начинаются приступы у товарища Блюмкина. Вот этой вот бледностью, быстрым облизыванием. Потом изо рта идет пена.

— Пошел вон отсюда! — тонким голосом закричал Блюмкин.

Терентьев выскочил за дверь. Блюмкин рванул ворот рубашки, достал из ящика стола бутылку, захлебываясь, отпил треть, вытер губы ребром ладони. Руки его тряслись. Полегчало только от порошка. Где этот юродивый? Как его? Ванька Плясун.

Он вышел в приемную, бледный, но твердый, с ушами, прижатыми к черепу.

— Юродивого ко мне.

Алиса Юльевна наблюдала за Таней так, как только очень любящие родители иногда наблюдают за своими выросшими детьми, болея за них всей душой и отчаиваясь, потому что взрослому человеку уже не позволяется выговаривать так, как ребенку, и взрослый человек имеет полное право попросить, чтобы его оставили в покое. Будучи неискушенной в любовном деле, Алиса Юльевна не могла даже представить себе, где в этом холоде, голоде, мраке умудряются встречаться два человека, если дома у Александра Сергеевича находится его законная жена, а Таня ни разу за все эти годы даже в отсутствие отца не пригласила Веденяпина зайти к ним хотя бы на чашечку чая. Ах, Господи! Чашечку чая! Какой теперь чай и какие там чашечки... Пару месяцев назад Алиса Юльевна получила официальное разрешение покинуть страну Советов и вернуться в Швейцарию, откуда она уехала двадцать три года назад. Двадцать три года назад она пришла в дом доктора Лотосова и впервые погладила эту девочку по ее кудрявой голове. В душе у Алисы Юльевны не было места разброду и хаосу. Она видела жизнь так, как должны были бы видеть ее все люди на свете: тогда не случалось бы войн и пожаров. Вставали бы утром, молились бы Богу и благодарили, что утро настало. Потом бы трудились на совесть. А дети? За что их-то мучить, ответьте! Недавно доктор Лотосов рассказал, что во времена Французской революции использовали специальные детские гильотины для маленьких жителей Франции — с пяти вроде лет до четырнадцати. Алиса Юльевна сначала окаменела, а потом заставила Илюшу выпить два стакана молока вместо одного. Ей неоднократно приходило в голову, что лучше всего было бы взять ребенка и уехать с ним в Швейцарию, но это были праздные мечтания: Тата его никогда не отдаст, да и сама Алиса с Татой не расстанется.

Бог мой! Какие они обе красивые и несчастные девушки: и Тата, и Дина! Алисе Юльевне не пришлось испытать любви к мужчине, но теперь, глядя на Тату и Дину, она благодарила Бога за то, что он не наслал на нее такого несчастья. Обеих ведь просто трясет лихорадка! А Татины слезы ночами! Алиса сколько раз саму себя за руку удерживала, чтобы не войти к ней в комнату, не обнять маленькую свою глупышку, самой не заплакать с ней вместе. Нельзя. Потому что нужна дисциплина. Поплачет и справится. Сердце не обманывало Алису: она знала, что чувство долга, которое она воспитывала в Тате с самого первого дня, и есть ее стержень, она не сломается. А с Диной труднее. Дина была воспитана матерью, которую Алиса Юльевна презирала от души: как женщина может во имя мужчины оставить ребенка? В Дине было много от матери, гораздо больше, чем в Тате, которая пошла в отца. От Дины можно было ждать чего угодно, хотя, если бы не ее возвращение из Европы и связь ее с этим ученым, никто бы не выжил. Она всех спасла. Барченко уже почти год как находился в экспедиции, а им все еще помогали с продуктами: два раза в неделю приезжал шофер на служебной машине и выносил коробку с удивительными по нынешнему времени вещами: сардинами, сыром, сухим молоком, английскими крекерами и шоколадом. Половину Дина немедленно отдавала Варваре Брусиловой, которую уже два раза забирали на Лубянку, но оба раза выпускали: вмешивался, наверное, тесть, сам Брусилов, теперь генерал Красной Армии. Алиса Юльевна все порывалась спросить у Дины, почему же генерал не помогает невестке и внуку с питанием, но не спросила. Все знали, какие в этой семье тяжелые отношения, особенно после кончины Алеши. Говорили, что младший Брусилов служил в Красной Армии и умер в Ростове от тифа. Дина как-то проговорилась, что Варя в его смерть не верит и почти убеждена, что Алеша не умер, а перебежал к белым и покинул Россию. Слух о его смерти был распущен для того, чтобы спасти жизнь отцу-генералу. С другой стороны, и отец перешел на сторону Советов, чтобы спасти Алешу и выдрать его из рук ВЧК. Как бы то ни было, но теперь Варя осталась одна, с ребенком, имея несносный строптивый характер. У Дины характер не легче.

Как ни сосредоточена была Алиса Юльевна на своей Тате и маленьком Илюше, как ни переживала она за доктора, который работал сутками и часто спал не раздеваясь в кабинете, хотя в доме было тепло (шофер на служебной машине дрова привозил дважды в месяц), — но в последнее время она стала замечать, что с Диной творится неладное. Тата, конечно, что-то знала, но даже Алисе Юльевне, которую она любила и без которой не представляла себе ни своей, ни Илюшиной жизни, — даже Алисе она ни за что не сказала бы правды. Тем более она не сказала бы этой правды отцу, который с самого начала был насторожен к Дине и иногда слишком внимательно смотрел на нее за обедом. Обедали вместе, семьей — так, как раньше. Алиса Юльевна не сомневалась, что с Дининым характером, а главное, с Дининой внешностью она непременно вляпается в какую-нибудь историю, и Тата, которая разрывается между сестрой, сыном и любовником и у которой в темно-голубых ее глазах теперь уже постоянно светится что-то такое, от чего у Алисы переворачивается сердце, — Тата обязательно кинется ей на помощь и тоже, скорее всего, пострадает. Главное правило, которое Алиса усвоила еще в годы Таниного отрочества, было простым: никогда ни о чем не спрашивать, сама надорвется своим же молчанием, сама все расскажет. Всякий раз, когда Тата в сумерки выскальзывала из дому, Алиса Юльевна повторяла себе, что нынче — мороз, она скоро вернется.

В мороз им укрыться совсем было негде. Они бродили по городу, изредка она забегала к нему в больницу, где он оставался ночевать, и там они, обнявшись, сидели у печки, пили чай с черными сухарями, пока из палат не начинали доноситься крики больных людей, потревоженных близким дыханием чужой любви. Она закутывалась в платок, ждала, пока он успокоит несчастных, и Александр Сергеевич провожал ее до дому. У Таниного дома они быстро целовали друг друга замерзшими губами, и Александр Сергеевич всякий раз напоминал ей, что сразу, как только наступит тепло, они будут ездить на «дачу». При мысли о «даче» у Тани кружилась голова. Какая же странная все-таки жизнь!

...Розовая река блестела, как зеркало, цветами и травами полон был воздух, и томно, словно изнемогая от счастья, стонали и охали в парке лягушки. Таня запомнила этот вечер целиком, во всех его самых случайных подробностях. На трамвае они с Александром Сергеевичем доехали до Каланчевской площади, потом взяли извозчика и под переливающееся пение горлинок, под цоканье и мелодичный треск соловьев, под голос кукушки, одурманенные запахами цветов и травы, после пыльного и раскаленного солнцем города въехали в Сокольническую рощу, где в редком лесу, на полянах которого росли очень низкие дикие яблони, стояли обычные мирные дачи. Вдали был заросший кувшинками пруд, по краям так щедро осыпанный мелкими незабудками, как будто его обвели синей краской.

— Куда мы приехали, Саша? — спросила она, изо всех сил сжимая его руку, переплетая его пальцы со своими и поглаживая ладонью ладонь.

— Мы будем здесь прятаться, — спокойно ответил Александр Сергеевич. — Мне нужно же где-то любить тебя, правда?

Она вспыхнула и глазами показала ему на спину извозчика.

— Ну, знаешь! — резко сказал он. — Еще и извозчиков тоже бояться! Смотри, какой рай! Мы в раю с тобой, Тата.

У маленькой дачи с декоративной изгородью, увитой твердыми и блестящими листьями, извозчик остановился. Александр Сергеевич довольно уверенно пошел по тропинке прямо к крыльцу, поднялся, открыл замок. Плетеный стол на террасе был усыпан мертвыми осами, закат золотил их худые тела. В столовой была темнота, занавески опущены. Александр Сергеевич подошел к окну, распахнул его. Вся белизна разросшихся у самого окна кустов, все запахи, звуки и яркий, садовый, восторженный ветер — все это наполнило комнату и преобразило ее. Старые иконы в переднем углу и низкие полки обожгло светом, сиреневой искрою вспыхнула ложечка. Александр Сергеевич близко подошел к Тане и погладил ее по щеке. Потом так же осторожно, словно боясь разрушить что-то в этом чужом мире, обнял за талию. Она покачала головой и отступила.

— Но где это мы? У кого?

— У моего бывшего больного. Какая ты стала пугливая!

— А где сам больной?

— Больной давно в Питере. У него мания преследования. Все время спасается и убегает. Сейчас это, правда, уже не болезнь...

— И он тебе сам дал ключи?

— Он знал, что мне тоже захочется спрятаться. Хотя бы на время, на день или два. И дал мне ключи.

— А если кто-нибудь видел, как мы вошли сюда?

— И что?

— Если сейчас кто-то откроет дверь?

— Я запер. Прошу тебя: ну, перестань!

— Но это так странно, что мы в чужом доме...

— Я всегда говорил тебе, — Александр Сергеевич притянул Таню к себе и губами прижался к ее виску, — что вся наша жизнь будет странной. Ведь я говорил тебе.

Таня закрыла глаза.

— Но я тебя очень люблю...

— И я тебя очень люблю, — отозвался он, расстегивая пуговицы на ее спине. — А ты в новом платье...

— Не в новом, а в Динкином, — прошептала она. — У Динки их много. И мы с тобой — два сумасшедших. Вот кто мы...

Когда он наконец оторвался от нее, уже наступил вечер, и молодая желтовато-розовая луна казалась фарфоровой, ненастоящей и низко висела над деревом.

— Господи, Господи! — бормотала Таня, торопливо одеваясь, пока Александр Сергеевич продолжал лежать на широкой чужой кровати, застеленной старым чужим одеялом. — А как я домой доберусь? И что я скажу?

— Тебе разве плохо сейчас? — спросил он.

Она тихо легла рядом в наполовину застегнутом, измятом платье и прижалась к нему.

— Я часто думаю, что я виновата перед всеми, что надо кому-то сказать, объяснить... И главное: врать очень трудно...

Веденяпин приподнялся на локте и свободной рукой оттянул назад ее волосы.

— Послушай меня, — медленным и слегка поучительным тоном, который всегда вызывал в ней протест, заговорил он. — Тебе все кажется, что мы по-прежнему там, где мы были, когда познакомились с тобой и сблизились друг с другом. А *там* — все другое, и, главное, этого *там* больше нет. Ты слышишь меня?

Она хотела возразить ему, но он не позволил:

— Я прошу, чтобы ты выросла, наконец! — В голосе его прозвучало раздражение, и Таня, уже слегка обиженная этим тоном, насторожилась. — Я сам долго не мог поверить в то, что все стало другим и с каждой минутой все только чуднее и все непонятнее. Что-то, наверное, произошло в самой глубине жизни... Но это мне трудно тебе объяснить...

— Нет, кажется, я понимаю...

— Понять это трудно, но можно почувствовать. Как можно понять умом то, что сейчас происходит? Тогда нужно сразу лишиться рассудка... Ты знаешь стихи? «Не дай мне Бог сойти с ума! Нет, лучше посох и сума...» А дальше не помню. Но это не важно...

Таня вдруг подумала, что самое странное — это именно стихи, который он пытается вспомнить, лежа рядом с нею на чужой кровати и глядя в окно на чужие деревья.

— Я это почувствовал раньше, может быть, чем другие, — перебирая ее волосы, пробормотал он. — Когда получил телеграмму о Нининой смерти. Я ужаснулся тогда. Но не тому, что она умерла. Я знал, что она жива. Ты не забывай, кем я работаю и где. Вокруг меня всегда были сумасшедшие. Для нас петухом закричать — разлюбезное дело. И на четвереньках побегать. Но я закрывал за собой дверь больницы — и всё. Возвращался обратно в мир милых, нормальных людей. Граница между ними и нами была четкой. Иначе нельзя: вот мы, вот они. А Нина переступила черту... Я увидел фотографию какой-то женщины в гробу *и знал*, что это не она. И все сразу стало другим. Для меня, во всяком случае. Я до сих пор не могу понять, как у нее хватило духу...

Он уже не первый раз говорил ей все это, и она понимала, что он не может иначе: это было сильнее его.

— Я понимаю, — мягко перебила Таня. — Но няня всегда говорит: «Вот, дошла». Она не о *ней* говорит, разумеется... Но я это все понимаю...

Он насмешливо и неприятно засмеялся:

— А! Ты понимаешь? Ну, может быть, женщинам это понятнее. Читала ты «Кроткую»?

— Нет, не читала.

— С тобой тяжело разговаривать, — вздохнул он. — Стихов ты не любишь и книг не читаешь... Женщинам многое открыто в области чувства. Гораздо, наверное, больше, чем нам. Но я не об этом. Зачем ты вскочила опять?

Она умоляюще посмотрела в окно, где небо меняло свой цвет, от мелких сияющих звезд стало нежно-молочным.

— Но, Саша, ведь поздно!

— Да подожди ты! — Он обнял ее и силой уложил обратно, притиснул к себе, и она покорилась. — Никто без тебя не умрет. Только я. А может, и я не умру. Ты не бойся. Я иногда спасаюсь тем, что начинаю повторять себе: да, очень страшно, да, грустно, да, больно, но все это, может быть, и не со мной. А может быть, все это мне только кажется... И легче становится. Право же, легче.

— Там папа волнуется!

— Да он на работе, твой папа! А даже если и не на работе, он разве не знает, что у тебя есть любовник? Ты взрослая женщина! Живешь — лет уж пять как — с женатым мужчиной... Оставь ты свои институтские штучки... Ну, вот! Только слез нам теперь не хватало.

Движением головы Таня вытерла правый глаз о подушку.

— Ты начал про Нину, — покорно сказала она.

— Да. Начал про Нину... Нина посягнула на нормальность жизни. Вот именно так: посягнула. Своим этим розыгрышем. Хотя... Это даже не розыгрыш. Это произвол. Бессовестный произвол. Тот же самый, который я знаю по своим пациентам. Но они действительно *не видят* черты. Они ее *не видят*. Им можно кричать петухом. Им все вообще можно. А Нина черту эту видела, знала. И переступила ее. Ты говоришь: «дошла». А может быть, все мы «дошли»? Я иногда сам с ума схожу: мне кажется, что и война, и Васькин уход на фронт, и все, что случилось потом, и весь этот смрад большевистский — все есть результат ее этого розыгрыша... Что ты так смотришь на меня?

— Я не понимаю... При чем здесь она?

— Она ни при чем. И лично никто ни при чем. Но если к ее поступку прибавить другие, такие же, как у нее... Такие же «кукареку»... Не в моей клинике и не в сумасшедшем доме, а просто... Вокруг нас с тобой, в нашей жизни? Вот и окажется, что половина людей на свете кричат то же самое «кукареку» и бегают так же все — на четвереньках. Ты слышишь?

Она испуганно кивнула.

— Я подумал тогда: а что, если таких поступков, похожих на тот, который сделала моя жена, слишком много накопилось? И все они с ложью, с предательством, злые! Терпел, терпел Бог, и терпение лопнуло... Ну, вот тебе и революция.

Таня негромко заплакала.

— Хорошее вышло сегодня свиданье... — прошептал он, опять оттягивая назад ее волосы и целуя мокрые веки. —

Я хочу, чтобы ты все знала, чтобы ты все понимала. Может быть, я дурак и фантазер, а может быть, у меня от пережитого у самого мозги расплавились и напрасно я тебя мучаю. Но ты — моя женщина. Должна же быть женщина, которую я вспомню, когда уже ничего не буду помнить, помру уже наполовину! Вот тут-то и вспыхнет: «А! Это ты!» — Александр Сергеевич замолчал. — Сейчас самое главное: выжить нам обоим. Только выжить, больше ничего. И быть с тобой вместе. Ты только подумай: «свобода любви»! Что они понимают про свободу любви, эти сволочи?! Им лишь бы на улицу голыми выскочить да красных бы тряпок побольше... Хватит же плакать!

Таня попробовала улыбнуться ему и не смогла: слезы душили ее.

— Поэтому нам все сойдет: и чужой дом, и овраг в лесу, и скамейка в парке, — сказал он. — Я хочу надеяться, что за любовь нам многое простится с тобой. За эту свободу. А ты как считаешь?

Она пожала плечами.

— Ты думаешь: нет? — грустно удивился он. — Но как же тогда? Я вот смотрю на твою косичку, гляжу твою ключицу и чувствую, что и косичка твоя, и ключица — это часть меня самого. А уж если целую твой живот — так это же вечность! А ты говоришь: не простится...

Она только к ночи вернулась домой. Отец спал в своем кабинете. Где была сестра, никто не знал. Алиса Юльевна, ждавшая ее с ужином, не задала ни одного вопроса, и только няня, к которой Таня зашла перед сном, робко заглянула ей в глаза, как будто хотела о чем-то спросить, но всхлипнула и ни о чем не спросила.

До самого конца октября чужая дача в Сокольниках служила им домом, приютом, гнездом, которого быть не могло, о котором они и не мечтали. В ноябре ударили морозы. Печь в доме была разрушена, воды не было.

На сцене нового, только что ставшего самостоятельным, театра шла репетиция спектакля «Чудо святого Антония». За окнами сверкал и гудел мороз, и в зале было так холодно, что актеры репетировали в платках и валенках. Посреди сцены на венском стуле громоздилась казавшаяся огромной фигура режиссера, который на самом деле давно был похож на воробышка и быстро терял в своем щупленьком весе, поэтому только облезлая шуба — скорее всего, из зайчат или кошек — ему придавала вот эту огромность. На худенькой голове режиссера с большим выступающим носом и полузакрытыми от слабости глазами было намотано мокрое полотенце, потому что мигрень мучила его уже вторую неделю, и никакие порошки, кроме «белой феи», не помогали, а «белая фея» моментально приводила к галлюцинациям, и тогда приходилось сразу останавливать репетицию.

Сегодня ночью ему снилась старуха, которую он возил в колясочке по арбатским переулкам. Старуха при этом кричала «У-а-а!», как младенец. В аптеке он ей купил соску и тут, к сожаленью, проснулся. Утром режиссер пришел в театр с твердым намерением воспользоваться своим сновидением. Он знал, что умирает, но дикая мысль, что смерть только попугает его и отступит, все время терзала рассудок. Спектакль «Чудо святого Антония», где все действие строится вокруг воскрешения богатой, бессмысленной, злобной Гортензии, казался ему ниточкой, связывающей его собственную жизнь с огромной всеобщею смертью, которую можно легко обмануть, вернее сказать: разыграть, одурачить. Режиссера колотил озноб, перед глазами прыгали разноцветные молнии, тело горело, а руки и ноги были холодны, как лед. Он все пытался вспомнить, где находится сейчас Константин Сергеевич: в Европе или в Москве? Можно было, конечно, спросить у кого-то, но режиссер боялся обнаружить перед труппой свое беспамятство и не спрашивал.

По его просьбе из подсобной комнаты вытащили массивную, размером в два раза больше обычной, глубокую детскую коляску. Нужно было восстановить сновидение. Взгляд его больных полузакрытых глаз остановился на хрупкой и худой актрисе с огромными золотыми волосами, обмотанными вокруг головы, как полевой венок. Ее звали Форгерер, это он помнил.

— Подите сюда, — слабым, но настойчивым голосом приказал режиссер. — Вы уместитесь в эту коляску? Вы можете сжаться в комочек?

Худая золотоголовая актриса подняла на него глаза, обведенные густой тенью страха. Он знал эту тень: ею полон весь город.

— Вы можете сжаться в комочек? — настойчиво повторил режиссер.

— Хотелось бы, — странно ответила она.

— Садитесь в коляску.

Актеры и статисты переглянулись. Дина Ивановна Форгерер разулась и в белых, заштопанных няней чулках залезла в коляску.

— Вот так! — пересохшими губами прошептал режиссер. — Теперь вы, Захава, берите за ручку, возите по кругу.

Плотный невысокий актер с волевым подбородком осторожно взялся за ручку.

— Боюсь, все развалится, — пробормотал он.

— А все развалилось! — быстро, словно он бредит, отозвался режиссер. — Вы что, не заметили? Везите быстрее! Кружитесь, кружитесь... Ей главное — спрятаться!

Неожиданная мысль осветила его крошечное вдохновенное лицо. Он содрал с головы мокрое полотенце.

— Я понял! Смерть — это ребенок! Мы думаем, что она вечная и всесильная. А это неправда! Она — наш ребенок! Мы носим ее во чреве с самой минуты своего рождения. А потом, когда наше чрево переполняется ею, она нарождается, мы умираем. Вот как происходит! А раз она тоже ребенок, ей хочется, чтобы ей спели песенку. И чтобы ее покатали в коляске. Она, хоть и Смерть, но такой же младенец! Ее нужно нянчить, она будет спать... Ну, что вы стоите? Вы пойте, Захава!

Дина Ивановна Форгерер обхватила голову обеими руками и вжала ее в согнутые колени. Актер с волевым подбородком прищурил глаза и запел:

Цыпленок жареный,
Цыпленок пареный
Пошел по улице гулять.
Его поймали,
Арестовали,
Велели паспорт показать.

Я не советский,
Я не кадетский,
А я куриный комиссар —
Я не расстреливал,
Я не допрашивал,
Я только зернышки клевал!

— Это что, новая песня? — с восторгом спросил режиссер. Актер кивнул и продолжал:

Но власти строгие,
Козлы безрогие,
Его поймали, как в силки!
Его поймали,
Арестовали
И разорвали на куски!

Цыпленок жареный,
Цыпленок пареный
Не мог им слова возразить.
Судьей задавленный,
Он был зажаренный.
Цыпленки тоже хочут жить!

— Да, да, да! — забормотал режиссер, вскакивая, уронив огромную женскую шубу на пол и оставшись в парусиновом летнем костюмчике, который болтался на его иссохшем теле. — Да! Об этом и речь! О цыпленке! О крошке! О желтом комочке нещадной Вселенной! Как ты там сказал? «Хочут жить...» Браво, браво! Они «хочут жить»! Вот и всё! Они хочут! Ах, великолепно! Прекрасно, прекрасно! Какие слова! Обо всех. Все ведь хочут... Об этом и будет весь новый спектакль. О Смерти-младенце и этом цыпленке!

Дина Ивановна, скрючившись в коляске, с головой накрылась серым платком.

— Ах, как великолепно! — продолжал режиссер, размахивая руками. — Теперь вы похожи на маленький холмик. Вы — символ всего что угодно. Это может быть новорожденный, может быть чрево беременной, а может быть даже надгробие!

Тайна! Завеса! Которую мы приподымем! И символ, конечно. И жизни, и смерти! Захава! Везите коляску по кругу!

Дверь в зал отворилась, и вошли двое. Режиссер прищурился, всматриваясь в полутьму:

— Товарищи! Идет репетиция спектакля!

Вошедшие подошли к самой сцене и показали вынутые из нагрудных карманов книжечки.

— Извините, товарищ Вахтангов. Нам срочно нужно поговорить с товарищем Форгерер, Диной Иванной.

Режиссер снова нырнул в свою огромную шубу, как птица в дупло. Лицо его стало надменным.

— Товарищ Форгерер занята, она не может оторваться от текущей работы.

Серый могильный холмик и чрево беременной одновременно остались недвижны. Актер Захава покачивал коляску.

— Скрываетесь, Дина Ивановна? — добродушно спросил один из вошедших, с большими густыми бровями, с большими ушами, в расстегнутой куртке. — Давайте-ка мы вам поможем.

Он подошел к коляске и сдернул платок. Вытянувшись тощей шеей из облезлого меха, режиссер вдруг хлопнул руками, как делают фокусники, когда предмет, только что спрятанный на глазах зрителей, должен исчезнуть. Фокус, однако, не удался: Дина Ивановна Форгерер по-прежнему находилась в коляске.

— Прошу вас! — Чернобровый чекист, протянул руку, чтобы помочь ей вылези.

— Оставьте меня, я сама.

Лицо ее горело.

— Поговорить нужно, гражданка Форгерер.

Спутник чернобрового чекиста, массивный и широкоплечий, в добротном, явно американском пальто, пушистом шарфе и желтых, на меху, перчатках, пододвинулся поближе к режиссеру и, наклонившись над ним, проговорил негромко:

— Я слышал, что вы захворали, товарищ Вахтангов? Условия здесь для болезни... не очень... Уж больно тут холодно.

Режиссер высоко закинул свою птичью голову. Глаза его раскрылись полностью и черным огнем заблестели.

— Искусству не важно, какие условия! — с вызовом, срывающимся тонким голосом воскликнул он. — Искусство само себя греет!

— Товарищ Терентьев, — негромко вмешался чернобровый. — Мы можем заняться вопросом отопления театрального помещения в другой раз. Вы, гражданка Форгерер, едете с нами.

У Александры Михайловны Коллонтай было беспокойное сердце. Больше всего ей хотелось немедленно запретить вредные дискуссии, которые вдруг, пользуясь тем, что в мире на редкость морозно и голодно, вспыхнули в определенных кругах так называемой философски настроенной интеллигенции. Это было, конечно, парадоксальным явлением: люди с остервенением набросились на духовную пищу и начали буквально рвать ее зубами, весьма ослабевшими в пору разрухи. То ли от недоедания, то ли от недосыпа они устраивали разные кружки и изо всех сил пытались завести в тупик марксистскую идеологию. Всех их, разумеется, нельзя было сразу перестрелять, потому что было и без них кого стрелять; сажать же их было пока что невыгодно, как, скажем, сажать певчих птиц — все клетки загадят, а толку не будет. Последней каплей для того, чтобы Александра Михайловна вмешалась в происходящее, послужила философская конференция на тему «Человек ли женщина?», организованная Российским антропологическим обществом.

Отпечатанные на машинке материалы этой конференции Александра Михайловна просмотрела с особою брезгливостью, кутаясь в песцовую накидку. Вот, например, что было сочинено неким товарищем Рякиным, Олегом Вульфовичем:

«Вопрос о том, является ли женщина человеком, присутствует в каждой культуре и составляет неотъемлемую часть медитаций о сущности человека и его месте во Вселенной. В философской традиции мужское начало трактуется как аполлоновское начало формы, идеи, активности, власти, ответственности, Логоса, сознания и справедливости. Женское начало осмысляется

как дионисийское начало материи, пассивности, подчинения, инстинкта и бессознательного. Таким образом, мужские качества издавна считаются подлинно человеческими, а женские — не вполне человеческими, от которых человек в своей эволюции отталкивается, и поскольку женские качества в процессе развития человека подлежали преодолению и расценивались ниже мужских, то мужские качества определяются как норма, а женские — как отклонение от нее».

Собственная судьба, надорванная страстью к огромному, мощно-волосатому, краснолицему, с яркими белыми зубами и глубоко вырубленными чертами лица Паше Дыбенко, герою Балтийского флота, страсть к этому звероподобному соратнику, который однажды, когда она, с развившимися от ветра волосами, закончила свою вдохновенную речь перед «братишками», пронес ее на руках по трапу, и через десять минут она отдалась ему прямо там, в капитанской каюте, и долго рыдала потом от никогда и ни с кем прежде не испытанного наслаждения, — собственная судьба вдруг показала Александре Михайловне такой прямо волчий оскал и так наказала ее с этой страстью, что только одно оставалось: самой и оскалиться. Мохнатый, с огромной, из золота, цепью на шее, предатель Павлуша менял своих «цыпок» (его же слова!), как меняют перчатки. Это и продиктовало Александре Михайловне желанье поднять высоко над всем миром кровавое знамя униженных, слабых, рожающих в муках детей, но свободных, и страстных, и очень начитанных женщин; а всех волосатых, ослабленных, потных мужчин, очень гордых собой, сбросить в море. Вот так каблуками их всех и спихнуть бы!

На следующее заседание полуголодного и чахлого антропологического общества Александра Михайловна явилась лично, на сей раз не в накидке, а в длинных серебристых шиншиллях, розовая от пудры, в нитке крупного жемчуга, которая опускалась до самого нижнего позвонка на спине, открытой по моде зауженным платьем. Голодные антропологи присмирели, и худосочный председатель собрания со всклоченной сизой бородкой вскочил, чтобы дать ей дорогу.

— На чем вы, товарищи, остановились? — звонко спросила Александра Михайловна и закурила в серебряном мундштуке длинную и ароматную папиросу.

— Уважаемая Александра Михайловна, — сорванным чахоточным голосом заговорил худосочный председатель. — Мы переходим к вопросу идеологии женской эмансипации, содержащему положение о том, что женщина — это такой же человек, как мужчина.

Разбитная Александра Михайловна хлопнула себя ладонью по шелковому бедру таким же жестом, который использовал Паша Дыбенко, когда начинал плясать «Яблочко».

— Вы меня просто насмешили, товарищи! — пуская колечками дым и томным смеющимся взглядом провожая тающее в воздухе кудрявое стадо овечье, сказала она. — Именно женщина и является в полной своей мере человеком, ибо мужчина — он *всего* лишь человек, а женщина, если она к тому же полноправный член нашего развитого передового и коммунистического общества, она не *просто человек,* а именно тот человек, на плечи которого в основном и ложится все переустройство нашего общества. Вот вы мне скажите, — обратилась она к поникшей и всклоченной сизой бородке. — Как вы понимаете чувство любви?

Бородка порозовела от смущения: вся кожа под ней жарко вспыхнула.

— Любовь, товарищ Коллонтай, является чувством, которое познается каждым из смертных на личном опыте. И я могу сказать, что скорбь есть главная пища любви. А если любовь не питается скорбью, она — простите меня за смелость — умирает. Она заболевает, как новорожденный, которого начали кормить пищей взрослого человека. Любовь должна плакать.

— Вы это серье-о-о-озно? — с искренним удивлением протянула Александра Михайловна и даже слегка приоткрыла свой рот с полоской летучего дыма.

— О да, абсолютно серьезно, — ответил чахоточный и поклонился.

— Мне жаль вас, товарищ, — сказала Александра Михайловна. — Для трудового человечества, вооруженного идеей марксизма, любовь не должна являться частным делом, а общим ценно-социальным фактором, которым человечество руководит в интересах коллектива. Общественный строй, построенный на солидарности и сотрудничестве, требует, чтобы наше общество обладало высокоразвитой потенцией любви; ведь даже буржуазия прекрасно понимала, что именно любовь и является связующей силой, когда стремилась возвести супружескую любовь в моральную добродетель. Что? Разве не так?

И голубые выпуклые глаза ее победно сверкнули.

— Как же вы предлагаете, товарищ Коллонтай, — спросил ее огорченный председатель, — провести на практике преобразование любви из личной категории в общественную? Уж не следовать ли нам за теми голыми товарищами, которые целое лето, пока дозволяла погода, носились по улице с криками? И с этими... как их? Плакатами «Долой стыд! Долой!». Их даже в трамваи пускали, вы помните? Они на речных пароходах катались!

— Я готова согласиться с вами, — задумчиво ответила Александра Михайловна, — что, может быть, такая массовая демонстрация обнаженного тела и есть излишество, отвлекающее остальную, одетую и занятую полезным трудом часть коллектива от первоначальных задач социализма.

Красочное воображение ее тут же нарисовало себе мощного, на растопыренных кривых ногах, при этом к тому же и голого Пашу, который в компании взмыленных девок несется по улице с криком и хохотом. Да, это, конечно, излишество.

— Так в чем же тогда ваша мысль? — уныло спросил ее с сизой бородкой.

— Наша мысль, — ответила Александра Михайловна, — во-первых, в том, чтобы разобраться с самим понятием «любовь» и, разобравшись, избавить общество от ненужных страданий. Откуда происходят все эти так называемые душевные драмы? Все эти конфликты? В основном они происходят от того, что человеку вменяется в вину то влечение, которое он испытывает одновременно к двоим или даже к троим мужчинам или женщинам. А справедливо ли это? Ведь именно эту загадку любви пытались решить на собственном опыте великие мыслители прошлого, такие смелые пионеры в половой области, как Байрон, Жорж Санд и наш соотечественник Александр Иванович Герцен. Но они жили в эпоху, когда общество, закованное в цепи буржуазной морали, не могло подготовить необходимую почву для того, чтобы поддержать их смелые революционные опыты, а мы перешли в эпоху, когда это стало возможным!

— Тогда я, пожалуй, разденусь, — сказал вдруг приветливо тоже худой, но стройный и рыжий, в железных очочках. — Ведь если все стало возможным, то к черту проклятые правила, верно?

И он начал разуваться, размотал шарф, скинул на пол пиджак, оставшись в короткой сорочке.

— Платон Алексеич, — простонал председатель, — ну что вы, голубчик? Здесь дама... Вернее, здесь женщина... Что вы?

— Пускай раздевается! — сухо отрезала Коллонтай. — Кого вы надеетесь здесь удивить? Хотите раздеться — ну и раздевайтесь! Идеология рабочего класса не ставит перед любовью никаких формальных границ. Для классовых задач нам совершенно не важно, принимает ли любовь форму длительного брачного союза или же выражается в короткой однодневной связи. Любовь свободна, она сама выбирает себе длительность своего проявления. Трудовое сотрудничество членов рабочего класса неминуемо приводит к тому, что в рамках одного или нескольких коллективов будут складываться любовно-половые взаимоотношения, которые непростительно запихивать в узкие рамки семьи или любой другой сколько-нибудь длительной связи.

Голый Платон Алексеич между тем снял очки, аккуратно сложил свои вещи в стопочку и, распространяя по комнате уютный, немного селедочный запах белья, выдвинул на середину комнаты свой стул и уселся на нем, положив ногу на ногу с таким хладнокровием, как будто он сидел за столиком открытого летнего кафе в какой-нибудь, скажем, Швейцарии. Александра Михайловна скользнула по нему равнодушными глазами. Присутствующие закашлялись.

— В своей нашумевшей брошюре, товарищи, — продолжала Александра Михайловна Коллонтай, — я задаю эти вопросы со всей классовой большевистской беспощадностью. И главный вопрос мой таков: что именно можем мы, большевики и строители нового общества, унаследовать из прежней буржуазной культуры, в недрах которой столько лет, как в клетке, было заключено такое сильное и прекрасное чувство, как любовь? Освободив любовь от буржуазной морали, не скуем ли мы ее новыми цепями, товарищи? — Она искоса посмотрела на Платона Алексеича, рыжеволосую и кудрявую грудь которого ярко золотило зимнее солнце. — Имеем ли мы моральное право, товарищи, отдаться простому половому влечению и не мучить себя ложными предубеждениями буржуазного прошлого?

Платон Алексеич хладнокровно поменял положение и теперь сидел, почти полностью обернувшись к Александре Михайловне и слегка поскрипывая стулом.

— И я отвечаю, товарищи: «Да, мы имеем!» Ведь если человек испытывает жажду, не будут же ему ставить в вину то, что он подходит к чужому колодцу и делает пару глотков из чужого ведра? Колодец ведь не обмелеет!

Платон Алексеич одобрительно закивал головой. Александра Михайловна почувствовала, что теряет нить разговора и нужно скорее закончить его и мчаться домой, искать мужа Павлушу. Но рыжий и голый ей очень понравился.

— Не забывайте, товарищи, что человеческая любовь будет неизбежно видоизменяться вместе с изменением культурно-хозяйственной базы нашего общества, — строго сказала она.

— Позвольте задать вам вопрос, — развязно сказал рыжий голый. — Вот как с проститутками быть? Племянник мой в прошлом году подцепил сифилис от проститутки, а был, как и вы, за свободу влеченья. Теперь погибает, пошло в позвоночник.

Александра Михайловна слегка порозовела: вспомнила, как легкомысленный Павлуша однажды признался по пьянке, что давным-давно переболел всеми венерическими заболеваниями и больше ничто ему не угрожает. Она же тогда помертвела от страха.

— Проституция — это не свободная любовь, товарищ, а продажная. Любовь, которую взлелеяла буржуазная культура, привыкшая относиться к человеку как к своей собственности. Когда отомрут все издержки буржуазной культуры, исчезнет и вся проституция.

— Да и проститутки помрут, — поеживаясь от холода, пробормотал Платон Алексеич. — Зимой-то, без дров, разве выживешь?

Под пышно взбитыми волосами Александры Михайловны мелькнула нелепая мысль, что он издевается над нею, а все это собрание чахоточных и худосочных людей, которые, скорее всего, не дотянут до лета, — все это не более чем мерзкая контрреволюционная провокация, еще одна жалкая и тщедушная попытка недобитого врага скомпрометировать молодую республику своими якобы невинными и далекими от политики делами. Хорошо, что она приехала сюда, не поленилась и потратила кучу времени. А этот несчастный и наглый паяц, который задумал ее соблазнить своим этим рыжим достоинством, — он должен ответить за наглость. Ответить!

Недавнее постановление товарища Дзержинского вспыхнуло в памяти и прожгло ее: «*Нужно особенно зорко присматриваться к антисоветским течениям и группировкам, сокрушить внутреннюю контрреволюцию, раскрыть все заговоры низверженных помещиков, капиталистов и их прихвостней*».

По дороге домой Александра Михайловна приняла решение: о вредной работе кружка сообщить на Лубянку со списком имен, и пускай разбираются.

Молодое советское государство восстановило дипломатические отношения с государством Финляндией, и был подписан официальный документ, скрепляющий взаимное желание соседствующих государств жить в мире и взаимопомощи.

Ни Таня, ни ее отец не обсуждали того, чем могла бы обернуться для них эта новость. В редких письмах, которые с оказиями пересылала мама, третий год живущая в Финляндии, всегда были жалобы на то, что вернуться в Москву невозможно, а то бы она непременно вернулась. И Таня с отцом этим жалобам верили. Дина же, напротив, громко и вслух уверяла, что мама — отрезанный ломоть, и то, что она осталась в Финляндии, только лучше для всех, потому что представить себе маму, стряпающей на кухне в подоткнутом фартуке и косынке, как это делала Алиса Юльевна, не только неловко, но и невозможно со всех точек зрения.

Как только Финляндия восстановила дипломатические отношения с Москвой, Николай Михайлович Форгерер, которому Дина вовсе перестала писать, будучи до глубины души поглощенной драматическими событиями собственной жизни, отправился в Гельсингфорс, где еще свежа была память населения о тех кровавых дебошах, которые устраивали на улицах города революционно настроенные балтийские матросы, и где после этих дебошей старались от русских держаться подальше. Там же, в не успевшем опомниться от крови и безобразий Гельсингфорсе, Николай Михайлович и принял предложение студии «Суоми Фильми» сняться в киноленте, рассказывающей о событии, изложенном на страницах Ветхого Завета. Трудно сказать, почему мысль предложить главную роль именно русскому актеру пришла в голову режиссеру Эрки Карру, но она пришла, и Николай Михайлович, чувственное лицо которого больше всех, по мнению Эрки Карру, походило на лицо добродетельного Лота, явился тотчас из Берлина и начал работу. У него была, разумеется, своя корысть: вернуться в Москву из Финляндии казалось теперь безопаснее, проще, чем ехать туда из Берлина.

Съемки начались ранней весной. Уроженец небольшой северной деревушки, сын тихого пастора Эрки Карру производил впечатление уравновешенного человека, но стоило ему взяться за фильм «Гибель жены Лота», как вся его смирность куда-то исчезла. Красота актрисы Лили Дагоферт, поразившая Эрки Карру в ту минуту, когда он, войдя в какой-то теперь уж никому не интересный дом, увидел стоящую у окна и полуобернувшуюся на звук его шагов стройную и печальную женщину с длинной шеей, покорно склоненной на кружево шали, — красота ее, а главное, тихий наклон головы разбудили в до этого скромном сознании Эрки бессонное, бурное море фантазий. Он тут же мысленно переодел эту женщину в простой бело-желтый хитон и простые сандалии, распустил по плечам ее черные, с синеватым отливом волосы и мысленно ей приказал так стоять, пока он продумает дальше сценарий. И правда продумал: через несколько секунд перед его глазами начали сами собою восстанавливаться картины, забытые нами, людьми, так беспечно, как все забывается здесь, под луною.

Когда взошла заря, Ангелы начали торопить Лота, говоря: встань, возьми жену твою и двух дочерей твоих, которые у тебя, чтобы не погибнуть тебе за беззакония города.

И как он медлил, то мужи те, по милости к нему Господней, взяли за руку его, и жену его, и двух дочерей его, и вывели его, и поставили вне города.

Когда же вывели их вон, то один из них сказал: спасай душу свою, не оглядывайся назад и нигде не останавливайся в окрестности сей, спасайся на гору, чтобы тебе не погибнуть.

Но Лот сказал им: нет, Владыка!

Вот, раб Твой обрел благоволение пред очами Твоими, и велика милость Твоя, которую Ты сделал со мною, что спас жизнь мою, но я не могу спасаться на гору, чтобы не застигла меня беда и мне не умереть.

Вот, ближе бежать в сей город, он же мал, побегу я туда, — он же мал, и сохранится жизнь моя.

И сказал ему: вот, в угодность тебе Я сделаю и это: не ниспровергну города, о котором ты говоришь.

Поспешай, спасайся туда, ибо Я не могу сделать дела, доколе ты не придешь туда. Поэтому и назван город сей: Сигор.

Солнце взошло над землею, и Лот пришел в Сигор.

И пролил Господь на Содом и Гоморру дождем серу и огонь от Господа с неба.

И ниспроверг города сии, и всю окрестность сию, и всех жителей городов сих, и произрастания земли.

Жена же Лотова оглянулась позади его и стала соляным столпом.

Этот немой, но очень выразительный фильм, к сожалению, не сохранился, а если бы он сохранился, зрители и по сей день любовались бы широкоплечим, со львиною гривой Николаем Михайловичем Форгерером, который стоит на коленях, и Ангел ему говорит эти речи, а он только ниже и ниже склоняет свою обреченную, умную голову. И зритель бы видел, как увлажнились глаза Николая Михайловича, как начал дрожать подбородок, когда он вдруг понял, что всё, всё погибнет: и дети, и овцы в горах, и сады, и птицы в кудрявых зеленых деревьях, поскольку Господь не потерпит того, что делают люди друг с другом.

Ни одна, кстати сказать, работа не захватывала так сильно израненной души Николая Михайловича Форгерера, как эта. Содом и Гоморра виделись ему исключительно русскими, родными городами: Содом — Москвой, а Гоморра — Питером, и люди, которых он представлял себе гибнущими от руки Господа, казались знакомыми. От такого странного, целиком захватившего его ощущения он почти и не заметил той трагедии, которая происходила на его глазах и тоже могла кое-что бы напомнить: режиссер Эрки Карру просил Лили Дагоферт оставить мужа и соединиться с ним, но Лили, как и положено было ее ветхозаветной героине, все чаще и чаще оглядывалась назад, и чем больше времени проходило с момента первого восторга новой любви, тем решительнее поворачивалась в сторону гибнущего замужества ее гладко причесанная черноволосая голова с таким выражением глаз и бровей, что Эрки терял все надежды.

В машине, зажатая на заднем сиденье товарищем Блюмкиным — справа и товарищем Терентьевым — слева, Дина Ивановна не проронила ни слова, и только когда они остановились рядом со знакомым ей домом на Молчановке, она сверкнула на товарища Блюмкина своими потемневшими, как грозовое небо, глазами:

— Опять мы приехали к этой старухе?

Блюмкин усмехнулся, и Дина Ивановна увидела, как подпрыгнул кадык на его плохо выбритой шее.

В квартире все было по-прежнему. Хозяйка открыла им дверь и сейчас же ушла. В столовой топилась голландка и пахло сырыми дровами.

— Садитесь, Дина Ивановна, — сказал Блюмкин и пододвинул ей стул.

Ноги не держали ее, и она села. Терентьев остался стоять у дверей, а Блюмкин сел рядом.

— Дина Ивановна, — продолжал Блюмкин, — мы знаем, что самым сильным вашим желанием на сегодняшний день является встреча с гражданином Барченко Алексеем Валерьяновичем. Вы ведь не станете возражать против этого?

Дина отрицательно помотала головой.

— Прекрасно! — Блюмкин с довольным видом оглянулся на Терентьева. — Для того, чтобы эта встреча состоялась, мы должны быть уверены, что на следующий день после нее вы придете к нам и подробно опишете свое свидание. Со всеми деталями. Ясно?

— Он где? — сдавленно спросила Дина. — Он в Мурманске?

— Зачем ему Мурманск? — воскликнул Терентьев. — Ведь что вы за женщина? Я объяснил вам: в Москве он, приехал! А вы — Мурманск, Мурманск...

— Товарищ Терентьев! — резко оборвал его Блюмкин. — Дайте нам поговорить с Диной Ивановной по душам.

Он внимательно посмотрел на нее, увидел, каким остервенением сверкнуло ее лицо, и сытая, расслабленная усмешка скользнула по его губам. Как будто он только и ждал от актрисы Форгерер подобного остервенения.

— Дина Ивановна, не хочу напоминать вам об одном документе, недавно подписанном вами... — Блюмкин сделал паузу и пошевелил бровями. — Хотя сейчас далеко не те времена, когда подобные вещи сходят с рук. Далеко не те времена! Но я не об этом. Вы должны добровольно — слышите меня? — добровольно помочь органам разобраться в том феноменальном психическом типе, который представляет собой товарищ Барченко, Алексей Валерьянович. Вы ведь не станете отрицать того, что он необычных способностей и возможностей человек? Не станете ведь?

Опять она отрицательно помотала головой.

— Отлично, прекрасно! — обрадовался Блюмкин. — Мы тут недавно поспорили с поэтом одним, Гумилевым... Известна вам эта фамилия?

— Нет, — с отвращением выговорила она.

— Как «нет»? Вот сюрприз! Я ему доложу. А то он все ходит и ходит, как цаца. Я, мол, Гумилев, а вы — шавки дворовые... Но очень стихи хороши! И сам не дурак, хотя строит, конечно... Как будто уж выше и нет никого! Так вот, Гумилев говорит, что возможности любого, даже и самого обычного, человека можно развить, если он победит в себе страх. Если человек приучает себя ничего не бояться, его возможности увеличиваются до невиданных размеров. Ну, вроде как мускулы от физкультуры. Как вам эта мысль?

Она промолчала.

— На это вот я возразил, что физкультура физкультурой, а как тебя, извините за выражение, прихватит за одно место, тут ты про бесстрашие сразу забудешь и так запоешь, о-го-го-о! А он не сдается: «Нет, — говорит, — я не запою, я в себе уверен!» Ну, жизнь нас рассудит.

— Я не собираюсь вам ничего докладывать, — твердо сказала Дина Ивановна и встала со стула.

— Да бросьте вы, бросьте! — махнул рукой Блюмкин. — Другие вон могут, а вы что, немая? Да и не про вас, Дина Ивановна, разговор! Разговор о товарище Барченко и его дальнейшей судьбе, которая, вы уж мне поверьте, целиком в наших руках.

Он тоже встал, расправил плечи, приложил к шумящей печке обе ладони, потом подошел к окну и повернулся спиной к Терентьеву и Дине.

— Опять снег пошел! — с досадой сказал он. — Сейчас бы в тепло! В Бухару... Да хоть бы и в Грузию! Все потеплее... О чем мы? Так вот, о судьбе. Нам стало известно, что товарищ Барченко превысил свои полномочия, когда доказывал нам необходимость своей предыдущей экспедиции. Он убедил нас, что экспедиция должна быть по районам Севера, в то время как все наши сведения говорят о том, что интересующие нас предметы и явления целиком сосредоточены в области Тибета, Памира и кое-каких районов Индии. Нам бы хотелось понять, насколько сознательно товарищ Барченко вводил органы в заблуждение, когда разрабатывался план экспедиции.

— Он ничего не говорил мне об этом... — пробормотала она.

— Тогда не говорил — так, может, нынче скажет? — улыбнулся Блюмкин. — Тогда ведь и вы мало что понимали...

— Но я не могу... ни о чем... — Она положила ладонь на горло и громко сглотнула слюну. — Оставьте меня...

— Выйдите, товарищ Терентьев! — вдруг грубо сказал Блюмкин и подошел к ней вплотную.

Терентьев плотно затворил за собою дверь. Блюмкин взял Дину за подбородок короткими и сильными пальцами.

— А может быть, мне тебя здесь изнасиловать?

Она вырвалась и отскочила от него.

— Сиди! — Он с силой толкнул ее на стул. — Сиди и не рыпайся! И не с такими мордашками, как твоя, у меня в ногах валялись... Ты думаешь, мы здесь играем?

Дина Ивановна сжалась.

— Ну, то-то! Ты хочешь хахаля своего спасти, пока можно, или нет? А то мы сейчас эту приятную беседу закончим, и завтра тебя найдут в подворотне с перерезанным горлом. И будут вороны клевать твои плечики...

Он не удержался и жадно схватил ее за плечи обеими руками. Дина рванулась всем телом. Блюмкин отпустил ее.

— А как же ты думала? Холод. Вороны голодные, — наставительно произнес он.

Она подумала, что ничего не хотела бы сейчас, только умереть. И даже достаться воронам.

— Сегодня ночью мы разместим его на квартире, — продолжал Блюмкин. — И, может быть, даже машину вернем. С одним, правда, только условием: он будет под нашим контролем. А также под *вашим*. — Блюмкин иронически приподнял брови. — И вы обязуетесь *все* говорить.

— А если я не соглашусь? — прошептала она.

— Найдут с перерезанным горлом. И Барченке вашему — крышка... Войдите, товарищ Терентьев!

Терентьев вошел, тяжело наступая на пятки.

— Ну, всё, мы закончили! — весело сказал Блюмкин. — Завтра гражданин Барченко, Алексей Валерьянович, будет уже на своей новой квартире; дадим ему отдохнуть денек, помыться там, переодеться — и сразу за дело! Так, Дина Ивановна?

Она встала и, как слепая, спотыкаясь и задевая за мебель, пошла к двери.

— Да мы вас сейчас отвезем! — заторопился Блюмкин. — А то под трамвай попадете, с вас станет...

В доме Лотосовых только что сели пить чай. Алиса Юльевна старалась не менять строгих правил, и чай пить садились ровно в половине шестого. Черная машина, притормозив перед парадной дверью, вытолкнула из себя растрепанную и бледную Дину, которая, дождавшись, пока машина отъедет, стремглав бросилась бежать не к себе домой, а в сторону Плющихи. Кудрявый и нежный ребенок Илюша, забравшийся на подоконник, спрыгнул на пол и закричал на всю комнату:

— Вон Дина! Вон Дина! Она убежала!

Таня и Алиса Юльевна одновременно подскочили к окну. Это была Дина, которая быстро удалялась, но даже в наступивших сумерках нельзя было не узнать ее размашистую и неровную походку.

— Куда она? — Таня в страхе посмотрела на Алису.

— Иди, догони! — решительно сказала Алиса Юльевна.

Таня догнала сестру уже на Плющихе. Дина остановилась и со злобой, которую Таня никогда не видела в ней прежде, посмотрела на нее.

— Куда ты? — Таня схватила ее за рукав.

— Оставь меня! Что ты всё ходишь за мной!

— Но, Динка, куда ты?

Ветер с ревом, захлебываясь, налетел на них, и обе слегка пошатнулись, закрылись руками. Таня посмотрела вверх, и что-то словно бы ударило ее в сердце: темное зимнее небо перекатывалось само через себя, как зверь, и старалось исчезнуть, свернуться, стать чем-то другим — незаметным, беззвучным; и эта его судорога, вдруг отозвавшаяся в Тане, это беспомощное и одновременно исступленное небесное старание то ли сдвинуться куда-то, то ли приблизиться к ним, то ли помочь, как будто и небо устало от жизни, как будто ему тоже невмоготу, неожиданно придало ей силы: она ощутила кого-то, кто там — далеко, неотступно — их помнит и слышит весь их разговор.

— Я тебя никуда не пущу! — Таня опять схватилась за ее рукав. — Я сейчас лягу у тебя на дороге, ты слышишь?!

— Ложись! На здоровье! Вся в маму пошла! Такая же дура! Ведь я за тобой не слежу! Мне не важно!

— Куда ты идешь?

— Тата! — У Дины скривилось лицо, как будто она сейчас разрыдается, но она сдержалась. — Я к Варе иду, вот и всё. Просто к Варе.

— Зачем тебе Варя сейчас? На ночь глядя?

— Она меня ждет, попросила...

— Ты врешь! — задохнулась Таня. — Никто ни о чем никого не просил.

Опять налетел ветер.

— Хорошо! — спрятав лицо в воротник и с ненавистью сверкая глазами сквозь слипшийся мех, выговорила Дина. — Я все наврала. Но она мне нужна. Она, а не ты. Вот и всё! Оставь меня, слышишь?!

Тонкая, длинноногая, с длинными руками и мокрыми, разбросанными по плечам волосами, сестра смотрела на нее отчаянными, но пустыми глазами, и вся ее поза, и блеск этих глаз, и то, как она закусила губу, — все было решительным и непреклонным.

Таня повернулась и быстро пошла обратно к дому. У самого парадного ей показалось, что ветер, снова налетевший на лицо, пахнет морем, и вкус его — жирный, соленый, почти как у моря.

Звонок на обитой надтреснутой кожей двери с по-прежнему висевшей на ней табличкой «Профессор А.Я. Остроумов. Лечение и профилактика детских болезней» был вырван с корнем, торчали провода. Дина заколотила по табличке. Дверь отворилась, и незнакомая толстая женщина в ситцевом халате с ярко-красным, как будто обваренным, лицом выросла на пороге.

— Я к Брусиловым, — резко сказала Дина.

— Идите, — зевнула женщина и крикнула в темноту: — Варвара! К тебе! Могла и сама бы открыть!

Из маленькой боковой комнаты послышался кашель, и голос Елизаветы Всеволодны Остроумовой, Вариной бабушки, испуганно и вежливо забормотал:

— Она же больна, вы же знаете, Зоя...

Дверь наконец приоткрылась, и, увидев Дину, Елизавета Всеволодна замахала руками:

— Боюсь я сама открывать, а Варвара лежит. У Павлика жар. Простудились, наверное. Ты в валенках, Дина?

— В ботинках, — осипшим голосом ответила Дина.

— Тогда проходи, — усмехнулась Елизавета Всеволодна. — А валенки нужно снимать, у нас строго...

Две смежные комнаты с раздвижными дверями, оставшиеся Елизавете Всеволодне Остроумовой, вдове профессора Остроумова, иждивенке, и Варваре Брусиловой, служащей железнодорожного депо, тоже вдове и с ребенком, были похожи на склад: библиотека профессора, прежде размещенная в огромных книжных шкафах его кабинета, была свалена в кучу и целиком занимала вторую комнату, где поместился только диванчик, на котором, лицом повернувшись к стене, лежала Варвара Брусилова, а в первой комнате на узенькой детской кроватке спал сын ее Павел, внук легендарного героя Мировой войны генерала Алексея Брусилова, добровольно перешедшего два года назад на сторону большевиков.

Варвара Брусилова, еще худее, чем Дина Ивановна Форгерер, с выступающими из выреза рубашки острыми смуглыми ключицами, коротко стриженная, с огромными, как у бабушки, заполняющими все ее худое лицо, ярко-черными, в мохнатых ресницах, глазами, рывком поднялась на диванчике:

— Ну, встретила? Как он? Приехал?

И вдруг осеклась.

Между этими «бешеными», как называла их Елизавета Всеволодна, очень молодыми и очень красивыми женщинами, у одной из которых был расстрелян незадолго до этого бросивший ее муж Алексей Алексеевич Брусилов, а другая сама бросила своего мужа Николая Михайловича Форгерера, — между этими женщинами, закончившими весною 1916 года гимназию мужа и жены Алферовых, убитых в подвале ЧК летом 1918-го, существовала такая тесная, почти животная, не нуждающаяся в словах, исключительно на интуиции основанная связь, по причине которой Дине не нужно было объяснять сейчас Варе Брусиловой, что она раздавлена и насмерть напугана: та видела это сама. По лицу Дины, не несчастному, не жалкому, а, напротив, полному злобы и вызова, искаженному отвращением, Варя Брусилова поняла, что случилось не просто несчастье, а что-то такое, чему нельзя помочь и на что не подействуют даже те обычные утешения, которые одинаково сильно действовали на обеих, когда они говорили себе, что сдаться нельзя и нет такой силы на свете, которая их бы заставила. Варя увидела, что сила такая *была*, и это заставило ее босиком, перепрыгивая через лежащие на полу книги, подскочить к Дине, обхватить ее худыми руками и сделать знак бабушке, чтобы молчала.

Елизавета Всеволодна ушла на кухню. Ребенок, у которого только что спала температура, дышал глубоко и посапывал носом, мохнатые, как у матери, ресницы его бросали густую тень на бледные щеки; за окном резко чернела темнота с какою-то, словно бы мыльною, пеной, повисшей на голых ветвях, и Дина, вдавившись лицом в горячую Варину кожу, вышептывала и выдавливала из себя то, чего она никогда и никому, кроме Вари, не могла доверить. Она не могла открыться ни Тане, которая всегда была слабее и пугливее, чем она сама, ни доктору Лотосову, на плечах которого держался, в сущности, весь дом, ни гувернантке, которая была все-таки нерусским человеком и не понимала, как казалось Дине, того, что сейчас происходит в России.

— А что я могла? Когда он сказал про Илюшу, я все подписала.

— Как? Ты подписала?

Дина кивнула и, отодвинувшись, дикими глазами посмотрела на Варю.

— А что я могла? — повторила она.

— Ты хоть понимаешь, *что* ты подписала?

— Молчи! Я ведь жить не могу...

Варя схватила ее за плечи и начала трясти.

— Какая ты дура! Что ты говоришь? Они же уйдут! Я же чувствую!

— Они никуда не уйдут! А я не боюсь умереть! Я другого боюсь.

— Чего?

— Того, что, когда я умру... они все равно не оставят...

— *Его?* — Варя еще крепче обняла ее. — Конечно! Ведь он же им нужен. А если тебе убежать?

— Куда убежать? Нет, уж лучше совсем...

— Не лучше! Да как же ты смеешь? А Тата? А я? А мама твоя, наконец?

— Она далеко... Ну, поплачет, забудет... Но я не о том... Варька, у меня все мысли как будто отравлены, все во мне отравлено! Я спать не могу. Ничего не могу. Вот посмотрю на что-нибудь и сразу же — больно. Или дотронусь до чего-нибудь — тоже больно. Внутри все горит. Мне кажется, я просто с ума схожу. Сегодня, когда он мне сказал, что меня найдут в подворотне с перерезанным горлом, у меня от одной этой мысли на душе легче стало. Не думай, что я притворяюсь! У тебя спирта нет?

— Откуда? Какой сейчас спирт?

— Ну, хоть бы чего-нибудь... Чтобы поспать хоть...

Лицо Вари Брусиловой изменилось на глазах: оно словно высохло и почернело.

— Послушай меня! Ничего не случится. Они через год передохнут, и всё! Они же не люди, ты слышишь? Они перебесятся и передохнут. Я ночью проснусь иногда, и вдруг мне кажется, что ничего этого и не было, и нет ничего! Что всё это сон!

— У тебя, Варька, всё — сон. Ты и про Алешу иногда говоришь, что он не умер, что тебе это только приснилось...

— Алеша не умер, — прошептала Варя и перекрестилась. Иначе бы я это знала.

— Тебе генерал же письмо показал!

— А я не письму, я душе своей верю.

— Нет, ты ненормальная, Варька! Но так даже лучше. С тебя ничего не возьмешь.

— С меня — ничего? А ребенок?

Они одновременно посмотрели на спящего, с мохнатыми ресницами, ребенка. И Дина заплакала.

Как только она заплакала, обеим стало легче. Теперь, когда Варя все знала, Дина могла плакать: преграда для слез, выстроенная одиночеством, рухнула сразу же, как только появился кто-то, у кого от жалости к ней и страха за ее жизнь вот так изменилось лицо, как у Вари.

Минут через двадцать, когда Елизавета Всеволодна Остроумова осторожно заглянула к ним, обе сидели на диване, крепко держась за руки, и шептались. Елизавета Всеволодна вспомнила, как, четырнадцатилетними, они, с шелковыми черными лентами в длинных косах, в черных передниках и круглых отложных воротничках, вот так же, держась крепко за руки, вместе с другими, такими же, разбитыми на пары, неловкими и взволнованными девочками входили под музыку в залу гимназии, где ждался большой новогодний концерт в пользу фронта.

Из курса зоологии и ботаники известно, что формы различного бешенства встречаются не только у животных, но — что удивительно — и у растений. В египетских папирусах, священных индийских писаниях, а также и в Библии сообщается о бешенстве, которое передается людям от животных. Причиной заболевания является якобы нейротропный вирус, содержащий рибонуклеиновую кислоту. Нигде, однако, не задается вопрос: не передается ли тот же самый кисловатый на вкус вирус в противоположном направлении: то есть от человека к животным и даже растениям? Ведь те-то молчат и не пишут папирусы. Оставим вопрос без ответа: все равно ни один из нас никогда не признается в том, что от его, скажем, вируса недавно сошли безвозвратно с ума живущие в доме собака и кошка, а также герань заболела депрессией. Кому же захочется в этом признаться?

Грибы очень долго относили именно к растениям, да и сейчас еще спорят об этом, так что, говоря о безумии зла, заключенного в ярком и очень красивом грибе, растущем на диких просторах Гвинеи, мы все-таки для упрощения дела его и причислим к растениям. Растение «нонда», ярко-красное с белыми и изредка желтыми крапинками, живет только там, где почти никогда не встретишь не только, там, друга и брата, но, честно сказать, никого, чтоб — как люди. (Ну, в платье, в ботинках, с какой-нибудь сумкой...) Все ходят нагими, и лица в узорах. Бывают, однако же, миссионеры. От миссионеров и стало известно, что два диких племени — куба с каимби, — населяющих долину реки Ваги, имеют весьма вульгарную приземленную культуру, связанную с рядом нерелигиозных действий, направленных на самовозвышение, демонстрацию личных достоинств, осуществление контроля над женщинами и увеличение поголовья свиней. Главные черты их все еще не развитого и не стремящегося к тому, чтобы развиться, общества составляют погоня за славой, антагонизм между мужчинами и женщинами и грубый дележ на своих и чужих. При такой, как мы видим, отсталости и отсутствии письменности они не только не гнушаются поеданием гриборастения «нонда», но часто дают его внукам и детям.

Супружеская чета мистера и миссис Филипс — наверное, шведских, а может, норвежских, скорее же все-таки американских, из штата Айова, двух миссионеров — была просто в ужасе: наевшиеся нонды шестеро молодых низкорослых мужчин вдруг бросились их догонять (этих белых, с сачками для бабочек, милых, кудрявых), тряся над собой с диким ревом и криком тяжелыми палками. Еле спаслись. Вечером того же дня мистер Филипс, так и не поймавший ни одной бабочки, записал в своем дневнике, что ненависть, охватившая их преследователей, была, вне всякого сомнения, связана с этим гриборастением, сделавшим людей слепыми, глухими и пухлыми, а также заставившим их бегать вверх-вниз по горам. Вскоре к шестерым опухшим и диким мужчинам присоединилось и все остальное племя, опухшее и низкорослое. Пришли сразу все, даже дети и девушки. (До старости люди там не доживают: любой человек, хоть слегка постаревши, покорно влезает на дерево, чтобы веселые голые парни и девки стрясли его вниз и сожгли его тело.)

«Женщины, — писал в своем дневнике потрясенный ми-стер Филипс, — находятся в состоянии явного наркотиче-ского опьянения: они пляшут, свистят, распевают, смеются и самым бесстыдным образом предлагают себя мужчинам, не разбирая, кто это: мужья, сыновья или просто соседи. Гриб-ное бешенство является узаконенной формой проявления тех склонностей, на которые наложен запрет в обыденной жизни. У женщин это — ностальгия по неограниченным плотским наслаждениям, у мужчин — агрессия против своих соплемен-ников».

Ничтожная нонда, а сколько скандалов!

У жителей племен куба с каимби, к незамысловатой исто-рии которых мы сейчас обратились, желая, наверное, лишь убедиться, что есть в мире связь между всем, между всеми (а то ведь все думают, что за горами живут великаны, циклопы и карлы!), — у жителей племен куба с каимби неистовое же-лание умертвить врага, а также набег на уснувших соседей, а также насилие мамы-старухи обычно сходило на нет за не-делю. Тогда они снова мирились и пели и снова сажали над речкой картофель.

Однако с каимби и с куба понятно: ведь он, этот гриб, этот нонда поганый, пока весь не выйдет, — он не успокоится. А вот с остальными, со всеми? Без нонды?

Ни в Москве, которая вдруг стала столицей молодого со-ветского государства, ни в Петрограде те, прежде жившие в этих городах люди, которые ходили на службу, воспитывали детей, читали книги, обедали и выезжали на дачи, а также лю-били, теряли, терзались, обманывали и предавали друг друга, молились, болели, ходили ко Всенощной, варили варенье и прочее, то есть в меру своих человеческих возможностей, под влиянием обстоятельств, привычек, родовых и наследственных черт проходили весь предназначенный им путь, осуществляя здесь, на глазах, загадочную цепь превращений, о которой так много размышляют восточные мудрецы, целиком погружая, однако, эту цепь в надмирное и бесконечное небо, в то время как здесь, на земле, происходят сплошные (и быстро весьма!) превращенья, поскольку, явившись на свет младенцем, затем пережив свое детство и юность, затем свою зрелость и нужную старость, тот самый, который явился младенцем, уходит под землю, чтоб в ней раствориться, — так вот: эти самые люди, не испытывавшие ни малейшей потребности в чужой крови, сами не заметили того, как славные их города стали адом.

Превращение произошло хоть и не в один день, но все же достаточно быстро, как смена одних декораций другими.

Трамваи почти не ходили. А если ходили, то были, как гроздьями, увешаны прицепившимися к ним телами. Иногда грубые и невнимательные грузовики срывали собой эти гроздья, расплющивали их и оставляли лежать на земле. Постоянный голод и холод ослабили людей до того, что десятками и сотнями они умирали от самых простых болезней; у женщин не было менструаций, мужчины теряли мужские способности. Жалованье, получаемое теми, кому удалось поступить на работу, не покрывало и самых необходимых расходов. Под страхом попасть в казематы ЧК люди продавали на Сухаревском рынке всё, что могли, топили буржуйки старинными книгами... В нищих и беспризорников милиция просто-напросто стреляла, и это сходило почти безнаказанно.

Из постановлений Ульянова-Ленина: «Наводите массовый террор!», «Ссылайте на принудительные работы в рудники!», «Запирайте в концентрационные лагеря!», «Отбирайте весь хлеб и вешайте кулаков!», «Без идиотской волокиты, не спрашивая ничьего разрешения, расстреливайте, расстреливайте, расстреливайте!».

Из письма Дзержинского Ленину от 19 декабря 1919 года: «В районе Новочеркасска удерживается в плену более 500 тысяч казаков войска Донского и Кубанского. В городах Шахты и Каменске — более 300 тысяч. Всего в плену около миллиона человек. Прошу санкции». На этом письме резолюция Ленина: «Всех до одного расстрелять».

А в том же году, но весною, когда за окном цвел, алел Первомай, народы гуляли, скворцы прилетели, бессонный и желтый, как свечка, Ульянов писал, торопясь, узкогрудому Феликсу: «В соответствии с решением ВЦИК и Совнаркома необходимо как можно быстрее покончить с попами и религией. Попов надлежит арестовывать как контрреволюционеров и саботажников, расстреливать беспощадно и повсеместно. И как можно больше. Церкви подлежат закрытию. Помещения храмов опечатывать и превращать в склады. Председатель ВЦИК Калинин. Председатель Совнаркома Ульянов (Ленин)».

Грибов африканских не знали, не ели (Москва — не Гвинея), а всё истребили вокруг, всё сожгли и были страшнее, чем красная нонда. Конечно же, можно спросить: для чего? Наука на этот проклятый вопрос ответа не знает, хотя и наука могла бы заметить: когда в ее целях берут существо (не важно, хоть кролика, хоть человека) — и в колбу его, или в жгучий раствор, а то и в ракету (лети прямо в космос!), то страх, вызываемый этим, — один. И боль та же самая: в сердце и в ребрах.

Рождается в мире дитя. И в нем зло. Ни мать, ни отец, ни соседка с соседом об этом не знают. А зло уже здесь. Оно пришло в мир в этом жалком дитяти. Вот он (или, может, она) подрастет, и сила в нем скажется нечеловечья. Сказал же Пророк: «И сильный будет отрепьем, и дело его — искрою, и будут гореть вместе, — и никто не потушит».

Все так и случилось: и сила пришла — сила зла и разбоя, и дело ее стало искрою зла. Поднялся пожар, и тушить было некому.

Тем гражданам бывшей Российской империи, которые отличались природною подозрительностью, было проще понять происходящее, чем тем, которые были доверчиво-страстны. Доверчивость в соединенье со страстью приводит, мы знаем, к дурным результатам. А в те времена (то есть до трансвеститов) люди были на удивление простодушны. Они говорили друг с другом. Не поняли сразу всю прелесть молчанья. А многие так и ушли, не понявши.

Варя Брусилова была из породы бойких, но непонятливых русских людей, и то, что *они* сделали с Диной, показалось ей едва ли не страшнее всего, через что прошла она сама за три с половиной года. Генерал Брусилов превратился в старика, который, как казалось Варе, не только не хотел больше жить, но делал все возможное, чтобы поскорее умереть, не совершая, однако, греха самоубийства, потому что, совершив этот грех, он лишился бы надежды когда-нибудь встретиться с сыном Алешей в том мире, в который он верил. Ее муж, сын генерала, Алексей Алексеич Брусилов, о смерти которого генерал получил официальное извещение из ростовского госпиталя, по мнению Вари, был должен вернуться; а бросил он Варю в Москве в восемнадцатом, когда генерал его спас от расстрела, по очень простой и разумной причине — решил, что одной ей сейчас безопаснее. Варя верила своему сердцу, которое часто подсказывало ей полную чепуху и влекло к неуместным и ненужным жертвам. Теперь она посоветовала Дине открыться гражданину Барченко, признаться ему в том, что с нею случилось.

Варя судила о жизни по себе самой: она *не* могла бы оставить Алешу, и, стало быть, он ее и *не* оставил; она *не* могла бы *такое* скрывать, и Дина *должна* поступить точно так же; вокруг убивают монахов, жгут храмы — и в двадцать втором, сидя вновь на Лубянке, она написала Ульянову так, что все эти письма ее до сих пор являют собой образец неуместности...

Алексей Валерьянович Барченко еще в Мурманске был отделен от шести остальных участников экспедиции и ничего не знал об их дальнейшей судьбе, если не считать того, что Василий Веденяпин в последний момент успел передать ему письмо для родителей. Алексей Валерьянович под конвоем, но в очень удобном и мягком вагоне был переправлен из Петрограда в Москву тою же ночью, когда, не дождавшись его, замерзшая Дина Ивановна Форгерер прогуливалась по платформе вместе со знаменитым басом

Фёдором Шаляпиным и бросила белый букет прямо в слякоть. Одним, значит, поездом, в разных вагонах они и приехали утром в столицу.

В Москве Алексею Валерьяновичу по указанию Феликса Эдмундовича Дзержинского предоставили квартиру во Втором Доме Советов, как теперь называли бывшую гостиницу «Метрополь». Не успел он осмотреться в этой квартире, к нему постучались.

— Войдите, — сказал, хмурясь, Барченко.

Вошёл небольшой юркий человек, аккуратно причесанный на косой пробор.

— По поручению товарища Блюмкина, — скороговоркой проговорил он, оглядываясь. — Просили сообщить, если в чём-нибудь какая нужда...

— Могу ли я выйти на улицу? — спросил Барченко.

— Сегодня просили вас дома побыть. Устроитесь, оглядитесь... Завтра к вам заедет лично товарищ Блюмкин, он даст все инструкции.

— Я что, арестован?

— Нет! Кто вам сказал?

— Зачем же я ехал тогда под конвоем?

Человек замахал руками:

— Для вашей сохранности, товарищ Барченко! Только для вашей сохранности! Таких учёных, как вы, нужно охранять как зеницу ока!

— Соедините меня с товарищем Дзержинским, — приказал Барченко, уже понимая, что его повелительная интонация звучит в лучшем случае нелепостью.

— Связи нет, сегодня весь день чиним, чиним... А завтра — конечно. Придёт к вам товарищ и соединит... Не сегодня...

Барченко выглянул в коридор. У двери его дремал другой человек, похожий на первого как две капли воды. Он сидел на стуле, привалившись виском к косяку. Увидев Барченко, вскочил.

— Я хочу прогуляться, осмотреть гостиницу...

Его конвоиры переглянулись, и первый решительно двинулся следом за Барченко по коридору.

Бывшая гостиница «Метрополь» являла собою постыдное зрелище. Она была перенаселена людьми, каждый из которых обладал пропуском, чтобы войти в нее, и каждый, казалось, стремился к тому, чтобы как можно быстрее превратить это прежде богатое и чистое помещение в такое же точно вместилище грязи, которым была сейчас прочая жизнь. Жены ответственных работников ленились ходить в уборные и часто держали своих малолетних детей прямо над потертыми персидскими коврами в коридорах, а после небрежно бросали бумажку на этот ковер и скрывались в свой номер. Прислуги было много, но роль ее с каждым днем становилась все более размытой и неопределенной: прислуга ходила на собрания, читала газеты и разучивала революционные песни в красных агитационных уголках. Управляющие, счетоводы и конторщики с неистовой жадностью доворовывали оставшееся серебро, инвентарь и столовые салфетки. Блуд и разбой царили в бывшем «Метрополе», где совсем недавно пахло дорогими папиросами и духами. Сейчас сюда денно и нощно стекались вооруженные особыми пропусками, накокаиненные и пьяные, с оружием в карманах, в ворованных, снятых с других людей шубах, с чужими, в чужих жемчугах и брильянтах, веселыми и беспокойными женами. Стекались «товарищи». Оргии и пиры гремели с полуночи и до полудня. Заместитель Троцкого занимал сразу три самые богатые квартиры, поскольку имел три семьи и очень о каждой заботился. Женщины вырывали друг у друга волосы, ругаясь на дымной громаднейшей кухне, и все доносили, следили, шипели, как будто бы это не дом, а гадючник, где так растлевали вчерашних курсисток, что эти курсистки боялись столкнуться с сестрой или матерью даже на улице.

За проведенный на Севере год Алексей Валерьянович Барченко сильно изменился. В глазах его над набрякшими черными мешками сквозило раздражение, переходившее иногда в какое-то другое чувство, близкое, может быть, к легкому сумасшествию, как будто бы властный и сильный ученый, философ, и гипнотизер, и психолог терялся, не зная, что делать. Будучи умным человеком, Барченко не мог не признаться себе, что затея с северной экспедицией провалилась: он рассчитывал на то, что по крайней мере год, а то и два будет полностью предоставлен самому себе и окружит себя теми помощниками, в преданности которых уверен был полностью. В результате же из семерых, отобранных им самим, в экспедицию попали всего трое, а вечером накануне отъезда Блюмкин привел ему Мясоедова, которого отрекомендовал как самого надежного и самого проверенного для таких дел человека. Мясоедов был высок, плечист; коротко остриженные волосы плотно прилизаны к голове; твердые, с глупым щегольством закрученные усы делали его похожим на подгулявшего купчика, и сходство это усиливалось благодаря наглому, как будто немного нетрезвому и очень при этом развратному взгляду. То, что Мясоедов приставлен следить за ним, не вызывало сомнений, но Алексей Валерьянович, сто раз повторивший себе, что к этому нужно было быть готовым, вдруг начал совсем по-мальчишески, глупо и дико реагировать на присутствие Мясоедова.

План полной свободы, которую он надеялся купить долгими неделями своего добровольного заточения во льдах и сугробах до самого неба, был сорван развратным настойчивым взглядом, который, однажды прилипнув к лицу, как будто на нем навсегда и остался, подобно куску непрожеванной пищи. Спрятаться от Мясоедова было негде. Алексей Валерьянович дошел до того, что иногда по ночам начинал вдруг ощущать странный холод внутри, и ему казалось, что это глаза Мясоедова скатились в его пищевод. Нельзя, однако, сказать, что Мясоедов приставал к нему с разговорами или постоянно ходил за ним по пятам; напротив, он был очень даже ленив, спал много, еще больше пил и даже в условиях, которые должны были бы отвлечь любого другого от прежних привычек, умудрился в отсутствие Барченко привести в юрту десятилетнего эвенка и воспользоваться его телом, как женщиной.

Страха перед Мясоедовым Барченко не испытывал, но было другое, опасное ощущение: рядом с Мясоедовым пропадало желание жить. В этом ленивом человеке с его застывшим, как холодец, взглядом была сила, свойств которой Алексей

Валерьянович не мог объяснить себе, а фантазировать на эту тему так, как он делал в молодости, когда одна за другой в серьезных научных журналах вроде «Русского Паломника» и «Жизни для всех» появлялись его статьи, не хотел.

Ведь как он тогда фантазировал! Тонко, роскошно! С какими примерами, как занимательно! Взял да и рассказал, например, о существовании эфира, «тончайшей среды, наполняющей нашу Вселенную и составляющей ее общую для всех душу». Чем плохо? Или о процессах, идущих в недрах Солнца, которые так действуют на электромагнитное поле Земли, что телефоны отказываются работать, часы замирают, а в мире людей начинаются войны...

Ах, он был игрок, он был маг и волшебник, который еще на заре своей понял, что все человеческие открытия не стоят почти ничего, поскольку проходит лет двадцать, пятьсот или, может быть, двести — и прежнее открытие начисто сметается новым, которое также ждет только того, когда оно будет отвергнуто. Он уловил лукавую и мощную игру природы, которая то умирает, становится льдом, мраком, пеплом, то вдруг возрождается, блещет, пылает, — и понял, что ничего не боятся люди, кроме смерти, не зная того, что и с ними поступят как с самой последней, невзрачной травинкой, и самое главное — не выделяться, быть тем же, что камень, вода, струйка ветра...

О да, он шутил, он играл! Он демонстрировал фокусы, еще более примитивные, чем те, которые демонстрирует на улице какого-нибудь маленького, залитого солнцем провинциального европейского городка бродяга в засаленном старом камзоле, расшитом лиловыми звездами. Он не стеснялся в выборе названий для своих якобы научных работ: «Опыты с мозговыми лучами», «Гипноз животных», «Передача мысли на расстояние». Замерзшим на кафедрах и в кабинетах он подбрасывал идеи, за которые они хватались растопыренными пальцами, так что в одну только зиму 1912 года по его описанию было сделано шестьсот двадцать четыре абсолютно одинаковых, никому не нужных прибора.

«Внутри тонкого стеклянного колпака, — вдохновенно писал молодой шутник Алексей Барченко, сидя в своей петербургской квартире, в открытые окна которой вливалась тревожная белая ночь, — каплей дамарлака, канадского бальзама или расплавленного с бурой стекла подвешивается тонкая шелковая нить, на конце которой укрепляется сухая соломинка, служащая указателем. На конце соломинки распушен тончайший клочок гигроскопической ватки. Диск насоса посыпан мелко толченной солью, отверстие его защищено кусочком сухого картона с пробуравленными дырочками и небольшим бортом, чтобы не сдуло соль. Сосредоточьте взгляд на кусочке ваты, и вы увидите, как стрелка передвинется от вашего взгляда».

Он хохотал, представляя, как почтенные отцы семейств, отмахиваясь от надоевших детей, смотрят на клочок гигроскопической ваты выпученными от напряжения глазами, а когда жена или горничная зовут их к обеду, хрипят, чтобы им не мешали.

С приходом той силы, малой частью которой были развратные глаза Мясоедова, веселье закончилось. Журналы, в которые он писал, закрылись, люди, которые читали его, умерли, убежали или тихо сидели по своим углам. Им было уже не до опытов. Шел опыт над ними. Начались поиски заработка. Барченко начал показывать те фокусы, за которые были готовы заплатить. Моряки Балтийского флота, с яростью опустошавшие винные склады, громилы и насильники кротко, как завороженные, слушали лохматого профессора, открывшего двери в другие миры.

«Золотой век, — рассказывал Алексей Валерьянович, стараясь ни с кем не встречаться глазами, — господствовал на нашей земле сто сорок тысяч лет, потом этот век попытались восстановить на территории современного Афганистана, Тибета и Индии. Это был великий поход, поход Рамы...»

Он выжил бы! Он бы провел всех! Провел! Ему так наивно и долго казалось... Ему так казалось еще и тогда, когда он собрался поехать на Север и с Дины взял слово покинуть Россию.

Теперь всякий раз при мысли о Дине к горлу Алексея Валерьяновича подступал ком. Год назад он был уверен, что они расстались навсегда, и разум его подсказывал, что так только лучше обоим. В той жизни, которая наступила, нужна была свобода от чувств и от всех обязательств. Дина связывала его не тем, что просила о чем-то или требовала чего-то, а тем, что *была*. Когда она находилась рядом, физическая красота ее, эта горячая розовая кожа, худые плечи, круглые, с ярко-вишневыми сосками груди, глаза с отчаянным их выражением действовали на Барченко как тот самый гипноз, о котором он когда-то рассказывал в Русском зоологическом обществе. Он знал, что зависит от этих глаз, от этого голоса, хрипловатого, хрупкого, и зависимость делала его слабее. В начале их знакомства он пообещал себе, что она никогда не станет его любовницей. Она одолела его. Он мог бы сказать: *совратила,* хотя это было смешно. Молоденькая, на двадцать шесть лет моложе его, женщина, начинающая актриса, ничего не испытавшая в своей жизни, кроме короткого, оставившего ее совершенно равнодушной замужества, *совратила* Алексея Барченко, который учил, как гипнотизировать людей и животных и передавать любые мысли на любом расстоянии! Но эти стремительные несколько месяцев, когда шофер привозил ее к нему на квартиру и она входила, блистая своими огромными глазами, в той шляпе, пальто и ботинках, которые он доставал для нее через услужливых клевретов мерзавца Блюмкина; всякий раз, когда она в новой роли любимой и по-настоящему близкой женщины входила и сразу бросалась ему на шею и по-детски обхватывала его руками, почти повисая на нем и покрывая поцелуями его лицо, — всякий раз, когда это случалось, Алексей Валерьянович Барченко чувствовал себя другим человеком и мог бы сказать, что во всей своей жизни не знал ничего, что похоже на это.

И все же свобода, за которой он гнался, как охотник за волком, была ему много нужнее, чем Дина. Единственное, чего он хотел: чтобы Дина уехала из России и была в безопасности. Узнав, что она осталась в Москве и не выполнила своего обещания, Алексей Валерьянович попытался убедить себя в том, что она освободила его от дальнейших обязательств. Кроме того, он понимал: раз в ЧК известно об их связи, то именно эту связь они и постараются использовать, чтобы как можно больнее надавить на него.

«Работа» экспедиции, заключавшаяся в том, что Барченко сочинял фантастические описания ни разу не виденных природных явлений, не выходя из чума, была в разгаре, когда мальчик Василий Веденяпин, который изредка писал родителям в Москву, вдруг сообщил Алексею Валерьяновичу, что ни Таня Лотосова с семьей, ни Дина Ивановна Форгерер никуда не уехали и по-прежнему живут в своем Воздвиженском переулке. Несколько дней Барченко был вне себя от ярости. Потом написал ей сердитое письмо, в котором только намеками обмолвился о том, что она натворила. С ее простодушием она могла и не понять его намеков. Ни Дина, ни Тата, сестра, намеков как раз-то и не понимали.

В нагрудном кармане была фотография Дины. Барченко приостановился, достал фотографию и начал рассматривать ее. Дина Ивановна Форгерер смотрела, как всегда, немного исподлобья, но взгляд этот был откровенно-веселым, как будто безгрешные детские мысли омыли его родниковой водою.

Можно было предположить, что Дине уже сказали о его приезде, но что именно ей сказали, он не знал — так же как не знал и того, свободен ли он сейчас или находится под арестом. С другой стороны, не все ли равно? Они ведь не дадут ему уйти. Мясоедов остался в Мурманске. Зачем? Он не знал. Неужели следить за этим мальчиком, Веденяпиным? Или им нужен был Веденяпин, потому что Барченко охарактеризовал его как своего лучшего ученика и даже однажды сказал в присутствии Мясоедова, что один только Веденяпин постиг загадку «мерячения», того странного сомнамбулического состояния, в которое погружаются целые племена? При воспоминании о Мясоедове Барченко силой воли заставил себя подавить вспенившееся внутри озлобление и пошел обратно на третий этаж, где ему была отведена квартира. Маленький человек, бесшумно идущий за ним по пятам, негромко закашлялся. Барченко остановился.

— Вы, может, покушать желаете? — спросил провожатый. — Тут кухня работает, мы принесем.

Барченко кивнул, и человек исчез. Он вошел к себе. В обеих больших комнатах было темно. В столовой стоял на полу чемодан, и рядом с ним белели исписанные листы: записи о научной экспедиции, которые Барченко вел на Севере. Он не успел открыть дверь в спальню, как тут же почувствовал запах. Так пахла одна-единственная женщина на земле, кожа которой источала этот особый, очень нежный и притягательный запах, похожий на запах травы, еще даже не разогретой на солнце и только что высохшей после дождя. Он нащупал на стене выключатель и зажег свет. Дина сидела на кровати в шубе и шапочке, пряча руки в муфту, хотя было очень тепло. Она не пошевелилась при его появлении, не сказала ни слова. Барченко раскрыл объятья. Дина порывисто вскочила и, громко заплакав, прижалась к нему, по-прежнему не вынимая рук из муфты. Он снял с нее шапку и начал гладить золотые волосы, пушистость которых всегда напоминала ему мех у хищников.

— Ну, что ты? Ну, как ты? — шепотом спросил он. — Вот видишь: и встретились.

Она затрясла головой, как будто в том, что он говорил, было что-то страшное для нее. Слезы ее перешли в рыдания.

— Почему ты не уехала, глупая? Ведь ты обещала.

Дина оторвалась от него, испуганными мокрыми глазами пробежала по его лицу, открыла рот, как будто хотела что-то сказать, но тут же зарыдала с новой силой. Он заново испугался силы ее любви к себе, которая сейчас никому не была нужна и только могла помешать их свободе; но еще больше он испугался того, как тело его все еще отзывается на ее тело.

— Ну, дай посмотреть на тебя, — сказал он, отодвигаясь. — Ничуть ты и не изменилась. Как дома? Здоровы?

Она с изумлением заглянула ему в глаза. Он знал эту ее привычку: наклонить голову и, стиснув в кулаке отовсюду падавшие и мешающие ей волосы, напряженно заглянуть в глаза, как будто бы, только избрав этот ракурс, она и могла что-то вправду понять.

— Я больше тебе не нужна? — вдруг спросила она.

Барченко промолчал. Она читала у него в душе.

— Нам лучше бы поговорить...

— Да я и хотела!

Она стиснула руки на коленях, еще ближе придвинулась к нему и, прижав губы к самому его уху, прошептала:

— Алеша! Я все-все тебе расскажу!

И начала рассказывать. Лицо Барченко, которого она сейчас не видела, становилось замкнутым и отчужденным, и, когда Дина, замолчав, хотела опять обнять его, он резко вскочил и, глядя на часы, забормотал:

— Сколько времени ты провела здесь? Минут двадцать, не больше. Сию минуту уходи!

Она отшатнулась:

— О чем ты?

— Ты сейчас уйдешь, — схватившись обеими руками за волосы, продолжал он, — а завтра скажешь *им,* что я выгнал тебя. Или нет! Лучше скажи так: я дал обет, который дают тибетские монахи — никогда не прикасаться к женщине, ибо она оскверняет человека. Скажи *им,* что, пока ты была у меня, я ни разу не дотронулся до тебя, а когда ты сама попыталась поцеловать меня, я завизжал, как поросенок под топором. И что я все время говорю об одном: о том, что мне нужно как можно быстрее попасть на Тибет, потому что там находится цивилизация, за которой уже охотятся и немцы, и англичане. Спрятанная от мира древняя цивилизация, знающая тайну бессмертия. И всё! И я знаю, где ее искать. А ты мне уже не нужна. Напрасно *они* на тебя так рассчитывают!

Дина отступила еще дальше. Пряди на ее лбу стали мокрыми, как будто она только вышла из бани.

— Ты гонишь меня?

— Я прошу тебя понять! Если ты останешься здесь, *они* будут уверены, что наши отношения продолжаются, и тогда *они* не отпустят тебя, *они* выпьют из тебя всю кровь. Ты должна уйти немедленно!

— Мы с тобой, — прошептала она, — мы с тобой не виделись год, и теперь ты прогоняешь меня? Ты больше не любишь?

В глазах ее вспыхнул огонь, и Барченко показалось, что она может ударить его. Он быстро схватил ее за руки.

— Слушайся меня! Родная моя, ненаглядная! — Он поднес ее руки к губам и осыпал их поцелуями. — Поверь, что я лучше их знаю! Мы должны расстаться сейчас, мы должны запутать *их*, чтобы *они* отвязались от тебя. У нас нету выхода!

Она вырвала свои руки.

— А я ведь не верю тебе... — прошептала она. — Ты трус, ты боишься! И ты мне не веришь. Ты думаешь, что *они* напугали меня и я буду доносить на тебя, буду следить за тобой! Вот этого ты испугался!

Запах ее тела стал сильнее, как это бывает у диких животных, когда, разгоряченные и загнанные в клетку, они с помощью запаха и особого блеска в глазах выражают готовность разорвать тебя на куски и после погибнуть. Рывком он привлек ее себе на грудь, сбросил на пол ее расстегнутую шубу и начал успокаивать ее своими горячими и мягкими ладонями. Он гладил ее по позвоночнику, продевал руки в тяжелые волосы, массировал шею, затылок, лопатки, и постепенно она обмякла под его руками, перестала сопротивляться и, привстав на цыпочки, подняла к нему свое лицо, соленое и мокрое от слез, с полузакрытыми, словно бы засыпающими глазами.

В дверь постучали, и, не дожидаясь ответа, вошел тот коротенький и аккуратный человек, который сопровождал Барченко по гостинице. В руках у него был тяжелый поднос.

— Поставьте на стол, — резко сказал Барченко.

— А вы на меня не кричите, — негромко ответил ему вошедший. — Господ больше нету, кричать не позволено.

Он поставил поднос на стол и, внимательно оглядев Дину Ивановну Форгерер, удалился.

— Я жить без тебя не могу, — выдохнула Дина Ивановна и опять приникла к нему. — Делай со мной что хочешь.

— Я *хочу,* — оглядываясь на дверь, прошептал он. — Я очень хочу, я тебя обожаю, но я ничего не могу. Разве ты не понимаешь, что мы с тобой под колпаком? Кто тебе сообщил, что я здесь?

— Терентьев, — коротко ответила она.

— Кто это — Терентьев?

— Чекист, но одет во все штатское. Он и принес мне тогда эту... — Она запнулась, сглотнула слюну. — Ну, эту бумагу...

— Опиши мне его.

— Большой, очень толстый и выше, чем ты. Лицо неприятное, злое. Работает с Блюмкиным.

— Ты видела Блюмкина? — быстро спросил он.

Она кивнула, слезы побежали по ее щекам.

— Я думал помочь тебе, а я ведь тебя погубил! — пробормотал Барченко. — Ведь я погубил твою жизнь, моя радость, ты слышишь?

Дина Ивановна затрясла головой.

— Я весь этот год не жила без тебя! — Она оглянулась на дверь, зажала рот. — Ведь я не живу без тебя, — прошептала она и, схватив его руку, перевернула ее ладонью вверх и несколько раз быстро поцеловала. — Вот ты вернулся, и я счастлива, мне больше ничего не нужно. Совсем ничего! Ты говоришь, ты на Тибет уедешь. Так ты меня лучше убей до Тибета! Нет, правда: убей, мне так легче!

— Ну, что ты болтаешь, — сморщился он.

Со своими огромными золотыми волосами, красная и заплаканная, она стояла перед ним, опустив худые руки, ловила расширенными зрачками его взгляд, и вся ее поза выражала непреклонную волю.

— А я не шучу. Потому что, если ты бросишь меня, это все равно что смерть, а если ты меня убьешь, так это только выход, и я же сама прошу тебя... Ты поживи со мной немного, ну, хоть бы неделю, а потом... — Она замолчала. — Здесь какой этаж? Третий, да? — Она шагнула к окну, посмотрела в черноту ночи, отливающую ртутным блеском звезд. — Но здесь высоко. Если ты подтолкнешь меня и я упаду головой...

Барченко не дал ей закончить:

— С ума ты сошла! Я хотел спасти тебя, и сейчас у меня в голове одно: спасти тебя! Почему ты не уехала, идиотка? Упрямая дура! Девчонка! Зачем я связался с тобой?!

— Алеша, — радостно просияв, прошептала Дина Ивановна, — а я ведь люблю, когда ты кричишь на меня... Ведь я говорю тебе: делай что хочешь. Кричи на меня, бей, хоть убей! Что хочешь... И пусть даже я сумасшедшая, прости мне и это...

Он вдруг заметил, как она похорошела за этот год, как будто та боль, через которую она прошла благодаря ему, прочистила детские эти черты, убрав все случайные их выраженья, оставив одно выраженье решимости, упорной и острой любви, обреченной и, может быть, дикой, но цельной, как вера, и столь же глубокой.

— Я много болел там, в Лапландии, — сказал он. — Бог знает, чего только не было. Я больше не тот. — И, вдруг покраснев, испуганно посмотрел на нее.

— Ты хочешь сказать, что тебе не я не нужна, а просто никто тебе больше не нужен? — Она усмехнулась на то, как он по-детски покраснел, и тут же лицо ее стало другим: насмешливо-нежным и всё понимающим.

Алексей Валерьянович обхватил ее за талию и так сильно притиснул к себе, что хрустнули косточки.

— Да страшно же мне! — с яростью прошептал он. — Меня не сегодня завтра посадят, а может, убьют; мы оба с тобой висим на волоске, а ты... Ну, что ты ко мне привязалась?

Слезы ее высохли. Румяными и горячими губами Дина Ивановна прижалась к его губам.

— Никто ведь сюда не войдет? Не войдет? — восторженно спросила она. — Ты здесь, ты вернулся, ты делай со мною что хочешь...

Муж и жена Веденяпины жили тою же страшной, однако почти и привычною жизнью, которой жила вся Москва. Редкие письма от сына, который писал очень коротко, были единственной темой их разговоров. Сын почти ничего не рассказывал о себе. Один раз только сообщил, что сильно болел, но теперь совершенно здоров благодаря искусству здешних, северных колдунов, которых называют шаманами. Письмо это было последнее, оно обрывалось на середине и было только что передано Александру Сергеевичу Таней Лотосовой.

Такого Василия родители не знали.

Почти год я старался не вспоминать о войне, — писал их двадцатидвухлетний сын, — но потом она все чаще и чаще стала возвращаться ко мне. Я точно знаю, что был сильно болен душою, когда начал воевать. Если бы я был здоров тогда, моя военная жизнь должна была вызывать во мне одно только желание: как можно крепче биться головой о стену, чтобы отбить и память, и понимание того, что со мной происходит, кто я теперь, где я и зачем; но болезнь была именно в том, что ни я, ни кто-то еще из близких мне тогда людей не бились головой об стену и не сходили с ума, а думали, что живут так, как нужно и правильно. Я вспоминаю минуты нашего благодушного покоя, когда мы, например, ужинали на второй батарее только что зажаренным диким козленком, с которым еще вчера ходили играть в сарай, целовали его молочную мордочку и гладили доверчивый лоб, который он с охотой подставлял нам. А потом, уже после этого сытного и вкусного ужина, за сигарой, предложенной нашим командиром, с одобрением рассуждали о заживо засыпанных раненых немцах, потому что накануне батальон «молодцов-латышей» под началом георгиевского кавалера выбил из переднего редута две сотни немцев и, взяв пятьдесят человек в плен, из которых тридцать были тяжело ранены, заживо засыпал их землей. Мы ели и курили, а эти люди еще шевелились под землей; у них тоже были матери, отцы, невесты, а сейчас им нечем было дышать, они медленно и жутко умирали, — но мы почему-то не понимали этого и всё фантазировали о том, что будем делать, когда одолеем врага и вернемся домой после войны. А потом помню, как я, спокойный, с радостью в своей умиротворенной душе, шел тихим галопом домой, и в одном месте моя лошадь вдруг захрипела и рванулась в сторону. Она, наверное, почуяла что-то рядом, под землей.

Меня же поразила тогда красота этой зимней поляны, осыпанной крупными алмазами мороза, и свет, дымом плывущий с неба. Лес подымался высоко в самую ночь, снег с деревьев медленно осыпал меня; я доехал до дома, спрыгнул с лошади, отвел ее в конюшню, где уже стояли другие лошади, напоил ее, и все они посмотрели на меня своими чистыми покорными глазами.

Тогда мне не пришло в голову то, что постоянно приходит теперь: ведь это одному только человеку дана возможность осквернять Божий мир — а больше никому! И человек так свободно пользуется этой возможностью, даже не задумываясь, какое за это придет наказание!

Возвращаюсь к тому, как я болел здесь, на Севере, и как меня лечили. Началось с цинги, которой здесь страдают все приезжие, не привыкшие есть сырую рыбу и сырое мясо. Алексей Валерьянович уже много лет как стал вегетарианцем по своим внутренним религиозным убеждениям, но он сразу сказал нам, что мы должны есть сырое мясо и пить кровь только что убитых животных, если хотим выжить. Сам он сумел как-то обойтись без этого, хотя, конечно, болел. От полного отсутствия солнца и от странной еды, к которой я так и не сумел приохотиться, у меня почти совсем отказали ноги, и я еле-еле мог выползти раз в день из палатки (здесь палатка называется «чум»); боль во всех суставах была ужасная, кости ломило и выкручивало, и я стал почти слепым, мог различать только контуры. Десны принялись кровоточить, и за пару недель выпали все верхние зубы. Потом наступило полное равнодушие ко всему, и я понял, что умираю. Меня это не напугало. Алексей Валерьянович положил меня на сани и повез на ближнее стойбище. По дороге началась пурга, но нас выручили собаки: они знали, куда бежать, и сами проложили дорогу сквозь пургу и темень. В большом чуме нас встретил старик в пышных и богатых шкурах, наверное, хозяин. Я плохо помню его лицо, оно расплывалось перед моими почти ослепшими глазами. Потом появились какие-то женщины, которые уложили меня на шкуры оленя рядом с разведенным огнем. Старик и Алексей Валерьянович пожали друг другу обе руки, как это полагается здесь по обычаю. Я лежал в полусне. Женщины раздели меня догола и принялись растирать все мое тело горячей, остро пахнущей жидкостью, и Алексей Валерьянович сказал, что это медвежья желчь. Вымазав всего меня желчью, они намотали мне на шею лисью шкуру и повесили на грудь множество каких-то амулетов, я и сейчас их ношу. Это фигурки разных животных из кости и меха. На ноге у меня уже несколько недель была

527

небольшая, но незаживающая рана, которую внимательно осмотрел сам хозяин и что-то приказал женщинам. В чум привели оленя, густо запорошенного снегом. Он спокойно стоял, и от него веяло морозом и свежестью. Хозяин и женщины образовали вокруг него полукруг и начали кланяться ему и просить прощения за то, что они должны отнять у него жизнь. Олень стоял неподвижно. Потом хозяин подошел близко к нему и быстро обнюхал его глаза. Алексей Валерьянович объяснил мне, что на языке ненцев и якутов это заменяет поцелуи. На оленя набросили аркан. Он захрипел и повалился. Через минуту олень был мертв, и женщины освежевывали его. Сначала они распороли ему живот и выпустили все внутренности, причем хозяин тут же съел что-то и предложил Алексею Валерьяновичу, но тот жестами отказался. Оказывается, у ненцев принято сразу же есть сырые почки, пока они еще дышат жизненной силой, которая, как они думают, сразу переходит к тому, кто их съел. На моем голом животе сожгли кусок коры, но я совершенно не почувствовал боли. Большим и указательным пальцем правой руки хозяин растянул мне веки и тут же надрезал их ножом; сильно полилась кровь, но ее остановили двумя тяжелыми кусками льда. Когда их сняли и чем-то студенистым и теплым протерли мне все лицо, оказалось, что я неплохо вижу. Мертвый олень с закаченными сизыми белками лежал в углу чума, и женщины что-то делали с ним, а одна продолжала протяжно напевать, сидя на корточках, и кланяться мертвой оленьей голове, как будто бы с ним разговаривая. На блюде мне поднесли кусок дымящегося пузыря, голубоватого под светло-розовой кровью. Я испугался, что сейчас меня заставят съесть это, но они накрыли этим пузырем мою больную ногу, как будто куском тонкой ткани. Оказывается, это было легкое оленя. Алексей Валерьянович объяснил мне, что легкое оленя напоминает гемостатическую губку, которой в современной медицине пользуются для лечения трофических ран. Надо мной наклонился хозяин и спросил меня с помощью Алексея Валерьяновича, сильно ли кружится у меня голова. Голова моя почти прошла, но я сказал, что еще немного кружится. Тогда женщины растопили на огне мозг оленя, который извлекли из его надвое расколотого чере-

па какими-то медными лопаточками. Смешали его с горячим рыбьим жиром и грудным молоком — одна из женщин только что покормила своего ребенка, — несколько капель велели мне выпить, а остальным густо намазали мне всю голову. Дальше я ничего не помню, потому что провалился и заснул так крепко, как не спал никогда в жизни. Проснувшись, я увидел Алексея Валерьяновича, который сидел рядом со мной и, заметив, что я не сплю, сказал, что телесно я уже почти здоров, но хозяин в знак особой любезности пригласил шамана, который будет лечить мою душу. Тут-то я и увидел его. Больше всего он был похож на какую-то неправдоподобно огромную и пеструю птицу. На его белых меховых сапогах были нашиты когти медведя, на плечах, разукрашенных разноцветными нитками, висели крылья дикого лебедя, над шапкой вздымались ветвистые оленьи рога. В руках он держал бубен почти круглой формы, на котором я заметил множество навешанных колокольчиков. На меня, так же как и на всех присутствующих, шаман не обратил никакого внимания. Изредка он вскрикивал, бормотал, кружился на полусогнутых ногах и произносил какие-то заклинания. Потом он начал быстро жевать что-то, и вскрикивания его участились. Алексей Валерьянович сказал, что он ест кусочки сушеных мухоморов, которые помогают ему уйти из этого мира в другой.

Дорогие мои мама и папа, простите, если вам уже наскучило то, что я пишу. Эта ночь перевернула меня всего, и если мы когда-нибудь еще встретимся, вы, наверное, и не узнаете меня в том человеке, каким я стал теперь. Шаман принялся громко стучать колотушкой по своему бубну и все чаще и чаще вскрикивать. Глаза его при этом открылись, но я точно могу сказать, что он никого из нас в эти минуты не видел. Барченко шепнул мне, что шаман ищет путь в царство мертвых и в этот момент его собственная душа должна отделиться от тела. Потом он, усмехнувшись, добавил, что отделение души от тела всегда сопровождается невыносимой болью. Танец моего шамана стал стремительным; смотреть на то, как он высоко подпрыгивает, ненадолго зависая в воздухе, распластывается, прижав ухо к земле, было сначала почему-то мучительным для меня, но постепенно я сам отделился ото всего окружающего и начал погружаться в какие-то видения. Сначала я видел себя маленьким, лет шести, видел, как мы с мамой сидим под вишней, прислонившись затылками к стволу, и на нас густо падают мелкие белые цветы; потом я вдруг увидел, что мама встала и куда-то пошла. Я попытался вскочить и побежать за ней, но что-то не пускало меня. Я смотрел, как мама уходит все дальше и дальше, и когда она уже почти скрылась из вида, ее окружили очень милые и пушистые звери, похожие на собак, но яркого, золотого цвета, и я догадался, что это были лисы, и шкура одной из этих лис укутывает сейчас мое горло. Мне стало казаться, что теперь я остался один на всем свете, но страшно мне не было, и какая-то спокойная и благостная сила вдруг переполнила меня всего изнутри. Мама исчезла, от этих золотых животных, которые увели ее, остался легкий желтоватый туман в воздухе, а я чувствовал себя так, как будто наконец освободился от долгого страдания. Потом я услышал шум дождя по брезенту и увидел, что пью чай на дороге, спрятавшись под куском брезента и лошадиной попоной с еще одним офицером, имени которого уже не помню. Я сообразил, что это действительно так и было, мы с ним чудом уцелели в бою, который только что закончился, и стоны раненых, которых проносят мимо нас на носилках, и стоны тех, которых еще не подобрали, стоят в этом холодном сером воздухе. В этом воспоминании тоже было острое и сильное ощущение счастья. Я то проваливался внутрь этих своих видений, приносящих мне свет и освобождение, то снова видел похожего на дикую и косматую птицу человека, по желто-коричневому лицу которого, завешенному длинными белыми нитями бисера, струился пот. Потом я опять крепко-крепко заснул. Проснулся я, как сказал мне Алексей Валерьянович, через двое суток.

Я написал вам обо всем этом так подробно вот почему: даже если меня выпустят на свободу, даже если мне сохранят жизнь, я постараюсь никогда не возвращаться обратно в тот мир, про который я теперь понял самое главное: жить в этом мире я не смогу. И все так устроено в нем, что...

На этом слове письмо Василия Веденяпина обрывалось. Александр Сергеевич закрыл лицо руками и сидел молча, низко опустив голову. Наконец Нина не выдержала:

— Это *она* передала тебе?

— Она вчера принесла мне его в больницу. Вася не успел даже дописать и передал Барченко, а тот отдал ее сестре, — негромко ответил он из-под ладоней.

— Я не спрашиваю тебя об этом! Какое мне дело, в больницу или не в больницу?

Александр Сергеевич потер лоб.

— Зачем ты кричишь?

— Я уеду, — тихо сказала Нина. — Уеду к мальчику в этот порт... как он назывался раньше? Романов-на-Мурманске. И буду там с ним.

— Ты не доедешь до этого порта, — усмехнулся Александр Сергеевич. — Если тебя не выкинут по дороге с поезда, ты подцепишь тиф и умрешь в вагоне на полу. Но дело не в этом. Ты что, разве не поняла?

— Какая там власть-то? — спросила она. — Там красные?

— Не знаю. Газеты всё врут.

— Чего же я все-таки не поняла?

Муж странно взглянул на нее:

— Нина, он попрощался с нами. Ты сон его ведь прочитала?

— Ты что говоришь! Как ты смеешь?!

Красные от бессонницы глаза Александра Сергеевича увлажнились. Он широко перекрестился.

— Господи, помоги ему!

— Я ненавижу тебя! — закричала Нина. — Ненавижу! Я каждую ночь мечтаю, что он возвращается к нам! Я держу его за руку и плачу от радости. А ты говоришь, чтобы Господь помог ему освободиться от нас! Ото всего, что было нашей жизнью! Да он же погибнет без матери!

— Без матери он не погибнет, — пробормотал Александр Сергеевич. — Без Бога погибнет.

Она вскочила и затрясла кулаками перед его лицом:

— Молчи, ты, чудовище! Я отмолю! Ведь это же я отмолила, ты помнишь? Когда он сидел на Лубянке!

— Пойдем выпьем кофе, — вдруг сказал Александр Сергеевич. — У нас желудевый остался?

Она тоже стихла и наклонила голову.

— Остался.

— Ты кашляла ночью. Знобило тебя?

— Меня каждый вечер знобит.

— Дай-ка я легкие твои послушаю.

— Зачем же их слушать? Тебе все равно без меня будет лучше.

— Ерунды не говори! — оборвал ее Александр Сергеевич. — Пойду затоплю. Завтра обещали еще дров привезти, нужно протопить как следует...

Нина пошла за ним, задевая за мебель концом старого пледа, наброшенного на плечи. Александр Сергеевич приостановился, погладил этот плед, потом провел пальцами по ее переносице, бровям, лбу...

— Да, выпало нам! — Он вздохнул. — Чего уж теперь-то считаться? Бедняжечка...

Нина закашлялась.

— Ну вот: пожалел все-таки! — еле выговорила она сквозь кашель. — А то ведь: чужой... — И осторожно погладила его по волосам. — Седой стал... Я ночью просыпаюсь, Саша, и никого рядом! Пусто, черно, страшно. Как в могиле... Вспомню про сына — ужасом обдает. Про тебя подумаю — стыдом... Зачем я живу? Для кого? Для чего?

— А я? — Он коснулся губами ее лба.

— Отпусти меня!

Александр Сергеевич насторожился:

— Я тебя уже отпустил один раз.

— Нет, к Васе меня отпусти. Как сказано, помнишь? «Сытая душа попирает и сот, а голодной душе все горькое сладко». У меня давно душа голодает...

Хорошо было тем детям, к которым на елку, например, или на день рождения приходили исторические деятели. Такой праздник уж точно не выветривается из памяти! Ну, кто из выросших в Лесной школе № 61 забудет, как ночью, в такую пургу, что даже ресницы болели от ветра и не было видно ни зги — хоть смотри, а хоть не смотри, все равно не усмотришь! — к ним в комнату, где было очень тепло, и елка горела, и пахло свечами, вошел Дед Мороз? Кто был этим Морозом? Ау, Бонч-Бруевич, ау! Что не отзываешься? Спрятался, бедный.

Началась эта новогодняя сказка с того, что детишки стали беспризорниками. И, ставши такими, попали в приют. В приюте часто бывали гости из иностранных стран и даже писатели, много писателей. Они ведь по-своему тоже детишки. Приютским объяснили, как отвечать, если иностранные гости будут интересоваться их семьями, и девочка Катя однажды довела до слез впечатлительного драматурга по имени Бернард, поведав ему, драматургу, про то, как Катин папаня взял Зимний.

Случалось, что гости оставались и на обед. Тогда Аграфена Матвеевна, женщина очень полная, с косой, перекинутой через пышную грудь, на которой горела пятиконечная красная звезда, подаренная Аграфене Матвеевне другом ее детства Климом Ворошиловым, плавно, показывая ямочки на своих румяных локтях, вносила поднос с чисто русским борщом, и гости, тотчас оборвав разговор (включая Бернарда), садились покушать.

Владимир Ильич Ленин хотел, чтобы его, человека совсем не старого, но облысевшего от лечения бытового сифилиса, подхваченного им на одной из маевок, куда пропускали Бог знает кого, включая шпану и любых провокаторов, — хотел он всем детям планеты быть дедушкой. Трудно сейчас понять, зачем ему этого так уж хотелось, но с фактами ведь не поспоришь.

Надежда Константиновна Крупская капризничала и отнюдь не желала становиться бабушкой. Она была верной соратницей дедушки. И другом его по борьбе, многократным. Они жили в Шушенском, там и боролись. А когда победили и переехали в шестикомнатную, очень скромную кремлевскую квартиру, куда, опровергая слухи о том, что Ленин питался одним молоком, а Крупская — хлебом, везли им и кур, и икру, и балык, и разные овощи, и ананасы; когда они в эту квартиру переехали, наладили быт, ввели красный террор — короче, решили все эти вопросы, — тогда они сели в машину втроем (еще и Маняша, сестричка, пристала: возьми да возьми!) и поехали к детям.

Бонч-Бруевич, который сейчас спрятался и не отзывается (как будто бы нужно стесняться того, что он хоть однажды сказал все, как было!), уверен, что Ленин любил поиграть. С игры-то, мол, и началось. Что дети, увидев вошедших к ним в дом, ужасно смутились. Но Ленин, привычный к смущенью людей, схватил сразу Катю, отер ей глаза и тут же сказал, что она будет мышь. Потом подобрал Кате кошку в лице большого и очень неловкого Пети, потом велел всем разделиться вот так: один, значит, кот, а другой, значит, мышь. Ты, кошка, лови себе мышку и ешь. А ты убегай и спасай свою шкуру.

Ах, как завертелось! С каким огоньком! На первом коммунистическом субботнике не было такого веселья, как на этой елке. Особой изобретательности дедушка, конечно, не проявил: лови, брат, и ешь! Видишь Зимний — бери! Короче, прямой он был дед, без фантазий. А детям-то что? Раньше они босыми бегали, махорку на темных вокзалах курили, теперь пошли с Лениным мышки да кошки... Бежи, бежи, серая, не убежишь!

Всякая история обрастает легендами, и эта тоже. Вдоволь наигравшись с детьми, Владимир Ильич вместе с кроткой Маняшей и сильно уставшей женою Надюшей поехали в Кремль. И говорят злые языки, что на углу Орликова переулка на его приостановившуюся машину налетела банда знаменитого рецидивиста Яньки Кошелька, и лично сам Янька, не узнавши в темноте вождя мирового пролетариата и главного международного дедушку, потребовал денег. Денег у Ленина отродясь не водилось. Не было их также и у его жены, а у сестры хоть и были какие-то копейки, но ей не хотелось их тут же отдать. Напрашивается простой вопрос: зачем было останавливать машину? Личный шофер Ленина по фамилии Гиль объяснял потом, что это, мол, сам Ленин попросил его приостановиться и спросить, чего от него хотят размахивающие оружием, с неприятными, грубыми лицами люди. Но Гиль этот точно наврал. Не таков был Ленин, чтобы после всего пережитого в Цюрихе попросить шофера остановиться! Хотя, может быть, это именно дети на него так подействовали. Смягчили его и зачем-то расслабили. От Яньки Кошелька Ленина отбила подоспевшая милиция. В результате возникшей перестрелки один из милиционеров погиб и был посмертно награжден часами. Но вот что сейчас интересно: говорят, что после этой ночи у Ленина совсем испортился характер. Детей он уже не любил, играть с ними тоже почти не играл, домашних замучил, Маняшу особенно. Все время куда-то ее прогонял и изредка топал ногами. Надежда частенько писала в ЦК, просила помочь и прислать медсестру. Прислали двоих.

Может быть, конечно, начавшиеся в России с 1921 года массовые расстрелы несовершеннолетних не имеют никакого отношения к психическому срыву вождя после елки. Расстрелы — расстрелами, психика — психикой. Но как все на свете таинственно связано!

Ирония жизни... А что это значит?

Дине Ивановне Форгерер казалось, что в эту ночь она не спала ни одной минуты, поэтому, открыв глаза и увидев, что за окном уже рассвело, она никак не могла поверить в то, что заснула, а главное — где! В чужой комнате рядом с любимым ею человеком, встречи с которым она ждала целый год. Но она заснула и проспала, наверное, не меньше трех-четырех часов, пока озабоченный голос трамвая не начал свою торопливую песню. Любимый ею человек лежал рядом на диване, от которого сильно пахло керосином, а значит, в нем жили когда-то клопы, которых изгнали к прибытию гостя. Подперев кулаком голову, Алексей Валерьянович пристально смотрел на нее и молчал. Дина потянулась к нему горячим, худым и разнеженным телом, но он сухо поцеловал ее в висок и начал вставать, одеяло откинув. От неприятного предчувствия у нее похолодели и стали вдруг мокрыми руки и ноги.

— Пока ты спала, — сказал он, наливая себе воды из графина немного дрожащими пальцами, — я думал о том, что нам делать сейчас.

Она испуганно, умоляюще взглянула на него.

— О чем ты?

— Единственный шанс выпутаться тебе — это разорвать всякие отношения со мной. Я говорил это тебе вчера вечером и сегодня повторяю то же самое. Не надо! Не спорь! — Он повысил голос, чтобы не дать ей возразить. — Ты еще не поняла того, что случилось. Тебя напугали, и всё. Но дело не только во мне и тебе. И даже не в Танином сыне. Они его, может быть, и не убьют. Но Таню, тебя, и отца, и Алису они безусловно убьют. Что тогда? Тогда и он тоже не выживет.

— Зачем же им нас убивать?

— *Я* им сейчас нужен, — ответил он с еле сдерживаемым бешенством. — Я их заманил сам не знаю куда. Они не отстанут. И чтобы переломать меня всего, не остановятся. Начнут и меня шантажировать... Кем? Тобою, конечно! А кем же еще? Поэтому...

И замолчал.

— Поэтому что? — прошептала она.

Барченко поставил на стол стакан с водой, грузно опустился на колени перед диваном, положил голову на подушку.

— Поэтому мы расстаемся с тобой. На сколько, не знаю.

Через пятнадцать минут внимание сонного красноармейца, дежурившего у дверей Второго Дома Советов, было остановлено красивой, но всклокоченной юной особой, выскочившей прямо перед его носом и стремглав помчавшейся через улицу так, что еще секунда — и она угодила бы под грузовик.

Завершив съемки в Финляндии, Николай Михайлович Форгерер, в котором за время вдохновенной работы над ролью добродетельного Лота окончательно окрепло решение вернуться в Россию к своей несговорчивой странной супруге, прибыл на Финляндский вокзал в самом начале марта. Он готовил себя к тому, что жизнь в этой новой России не будет простой и удобной, однако представить себе того траурного зрелища, какое собою являл Петроград, не мог даже в самых нелепых фантазиях. Вид этого совсем еще недавно прекрасного и величественного города, в котором теперь только тающий снег и сумерки с запахом близкого моря напоминали прежние времена, так сильно подействовал на впечатлительного Николая Михайловича, что он содрогнулся, и дикая мысль, что в таком разоренном и измученном месте людям не до любви, впервые пришла ему в голову. Москва, до которой он с большими трудностями добрался только на третьи сутки, была Петрограда не лучше.

Увидев перед собою знакомый дом доктора Лотосова, Николай Михайлович остановился и опустил чемоданы на землю. Сердце его неистово билось, а голова, ноющая уже второй день, вдруг разболелась по-настоящему, и стало казаться, что левый глаз выворачивают из глазницы так, как полукруглой ледяной ложкой выворачивают из ведерка шарик мороженого. Он набрал в руки тающего, но еще колкого снега и приложил его ко лбу. От холода голову и левый глаз заломило еще больше. Николай Михайлович вытер лицо перчаткой и позвонил в дверь. Послышались быстрые, как будто бы детские и веселые шаги. Николай Михайлович закашлялся от волнения.

— Кто там? — спросил его ровный голос Тани.

— Я, Тата, — ответил Николай Михайлович.

— Ах! — вскрикнула она, загремев цепочкой, и это «ах» живо напомнило ему Дину. — Ах, Господи! Вы?

Она распахнула дверь, и Николай Михайлович очутился в передней, увидел знакомую деревянную лестницу наверх, почувствовал запах отсыревших дров, которыми только что затопили печи. Таня была еще не причесана: светлые — гораздо светлей, чем у Дины, — волосы закрывали ее хрупкие плечи с наброшенным на них платком. Лицо при виде Николая Михайловича загорелось румянцем.

— Ах, Господи! — повторила она, всплеснув руками и этим опять же напомнив жену. — А мы ведь не знали, что вы, то есть ты...

И смутилась, не зная, как обращаться к нему.

— Да я и сам не знал до последней минуты, сколько мне понадобится времени, чтобы добраться... Дорога тяжелая... Трепали, обыскивали...

— Пойдем же скорее, пойдемте! — волнуясь, заговорила Таня, и они начали подниматься по лестнице, забыв про чемоданы, так и оставшиеся стоять на снегу.

Но Таня тут же спохватилась и, как была полуодетая, выскочила на улицу.

— Слава Богу, не заметил никто! — заговорила она возбужденно. — Сейчас оглянуться не успеешь, как все пропадает! И дети воруют, и взрослые...

Николай Михайлович втащил чемоданы в переднюю, и они опять, перебивая друг друга обрывками фраз и восклицаниями, начали подниматься по лестнице.

— Да подожди же ты, Тата! — опомнился, наконец, Николай Михайлович и обнял ее. — Целоваться не буду, поскольку с дороги, не мылся, не брился, но так же нельзя... Мы два с тобой года не виделись!

— Да! Господи, время летит! — И она крепко поцеловала его. — Вот Дина обрадуется...

Лицо ее вдруг вспыхнуло, и она точно так же закусила губу, как делали все они: мать и две дочери.

— Обрадуется? — недоверчиво, с дрожью в голосе спросил он.

Таня опустила глаза.

— Мы с ней часто говорили, Коля, что при такой жизни, которая у нас сейчас, лучше, чтобы как можно меньше людей такую жизнь испытывали... Мы, честное слово, даже радовались, что ни ты, ни мама не знаете, до чего здесь сейчас тяжело! Ведь мы не живем, Коля. Мы выживаем.

— Постой, Тата! — Николай Михайлович остановил ее за локоть. — Я прямо сейчас и хотел бы понять. Ты мне словно чего-то не договариваешь. Я — что? Я вам не ко двору?

Таня смутилась до слез.

— Как «не ко двору»? Ведь мы же семья. И места пока еще много, нас не уплотняют. Мамина комната пустует, и бывшая детская тоже... в ней Дина сейчас...

— Где Дина? — переспросил Николай Михайлович грубо и громко от вдруг охватившего его страха.

— Она еще спит, — пробормотала Таня. — Вчера был последний прогон. Они ставят новый спектакль... Она очень поздно вернулась... Мы спали, я даже не слышала...

И смело посмотрела ему в лицо своими темно-голубыми, с синевой вокруг зрачков, словно бы украденными с материнского лица, глазами.

— Ты хочешь мне что-то сказать? — спросил Николай Михайлович.

— Да, я хочу сказать только одно. Но мне сейчас трудно. Ты сам все увидишь. Я очень люблю ее, Коля. И все ей прощаю. Но нам неспокойно. Она... — Таня совсем смешалась. — Я старше ее, она верила мне, всегда мне во всем доверяла, а тут... Я просто не знаю! Но ты все поймешь. Она очень умная, Коля... На редкость!

За плотно закрытыми дверями бывшей детской была тишина.

— Ты хочешь ее разбудить? — испуганно спросила Таня. — А может, сначала помыться? Ты можешь и ванну принять, вода есть...

— Успею помыться, — сквозь зубы сказал Николай Михайлович и постучал в дверь.

Таня отвернулась и теми же быстрыми детскими и веселыми шагами побежала вниз по лестнице, как будто не хотела присутствовать при том, как Николай Михайлович Форгерер встретится сейчас со своею женой.

В легком сумраке комнаты, слегка только освещенной просочившимся из бокового окна мартовским светом, было сильно накурено и везде валялась одежда, на которой Николай Михайлович, как это бывает с людьми в минуты особенно сильного волнения, остановил свое внимание. Одежды было много, и вся она показалась ему роскошной. Дина лежала на животе, уткнувшись лицом в подушку, и Николай Михайлович с внезапным ужасом отчуждения и очень тяжелым предчувствием того, что, если она повернется сейчас, то он не узнает ее, увидел знакомые белые плечи, худые лопатки, блестящие волосы... Она еле слышно стонала во сне. Он подошел ближе и наклонился, прислушиваясь. Да, она стонала и как-то странно переводила дыхание, как будто бы все еще курит. Николай Михайлович дотронулся ладонью до ее пушистого затылка. Она резко повернулась на спину, слегка откинув одеяло, так что мелькнула голая грудь с темными сосками, открыла глаза и увидела его. В глазах ее вспыхнул сначала страх, потом удивление, потом опять страх, сильнее прежнего. Она села на кровати, до подбородка натянув сползающее тяжелое одеяло, и приоткрыла рот, как будто хотела кричать, но сдержалась.

— Не бойся, — сказал он. — Я не привидение.

И сам поразился нелепым словам.

— Когда ты приехал? — Глаза ее стали почти черными.

Николай Михайлович почувствовал, что ему хочется убежать и больше сюда уже не возвращаться.

— Приехал? — пересохшими вдруг губами спросил он. — Приехал недавно. Минут, может, двадцать.

— Откуда? Из Питера? Ты что, вернулся?

— Вернулся, поскольку здесь ты.

— Но мы же давно не живем с тобой вместе, — вздрогнула она. — Ты должен был мне сообщить... Я должна...

Она замолчала.

— Тата сказала, что приготовит мне ванну, — пробормотал Форгерер, не понимая того, что говорит. — Мне нужно помыться с дороги. Ты можешь поспать, дорогая.

Так странно прозвучало сейчас в ее прокуренной комнате это слово, которое он часто говорил ей раньше, и она всякий раз сердилась и передразнивала его: «Дорогая, дорогой, дорогие оба, дорогая дорогого довела до гроба!»

— Ты можешь поспать, дорогая, — повторил он. — Мне Тата сказала: ты поздно вернулась вчера с репетиции.

— Я не была на репетиции. — Она собрала волосы в кулак и посмотрела на него исподлобья.

— Ну, значит, я просто ее не расслышал. — Николай Михайлович оттянул тугой галстук, начавший душить его. — Я просто ее не расслышал...

И ватными ногами пошел к двери.

— Коля! — прозвучал за спиной ее голос.

— Я все понимаю, — ожесточенно ответил он, не оборачиваясь. — Старо как мир. Сейчас ты начнешь признаваться мне в чем-то эдаком... Роковом! В какой-нибудь жгучей цыганской любви. Но я... — Он обернулся, лицо было белым, дрожало и морщилось. — Но я не хочу тебя слушать! Я мыться пошел. Я устал, я с дороги. Ты можешь поспать, дорогая.

Кажется, она всхлипнула, а может, ему показалось.

Алексей Валерьянович Барченко каждый день ждал вызова на Лубянку, но вызова не поступало. Он совсем перестал выходить из дому и целыми днями лежал на диване, иногда вскакивал и что-то записывал. То легкое сумасшествие, которое уже давно было заметно в его глазах, стало еще заметнее. Иногда он вдруг принимался хмуриться, потом очень тихо смеяться, с дивана при этом и не поднимаясь. Дина не могла проникнуть во Второй Дом Советов без специального пропуска, телефон не работал, и временами он чувствовал себя в этой неуютной и одинокой квартире почти что как в крепости. Впрочем, она и не стала бы рваться к нему без его позволения. Она была гордой. Единственная женщина, которую он все еще желал и от которой ему пришлось отказаться. Нельзя сказать, что он не верил ей — если он и верил кому-то, так именно ей, — но и она была всего лишь слабым человеческим существом, с которым можно сделать все что угодно. Алексей Валерьянович закрывал глаза и, мучаясь, представлял себе ее на Лубянке. Он чувствовал запах ее разгоряченного, избитого до крови, тонкого тела; видел, как завшивленный, убогий мерзавец с воспаленными от водки глазами с размаху бросает ее в камеру, где ярко горит лампа, и тут же, дождавшись, пока она ляжет на каменный пол, кричит через дверь:

— А ну, подымайся! Тут спать не положено!

Барченко не допускал и мысли, что Дина могла бы работать на *них*. При этом, как только он вспоминал, что она подписала *эту бумагу*, брезгливость его наполняла. Брезгливость! Мозг проваливался в глубокую впадину животного страха, и никакие доводы не помогали. Не ею, конечно, не Диной он брезговал, но всей тою гадостью, слизью и кровью, в какую ее затянули.

На двенадцатый день профессору Барченко принесли телеграмму от профессора Бехтерева, который сообщал, что приезжает в Москву по делам своего института и очень желал бы встретиться и поговорить. Алексей Валерьянович меньше всего хотел бы встречаться и разговаривать с кем бы то ни было из своих прошлых коллег и особенно с Бехтеревым, который всегда производил на него впечатление человека, готового на любое унижение, лишь бы выжить. И нужно же было сейчас, когда Барченко начал сползать туда же, куда постепенно сползли почти все — а именно в эти вот впадины страха, — к нему торопился из Питера Бехтерев!

В пятницу днем они встретились. Бехтерев, которого он последний раз видел полтора года назад, выглядел почти стариком. Куда-то исчезли его постоянная свежесть и сила, подмигиванья, энергичная живость. Маленькие глаза, всегда маслянисто и бодро блестевшие, смотрели угрюмо.

— Ну, что? Может, водочки выпьем? — спросил он, по-прежнему подмигивая, но ничего похожего на знакомую веселость не получилось. — Вы здесь на дотации?

— Но водка мне вроде бы не полагается, — ответил Барченко.

— Водка у человека всегда должна быть своя, иначе он — как это сказано? — вошь недобитая...

— Где сказано?

— У Достоевского, где же еще? Раскольников всех там во вши зачисляет... Пускай закусить нам тогда принесут. А вот она, водка. С морозца, хорошая...

Он достал из портфеля бутылку, поставил на середину стола и, помаргивая короткими густыми ресницами, плотно уселся на диване. Горничная, немолодая, с порочным вызывающим лицом, принесла закуску, расставила тарелки и ушла, оглядываясь и виляя крупными бедрами.

— Следят тут за вами? — понижая голос, спросил Бехтерев. Барченко пожал плечами.

— Алексей Валерьяныч! — Бехтерев разлил водку по большим граненым стаканам. — Вы меня, голубчик, не бойтесь, а? Я сам по уши в дерьме сижу, мы с вами оба хорошо-о-о вляпались! Что они вас обратно-то с Кольского отозвали? Чем вы им не угодили? Меряченье видели?

— Сколько угодно, — отмахнулся Барченко.

— Вот-вот! — кивнул Бехтерев. — Они, вы знаете, чего напугались? Того, что вы этим гипнозом один втихомолку овладеете. Вот чего! А как же? Вас лопари как родного приняли, они люди добрые, простодушные, язык вы их знаете... Кто за вас поручится? Чекист, что ли, этот?

— Какой чекист? — вздрогнул Барченко

— Фамилия мне не известна, — визгливо засмеялся профессор Бехтерев. — Но был же чекист? Наблюдал? Ну, то-то! Ко мне в институт они все время приходят, трутся там с моими студентами, я уж и внимание перестал обращать. Пущай, мои милые, трутся!

Они помолчали. Барченко быстро положил ложку на стол: не хотелось, чтобы Бехтерев заметил, как у него дрожат пальцы.

— Они с лопарями-то живо расправятся, — задумчиво продолжал Бехтерев. — Шаманов шлепнут, как слуг мирового капитала, а рыболовы да охотники эти... Рыбачат — и ладно! Нет, *там* теперь другие вершины покорять собрались! За этим и вас пригласили.

— Вы что-нибудь знаете?

— Знаю, что у меня основную лабораторию закрыли! — огрызнулся профессор Бехтерев. — Знаю, что меня за границу не пускают! В Америку два раза с докладом приглашали — не пустили! «Вы нам здесь нужны, дорогой профессор...» Вот это я знаю. А еще... — Бехтерев понизил голос и вдруг сильной рукой придвинул к своему рту голову Барченко. — А еще я знаю, голубчик вы мой, что ни вы, ни я долго в этом мире не задержимся. И я это точно, я досконально это знаю! Дату, конечно, не назову, но за факты ручаюсь.

— А вас-то зачем убивать? — искренне удивился Барченко, высвобождая шею из-под руки Бехтерева. — Вы врач, вы светило, пригодиться можете...

— Сперва пригожусь, а потом и убьют, — тем же визгливым смехом засмеялся профессор. — Я ведь сам шаман! Я свое будущее и без бубна разгадаю...

После ухода Бехтерева Алексей Валерьянович долго не мог успокоиться. Больше всего его мучило то, что он не был до конца уверен в искренности своего собеседника. Зачем было Бехтереву подъезжать к нему с такими вопросами? Зачем эта водка, которую он все подливал и подливал, зачем эта искренность, на которую Барченко не напрашивался? А может быть, он действительно сходит с ума и гораздо логичнее предположить, что Бехтереву хотелось просто поговорить? Кому можно верить? Кто знает, какой ценою Бехтерев удерживает за собой институт? А что это он намекнул про вершины, которые Лубянка собирается покорять? Неужели Тибет? Но ведь и про Тибет именно он, Барченко, рассказывал в свое время Дзержинскому! В тот момент он еще не раскусил *их* по-настоящему, еще думал, что с ними, невеждами, можно играть и дурачиться. Какой идиот и с каким самомнением!

Ему стало жарко под легким одеялом, и он вскочил. Свет желтого, раскачанного ветром фонаря упал в его окно, и в слабо озарившемся зеркале Барченко отчетливо увидел Дину, которая, в короткой черной рубашке, босая, стояла, слегка расставив ноги для равновесия, и обеими худыми и прелестными руками зашпиливала на затылке свои неподъемные волосы. Она обернулась через плечо и улыбнулась ему так, как улыбалась всегда: с восторженным и удивленным испугом. Барченко закрыл глаза и несколько минут стоял с закрытыми глазами. Звон в ушах напоминал крымских цикад. Потом звон оборвался, и Алексей Валерьянович открыл глаза; в зеркале было пусто, но кто-то осторожно скребся в его дверь. Он прислушался. Звук повторился. Барченко взглянул на часы. Стрелки показывали три. Почему-то он решил, что это пришла горничная с развратным лицом, которая тоже приставлена следить за ним. Или, может быть, Мясоедов. Он знал, что на Лубянку забирают по ночам, и подумал, что профессор Бехтерев уже успел донести об их разговоре. Поскреблись еще раз, но уже с некоторым раздражением. Барченко опять опустился на диван и до горла натянул на себя одеяло.

— Войдите! Не заперто!

Дверь отворилась, и вошли двое. Одного он давно знал: это был чекист Яков Блюмкин; второй, тщедушный и миловидный, с пустыми глазами, был закутан в длинную гоголевскую шинель с бобровым воротником и изо всех сил старался крепко держаться на ногах. Оба были сильно пьяны. Войдя в комнату, они тут же уселись за стол и размотали шарфы.

— Лежите, лежите! — замахал руками Блюмкин. — Мы шли тут к девчушкам, на пятый этаж, а потом Шершеневич — это вот друг мой, поэт Шершеневич, — а потом Шершеневич говорит: «Покажи-ка мне, Яков, этого гипнотизера великого! Ты меня с ним познакомь, а я ему стихи посвящу». Верно, Шершеневич? — строго обратился он к бледному и пьяному поэту.

Тот молча кивнул.

— А я ему говорю: «Шершеневич! Мы же не дадим товарищу Барченко выспаться! Пускай себе спит, Шершеневич!» А он, упрямый баран, уперся, и всё! «Нет, — говорит, — веди! Я ему свои новые стихи прочитаю». Верно, Шершеневич? Пускай почитает, а? Стихи у него неплохие. Читай, Шершеневич!

— Мною, между прочим, товарищ Ленин интересуется! — в нос и надменно произнес Шершеневич.

— Ох! Это смешная история! — И Блюмкин хлопнул себя по коленке. — Дай я, Шершеневич, расскажу, а то ты все испортишь. Сдает Шершеневич сборник стихотворений в типографию, а название — хуже не придумаешь: «Лошадь как лошадь»!

Барченко устало закрыл глаза.

— Погодите, погодите! Это же еще не всё! В типографии поглядели на название и решили, что раз книжка про лошадь, так она и предназначается трудовому советскому крестьянству. — Блюмкин широко раскрыл рот и захохотал. — И взяли они весь тираж и прямиком его направили на склад Наркомзема для скорейшего распространения среди сельского населения. И тут получился скандал! Дошло до товарища Ленина. Тот вызвал Бурцова и велел принести эту книжонку. Сперва ничего не сказал, повертел в руках, потом прочитал пару строчек, плюнул и попросил обратно унести. Вот какая история... Что притих, Шершеневич? Почитай нам про Олечку! Это он только вчера написал, — обратился он к неподвижно сидящему, почти окаменевшему Барченко. — Пускай почитает!

Шершеневич встал в позу, заложив левую руку за спину, и начал читать — так же в нос и надменно:

Другим надо славы, серебряных ложечек,
Другим стоит много слез, —
А мне бы только любви немножечко
Да десятка два папирос.

А мне бы только любви вот столечко,
Без истерик, без клятв, без тревог,
Чтоб мог как-то просто какую-то Олечку
Обсосать с головы до ног...

Он вскинул голову и замолчал.

— Я ему предложил вместо «обсосать» другое слово вставить! — вмешался Блюмкин. — Звучит почти так же, но только смешнее. Нет, упирается, черт! «Ты, — говорит, — не слышишь поэзии!»

— Зачем вы пожаловали? — приоткрывая глаза, спросил Барченко.

Блюмкин пошевелил в воздухе короткими, словно бы обрубленными, пальцами.

— Товарищ Дзержинский разрабатывает план новой экспедиции. Советская власть делает последнюю попытку помочь вам, товарищ Барченко, доказать вашу лояльность, так сказать...

— Экспедиции — куда? — коротко спросил Барченко.

— Это не я вам уполномочен открыть, тем более сейчас. — И Блюмкин выразительно кивнул в сторону пьяного Шершеневича. — Не время сейчас обсуждать. А я со своей стороны пришел предложить вам свою кандидатуру. И дружески вам подсказать, чтобы вы именно на мне и остановили свое благосклонное внимание, поскольку то, чего умею я, вам вряд ли еще попадется!

Речь эта показалась Барченко подготовленной заранее — так выразительно, ни разу не сбившись, чекист ее выпалил.

— Согласен, — сказал он. — А теперь я хотел бы, извините, отдохнуть. На дворе-то уж...

— Пошли, Шершеневич! — засмеялся Блюмкин и подтолкнул поэта к двери. — Стихи твои, брат, не понравились! Другие давай сочиняй!

Оставшись один, Барченко схватил лист бумаги и начал лихорадочно записывать что-то. Пол ходил под ним ходуном, в ушах жидко булькало и разрывалось, стекая внутрь вспучившейся головы, как будто какое-то жуткое чрево колыхалось на его плечах. Сделав над собой усилие, он плотно зажал голову обеими руками; бульканье прекратилось, и в матовом зеркале с отраженным в нем куском посеребренного утром окна опять появилась Дина с теми же высоко поднятыми руками и в той же короткой и черной рубашке.

То, что жена готовится к решительному поступку, Александр Сергеевич Веденяпин понял сразу. Точно такое же лицо, напряженное и закрытое, те же деревянные и в то же время быстрые движения были у нее и тогда, когда много лет назад она собралась за границу, и точно такою же была она, когда вернулась обратно в Москву после своей мнимой смерти.

Утром перед работой, заглянув в комнату, где прежде жил их сын и в которой она теперь проводила почти все время, Александр Сергеевич увидел Нину стоящей на коленях перед иконой Владимирской Богоматери и шепчущей что-то. Она обернулась на звук его шагов и сильно покраснела.

— Прости, я мешать не хотел.

— Иди, — ответила она негромко. — Иди, там завтрак на кухне. Я чай заварила, и картошка осталась со вчерашнего.

— Спасибо, прости, — повторил он.

Через пару минут она пришла в кухню.

— Ты ела? — спросил Александр Сергеевич.

— Да, ела, — тихо ответила она и подсела рядом. Черная, гладко причесанная на прямой пробор голова ее с маленькими бусами на длинной шее вдруг показалась ему совсем молодой, как будто и не прошло всех этих лет.

— Что ты? — спросил он, слегка усмехнувшись.

Отношения с женой, какими они сложились в последнее время, иногда раздражали, но чаще тревожили доктора Веденяпина. У него и в мыслях не возникало желания сблизиться с ней. Во-первых, была Таня, и Нина знала об этом; во-вторых, и это главное, все в нем переворачивалось от стыда за нее, как только он вспоминал этот день, когда они с сыном, сдвинув головы, читали телеграмму о ее смерти, а вскоре, через пару недель после телеграммы, разглядывали вынутую из только что полученного письма фотографию, на которой тускло запечатленная покойница была так же мало и одновременно так же достаточно похожа на Нину, как похожи и одновременно не похожи друг на друга все только умершие люди. При этом ему хотелось простого домашнего тепла, и он завидовал тем людям, которые умудрялись даже и в этой жизни сохранить дом, уют и, главное, семью, держались друг за друга и на что-то надеялись. Иногда, когда Нина подсаживалась близко к нему и так же, как прежде, поворачивала на тонкой шее свою гладко причесанную голову и так же смотрела — покорно и ласково, как во времена их молодости она иногда смотрела на него, — Александр Сергеевич начинал испытывать и отчаяние от того, что уже ничего не вернешь, и острое, хотя и короткое возбуждение не столько физического и любовного, сколько душевного свойства. Душа его вновь начинала болеть — и сильно, так сильно, что он готов был почти ударить жену за эту неутихающую боль, а вместе с тем, может быть и со слезами, просить и просить о прощении.

— Ты мерила температуру сегодня? — отводя глаза от ее длинных черных бровей и гладкого смуглого лба, спросил он.

— Вчера я ходила в церковь, — не отвечая на его вопрос, сказала она, — и там был один человек, довольно старый, а может быть, мне показалось, что старый. Он сперва все смотрел на меня, смотрел, потом вышел за мною следом и говорит: «Сильно вам, судя по всему, досталось, сударыня?» Я говорю: «Досталось, конечно. Как всем, так и мне». А он говорит: «Да, сейчас любой это может сказать, и самое странное знаете что, сударыня?» — «Что?» — говорю. «А то, что такая вот мерзость наступила после столь великолепного и полезного для людей дела, как война. Вот что!» Я на него посмотрела, как на сумасшедшего. «Подождите, — говорит, — подождите так смотреть! Единственное лекарство для поднятия духа народа — это именно война, а больше лекарств и нет никаких! Как, скажите мне, во время мирной жизни темная человеческая масса может заявить о своем униженном человеческом достоинстве? А никак не может. Какие законы ни сочиняйте, они так на бумаге и останутся. А пролитая кровь — вещь очень важная. Когда мужик и барин плечом к плечу одну землю защищают, самая что ни на есть твердая связь между сословиями устанавливается! Это не то же самое, когда помещики наши, бывало, вдруг башмаки скидывали да косить принимались. Народ потому и любит войну, что она его возвеличивает, и полное равенство героизма возникает. Равенство пролитой крови. Вот почему в народе и песни про войну так любят, и рассказы о ней не утихают. А так, без войны то есть, человечество давно бы в слякоти утонуло...» Я говорю: «Как вы странно рассуждаете...» — «Да если бы я! — говорит. — Я до таких парадоксов не дорос. Это Федор Достоевский написал. Вот к кому нужно было прислушиваться!»

— Нина! — поморщился Александр Сергеевич. — Охота тебе в такие разговоры на улице вступать!

— Не на улице, а в храме, — поправила она. — И потом: что ж такого? Я ему говорю: «У меня сын на войну еще мальчиком убежал, мне война только горе принесла». — «Горе горю рознь, сударыня. Нынешний мир куда хуже войны». Я засмеялась: «Это что, тоже Достоевский написал?» — Она всплеснула руками. — Вот как поговорили! Я было уже и отвернулась, уходить хотела, а он мне хрипит вдогонку: «То, что сейчас, это не мир, сударыня. Вы с миром сей жизни не путайте. Это ведь ад». Поклонился и пошел.

Нина глубоко вздохнула и положила голову мужу на плечо. Александр Сергеевич погладил ее по затылку.

— Если бы твоя Таня увидела тебя сейчас, — прищурилась жена, — она бы не обрадовалась: сидишь со мной на кухне, обнимаешься... К тому же я все еще жива...

— Да хватит тебе, — вздохнул он.

— Живем, как два голубя, — не обращая внимания, продолжала она. — Ни упреков, ни скандалов. Что же это мы раньше так не жили? Охота тебе была меня мучить...

— Ну, это еще как сказать... Нашла себе тоже мучителя...

— Да нет, — прошептала она ему в плечо, — ты очень хороший, и ты терпеливый. Ты сколько терпел! Осталось недолго. Скоро освобожу.

— С тобою нельзя говорить, — взорвался Александр Сергеевич. — Пусти! Я в больницу опаздываю!

— Я сон видела. — Она уцепилась за него обеими руками, удерживая. — Еще две минуты! Стою в каком-то то ли храме, то ли зале огромном, и подходит ко мне женщина...

— Опять, значит, храм!

— Подходит ко мне женщина с тарелкой в руках. И на этой тарелке что-то такое лежит... Маленькая горстка ярко-красного цвета. Как ягоды бузины, очень красная. А рядом чайная ложка. И женщина мне говорит: «Больше мы вам ничем помочь не можем. Вы теперь до конца жизни должны принимать лекарство. Раз в день по чайной ложке». Я смотрю на эти ягодки, а их всего-то горстка! И говорю ей: «Но ведь тут дней на семь, не больше». А она так, знаешь, виновато опускает голову: «Да, это всё, что вам осталось...»

Александр Сергеевич схватился за голову.

— Я слышать не могу всего этого! Ты меня с ума сведешь!

— А знаешь, он прав, этот старик: я ведь окрепла сердцем за все эти годы. И началось-то именно с войны. Как Вася туда убежал, так я и начала выздоравливать... Не все здесь так просто...

Александр Сергеевич провел рукой по ее спине. Спина была мокрой и горячей.

— Потеешь опять, — пробормотал он. — Нужно попросить, чтобы Иван Сергеевич тебя все же послушал. Он лучше, чем я, разбирается... Ты вроде на прошлой неделе не кашляла. На улице сыро, ты лучше не выходи никуда днем. Пей теплого больше. Хочешь, мы с тобой вечером в кинематограф сходим?

— Да, очень хочу, — ответила она и улыбнулась сквозь слезы, которые всегда украшали ее, смягчали лицо и особенно выражение глаз. — Ты нынче не поздно?

— Если к ночи не начнут чекистов в смирительных рубашках подбрасывать, тогда не поздно.

— Ну, Саша, иди. — Она вздохнула и поцеловала его у самой двери.

«Боже мой! Боже мой! — думал Александр Сергеевич, уткнув лицо в шарф и широкими легкими шагами торопясь к трамвайной остановке. — Боже мой! Кто бы мог подумать! Совсем другая женщина. А сколько всего она наворотила тогда! А я? Конечно, я мучил ее! Как можно требовать, чтобы тебя любили? А я не просил, я ведь именно требовал... И, в конце концов, мы с ней все и прошли: и врали, и прятали, и изменяли, и сына-то чуть не лишились, и есть нам почти стало нечего; того гляди, всё до конца отберут, а мы сидим в кухне, милуемся... — Он удивился, откуда пришло это странное слово. — Милуемся, да. А Тата?»

Вечером, вернувшись из больницы домой, где было хорошо протоплено, чисто прибрано и на столе в маленькой вазе стояло несколько веточек вербы, Александр Сергеевич долго стоял, не раздеваясь, читал и перечитывал оставленную ему записку:

Саша, я попробую все-таки добраться до Мурманска и повидаться с сыном. Это ведь совсем небольшой поселок; надеюсь, что я его разыщу. Иначе мне не выжить. Прости. Я напишу тебе сразу же, как доберусь. Твоя Нина.

Трудно поверить, что, несмотря на голод и холод, в Москве работали театры, картинные галереи, музеи и библиотеки. Стены монастыря на Страстной краснели и синели рисунками футуристов, почти каждую неделю на этих стенах появлялись новые строчки из Есенина и Мариенгофа. В растаявшем грязном снегу валялись неубранные трупы лошадей, в темноте переулков то и дело слышались выстрелы.

Ужасаясь произошедшим переменам, Николай Михайлович Форгерер через несколько дней после приезда пошел наниматься в бывший Вольный театр, теперь переименованный в Театр РСФСР, на Триумфальной площади, который, как он узнал еще в Берлине, недавно возглавил Всеволод Мейерхольд. К Мейерхольду Николай Михайлович относился настороженно.

Утром, в девять часов, позавтракав вместе с Алисой Юльевной, Таней и маленьким Илюшей оладьями из гречневой муки, страдальчески посмотрев на закрытую дверь комнаты, в которой спала (а может быть, и не спала, но, во всяком случае, к завтраку не вышла) его жена Дина Ивановна Форгерер, с которой Николаю Михайловичу все еще не удалось не только провести ночь, но даже и поговорить по душам, он — в своем берлинском пальто и каракулевой шапке, — поигрывая маленькой тросточкой и останавливая на себе недобрые взгляды москвичей, отправился в новый театр.

В театре шла репетиция затеянного Мейерхольдом спектакля «Зори» по одноименному произведению революционного бельгийского поэта Эмиля Верхарна. На сцене творился бардак. В открытой оркестровой яме помещался хор слегка загримированных оборванцев, в которых Николай Михайлович с удивлением узнал бывших знакомых по Малому театру. Все они страстно кричали и мутузили друг друга, подыгрывая, как догадался растерявшийся Форгерер, главному герою пьесы народному вождю Эреньену, исступленному и худощавому человеку с ярко нарисованными глазами. Потом появился другой оборванец и с некоторым опозданием сообщил, что доблестная Красная Армия только что взяла Перекоп. На сцене и в оркестровой яме поднялись хриплые и восторженные вопли. В заключение спектакля все находящиеся в этот момент под крышей Театра РСФСР, поднявшись и глядя в пустоту, запели «Интернационал». После репетиции в фойе началось обучение всей труппы новейшему методу биомеханики. Всеволод Мейерхольд в буденновском шлеме, гимнастерке, обмотках и неизменном своем ярко-алом шарфе проводил эти занятия сам.

А все началось с итальянца Ди Грассо. Ну, кто теперь помнит Ди Грассо? Кому он (сказать если честно) так нужен? Совсем — если честно сказать — никому. Однако, увидев, как этот Ди Грассо, играя героя, который, подкравшись к врагу, весь сжимался, кидаясь, как тигр, на грудь, и тотчас же впивался в открытое хрупкое горло мерзавца, — увидев высокое это искусство, горящий огнем революции Всеволод отчетливо понял, что каждый обязан владеть безупречнейшей этою техникой. Нужно заметить, что знание основных законов биомеханики развивало телесные и душевные возможности голодного советского артиста до неузнаваемости. За три месяца занятий практически любой, даже и самый неповоротливый, участник труппы мог кинуться и укусить с удовольствием.

Стоя в фойе, Николай Михайлович Форгерер с высоко поднятыми бровями битый час наблюдал, как Мейерхольд учил свою команду биомеханике. Бледное лицо режиссера, напоминающее в профиль лошадиную морду, с глазами, окруженными пепельной тенью, ни секунды не оставалось неподвижным: оно то сжималось в кулак, то сверкало, то мелко дробилось на части; глаза изменяли свое выраженье, как лес под постигшей его грозовою и мстительной тучей, когда он то белый, то черный, то блещуще-синий, то весь озаряемый вспышками молний, то низко, смиренно склоненный под ветром...

После занятий Всеволод Эмильевич пригласил Форгерера в свой кабинет.

— Давно нужно было приехать, давно! — воскликнул он, крепко пожимая руку Николая Михайловича своею холодной и потной ладонью. — Тут такие дела творятся! Перестройка земного шара! И что вы сидели там с кислыми немцами? Сосисок вы ихних не видели разве?

— А вы помолодели с тех пор, как мы не виделись, — сдержанно ответил Николай Михайлович.

— А что остается? Женюсь, вы слыхали?

— Да нет, я же только приехал. Кого осчастливить задумали?

Мейерхольд понизил голос и побледнел еще больше.

— Я живу с чужой женой, — сказал он торжественно. — Я обольстил чужую жену, и она теперь — моя. Но все не так просто. Меня даже могут убить за нее!

— Боже мой! — Николай Михайлович опять приподнял брови. — Она что, такая красавица?

— Красавица, да! Только дело не в этом. Она была женою Есенина, этого скандалиста, имажиниста, кукольного шарлатана! И он ее бил кулаками. Да! Бил кулаками, и она прибегала ко мне в грозу, окровавленная, прекрасная, как... — Он запнулся. — Прекрасная, как сама революция!

— Всеволод Эмильевич, — деликатно кашлянув, сказал Форгерер, — мне нужна работа. Все мои контракты за границей закончились, я вернулся. Мои возможности вы знаете как никто. Надеюсь, что я пригожусь.

Мейерхольд испуганно посмотрел на него:

— Вы ведь здесь на легальных основаниях, Николай Михайлович? В домкоме прописаны?

— Я на легальных основаниях въехал в Советскую Россию, — ответил Николай Михайлович Форгерер, удивляясь тому выражению почти ужаса, которое пропороло лицо Мейерхольда. — У меня, кроме того, жена здесь, она вернулась в Москву сразу после нашего свадебного путешествия, почти два года назад. Я был задержан работой.

— Работой, работой... — вдруг передразнил Мейерхольд. — Сколько драгоценного времени вы там потеряли, дорогой мой! К каким невероятным свершениям мы сейчас приступаем!

— Да, я уж заметил, — пробормотал Форгерер, начиная чувствовать себя неловко и почти униженно.

— Вот *они* говорят, — Мейерхольд имел в виду труппу Таирова, — *они* упрекают меня в том, что я, видите ли, циркач, а я им отвечаю, что именно цирк с его искрометной удалью и постоянным риском есть подлинное отражение души нашей революции! Я им говорю: «Вам не нравятся мои трапеции? Вы утверждаете, что это балаган? А я заставлю своих акробатов работать так, что через их акробатическое тело можно будет, сидя в зрительном зале, постигнуть сущность революционного театра! Тело актера будет напоминать нам, что мы веселимся потому, что мы боремся!»

Он перевел дыхание и остановился.

— Вы знакомы с Иваном Коваль-Самборским?

— С кем? — не понял Форгерер.

— Запомните имя! — торжественно произнес Мейерхольд. — Это великий человек! Иван Коваль-Самборский. Я его всем так и представляю: великий актер! Тут Луначарский привел к нам в театр иностранную группу, и я попросил его выступить. Иностранные товарищи просто ахнули! Он им все прыжки продемонстрировал. Я вам клянусь, дорогой! Все прыжки, начиная с флик-фляка и кончая тройным рундатом. Они онемели!

— Так каков же будет ваш ответ, Всеволод Эмильевич? Я вас не понял.

Мейерхольд шумно втянул воздух лошадиными ноздрями.

— Вы ведь знаток старого итальянского театра, не так ли, мой дорогой?

Форгерер наклонил голову.

— А я, признаться, все европейские театры, включая японский, а также китайский, очень хорошо изучил, но вот в старом итальянском не успел до конца разобраться... Если бы вы могли научить моих ребят вот этим их всем балаганным приемам... Вы понимаете, о чем я говорю? Ну, Панталоне, Арлекин... Без этого я — как без рук...

— Берусь научить, — усмехнулся Форгерер.

— А вот и прекрасно, — засуетился вдруг Мейерхольд, — вот и отлично. Тогда подите оформитесь, заполните анкету и приступайте. Ну, вот и отлично... Но нужно заполнить анкету...

Форгерер вышел на улицу и медленно двинулся по направлению к Арбату. Было тепло, сонные облака заполнили небо, и, если смотреть все время наверх, туда, где они безмятежно белели, можно было подумать, что и на земле все осталось по-прежнему. На Кисловке Николай Михайлович опять увидел мертвую лошадь, лежащую прямо поперек бегущего весеннего ручья. Огромная голова с оскаленными зубами и погасшим остановившимся взглядом в седых ресницах напомнила ему режиссера Мейерхольда, который только что объяснял Николаю Михайловичу про искрометную душу революции.

«Зачем я приехал? — вдруг с отчаянием, от которого у него похолодели руки, подумал Форгерер. — К жене? Но я ей не нужен. Я никому здесь не нужен. И как они страшно боятся! — Он вспомнил лицо Мейерхольда, пропоротое страхом. — Они так боятся, как будто их каждую секунду могут схватить и посадить на кол! Друг друга боятся. «Акробатическое тело, через которое... прекрасная, будто сама революция...» Или это гипноз какой-то?»

Он перепрыгнул через лужу, поскользнулся и зачерпнул полные ботинки грязной воды.

— И обуви нет, — чуть ли не вслух простонал он. — Ботинок не купишь, носков не купишь... А я, идиот, прилетел! С Иваном Самборским флик-фляк репетировать...

По мнению Тани, Алисы Юльевны и самого доктора Лотосова, Дина вела себя из рук вон плохо. В первое же утро, как только Николай Михайлович, у которого не было в Москве ни жилья, ни работы, появился в их доме, Дина заявила, что вчера на репетиции «сорвала себе спину», поэтому будет ночевать одна в маленькой комнате на жесткой кровати, необходимой ей для лечения, а Николая Михайловича нужно устроить либо в бывшей угловой гостиной, которая стояла заброшенной, поскольку неэкономно отапливалась, либо в бывшем отцовском кабинете, которым он зимой не пользовался по той же причине.

Николай Михайлович только скрипнул зубами, но смирился, а Таня и Алиса Юльевна испуганно переглянулись. Несколько дней прошли тихо, но с напряжением внутри: все как будто чего-то выжидали. Николай Михайлович бегал по делам, заполнял анкеты, прописывался и получал продовольственные карточки. Дина тоже куда-то исчезала, возвращалась с блестящими, несчастливыми глазами, ярким румянцем, растрепанная, как всегда, и худая настолько, что доктор Лотосов сказал, что ее нужно срочно кормить отрубями. Отрубей было не достать, поэтому Дину оставили в покое: пускай себе тает, худеет и злится.

Она бродила вокруг Второго Дома Советов, куда не могла проникнуть без пропуска, в надежде, что он хотя бы выйдет на улицу. Но вместо него выходили ярко раскрашенные дамочки, уже по-весеннему нарядные, в узких пальто в талию, а также в только что вошедших в моду мужских черных шляпах и плотных, с ватными плечами, мужских пиджаках, придающих женщине в стране победившей революции решительный и суровый вид. Оглядываясь, прижимая портфели к животам, выходили плотные ответственные работники, всегда озабоченные, с бегающими и недовольными глазами; выскакивали детишки в сопровождении молоденьких нянек, пригнанных голодом в новую столицу и радостных, что им удалось уцелеть.

Его только не было! Засунув руки в карманы, она кружила и кружила, как птица вокруг чужого гнезда, и, как птица, готова была закричать во все горло, закаркать от боли на всю эту улицу, и стискивала зубы, и зажимала ладонью рвущееся из-под ребер сердце, прислонялась растрепанной золотой головой к холодным стволам, замирала.

Страшная эта мысль, которую она уже однажды поймала в душе и испугалась ее, как люди пугаются пожара, вдруг случившегося в доме, или бури, обрушившей крышу и обнажившей всю домашнюю утробу, подставившей жизнь ярко-черному небу, — мысль о том, что ей незачем жить, раз все так ужасно и так безысходно, — снова останавливалась поперек горла и перехватывала дыхание. Дина говорила себе, что у нее есть сестра и любимый племянник, есть даже работа, которая открывает перед нею большие творческие возможности, но твердая уверенность, что ни сестра, ни племянник, ни работа ничем ей сейчас не помогут, усиливала боль.

Интуиция подсказывала Дине Ивановне, что Барченко боится не только за нее, но (что на него непохоже) за себя самого, боится отвратительным и низким образом, что он нисколько не оценил того мужества, которое она проявила, честно рассказав ему, что подписала бумагу; и, главное, он, может быть, даже не уверен, что Дина не станет работать на *этих!* Стало быть, он предал, да, предал ее! Ничуть не меньше, чем мама, которая предала их всех. А ведь это ради него она осталась в Москве, изменила мужу и готова была на все что угодно. Да хоть на Тибет с ним пойти, хоть на Кольский, сидеть вместе с ним в этих льдах, грызть вонючие корни!..

Перед ее глазами вспыхнуло то время детства, когда они жили в Германии на водах. Ей было лет десять-одиннадцать, и отец вдруг начал кутить, проигрывать деньги, уезжал на несколько дней и оставлял их одних, а потом возвращался, смущенный, но словно бы гордый собою, своей независимостью от матери, молодцеватый, юношески стройный, с красивым, немного капризным лицом. А мать, которая в его отсутствие не выходила из своей комнаты, так что Дина была целиком брошена на попечение бонны, сухой и внимательной немки с прищуром зеленых, слезящихся глаз, — мать встречала его так, что Дине начинало казаться, что не было ни материнских рыданий по ночам, ни злых этих слов, которые она произносила, репетируя, что нужно сказать ему по возвращении. Сияя, мать бросалась на шею отцу, повисала на нем, и слезы ее уже были другими — счастливыми, бурными, словно потоки, повсюду текущие с гор.

Теперь Дина узнавала в той, прежней матери саму себя.

Приезд мужа был, конечно, большим испытанием. Она иногда говорила Тане, что очень жалеет Николая Михайловича и все время чувствует себя виноватой перед ним, но когда он — прямо с поезда, небритый, с испуганными глазами — неожиданно вошел к ней в комнату, где она почти всю ночь курила, одну папиросу за другой, и заснула только под утро, провалилась в тяжелые и безобразные сновидения, — когда он вошел, то всем существом своим, всем животом, она пожелала одного: чтобы это оказалось сном, и самым нелепым из всех, самым страшным!

С тех пор прошла пара недель. Тата уже несколько раз просила ее поговорить с Николаем Михайловичем, успокоить его, потому что сейчас ему некуда уйти, и все это гадко с ее стороны, и всем им за Дину неловко и стыдно; но Дина опускала глаза, отворачивалась, а однажды так цыкнула на сестру, что Тата схватилась за голову и убежала.

Ах, Господи! Что ей сейчас этот муж? Какое ей дело до этого мужа! О, хоть бы *он* вышел! Она поднимала голову к небу, шарила глазами в облаках и тучах, как будто надеясь найти его там, садилась на лавочку, обхватывала себя крест-накрест тонкими руками и сидела, слегка раскачиваясь, рассматривая узоры от тающей воды, трещины в асфальте, первых жуков, синевато блестевших в освободившейся от снега земле.

О, хоть бы он вышел!

На третью неделю этой муки Дина Ивановна Форгерер докурила последнюю папиросу в измятой пачке, стерла помаду со своих пухлых и, как говорили мужчины, «чарующих» губ, выбросила из сумки крошечную склянку с морфием, которую модно было всегда держать при себе и пользоваться ею в случае необходимости, потуже затянула пояс на тонкой, как у осы, талии и, проделав пешком все расстояние от Второго Дома Советов до Плющихи, бегом взлетела наверх, увидела сидящих в столовой за чаем сестру свою Таню, Алису и Николая Михайловича, подошла к сестре, обняла ее, чмокнула в прилизанный висок гувернантку и хрипло попросила Николая Михайловича уделить ей пару минут.

Николай Михайлович сдержанно и неторопливо встал, кашлянул, поправил шелковый галстук на шее и, сдерживая дрожь в руках и ногах, пошел за ней в бывшую детскую. Дина села на кровать и подняла к нему разгоряченное, сильно похудевшее лицо.

— Коля! — так же хрипло сказала она. — Ты только не возражай мне!

— Я и не собираюсь, — мягко ответил Николай Михайлович. — Тем более не понимая, в чем дело...

— Я полюбила другого человека и очень люблю его и сейчас, но он уже не существует в моей жизни. — Она запнулась на этих словах и залилась краской. — Я хотела спросить тебя: можешь ли ты простить мне это? То есть осталось ли в тебе сострадание ко мне... — Она опять запнулась. — Да, сострадание, чтобы простить меня и согласиться опять жить со мною, как раньше?

У Николая Михайловича потемнело в глазах.

— Такое неожиданное признание... — пробормотал он. — Но я одного не понимаю... Зачем я тебе, если ты, как ты говоришь, лю... — Он с отвращением и быстро выговорил это: — Любишь другого человека?

— Но я ведь тебе объяснила... — раздраженно ответила она. — Его больше нет в моей жизни.

— Ну, этого нет, так еще кто-нибудь... — вспыхнув от отвращения, сказал он.

— Тебе хочется оскорбить меня, да?

Николай Михайлович бессильно опустился рядом с ней на кровать.

— Да нет... Что ж теперь оскорблять?

— Так будешь ты жить со мной или не будешь?

Николай Михайлович почувствовал, что сейчас или захохочет истерически, или истерически разрыдается. Страшнее всего была ее неистребимая детскость. Не будь она ребенком, разве она задала бы ему такой вопрос? Он поставил локти на колени и опустил голову в большие ладони.

— Как же мы будем жить с тобой после этого?

— Даю тебе слово, — совсем не по-детски выговорила она. — Даю тебе слово: никогда и никого не будет, кроме тебя. — И вдруг заплакала навзрыд, кусая губы и вздрагивая: — Зачем ты сейчас меня мучаешь, Коля? Даю тебе слово!

...Он долго сидел один в остывающей столовой — печь в ней была большой и прожорливой, ее топили только по утрам, — смотрел в газету, не понимая ни строчки, и думал о том, что же делать. Она была в комнате и, наверное, ждала его. Он ненавидел ее за всю ту муку, которую она принесла ему. А что, кроме муки? Неделю медового счастья в Италии? Да, Господи! Как же давно это было... Пора бы забыть. Но он ведь не мальчик, он мог догадаться. Он должен был догадаться сразу же, с самой первой минуты, как только увидел ее, семнадцатилетнюю, в коротком черном платье, с худыми руками и этим костром желто-красных волос... Зачем нужно было жениться, венчаться? Как будто с обрыва — да вниз головой!

Она дала слово. Только что она дала ему слово и теперь ждет его в бывшей детской. Хороша детка! Николай Михайлович чуть не расхохотался на весь дом. Уж всем деткам детка! Но плачет ведь, плачет, и глазки несчастные... Войти сейчас к ней и не думать, НЕ ДУМАТЬ, что кто-то ее обнимал! Не думать, и всё. Он артист, он художник. Он тоже неверен был ей там, в Берлине. А где сейчас Вера? Николай Михайлович попытался было вспомнить лицо балерины Каралли, но вместо этого лица перед его глазами поплыли какие-то бронзовые волокна, похожие на Динины волосы.

— А с Верочкой было бы так хорошо, — насмешливо и мстительно сказал он себе. — Всегда черный лебедь с тобой на кровати! Поди, уж в Париже, на Шамп Элизе... Они теперь все там гуляют!

В начале апреля по городам — Москве, Петрограду, а также Сормову, Перми и Юзовке, — как злой ураган, прокатились противоалкогольные демонстрации. Действительно, жуткое дело, уж лучше бы пили спокойно. Началась эта тягостная история, как всегда, с полководца Буденного. Потом Маяковский с Демьяном вмешались, потом к ним прибился Подвойский.

Конечно, уж что тут скрывать? Ну, пили, а лучше сказать, выпивали. Во-первых, все время какие-то праздники. Чуток отдохнешь — ан опять демонстрация. Бери в руки знамя и бей в барабан. Придешь в общежитие, ляжешь на койку, а там уже бабы картошки нажарили, с лучком, с черным хлебушком. Как тут не выпить?

Без истории — в высоком смысле слова — и тут не обошлось: немногие знают (а Маяковский так и до последнего часа не знал, а может быть, знать не желал), что Зимний дворец брали дважды. Первый раз — 26 октября, а второй — несколькими днями позже, когда народ заподозрил, что большевистские комиссары намереваются уничтожить запасы вина и водки, хранившиеся в Зимнем дворце. В результате солдаты и матросы поднатужились и взяли дворец вторично. На Ленина в эти дни было больно смотреть. Соратники по партии все, как один, заметили, что от растерянности «судорога то и дело подергивала черты Ильича».

А что творилось, когда народ начинал борьбу за это проклятое зелье, вообще описать невозможно: перо тут бессильно. И разума голос бессилен. И все остальное, что есть в человеке, включая лицо, и одежду, и мысли. Царизм ведь еще почему взял да рухнул? А все потому, что забывчивый царь ввел этот проклятый, нелепый, *нерусский* закон под названьем «сухой»! Какой ему сухости недоставало?

И тут началось! Ведь погром за погромом. И ведь безобразие на безобразии. А можно было бы оглянуться, посоветоваться со знающими людьми и на примерах сугубо исторических понять, что уж эти дела совсем никогда просто так не проходят! Вот, например, Петр I — ему сразу пришло в голову, что во время Северной войны можно от продажи водки получить наивысшую прибыль деньгами и уж воевать совершенно спокойно: народ пить не бросит, и денежки будут. Однако и он, вводя этот новый порядок, погорячился: где это слыхано, чтобы взимать за еще не проданную, то есть не выпитую русским человеком водку откупные суммы от поставщиков? Те, конечно, почувствовав себя загнанными в угол, так начали драть с человека за невинное наслаждение, что, если бы царь не опомнился вовремя, случились бы Сенька с Емелькою сразу, и ждать не пришлось бы их этих восстаний! Но Петр прислушался к народному меньшинству, опомнился и в 1716 году ввел полную свободу винокурения, обложив всех винокуров обычной для них и разумною пошлиной. И все успокоилось, все вошло в норму.

А в семнадцатом году... Конечно, тут вот еще что подыграло: народ ведь не сразу (пришлось с ним помучиться!) дорос до настоящего понимания свободы. Ему, то есть этому, скажем, «народу», хотелось гулять. Свободу, во имя которой то гибли, то тех, кто увиливал, сами губили, детей своих малых бросали на ветер, — прекрасную эту свободу забитый и темный народ понимал как гульбу. Желаю гулять — и трава не расти!

И вот догулялись. В ночь с шестое на седьмое июля 1917 года в городе Липецке, когда особенно прекрасная и праздничная стояла погода, и купаться можно было в местной реке, и нюхать цветы по садам-огородам, — в эту вот самую ночь солдаты-резервисты смели с лица земли липецкий ликерный завод, причем трое из них тут же и скончались на месте от переизбытка поглощенного спирта. Не успели оставшиеся в живых товарищи предать земле тела этих погибших товарищей, как тут же, 8 июля, в городе Новочеркасске войска с великим трудом отбили военные склады от первого, то есть утреннего, штурма, предпринятого населением города, но от второго, вечернего, отбить те же самые склады уже не смогли и сами перешли на сторону повстанцев. По официальной версии, ноябрьские бои в Петрограде шли за почту, телеграф, телефон и вокзалы. А есть и другая, постыдная версия: гораздо сильнее, кровавее, шибче боролись за все погреба и все склады. И гибли за них. Вот какая история...

Многие наивные люди думают, что печально известные продотряды разоряли русское крестьянство, изымая у земледельцев одни лишь зерно и муку, а ведь это неправда. Вернее, не полная правда. С не меньшим старанием они изымали у них самогон и сами гоняли его всем отрядом. Выходит: зерно отберут да пропьют. Такая вот вам продразверстка. В Тамбовской губернии голод начался совсем рано: уже в восемнадцатом есть было нечего. Но пить всё же пили. Тогда за искоренение этой неприятной привычки взялись местные активисты и в бедном, хотя живописном, селе Машкин Луг отобрали у самогонщиков две бочки спиртного. А вот, отобрав, призадумались: «Теперь-то что делать?» И выпили.

Милиция тоже пила очень крепко. Поэтому драки народа с милицией, к тому же нетрезвой, кончались преступностью. Короче, все пили, вплоть до исполкомов, — пока не пришли Маяковский с Буденным.

В двухстах городах необъятной России были проведены рабочие конференции по борьбе с алкоголизмом, а также при непосредственном участии Маяковского и Бедного начал выходить всесоюзный журнал «За нашу культуру и нашу же трезвость». Его раскупали, читали, зачитывались. Кампания приняла широкий размах, пришлось подключить и детей. С помощью Подвойского «общественные наблюдатели за алкоголизмом» организовали в больших городах более ста детских демонстраций против взрослых. Колонны усталых, нестриженых деток несли очень яркие лозунги: «Требуем трезвых родителей!», «Хотим, чтобы вылили водку!», «Расстреливать пьяниц!», а также особенно нежный, сердечный, с рисунком серпа вместе с молотом, лозунг: «Отдай, папа, деньги в семью!»

Несколько месяцев полководец Буденный просил директора Всесоюзного антиалкогольного коммунистического театра, чтобы ему предоставили главную роль в пьесе Аполлона Носильчикова «Смотри! С пьяных глаз ты обнимешь и контру!». Директор, смущаясь от сильного натиска, стал сам выпивать, и театр закрылся.

Противоалкогольная демонстрация, из-за которой Алексей Валерьянович Барченко опоздал на прием к товарищу Дзержинскому второго апреля, имела особенное направление. По всему центру весеннего города шли сразу несколько мощных колонн. Одна, состоящая только из девушек с плакатами «Девушка! Не выпивай!», вторая — из крепких, но бледных рабочих с плакатами «Слесарь! Ты пьешь? Мы тебя расстреляем!», и третья, особенно броская: «Не пей, хлебопашец! Ты Родине должен!» Колонны заняли почти все главные московские улицы, движение транспорта остановилось, и машина с товарищем Барченко застряла на самом подъезде к Лубянке. Утром застигнутый врасплох Алексей Валерьянович, которому вежливо, но строго сообщили, что его ждет товарищ Дзержинский в своем кабинете, растерялся так сильно, что не успел продумать того, что нужно было донести до сведения начальника. А у него ведь было время продумать. Почти два с половиной месяца, как он вернулся с Кольского полуострова, два месяца одиночества и заброшенности во Втором Доме Советов, где они нарочно продержали его так долго, чтобы, напугав до изнеможения, добиться... Чего? Он не знал. Но ждал всего самого худшего.

Приехали к двум вместо часа.

На лестнице Алексея Валерьяновича встретил Блюмкин, сильно загоревший и подтянутый. Глаза его нагло, тревожно блестели.

— А я прямо с юга — сюда! — широко оскалившись, сказал он и тряхнул широкую руку Барченко своей небольшою, но цепкой рукою. — С *какого* я юга, вам лучше не спрашивать.

— Я не собирался, — сухо ответил Барченко.

— Ну и хорошо. Есть дела поважнее.

Они стояли перед дверью Дзержинского. Барышня, стучащая на машинке в приемной, кивнула головой, давая понять, что их ждут.

— Советую вам ничего не скрывать, — вдруг грубо сказал Блюмкин и постучался.

— Войдите, товарищи! — раздался за дверью надтреснутый голос.

Дзержинский показался Барченко еще худее, чем год назад: теперь это был скелет, обтянутый глянцевитой, нездорового цвета кожей. В кабинете было, как всегда, сильно накурено.

— Я сразу перейду к делу, товарищ Барченко, — не предлагая им сесть, тем же надтреснутым голосом заговорил Дзержинский. — Наша партия поставила перед собою серьезную задачу. — Он кашлянул в синий платок. — Задачу овладеть тайнами космического сознания. И вы нам должны посодействовать в этом. — Он опять кашлянул, сердито взглянул на пятно, расплывшееся на синем платке, скомкал его и засунул в карман. — Как вы думаете приступить к решению этой задачи?

— Есть разные способы, товарищ Дзержинский, — медленно начал Барченко. — И я со своей стороны...

Дзержинский перебил его:

— Вы со своей стороны, товарищ Барченко, не справились с заданием, возложенным на вас нашей партией. Результаты вашей северной экспедиции оказались пвачевными!

Барченко показалось, что польский выговор Дзержинского стал еще заметнее.

— У меня не было достаточного времени, товарищ Дзержинский. И, кроме того, не было достаточного обмундирования и средств, хотя я...

Дзержинский гневно перебил его во второй раз. Розовые пятна, выступившие на его щеках, стали багровыми, в левом углу рта запенилась слюна.

— То, что вы сейчас произносите, товарищ Барченко, это безобразие! Это самое настоящее безобразие! Партия не пожалела денег, когда готовилась ваша экспедиция, а денег у партии нет! У нас говодают! Мы со всех сторон окружены контрреволюционерами! Которые ждут не дождутся нашего поражения!

Он замолчал и, опять вытащив из кармана платок, закашлялся в него. После кашля в кабинете воцарилась тишина.

— Я прочитал ваш отчет о странном явлении, которое существует у народов Севера. Товарищ Бехтерев разъяснил мне, что речь идет о так называемом «меряченье», гипнозе на цевые массы народа. Вы в своем отчете сообщаете, что в эти моменты люди не чувствуют боли и шаманы могут читать их мысли. Вы в этом уверены?

— Я в этом уверен, товарищ Дзержинский, — ответил Барченко. — Я много раз наблюдал меряченье. Люди находятся в состоянии, именуемом «транс»; они не осознают ни себя, ни того, что их окружает, с ними можно сделать все что угодно.

Дзержинский вскочил.

— Вот это и есть то, что нужно! — Он снова закашлялся. — Это и быво вашей задачей, товарищ Барченко! Мы должны знать, как это девается! Кто это девает? Нам нужно подготовить армию — вы свышите, армию! — людей, овладевших подобным гипнозом!

— Я сумел расположить к себе нескольких шаманов, — сказал Барченко, — они рассказали мне много секретов.

— А что вы не извожили в отчете?

— Это весьма трудно изложить. Но после общения с ними я считаю, что за Полярным кругом хранится вся информация нашей планеты.

— Как так хранится?

— Хранится во льдах. Внутри этих льдов. Ее просто нужно открыть и усвоить.

— Я не понимаю, — холодно произнес Дзержинский. — Но я не ученый, мне необязательно. А вы, товарищ Барченко, должны будете отправиться на Кольский повуостров еще раз и вернуться с настоящими результатами. После этого вы приступите к обучению специалистов по массовому гипнозу. Это ваша первая задача. — Он загнул мертвый, глянцевый палец на правой руке. — Вторая задача: Тибет. О ней вам довожит товарищ Блюмкин. Мы с товарищем Лениным и другими товарищами должны выяснить, какая из задач важнее для нашей страны. С чего вам начать. — Он помолчал. — Пока вы свободны.

Все домашние доктора Лотосова знали, что он получил письмо от жены из Финляндии, и все, кроме няни, которая гасла и сделалась меньше, чем девочка, ждали, что он хотя бы в двух словах расскажет им о содержании этого письма. Но доктор молчал. Дина Ивановна Форгерер и ее недавно прибывший в Советскую Россию муж, Форгерер Николай Михайлович, были так поглощены своею несчастной совместною жизнью, что им и в голову не пришло связать полученное письмо с тем, что доктор Лотосов два дня пролежал на диване и даже не ходил на работу. Но Таня и очень проницательная, хотя и спокойная, Алиса Юльевна, присмотревшись к нему, заметили, что доктор находится в оцепенении.

На третий день Таня не выдержала и тихо, но решительно вошла в комнату, где отец ее лежал с полотенцем на голове и делал вид, что дремлет.

— Папа! — сказала Таня, и вдруг прилив такой нежности к отцу, которой она давно не чувствовала, заставил ее подбежать к нему, опуститься на пол перед диваном и прижать его руку к своим мокрым глазам. — Папочка мой! Папочка мой драгоценный! Что с тобой? Что она тебе написала?

Отец сбросил со лба полотенце.

— Возьми, посмотри.

Достал из-под подушки письмо, исписанное неровным почерком матери, и, протянув его Тане, отвернулся лицом к стене.

— Ей бы только мучить тебя! — злобно прошипела Таня и принялась читать.

Всю жизнь я чувствовала себя виноватой перед тобой, — писала мать. — С самого первого дня. Когда ты сделал мне предложение, я почувствовала себя виноватой в том, что не обрадовалась так сильно, как должна была обрадоваться; потом, когда я стала твоей женой, я каждую минуту упрекала себя в том, что не могу любить тебя так сильно, как ты любишь меня. Ты помнишь? Я всегда хотела куда-то убежать, уехать, пряталась в своей комнате, а ты все стремился побыть со мной, провести вместе как можно больше времени. Ты приходил со службы, было иногда совсем поздно; кухарка подавала тебе ужинать, но ты никогда не садился за стол один, а всегда звал меня, если видел, что я еще не сплю. Всегда спрашивал меня — я и сейчас слышу твой просящий растерянный голос: «Может быть, ты хотя бы посидишь со мной?» И я выходила из спальни, садилась к столу, смотрела, как ты ешь, и опять, опять чувствовала себя виноватой.

Что уж говорить о том времени, которое пришло после смерти Ваниных родителей, когда Ваня стал умолять меня оставить тебя, а я зажимала уши, чтобы не слышать этого, и чувствовала одно: «Господи! Как же я виновата перед тобой!» Ты, может быть, не веришь мне, думаешь, что я сейчас пишу тебе это ради красного словца, но я говорю тебе чистую правду: совсем нелегко мне досталось тогда мое решение и наш с тобой развод! Я тогда бедного и слабого Ваню просто истерзала тем, что все время повторяла ему одно и то же: «Не могу сделать несчастным своего мужа!» А понял ли ты, что и Тату я согласилась оставить тебе только потому, что это облегчало в моих глазах мою вину перед тобой? Наверное, ни ты, ни она об этом никогда и не подумали... Все-таки, оставляя Тату, ты отбирал у меня самое дорогое на свете — вернее сказать, я сама отдавала ее тебе. Со стороны могло показаться, что в том, что я так мало писала тебе из-за границы, что я вообще уехала за границу и живу там с мужем и только что родившейся Диной, — что во всем этом сказывается только мой эгоизм, мое бездушие и легкомыслие. Но позволь мне возразить: это не так. Я пыталась спрятаться от чувства вины перед тобой, я пыталась убежать как можно дальше от тебя, не напоминать тебе о себе, самой забыть тебя как можно быстрее и глубже, но у меня ничего не получалось. Знаешь ли ты, как часто я видела тебя во сне, как часто я плакала по ночам, представляя себе, как ты лежишь один в нашей спальне и смотришь в потолок этими грустными и растерянными глазами, которые я так навязчиво помнила! Сто миллионов раз я повторяла себе, что в том, как сложилась наша жизнь, никто не виноват, что эта жизнь была обречена с самого начала: ведь я всегда любила Ваню, я любила его с четырнадцати лет и должна была бы стать его женой, а не твоей, если бы тогда не воспротивилась его мать, а вслед за нею и отец. Я говорила себе, что, уйдя от тебя, я только исправила грубую ошибку судьбы, что ты сам был бы несчастлив со мной, что такая жизнь никому не принесла бы радости; но все, в чем я пыталась убедить себя, не помогало. После Ваниной смерти я думала, что теперь настало время, когда я могу вылечить тебя от той боли, которую ты пережил из-за меня, что для нас с тобой не всё еще потеряно. И мне в самом деле казалось, что ближе тебя нет никого на свете. Мы снова стали жить одним домом, одной семьей, снова стали мужем и женой. Через столько лет, Господи! Но и тут я очень скоро поняла, что ошиблась, что я все равно не могу любить тебя так, как любила его; и всякий раз, когда ты обнимал меня, я вспоминала его руки, его запах, ничего не могла поделать с собой. Он умер для всех, но не для меня. Мне страшно признаваться в том, в чем я сейчас признаюсь тебе. Но я уж решила написать тебе самую полную правду и сделаю это. Бог знает, увидимся ли мы... А может быть, нам суждено с тобой встретиться на небесах, но там мы не узнаем друг друга? Ты всегда упрекал меня в том, что у меня слишком романтическое воображение, что все женщины моего поколения были воспитаны Бог знает как, и Бог знает каких книг мы начитались в юности! Может быть, ты был и прав в этом, но только отчасти. Я старательно смотрю на свою жизнь со стороны и живу теперь очень умственно, даже и не по-женски трезво. И вот тебе мое признание: в самой глубине души я была почти рада той катастрофе, которая произошла в России. Потому что только благодаря тому, что перевернулась и развалилась вся жизнь, я смогла убежать из твоего дома и не вернуться. Иначе я бы никогда не пошла на это.

Пойми меня: ты лучше, выше, благороднее всех, и такого человека, как ты, я не знаю. Нет на земле таких людей. Как счастлива должна была бы быть с тобой любая другая женщина! Любая, но не я. Одно могу сказать тебе: мы с тобой квиты. Может быть, это и звучит дико, странно, но мы оба заплатили за то, что Бог так опрометчиво (да простится мне это слово!) соединил нас. Ты заплатил своей разрушенной жизнью, а я — этим вечно сосущим меня изнутри чувством вины перед тобой. Поверь, что мне тоже несладко.

Теперь о моих дочерях. Тата ненавидит меня. Я уверена, что ты начнешь возражать мне, доказывать, что это не так, но я знаю, что говорю. Может быть, на ее месте я бы чувствовала то же самое. Она упрекает меня в том, что выросла без матери, что ты был всю жизнь одинок и несчастлив, но она не догадывается, как несчастна была и я — сначала от разлуки с нею, потом от того, что несчастлив и одинок ты, потом от того, что ничего уже нельзя было изменить. Я не обижаюсь на нее. Мне только странно, что за те почти три года, которые мы прожили с нею под одной крышей, она ни разу не попыталась даже приблизиться ко мне и всегда держалась так неровно и настороженно. Дина мне ближе, конечно. Она и росла при мне, и характером больше похожа на меня, чем на своего покойного отца, хотя иногда я видела в ней черты и особенности Вани. Не самые лучшие, к сожалению. Но Дина своим поведением и тем постоянным стремлением к опасности, которое было в ней еще в детстве, когда она, например, подходила к самому краю пропасти и закрывала глаза (был такой случай с нею в Италии, в Альпах, когда она была еще совсем девочкой), — Дина не приносит мне ничего, кроме беспокойства. Я знаю, что у меня нет никакого *влияния на нее, что она все равно сделает то, что захочет. Я пыталась приноровиться к ней — то потакала ее капризам, то ссорилась с нею, — но ты сам видел, к чему это привело. Нелепый брак с Форгерером, который вдвое старше ее и вдвое глупее, — лучшее тому доказательство. Впрочем, он, может быть, и не такой дурак. Надеюсь, что он все-таки не решится на то, чтобы вернуться обратно в Москву, к Дине. Она-то уж точно разрушит его жизнь, хотя и не будет мучиться при этом так, как мучилась я, разрушая твою.*

Ах, Господи! Как же я длинно пишу! И для чего? Только для того, чтобы оправдаться перед тобою, открыв, наконец, свои планы... Я не вернусь в Россию. Видит Бог, я не сразу приняла это решение, я думала и передумывала, отчаивалась и сомневалась. Наверное, это будет еще один грех на моей совести, еще одно пятно на моей слабой и грешной душе. Я много раз представляла себе, как я возвращаюсь и мы вновь принимаемся жить все вместе. О бытовых трудностях я не говорю. Мы многое знаем здесь, в Финляндии, и жуткие подробности того, как живут в России, доходят до нас не только из газет. Я понимаю, что никакой помощи вам всем от меня не будет. А что я умею? Печь пирожки? Из чего их печь? Или я буду учить своего внука играть на пианино? Но Тата и Алиса сделают это лучше, чем я, да и терпения у них гораздо больше. Кому я нужна в вашем доме? Тебе? А может быть, и этого не будет? Может быть, я вернусь и буду чужой вам всем, включая и тебя тоже; а ведь времени на то, чтобы меняться, чтобы снова привыкать друг к другу, у нас уже нет. Да и нужно ли это? Нужна ли тебе такая наша жизнь вместе? Не отнимет ли она у тебя больше сил, чем нынешнее твое одиночество? К тому же ты и не одинок. Ведь обе девочки любят тебя, я это знаю. И я знаю, что Дина со всею ее строптивостью и упрямством давно относится к тебе как к родному отцу и доверяет тебе гораздо больше, чем доверяет мне. Про Тату уж не говорю. Так рассуди сам: зачем мне возвращаться? К кому?

Буду с тобою до конца откровенна: я собираюсь перебраться в Америку. Не одна. Только не думай, что я опять кем-то увле-

клась и опять бросаюсь в новые отношения сломя голову! Этот человек, который сейчас предлагает мне соединить с ним жизнь, не стоит твоего мизинца. Он довольно крупный инженер, вдов, всегда спокоен, очень однообразен, но честен и даже неглуп. Меня он не то чтобы страстно любит — он, наверное, и не понимает, что это такое, — но он готов служить мне, оберегать меня от трудностей, руководить мною и во всем помогать мне. Разумеется, он успел привязаться ко мне. Я очень привлекаю его как женщина. Мне это все безразлично. Но мне легче с ним, чем одной, и легче, чем в нашей с тобою семье. С такими, как вы (хотела написать: с такими, как мы), далеко не уедешь. Мы все слишком чувствительные и нервные люди. А я в последнее время чувствую такую смертельную усталость, как будто живу не сорок семь, а сто сорок семь лет на этой земле, и мне все надоело. Иногда думаю, проснувшись утром: «Боже мой! Еще один день наступил! Опять нужно жить!»

Его пригласили работать в Нью-Йорк, там нужны такие знающие инженеры, как он. Он принял это предложение, сейчас оформляет документы и зовет меня с собою. Он будет зарабатывать там хорошие деньги, и, соединившись с ним, я, наверное, не буду знать нужды. Вчера я ответила ему, что согласна, — и вот, набравшись духу, пишу тебе. Ты сам видишь, как честно и подробно я пишу. Можно было бы умолять тебя «понять и простить», но я уверена, что ни мне, ни тебе ни к чему эти фальшивые страсти. Мы ведь слишком хорошо знаем друг друга. Поверь мне только в одном: я была тебе никудышной, дурной женой, я была плохим другом, я не выполнила ничего из того, что обещала, стоя под венцом с тобой, — но ни один на свете человек не сияет в моем сердце так ровно и неизменно, как сияешь ты.

Своим дочерям я напишу отдельно уже из Нью-Йорка.

Анна.

Таня еле заставила себя дочитать до конца. Дрожь колотила ее, из глаз лились слезы, лицо было красным, растерянным, злым. По-прежнему сидя на полу перед диваном, она изо всех сил обхватила обеими руками отцовскую голову, прижала ее к себе и тут уже громко, навзрыд зарыдала:

— Она же тебе наврала! Как она гадко все это вывернула! Она оставила меня, чтобы чувствовать себя меньше перед тобой виноватой... Какая ужасная гадость! И как она любит себя, дрожит за себя... А ты — мой любимый! Мой папочка! Папочка мой драгоценный! Мой милый, мой самый прекрасный! Мой папочка! — Она осыпала поцелуями его лоб, щеки, волосы; слезы ее заливали его лицо, и, не останавливаясь, давясь рыданиями, она повторяла одно и то же: — Мой папочка, мой драгоценный, мой милый! Родной мой, любимый, мой папочка!

Он всхлипнул, и от его тихого, словно бы испугавшегося себя всхлипывания Таня забормотала еще быстрее.

— Но я же с тобой! — рыдала и давилась она. — Разве нам с тобой мало друг друга? Разве я когда-нибудь брошу тебя? Разве я не помню, как мы жили с тобою вдвоем, и всегда, всегда мы с тобой были вместе! А помнишь, как я болела, маленькая, и ты засыпал у меня в ногах? Помнишь? А как я прибегала ночью к тебе в постель, когда мне снилось страшное? — Она и смеялась сквозь слезы, и судорожно гладила отцовские плечи, и прижималась пылающим лбом к его лбу. — А помнишь, у меня была очень высокая температура и рвота, и ты держал таз у себя на коленях, и держал у меня на лбу свою руку, чтобы мне было легче? А как ты сам делал мне лимонад? Ты помнишь ведь, папочка? Папочка, милый!

И наконец, когда этот терпеливый старый человек, которого она всегда считала самым сильным и сдержанным, вдавился лицом в ее шею, Таня вдруг почувствовала, что и он плачет — так тихо и страшно, как плачут мужчины, которые даже чужих робких слез стыдятся до паники...

О матери больше не говорили, не вспоминали; и когда Илюша, рассматривая карточки в семейном альбоме, наткнулся на фотографию Анны Михайловны Зандер, стоящей с теннисной ракеткой в простом белом платье, и тут же воскликнул: «Смотрите, какая красивая! Это ведь бабушка?»,

Алиса Юльевна отобрала у него альбом и, оглянувшись на доктора Лотосова, сказала, что проводить время, уткнувшись носом в альбомы, — занятие для одиноких старушек, а вовсе не для любознательных мальчиков.

После этого письма, которое сильно сблизило Таню с отцом и словно бы напомнило ей о том, что он был и остается самым родным и особенно нуждающимся в ней человеком, внешне ее жизнь оставалась тою же, полной ежедневных забот жизнью. Домработницы у Лотосовых не было, Дина в ведении хозяйства почти не участвовала, если не считать того, что служебная машина раз в неделю, как и прежде, подкатывала к дому на Плющихе и молчаливый серьезный шофер вынимал из нее продукты, негромко пробормативая одно и то же: «Для Дины Ивановны Форгерер». Ровно половину продуктов Дина Ивановна Форгерер немедленно относила Варваре Ивановне Брусиловой на Неопалимовский. Все остальное, то есть приготовление обедов, занятия с Илюшей, уборка, стирка, уход за няней, ложилось на плечи Тани и неутомимой, аккуратно причесанной, в белых накрахмаленных воротничках Алисы Юльевны.

Танина душа нарывала. Александр Сергеевич жил один, никаких известий ни от уехавшей жены, ни от сына не было. Он опять начал сильно пить; иногда оставался даже ночевать на работе, но не потому, что не успевал добраться до дому, а потому, что сразу же, закончив работу, выпивал столько, что засыпал прямо на месте. Таню удивляло еще и то, что он ни разу не попросил ее зайти к нему на Молчановку. Иногда самые нелепые мысли, которых она пугалась именно оттого, что слишком уж нелепыми они были, одолевали ее с такой силой, что Таня чувствовала отвращение не только к нему и себе самой, но ко всему, что в эти минуты попадалось ей на глаза: деревьям, прохожим, весенним, грохочущим в небе, растрепанным птицам. Все мешало ей: даже робкая гамма, разыгрываемая маленькими пальцами сына в столовой, даже негромкое постукивание Алисиных башмаков и голос ее: «раз-и, два-и...». Ей начинало казаться, что Александр Сергеевич давно сошелся с другою женщиной — с какой-нибудь, например, сестрой милосердия из своей больницы, — и эта женщина уже переехала к нему, живет с ним в большой опустевшей квартире и ждет не дождется, когда он развяжется с Таней.

За неделю до Пасхи, которая пришлась в этот год на девятнадцатое апреля, Александр Сергеевич, возвращаясь из больницы, завернул в скверик, где Таня гуляла с Илюшей.

— Боялся, не встречу тебя, — пробормотал он. — Уже семь часов. Сегодня вы поздно гуляете...

— А я долго спал: до пяти! — сообщил Илюша, сияя васильковыми глазами и морщась улыбкой точно так же, как делал его убитый, ни разу не встреченный в жизни отец. — Я спал и смотрел свои сны!

— И что же ты видел?

— Наклонитесь, я вам на ухо скажу.

Александр Сергеевич сел на корточки и подставил свое ухо его румяным губам, почувствовав тот знакомый, молочный и теплый запах Илюшиного дыхания, волос и кожи, одинаковый у всех хорошо ухоженных маленьких детей, который моментально напомнил ему сына.

— Давай, говори!

Таня грустно и тихо улыбнулась.

— Мне снилось, — захлебываясь и сочиняя на ходу, сказал Илюша, — что мы все — мама, вы и я — плывем на каком-то огромном пароходе по морю. А в море: дельфины, русалки... Киты тоже есть. Ну, и лебеди тоже.

— А нас всего трое? — уточнил Александр Сергеевич и, не удержавшись, поцеловал его в холодную красную щеку.

— Ах, нас? Да, сначала нас трое. Потом еще дед к нам пришел, и Алиса, и Дина. И мы далеко, далеко все заплыли! И было ужасно смешно!

Александр Сергеевич посмотрел в эти васильковые, полные счастья глаза, погладил Илюшу по голове и поднялся.

— Я жду тебя сегодня, — негромко сказал он Тане. — Придешь?

Она вспыхнула, потому что он спросил это при ребенке, который, хотя и не мог понять, что происходит между матерью и этим человеком, мог все же почувствовать ту особую интонацию, с которой были произнесены эти слова.

— Не раньше восьми, и совсем ненадолго, — быстро ответила она.

Алиса была дома одна и вязала. С недавнего времени она принялась вязать мужские фуфайки, которые заказывала ей артель «Красный труд». За фуфайки платили мукой, иногда растительным маслом, иногда даже конфетами.

— Няня поела? — спросила Таня.

— Поела, — спокойно ответила Алиса, прищуренными глазами отсчитывая петли на спице. — Поела неплохо и спит.

— Я отлучусь ненадолго, — покраснела Таня. — Уложишь Илюшу?

— Илюша, пойдем, — не отвечая на ее вопрос, сказала Алиса, встала, отложила вязанье и протянула Илюше руку. — Ты должен еще почитать перед сном.

Поглощенная своими мыслями, Таня не заметила, как очутилась сперва на Арбате, по которому звенели конки, потом через Ржевский переулок вышла на Молчановку. Золотисто-светлое закатное небо, особенно радостное от того особенного внутреннего света, который всегда загорается внутри его, когда приходит весна, в который раз подтверждало людям свою неизменную и успокаивающую сердце природу, но мало кто смотрел на него и, судя по озабоченности человеческих лиц, на земле мало кто радовался его свету.

«Я не хочу идти! — вдруг поняла Таня и остановилась так резко, что на нее чуть было не налетела изможденная и быстро шедшая прямо за нею дама. — Я не могу видеть, как он пьет, как он слабеет и убивает себя прямо на моих глазах; я не могу слышать этого его веселого голоса, которым он начинает говорить всякий раз, когда напивается... Я больше не хочу всего этого! Я сейчас вернусь домой, а завтра скажу, что Илюша не отпустил меня, что он капризничал».

И тут же почувствовала, что не сделает этого. Она подозревала его во всех смертных грехах, боялась, что он обманывает ее, изменяет ей с кем-то, но соврать ему самой, соврать ему даже слегка, она не могла. Почему? А Бог его знает почему.

Ей вспомнилось недавнее письмо ее матери из Финляндии. Несмотря на отвращение, которое вызывала в ней мать, причинившая отцу столько горя, несмотря на то, что она не имела права так откровенничать с отцом, как откровенничала в своем ужасном письме, несмотря даже на то, что Таня чувствовала, как хотелось матери оправдаться и в собственных глазах, и в отцовских, но эта странная материнская «оголенность» в словах, эта правдивость невольно напомнила Тане и себя, и сестру. Никто не учил их *не* врать. Беда была в том, что они сами не хотели и стыдились этого.

Александр Сергеевич встретил ее в чистой белой рубашке и галстуке. Рукава на рубашке были закатаны.

— Я рыбы сейчас нам нажарил, — смущенно сказал он. — Хлопца одного с Лубянки подлечил, и он мне за это рыбки свежей принес. А говорят, нет в людях благодарности! Вот тебе пример. Бандит, кровопийца, а рыбкой пожаловал! Мы когда-то с Васькой моим, когда ему лет двенадцать было, ездили большой мужской компанией по Волге, а там этой рыбищи — страсть! Уха там была... Ты такой ухи, я тебе это точно говорю, даже не нюхала. Еда небожителей!

Он суетился и говорил слишком много и возбужденно. Глаза его ярко блестели.

— Ты вот посиди здесь, — говорил он, усаживая Таню к столу. — Ты вот посиди, а я сейчас рыбу принесу, и будем мы вместе с тобою обедать! Вот так-то, моя дорогая... А ты помнишь, как мы с тобой обедали в ресторане в пятнадцатом году? Ты тогда в лазарете у великой княгини работала. Совсем была девочка! От каждого моего слова вспыхивала, как роза. Сейчас-то уже не краснеешь, большая...

— Я и сейчас краснею, — возразила Таня и, посмотрев на него исподлобья, огненно покраснела.

Александр Сергеевич радостно засмеялся.

— Барышня ты моя! Вечная моя барышня... А если бы остальные знали тебя так, как я? Вот бы они удивились!

Она покраснела еще больше.

— Ну, что? Пообедаем прежде? А может быть... — пробормотал он.

Таня встала и оторвала его руки от своей талии.

— Как я давно не была здесь... — сказала она, оглядываясь.

Александр Сергеевич вдруг помрачнел.

— Саша, — прошептала она робко, — ты только не делай вид, что тебе сейчас уютно и что ты не страдаешь ото всего этого...

И оба, не сговариваясь, посмотрели на висящие в столовой семейные фотографии.

— Я чувствую, как ты мучаешься, — продолжала она, — ты все время думаешь об этом, все время упрекаешь себя в том, что... я не знаю... Ты не виноват. Вернее, ты не виноват больше, чем все остальные друг перед другом. — У нее перехватило дыхание от подступивших к горлу слез. — Разве бывает так, чтобы человек был совсем не виноват? Такого не может быть, вся жизнь так устроена...

— Да ты-то откуда ее так уж знаешь? — Он опустился на стул и поднял на Таню воспаленные глаза. — Не так уж ты много и видела в жизни!

— Не видела, но угадала...

— Если бы я знал, что они хотя бы живы, — пробормотал он. — И всё. И даже другого не нужно. А я ведь все думаю: вдруг они *там?* А где это: *там?* Где они? Понимаешь?

Она опустила глаза, губы ее задрожали.

— Я тоже часто раньше думала об этом. Наверное, это нехорошо, неправильно об этом думать. Потому что все равно никто из нас ничего не понимает! Я думала о Володе. Я вот представляла себе, что это значит: «его убили»? Как это «убили»? Где же он теперь? И я... — Таня стиснула зубы, зажмурилась. — Я представляла себе его руки, волосы, кожу, глаза, сама умирала от всего этого... Ах, Господи! Ведь это все он? Нет, не он... А было все *им...* А теперь? И где сам Володя? Подожди! Дай я тебе все скажу, а то это опять вернется ко мне, опять я одна буду мучиться... Я вот видела его руку. И близко-близко видела. У него была широкая рука, небольшая, но широкая, и всегда очень горячая. И здесь, у самого мизинца, шрамик. И я начинала представлять себе, как его опустили в землю, засыпали и что тогда начало происходить с этой его рукой... О Господи! Как она почернела сначала, потом... — Таня запнулась. — А как только Илюша начал переворачиваться во мне, все эти мысли вдруг исчезли. Как будто бы кран кто закрыл! Как будто бы кто-то сказал мне: «Нельзя!»

— А мне, к сожалению, не говорят... Прихожу с работы, наливаю рюмку, выпиваю. Сижу здесь один и представляю себе все именно так, как ты описала. Пока не прикончу бутылку, не успокоюсь... И именно так, всё — почти что твоими словами... Где Васька? И где его эти вот кудри? — Он поднялся, подошел к стене и снял с нее фотографию кудрявого мальчика в матроске. — Вот где это все? Где мой парень?

— Бог даст, они оба вернутся...

— Они не вернутся, — быстро обернулся он. — У меня тут, — Александр Сергеевич стукнул себя по горлу, — часы тикали! То громко, то тихо. А сейчас вдруг — оп-п-па! — перестали. Не стукают. Нет никого.

Ночью они не спали. Первый раз она лежала с ним не в маленькой комнате на очень неудобной кушетке, где они всякий раз лежали раньше, до возвращения Нины из-за границы (хотя это было давно, больше четырех лет назад), — сейчас они лежали в спальне на кровати, и вид этой спальни, куда она раньше боялась и заглянуть, привел Таню в смятение. Когда-то жена его тоже спала на этой же самой кровати.

Таня чувствовала, что Александр Сергеевич хочет, чтобы она поскорее задремала, потому что она мешает ему сосредоточиться на своем, и что после того, как все закончилось и он, вздрагивая и постанывая, полежал несколько минут, уткнувшись лицом в ее лицо, она уже перестала быть нужной ему. Таня покорно отодвинулась к самому краю, закрыла глаза и сделала вид, что заснула. Александр Сергеевич смотрел в потолок и что-то тихонько шептал. Она не могла разобрать того, что он шепчет, но, судя по тому, как судорожно кривилось в полутьме его лицо и как он изредка проводил тыльной стороной ладони по глазам, можно было догадаться, что он то ли молится, то ли разговаривает с кем-то, кого вместо Тани мысленно представляет себе сейчас рядом.

«Ах, да! Он же пьян, — подумала она с тоской. — А я все никак не привыкну!»

Под утро она заснула и проснулась от грохота, с которым в комнате что-то упало. Голый и худой Александр Сергеевич Веденяпин со впалым животом и широкой грудью, на которой курчавились совсем уже седые волосы, растрепанный, с красными пятнами на щеках, только что поднявший с пола выроненную им пустую бутылку, проходил мимо заваленного одеждой стула к двери, и сияющий утренний луч, упавший сквозь форточку, ярко заливший плечо его, грудь, часть его живота и пустую бутылку в руке, так резко вонзил это в Танину память, что в ней навсегда это все и осталось.

Через несколько минут Александр Сергеевич вернулся. Сел на постель спиною к ней, закинул свою кудрявую, сильно полысевшую голову и начал пить прямо из горлышка. Он пил громко, всхлипывая, и поднятая рука его слегка дрожала. Потом он поставил бутылку рядом с кроватью, уронил голову на грудь, и Таня услышала, как он простонал:

— Господи Иисусе! Прости меня!

Она лежала не дыша, боялась шевельнуться, чтобы не спугнуть его. Потом, когда он тихо опустился на подушку рядом с ней, открыла глаза.

— Что, Саша?

— Бросай меня к чертовой матери, — пробормотал он.

И тут же она услышала, как он снова шарит левой рукой по полу, ища бутылку.

— Не надо... хотя бы сейчас...

— Какая разница? Опять колотить ведь начнет. Там осталось на донышке...

— Что же будет? — прошептала она, вытирая глаза об угол подушки. — Что с тобой будет?

— А что со мной будет? Подохну.

— А я?

— Ну, я же сказал: уходи. Ты со мной пропадешь.

— Да я без тебя пропаду!

— Ты самая светлая, самая нежная женщина... Ты не просто светлая, а такая, как вот это утро. В тебе тот же свет. Не зря я прилип! Давно отпустил бы, не будь ты такой...

Через полчаса они встали. Александр Сергеевич долго умывался холодной водой на кухне, потом долго плескался в ванной. Вышел в столовую спокойный, в чистой рубашке. От его впалых, тщательно выбритых щек пахло английским одеколоном. Глаза смотрели бесстрастно.

— Давай выпьем чаю, и я провожу тебя домой, — сказал он, слегка поцеловав ее лоб и потом затылок. — И вот еще что: если тебе стыдно перед домашними за то, что ты так открыто живешь со мною и даже не ночевала сегодня, то я готов попросить у отца твоей руки.

Тане показалось, что она ослышалась.

— Мало что изменится, — продолжал он. — К тому же я пью. Это вроде болезни. Но для того, чтобы ты перестала думать, что я не хочу... Короче, реши и скажи мне сегодня. А то я себя негодяем все чувствую...

— Но как же... — Она осеклась.

— Никак! — не глядя на нее, пробормотал он. — И больше мы к этому не возвращаемся.

В эти предпраздничные дни у режиссера Мейерхольда было столько работы, что недавно переехавшая к нему с двумя детьми бывшая жена Сергея Есенина Зинаида почти не видела своего нового мужа и даже тихонько сердилась.

— Зина! Но если бы ты знала, дорогая моя! — Худой и нескладный, хотя всегда трезвый, что было решающим фактором для того, чтобы Зина, подхвативши своих малолеток, перебралась к нему жить и работать, бормотал режиссер Мейерхольд, целуя ярко-белые плечи новобрачной, перед которой он стоял на коленях, пока она, лежа в постели, пила шоколад из фарфоровой чашечки. — Это будет грандиозно! Это будет не просто грандиозно, а сногсшибательно грандиозно! Это останется в веках! Народ празднует новый праздник. Праздник социалистической весны! Праздник освобожденного труда!

Какая там Пасха устоит перед этим торжеством? Какие там, Зина, воскресшие боги?

— А как ты один с этим справишься, Сева? — округляя глаза, спросила Зинаида.

— Да как же один? — ахнул Мейерхольд. — К моим услугам целое общество! Не только театр, артисты, костюмы, но весь наш Союз атеистов-безбожников. Его, кстати, предложили переименовать в Союз воинствующих атеистов-безбожников, и я абсолютно согласен! Так лучше звучит. Это, Зина, война! Иначе, как сказал товарищ Дзержинский, с попами не справиться. С ними не справиться, Зина! Их нужно крушить и душить мощной силой искусства!

— Но как же все это устроится, Сева? — плавно тянула Зинаида Райх, внимательно глядя, как шоколадная пленка тускнеет и тает на дне ее чашки. — Ты будешь работать с товарищем Луначарским?

— Это товарищ Луначарский, дорогая, будет работать со мной! — заносчиво выкрикнул режиссер, но тут же поправился: — Товарищ Луначарский уже нам помог, дорогая... — Он испуганно оглянулся. — Гимн русских безбожников! Его будет петь вся толпа! Все участники праздника! Мотив «Марсельезы»! Слова Луначарского! Ты только послушай, как это написано!

Он поднялся с колен, заложил правую руку за золотой пояс персидского халата, а левую выбросил гордо вперед. Его лошадиный профиль стал еще выразительнее:

> Когда бы на троне, над тучами тверди,
> Сидел бородатый торжественный бог,
> Когда б под землею зловонные черти
> Бодались кинжалами бронзовых рог,
> Когда бы святые и ангелов хоры
> Кадили и пели в лимонном раю,
> А грешники выли, с проклятием взоры
> Впперяя в кромешную вечность свою,
> Была б поистине потеха,
> Была б причина для войны,
> И мы б метнули бомбу смеха

> В лазурь надзвездной стороны!
> И был бы наш поход неистов,
> Поход активных атеистов,
> Наш гордый гимн звучи, звучи,
> Как меч о вражии мечи!

— Вы собираетесь устроить этот праздник... как его?.. Освобожденного труда? — в день православной Пасхи? — почти испуганно спросила Зинаида. — И гимн свой пропеть в этот именно день? Но что скажут люди?

— Какие люди, любимая моя, русалка моя, моя колдунья? — И страстный Мейерхольд снова упал на колени перед постелью, брызнув золотыми узорами халата на красный, как кровь, с нежно-голубыми по самому центру цветами ковер. — А что им сейчас говорить? Наступила ЭПОХА! Мы все в ней! Мы все ее дети!

Зинаида Райх задумчиво потрепала его по вздыбленным волосам, откинула одеяло, на секунду явив воспаленному взору революционно настроенного человека высокие голые ноги, просвечивающие сквозь батистовую белизну сорочки, встала, вынула из пачки длинную папиросу и, закурив ее, подошла к окну. Под жидким серебром апрельского неба двор в тихом Брюсовом переулке, наполненный пением птиц, медленно просыхал после недавнего дождя. От свежей земли поднималось легкое испарение, и мелкие листья на тонкой березе, звеня, как приказывал ветер, зубрили стихи ее бывшего мужа:

> Пойте в чаще, птахи,
> Я вам подпою.
> Похороним вместе
> Молодость мою.
> Троицыно утро,
> Утренний канон,
> В рощах по березкам
> Белый перезвон...

...Накануне Пасхи, с которой, как предупреждал товарищ Дзержинский, большевикам «еще предстоит помучиться», в кабинете режиссера Мейерхольда состоялось совещание, на котором, кроме самого Всеволода Эмильевича, присутствовали поэты Николай Асеев, Владимир Маяковский и главный специалист по массовым карнавалам Антон Михайлович Бирнер, человек волевой и талантливый. Товарищ Луначарский прибыть на собрание не смог — слишком важные дела отвлекли его в этот вечер — и вместо себя попросил прочесть вслух только что написанную им и только что отпечатанную барышней на машинке статью «О народных празднествах».

Статью вслух читал Мейерхольд:

«Для того, чтобы почувствовать себя, массы должны внешне проявить себя, а это возможно только, когда, по слову Робеспьера, они сами являются для себя зрелищем».

— У-у-уxx! — смачно сказал Маяковский и покрутил головой. — Все как у меня! У-у-у-ух!

— Я продолжаю, товарищ Маяковский, — строго оборвал его Мейерхольд. — У вас еще будет возможность высказаться. Итак: «Если организованные массы проходят шествием под музыку, поют хором, исполняют какие-нибудь большие гимнастические маневры или танцы, словом, устраивают своего рода парад, но парад не военный, а по возможности насыщенный таким содержанием, которое выражало бы идейную сущность, надежды, проклятия и всякие другие эмоции народа, — то те, остальные, неорганизованные массы, обступающие со всех сторон улицы и площади, где происходит праздник, сливаются с этой, организованной, целиком, и таким образом можно сказать: весь народ демонстрирует сам перед собой свою душу».

— Разрешите мне одно слово? — поднял руку специалист по массовым карнавалам Антон Михайлович Бирнер, сын настоятеля храма Василия Исповедника у Рогожской заставы, теперь уже больше не действующего. — Я должен сказать, что наше молодое социалистическое государство выделило, как мне известно, одиннадцать миллионов рублей на содержание Общества воинствующих безбожников. Одиннадцать миллионов, товарищи! В распоряжении общества имеется триста девяносто два автомобиля, восемнадцать агитпоездов, шестьдесят восемь кинотеатров, два летних открытых театра, шестьсот девяносто четыре различных здания и помещения!

И более ста типографий! Несметная сила, товарищи! А мы всё никак не можем опередить французов восемнадцатого столетия... А что нам мешает их опередить?

— Погода мешает, — угрюмо сказал Маяковский. — Вон первое мая уже на носу, а снег не сошел. А выйдем мы все на парад, и тут тебе дождичек с градом да снегом. А уж в октябре — так уж что говорить!

— Товарищ Луначарский, — торопливо перебил его Мейерхольд, — не забыл об этом. Вот я вам сейчас зачитаю: «Между тем мы должны, безусловно, опередить французов, несмотря на некоторые неблагоприятные условия нашего климата, часто делающие и весенний день 1 мая, и осенний день 25 октября не совсем удачными для празднества под открытым небом».

— Так что же нам, в Африку ехать? — мрачно засмеялся Маяковский и вынул изо рта до половины обгрызенную спичку.

— В этот раз, то есть в этом году, мы, к сожалению, не сможем отвлечь темные и забитые слои населения от того, чтобы они решительно отказались праздновать христианского праздника Пасхи, и в этом нет нашей вины, товарищи, ибо слишком мало времени прошло с момента победы социалистической революции, — продолжал Мейерхольд, почему-то остановив взгляд на бледном лице Антона Биргера, и ужас стоял в этом взгляде, как столб на дороге. — Нет нашей вины, но она еще будет! Да, будет, если и через пару лет население не откажется от этой нелепости, от этого самого злостного из всех человеческих предрассудков, которым является вера! Но в этом году мы разработали грандиозный план великолепного народного праздника, который я предлагаю назначить именно на 18 апреля, и пусть наше социалистическое торжество не только совпадет с унылым крестным ходом, который я не знаю что обозначает, но пусть с его помощью рухнет сей ход!

— Позвольте, не понял. Как это рухнет? — вмешался Асеев. — А не боитесь ли вы, уважаемый товарищ Мейерхольд, уличных беспорядков?

— Наш план вот каков. — Мейерхольд сделал вид, что не расслышал слов Асеева, поскольку от страха свело вдруг живот, а десны во рту стали горькими. — В празднике Освобожденного Труда должны принять участие от двух тысяч пятисот до трех тысяч пятисот человек, включая комсомольцев, милиционеров, самодеятельных и профессиональных артистов, домохозяек, служащих, работников заводов и фабрик, членов домовых комитетов и прочих активных, сознательных граждан. Все они под музыку революционного оркестра соберутся на Красной площади и двинутся прямо к Кремлю. Во главе процессии шестерка лошадей будет тянуть огромную платформу, на которой предполагается поместить закованных в цепи обнаженных рабов. Над их головами будут на специальных ступенях помещаться четыре белые фигуры с огромными ясными лицами. Это будут аллегорические образы Свободы, Братства, Равенства и Справедливости. За спинами обнаженных рабов, закованных в цепи...

— Постойте, товарищ Мейерхольд! — перебил его мрачный Маяковский с зажатой в углу рта новой спичкой. — А как если холод? Как их оголять на морозе?

— Я уверен, что тот революционный огонь, который будет бушевать в эти минуты внутри людей, не даст им замерзнуть, — визгливо сказал режиссер. — Так вот: за спиною закованных в цепи, за этой платформой, пойдет крестный ход... *Сатирический* крестный! Мы им разыграем сатиру на всю их отсталость, всю дикость их веры! Во главе этого крестного хода пойдут толстые, с красными, откормленными лицами попы, за попами — буржуи и белогвардейцы. Ясна вам идея, товарищи?

— Еще бы! Прекрасно! — обрадовался Асеев. — Такую возможность нельзя упустить, товарищи! Иначе еще целый год ее ждать.

Вечером, вылезая из машины, доставившей его к самому подъезду дома номер 11 в Брюсовом переулке, измученный, сгорбленный Мейерхольд с его повисшим над кадыком лошадиным профилем увидел, что Зина не спит. В окне ее спальни горел мягкий свет.

«О Господи Боже! — И он, испугавшись, сглотнул это слово. — Русалка моя! Ждет, наверное... Русалка моя! Зинаида! Волшебница!»

Сила человеческого страха такова, что вряд ли было бы ошибкой сказать, что нет ничего столь же сильного. И, как неопытный садовод, которому нужно не просто посадить деревце в каменистую почву, но еще и посадить его на правильную глубину, чтобы порыв вечернего ветра не вырвал его из земли, и правильно нужно полить это деревце — полить его так, чтобы слабые корни не начали гнить от избыточной влаги; и нужно возиться с ним, нужно стараться, смотреть ему в глазки и петь ему песенку, — так люди всех темных и светлых времен и всех языков, всех культур, всех религий сажают все то, что противится страху. Душа (если, скажем, отнестись к ней анатомически), наверное, похожа на влажную почву, в которую с редким завидным упрямством бросают кто что. Кто веру, кто наглость, кто принципиальность, кто Фрейда, кто Гете, кто Кафку с Сократом, а кто не читал ни того, ни другого, бросают хорошие крепкие вещи: машины, брильянты, политику, женщин, надеясь, что все прорастет и всего станет больше.

Нельзя, однако, забывать, что, кроме людей, существуют философы. Они тоже люди, но с чувством большого достоинства, поэтому страх у них философический.

И в энциклопедии есть доказательство:

1. «В философии религии **страх** *относят к религиозному опыту и видят в нем благоговейный трепет души в ответ на открывшееся присутствие Высшего...*

Древний **ужас** — *страх перед судьбой, смертью, бесами, властями, необеспеченностью жизни, страданием и пр. Такой страх связан с ложью, жестокостью, суевериями, унижением человека, социальным порабощением и зависимостью от природы.*

Примечание: библейская традиция свидетельствует, что страх Божий — не только начало премудрости, но и «венец радости». Тот, кто обрел истинный страх Божий, выше страхов мира сего. «В любви нет страха, но совершенная любовь изгоняет страх, потому что в страхе есть мучение, а боящийся не совершенен в любви» (1Ин. 4:18).

А как не бояться, когда всё так хрупко?

2. **Страх** *(греч. phobos — ужас, боязнь, тревога) — аффективное состояние души, которое переживается как страдание* *и выражается в ощущении неудовольствия. Испытывать чувство* **страха** *— значит подвергаться воздействию факторов, вызывающих напряженное ожидание. В этом смысле страх выступает одним из основных определений человека как «существа страшащегося». Однако, хотя страх всегда и закрывает истину, сама истина открывается лишь тогда, когда опыт пережитого страха доводит до ее определения.*

В экзистенциальной философии Хайдеггера условием раскрытия сущего как такового выступает **Ничто**, *которое имеется в наличии, давая о себе знать состоянием* **ужаса**. *«В светлой ночи ужасающего* **Ничто** *происходит раскрытие сущего как такового. Открывается, что оно есть сущее, а не* **Ничто**», *— пишет Хайдеггер.*

Придется дать ссылку:

«После прихода Гитлера к власти Фрайбургский университет тут же встал под нацистские знамена. В конце апреля 1933 года его ректором стал один из самых знаменитых фрайбургских философов Мартин Хайдеггер. Уже через несколько дней он вступил в национал-социалистическую партию и обеспечил проведение в жизнь государственного решения по изгнанию еврейских преподавателей и студентов из университета. Его предшественником на этом посту был его учитель, крещеный еврей Эдмунд Гуссерль, которого только естественная смерть спасла от отправки в концлагерь. Любимый ученик Гуссерля Мартин Хайдеггер, ставший ректором, не только не сделал ничего для того, чтобы предотвратить уничтожение своего учителя, но очень старался и бросил все свои силы на то, чтобы ни один еврей не остался случайно в стенах университета. До самого конца Хайдеггер не отрекся от поддержки Адольфа Гитлера, за что после войны был «наказан» пятью годами отстранения от преподавания. Философ Карл Поппер выразился о Мартине Хайдеггере весьма прямолинейно: «Он был просто дьяволом».

А вот и последнее определение:

3. **Страх** *— сильное душевное волнение, вызванное неожиданной опасностью. Он обладает всепроникающей мощью и может быть уподоблен бездне, в которой гибнут люди и народы. Художественная литература коснулась многих граней этого*

феномена и выяснила, что страх порождается способностью
человека осознавать несовершенство мира и его коллизии, по-
скольку человек — это единственное животное, для которого
само существование является проблемой...

Ох! Договорились до чертиков! Наверное, хватит о страхе.

Хватит о Мейерхольде, хватит о Маяковском. Известные
случаи, что их мусолить? А вот Антон Бирнер, ретивый, талантливый? Жажда уничтожить на корню отсталые верования
забитого, как говорится, народа привела его из столицы в
Одессу, Чернигов, Луганск, позже в Киев для постановки
пасхальных карнавалов и антицерковных праздников.

Весь мир стал ему, бесноватому, сценой. И тут началось!
Опухшие с голода колхозные плотники и кузнецы изготавли-
вали платформы; конюхи, покручивая старыми нечесаны-
ми головами, тренировали лошадей. На последние деньги
сельсовет скупал по райцентрам красную материю, ночами
при свете оплывших огарков из прутьев плели декорации.
Творческие эти работы проводились весной, в самое горячее
для крестьян время. Колхозы не выдержали дополнительных
повинностей в виде карнавалов и, сдавши зерно государству,
поплыли навстречу привычному голоду. Удивительно, как
один, самостоятельно взятый, небольшого роста театральный деятель подмял под себя столько сразу народу! В одном
только 1934 году без единого зернышка остались колхозы:
«Червоний плугатар», «Шлях Леніна», «Червона Україна»,
«Перше травня», «Зорі Кремля», «Червоний орач», а также
«Нечаяньский».

В тридцать пятом наверху решили, что нечего тратиться
на карнавалы и есть другой способ — старый, проверенный.
И очень легко и спокойно управились, без всяких платформ,
чучел и декораций. Отбывший в Карлаге свое восемнадцати-
летнее наказание, Антон Михайлович Бирнер бросился под
поезд на станции Московская через десять лет после возвращения из лагеря. Разбирая бумаги покойного отца, дочь его
нашла в журнале «Москва», где был напечатан роман «Мастер
и Маргарита», листок с весьма странною записью: «Черти
были хитрыми существами. Они прекрасно понимали, что

Христос есть Бог. А люди этого знать не могли. Человек только сердцем может воспринять Господа. Поэтому Берлиозу отрезали голову...»

За три дня до Пасхи в комнате Варвары Брусиловой произошло следующее. Дина Ивановна Форгерер лежала на кровати одетая и даже в башмаках. Лицо ее было распухшим от плача и как-то слегка отупевшим. Она односложно отвечала на Варины вопросы и, видно было, раздражалась, что та ее не до конца понимает.

— Где они забрали тебя? Как это «прямо из театра»? Но там же ведь люди!

— Они стояли у подъезда, когда я вышла. Машина была за углом. Блюмкин подхватил меня под руку и повел. Я не успела даже пикнуть.

— А если бы ты закричала?

— Если бы я закричала, он бы заткнул мне рот.

— Но было светло!

— Нет, стемнело. Да это неважно. Дай я покурю. А то дома вечно нельзя: то Тата с Алисой, теперь еще Коля приехал...

— У меня нет папирос; есть табак, от деда остался.

— Давай! Я умею закручивать.

Варя вздрогнула:

— Я надеюсь, ты уже не нюхаешь порошок?

— Да вроде не нюхаю. Меня все равно не берет. Я из камня, наверное.

Она свернула папиросу и жадно затянулась, выпустила дым из пухлых губ.

— Мне, Варька, пора помирать.

— Рассказывай все, и подробно, — жестко сказала Брусилова.

— Взял под руку, — уткнувшись в подушку, начала Дина, — дошли до машины, втолкнул. Там Терентьев. Опять повезли меня в эту квартиру. Там было темно. Не знаю, куда делась эта старуха. Терентьев остался в машине, а мы с Блюмкиным поднялись наверх. Ах да! Я ведь тебе это уже говорила...

— Не важно. Я слушаю.

— Он достал блокнот и карандаш, протянул мне: «Пишите!» Я спрашиваю: «Что писать?» Он засмеялся: «Да как это что? Вы забыли, что вы наша сотрудница? Пишите, как жили с Барченко!» Говорю: «Я видела товарища Барченко всего один раз. И писать мне нечего». Он подошел, схватил меня за талию и начал целовать. Я вырвалась и ногтями расцарапала ему лицо. Не сильно, но все же до крови. Он позеленел: «Рабыней у меня будешь! Рабыни на Востоке знаешь как любят? Вот так и ты будешь!» Тогда я сказала: «Поди к черту, мразь». А он вытер кровь со щеки и начал хохотать: «Тигрица! Красавица! Да я на тебя не сержусь. Ушлем мы твоего Барченко куда подальше, Форгерера пришлепнем, и будешь моей сладкой девочкой. Поедем с тобой в Бухару!». Я говорю: «Если ты, мразь, не перестанешь, я сейчас кричать начну. Все соседи сбегутся». Он выхватил револьвер: «Как сбегутся, так и попрячутся! Эту игрушку видела? Спасибо скажи, что я сейчас на работе, долг свой большевистский исполняю, а то бы...» Я подошла к окну, распахнула настежь, думаю: если он захочет меня столкнуть вниз, кто-нибудь во дворе увидит, как я сопротивляюсь...

Брусилова удивленно посмотрела на нее:

— А кто пикнуть осмелиться? Забыла, какие сейчас времена?

Дина Ивановна всплеснула руками:

— Людей, Варя, как подменили!

Брусилова вдруг опустила глаза.

— Не тебе их судить.

Кровь отлила от Дининого лица, она смяла папиросу в пепельнице и закашлялась.

— Не мне? Ах, не мне? А кому? Не мне, потому что я хуже вас всех? Зачем ты меня в дом пускаешь, чистюля? Сама замараешься!

Она схватила жакетку, висевшую на спинке стула, и начала торопливо одеваться.

— Какая же сволочь ты, Варька! Да ты бы сама подписала на моем месте!

— Я не подписала бы.

— Ах, не подписала бы?! — закричала Дина. — Ты героиня! Сына с выжившей из ума старухой бросаешь, а сама воюешь, чтобы церкви не трогали! Святыни ей, видите, жалко! А сына не жалко?

— Тебе что за дело? Мой сын.

— Алеша тебя вот за это покинул! За то, что ты дура! Без всякого смысла!

Она никак не могла попасть в рукава, губы ее тряслись, по щекам текли злые слезы.

— И я все тебе рассказала! Одной! Теперь ты мне враг! Ты меня предала!

Она бросилась к двери, но Варя опередила ее.

— Никуда ты не уйдешь!

— Уйду! Убирайся!

Варя схватила ее за руку.

— Отстань! Ты всю руку сломаешь!

— Нет, я не отстану!

— Тогда я сейчас с подоконника спрыгну!

— Да прыгай! Не жалко!

Дина опустилась на корточки, уткнула лицо в колени.

— Прошу тебя: дай мне уйти. Я жить не хочу. Ты меня не удержишь.

Брусилова села на пол и изо всех сил обняла ее.

— Прости меня, Динка. Конечно, я дура. И правильно ты говоришь: потому он покинул...

Теперь они плакали обе.

— За что мы такие несчастные, Варька? Няня говорит: за грехи. Ну, ладно: я, может, за маму страдаю, но ты-то за что?

— А я за себя.

— Варя, мне кажется, что меня в коровьих лепешках с головы до ног изваляли. И он это чувствует, Алексей Валерьянович. Он брезгует мной, понимаешь? Ему теперь все во мне гадко! Я вот ему открыла тогда, как мы с тобой решили, и он ко мне переменился...

— Тебе это кажется. Он сам с головы и до ног весь в лепешках!

— Нет, Варя, он чистый. К нему не пристанет.

— Какой же он чистый, когда он не верит?

— Он, может быть, верит. Но только мозгами. А сердцем не верит. Любить меня больше не будет: противно... Да я и сама иногда посмотрю на себя, когда моюсь, и мне вдруг так стыдно становится! Вот так бы всю кожу с себя содрала!

— Я же просила тебя: уезжай отсюда! Беги! Да что ж ты меня не послушалась? Ди-и-и-на!

— Теперь-то уж точно никуда не убегу... Постой, дай же мне досказать! Блюмкин оттащил меня от окна и, пока оттаскивал, всю облапал, затискал... Вот этому, как няня говорит, «наплюй в глаза — всё божья роса»! Потом опять подсунул мне чистый листок бумаги и говорит: «Пиши под мою диктовку!» Я говорю: «Не буду!» Тогда он говорит: «Дура! Мне все равно, что ты напишешь. Мы под твоим Барченко на десять метров в глубину видим! Пиши, что захочешь». Я спрашиваю: «Зачем вам?» — «Да, — говорит, — чтобы я мог там, наверху, показать, что ты с нами сотрудничаешь. Что Барченко под наблюденьем любовницы, а любовница заодно с органами. Пиши!»

— Они что, идиоты? — полувопросительно сказала Варя.

— Какие они идиоты? Мерзавцы они! Им и в самом деле наплевать, что я напишу, они ведь хотят нас с ним склеить! Неужели ты не понимаешь? Они, например, возьмут да намекнут ему, что, если он не хочет, чтобы меня зарезали в подворотне, он должен выполнять все, что они скажут, потому что я — их секретный сотрудник, и если он не будет им подчиняться, это тут же отразится на мне; а мне они в то же самое время скажут, что он только рад, если я буду с ними работать, потому что тогда я буду его прикрывать, понимаешь? А без меня он ничем не защищен... И от моего послушания зависит сейчас его жизнь. Они пауки, кровососы, я их раскусила!

— И что же ты там написала?

— Что я написала? — эхом повторила Дина Ивановна. — Я написала: «За время, прошедшее со дня приезда товарища Барченко в Москву, мне удалось увидеть его всего пару раз, так как он очень занят подготовкой новой экспедиции на Тибет и в Индию. Он не сомневается в том, что эта экспедиция необходима для того, чтобы овладеть навыками массового гипноза, внушения мыслей на расстоянии и другими оккультными науками».

— Слова-то какие! Откуда ты всех этих слов набралась!

Дина махнула рукой:

— От него... А потом Блюмкин сказал мне: «Поднимите юбочку, Дина Ивановна!» — «Зачем?» — говорю. И он вдруг опять разъярился, задрал на мне юбку и тут же... Смотри, Варька! Видишь?

Она приподняла юбку; между кружевом белья и чулком чернел сине-лиловый кровоподтек.

— Ой, Господи! Что это?

— Он меня укусил, — краснея и глядя на нее исподлобья, ответила Дина.

— Зачем?

— Я закричала, отскочила от него, а он вытер губы и говорит: «Ну, вот я тебя и пометил. Теперь, когда ляжешь с Барченко ночевать, не забудь ему показать мою метку. Он сразу поймет, чем тут пахнет!» И всё. Сунул то, что я написала, в карман, вышли мы из квартиры, сели в машину. Там Терентьев, злой. У них, наверное, какие-то свои счеты. Отвезли меня домой. Остановились у самой церкви. Я домой не пошла. Во мне все горело огнем. Хотела под трамвай броситься, потом испугалась, представила, как это будет: разрежет меня пополам, кровь на рельсах... Нет, я не могу! Что мне делать?

Как и полагается, с антирелигиозным сатирическим крестным ходом и рабами на платформах вовремя не успели. Нужно было выступить, по крайней мере, числа семнадцатого, раз Пасха должна была быть девятнадцатого, но не успели, не успели: ни рабов не успели набрать, ни план продвижения по городу не разработали и даже с плакатами — нет, не успели!

А Пасха началась вовремя. Лотосовы собирались на службу в церковь Воздвижения Честного Креста Господня, где двадцать лет назад повенчали писателя Чехова с актрисой Книппер, и это венчание наделало много шума в хлебосольной и веселой Москве, поскольку лукавый великий писатель никому о намеченном торжестве намеренно не сообщил, а всех пригласил на обед к Станиславскому (куда ни он сам, ни актриса его не приехали, поскольку как раз в это время венчались), а все, кто их ждал за этим обедом, узнавши всю правду, ужасно смеялись тому, как их Чехов провел: венчался — и тут же отбыл на кумыс, и пил его с Книппер, и плавал по Волге. Но это давно было, весело и безобидно. А вот три года назад, то есть в конце 1918-го, из этой же церкви было вывезено 400 пудов серебряной утвари. Но хоть не закрыли, и то слава Богу.

Варвара Ивановна Брусилова и Дина Ивановна Форгерер, тихие, с поджатыми губами, укладывали в пасхальные корзинки крашенные луковой шелухой яйца и небольшие куличи, выпеченные собственноручно лютеранкой Алисой Юльевной с помощью Тани.

— Муку от *него* привезли? — негромко спросила смуглая, гибкая и худая, похожая на черкешенку Варвара Ивановна.

Дина опустила глаза:

— А где же еще ее взять? Подумай только, ведь полтора года они всех нас кормят! Нет! Что я тебе говорю: «полтора»? Да два уже года! Как они тогда начали нас кормить, до Кольского еще, так ведь с тех пор и кормят.

— И будут пока что кормить... — пробормотала Брусилова. — Пока не решат там, что им с тобой делать...

После того откровенного разговора, который чуть было не дошел до драки и закончился, как это всегда бывало у них, слезами, обе они — Дина и Варя — опять жили, словно один организм, понимая друг друга с полуслова и даже в словах не нуждаясь. Таня и ревновала сестру к Брусиловой, и в то же время ей было спокойнее, что Дина сейчас хоть кому-то доверилась.

Утром в субботу кудрявый и румяный Илюша забрался к ней на кровать, держа в руке куриное яйцо.

— Смотри, вот яйцо, — важно, сияя глазами и морщась улыбкой, как это делал его покойный отец, сказал он. — Оно, видишь? Просто яйцо, как все яйца. Ну, что ты молчишь?

— Я вижу: яйцо как яйцо.

— Я взял его в кухне. Алиса еще не заметила. Скажи, мама, в Бога ты веришь?

Таня так и ахнула. Ему было почти шесть лет, он был уже большим, прекрасным мальчиком, со светлым и умным лицом, а ей все казалось, что он неразумный младенец.

— Конечно, Илюша, я верю. А как же не верить?

— Тогда ты скажи: какое в твоей жизни было самое большое чудо?

Таня исподлобья посмотрела на него.

— Когда ты родился.

Илюша немного смутился, но кивнул.

— А я так и думал! И я знаю, что, если очень-очень верить, то Бог все сделает для тебя, потому что ты в Него веришь. И даже никто не умрет. Алиса вчера мне сказала: «Люди не умирают, они уходят, вот и всё». Но, мама, вот это-то мне непонятно... И я еще должен подумать. Теперь погляди на яйцо. Мне Алиса вчера читала одну книжку немецкую, там написано, что... — Он немного запнулся, наморщил выпуклый лоб. — Там вот что написано. Какая-то Мария — сейчас я не помню какая — пошла к императору. Его звали Тиб... — Он опять запнулся. — Его звали римский Тиб Ерий. Ее звали тоже не просто Марией, еще тоже как-то...

— Магдалиной? — подсказала Таня

— Ах да! Магдалиной. Она пришла к нему тоже с яйцом. И Тиб ей сказал: «Я не верю, что Иисус Христос воскрес. Этого не бывает. Это все равно что белое яйцо вдруг станет красным. Оно ведь не станет!» А эта Мария... ну, как?... Маг...

— ...далина, — тихо подсказала Таня.

— Ах да! Магдалина. Она посмотрела на яйцо, а оно... — Илюша зажмурился, из глаз его брызнули слезы. — Оно стало, мамочка, красным!

Таня взяла в свои ладони его маленькую руку и поцеловала ее.

— Осторожно, мама, а то я, не дай Бог, разобью. Я проснулся сегодня ночью и подумал, что непременно нужно будет взять на кухне одно яйцо, пойти к тебе, и — пусть оно тоже станет красным! Ведь если я верю и ты, мама, веришь, так, значит, оно и должно покраснеть? Ведь верно я понял?

Сердце ее сильно заколотилось.

— Сегодня ведь Пасха, и мы пойдем в церковь. Тогда я возьму его в церковь с собой. У всех будут просто раскрашенные яйца, а у меня будет... — Илюша зажмурился, чтобы справиться с волнением. — И Бог, как посмотрит на нас, так увидит, что мы в Него верим... Ну, мама, давай!

— Что, милый, «давай»?

— Проси, чтобы это яйцо стало красным! Но можно и желтым. Ведь цвет же не важен? Какая нам разница, правда?

Он смотрел на нее требовательно, внимательно, как будто бы вся его жизнь зависела от того, что она скажет. Он ждал. Прошло несколько секунд, пока она пыталась сообразить, что делать и как бы ему объяснить, но ей помогли: в нахмуренном небе раздвинулось облако, и с силою хлынуло солнце. Оно хлынуло так внезапно, как это случается только весною, когда вдруг приходит тепло и всё на земле прогревается за день. Таня прищурилась от слишком яркого света и тут же услышала крик:

— Смотри! Оно красное! Красное! Мама!

Мальчик ее, счастливый, восторженный и испуганный одновременно, держал в своих пальцах красное от пронзившего его света яйцо и кричал на весь дом:

— Смотрите! Оно совсем красное! Его уже красить не нужно! Смотрите!

Если и было в ее жизни чудо, то чудом был он, ее сын. Она ему чистую правду ответила. Но, кроме сына, в их доме было то, чего и нигде не осталось. В их доме блистали покой и порядок. Они составляли душу Алисы Юльевны, а душа Алисы Юльевны была сильнее всего на свете. Советская власть не могла с ней тягаться. По тому, как Алиса Юльевна в строгом платье с накрахмаленным воротничком, ведя за руку аккуратно одетого, чисто вымытого и причесанного Илюшу, выходила в восемь часов вечера из детской, садилась за стол, где кипел самовар и были расставлены белые чашки, трудно было представить себе, что утром та же самая Алиса Юльевна толкалась на рынке в поисках молока и яиц, а днем пекла хлеб, а под вечер вязала, считая беззвучно огромные петли, и, наконец, уже в сумерки, постелив белую и хрустящую скатерть, насыпав сухарики в синюю вазочку, ждала всех к столу.

Дина, как ни странно, правилам Алисы Юльевны подчинялась. И если не была занята в театре, а оказывалась дома, то выходила к чаю, но есть никогда не хотела — пила кипяток, вяло грызла сухарик. По ее лицу — не грустному, а взбешенному, — закушенной нижней губе, по тому, как она старательно избегала Таниного взгляда, начинала вдруг весело что-то рассказывать и замолкала на полуслове, Таня понимала, что сестра ее напугана чем-то и еле сдерживает себя, но что-то мешает ей открыться, прийти ночью, как она это делала раньше, забраться к Тане под одеяло, прижаться, расплакаться и рассказать. Можно было, конечно, предположить, что Дина мучается возвращением Николая Михайловича и не знает, что делать, но вскоре Таня поняла, что и Николай Михайлович, и его обожание, и даже то, что они спали теперь с ним на одной кровати, — не это было причиной Дининого страдания. К своему мужу, который, как со своим твердым швейцарским акцентом говорила Алиса Юльевна, «совсем за нее помешался», Дина относилась со спокойным дружелюбием, иногда при всех целовала его в щеку, ерошила волосы, и Таня отчетливо представляла себе, что и, оставшись с мужем ночью наедине, лежа рядом с ним на постели, сестра ее позволяла Николаю Михайловичу ласкать себя, вовсе о нем и не думая.

О ком и о чем она думала, Таня догадывалась. Барченко был в Москве, к их дому по-прежнему подъезжала машина, и шофер выносил корзину с продуктами, что говорило о том, что на Лубянке Барченко собираются все же использовать, поэтому балуют Дину Иванну, решив, что ученый нуждается в этом, желая, чтоб юная Дина Иванна была всех на свете белей и румяней и ела бы свежие вкусные вещи, не зная ни в чем никогда недостатка.

Николай Михайлович, за психику которого первые две недели Таня и Алиса Юльевна боялись, видя, как он быстро меняется прямо на глазах, блуждая ночами по дому в халате, решил не задавать никаких вопросов; пирожки из привезенной муки уплетал за обе щеки, супчик с фрикадельками кушал — и теперь казался поздоровевшим и помолодевшим. Дина была, судя по всему, его единственным лекарством, и ни в ком, кроме нее, Николай Михайлович не нуждался.

Отношения с режиссером Мейерхольдом, однако, не сложились, но настроенный оптимистически артист Форгерер, не покидая Театр РСФСР-I, устроил себе на Арбате в подвале свой собственный маленький скромный театр по типу комедии масок, дель арте.

Самым большим, кстати, успехом пользовалась эксцентрическая инсценировка на тему гибели «Титаника», с момента которой прошло ровно восемнадцать лет. Бог знает, какие именно мотивы личной биографии, а может быть, хладнокровные наблюдения большого художника за ходом исторических событий подтолкнули язвительного Николая Михайловича к этой не самой веселой из всех на свете историй, но факт был и фактом остался: Николай Михайлович к полному невинных жизней затонувшему кораблю проявил большой интерес, попросил одного из самых модных московских живописцев расписать сцену под океан, водрузил посреди этого океана сверкающий льдом, смертью пышущий айсберг, и милая Муся Бабанова, играя наследницу капиталиста и эксплуататора-американца, высоко задирала ножки в двух шагах от неподвижного айсберга (не видя его и не подозревая) и всё напевала под легкую музыку:

Из Франциско в Лиссабон
Пароход в сто тысяч тонн
Плыл волнам наперерез
И на риф налез! О йес!

Ни один человек, включая самого Николая Михайловича, не задался вопросом, почему автор песни и композитор так произвольно обошелся с действительностью, заменив английский город Саутгемптон на американский город Сан-Франциско и американский город Нью-Йорк на португальский Лиссабон, и тем самым совершенно изменил трагическое направление корабля к собственной гибели.

И то сказать: дело ведь не в географии...

И Таня, и отец, и Алиса Юльевна видели, что Дина живет на слезах, на истерике, и Алиса несколько раз говорила отцу, что, может быть, есть хоть какое лекарство, на что Танин отец махал рукой и говорил, что это не болезнь и лечить здесь нечего. С Николаем Михайловичем лучше было совсем ничего не обсуждать: то ли он действительно не принюхивался к запаху вина из Дининого рта, не присматривался к ее старательным и неловким движениям, то ли решил, что должен успеть насладиться всем, что ему отпущено, и хватит того, что его впустили в дом, где он каждый день видит эти сиреневые глаза, эти волосы, такие густые, что трудно поверить, как такая громада перепутанной растительности умудряется уместиться на женской голове; и ночью, когда она вроде бы спит, повернувшись к нему своей тонкой, ярко белеющей в темноте спиной, он изо всех сил вжимается в нее обнаженным, жаждущим и горячим телом и дышит ее ускользающей кожей, ее ледяною черемухой...

К Таниным переживаниям за сестру добавилось и то, что Александр Сергеевич вел себя так, как будто забыл о своем предложении. Однажды он, правда, сказал:

— Какая мерзость все эти их загсы! Но, может, ты хочешь венчаться?

— А как же?.. — спросила она и запнулась.

И больше они к этому не возвращались. Теперь ее острее, чем прежде, оскорбляла эта открытая любовная связь между ними, которой при нынешней новой советской раскованности можно было и не стесняться. Люди сходились и расходились; бумажка с печатью, выданная в душном учреждении, где барышня в драных чулочках, с красными от усталости глазами просила брачующихся соблюдать живую очередь и разборчиво писать свои фамилии, значила меньше, чем хлебная карточка, а газеты то и дело призывали к правильному коммунистическому пониманию семьи как важной ячейки классового общества.

Когда Александр Сергеевич заикнулся о венчании, она тут же поняла, чего именно он ждет от нее: *она* должна была сама отказать ему, и *она* должна была сама твердо объяснить почему. Она понимала, что и Нина, и Василий оставались живыми для него, что теперь даже тот обман, за который он так долго презирал жену, по-своему укреплял его надежду, и он теперь каждый день ждет: а вдруг? Вдруг всё же вернутся? Ведь так уже было.

Церковь Воздвижения Честного Креста Господня, расположенная на пригорке, в двух шагах от дома Лотосовых, была густо окружена народом. Милиции было немного, и милиционеры держались поодаль, лузгали семечки, не мешая проявлению людской темноты и забитости.

А люди стекались. Откуда-то просочилось известие, что Божественную Литургию будет служить сам патриарх Тихон.

— Ну, что же? Пора? — бодро сказал доктор Лотосов, поправляя картуз на светлых волосах внука. — Внутри, я боюсь, будет душно. Ему бы полегче одеться, Алиса.

— Когда он зайдет, я сниму с него курточку, — спокойно сказала Алиса.

Народу вокруг и внутри церкви было столько, что Лотосовы так и остались стоять за оградой, и внутрь пробилась только Варя Брусилова. Двери в церковь оставили раскрытыми настежь, и при общей тишине собравшихся каждое слово, произносимое митрополитом Серафимом, было отчетливо слышно. Митрополит Серафим читал третью главу из Деяния Святых Апостолов.

И был человек, хромой от чрева матери его, которого носили и сажали каждый день при дверях храма, называемых Красными, просить милостыни у входящих в храм. Он, увидев Петра и Иоанна пред входом в храм, просил у них милостыни. Петр с Иоанном, всмотревшись в него, сказали: взгляни на нас. И он пристально смотрел на них. Надеясь получить от них что-нибудь. Но Петр сказал: серебра и золота нет у меня, а что имею, то даю тебе: во имя Иисуса Христа Назорея встань и ходи. И, взяв его за правую руку, поднял, и вдруг укрепились его ступни и колена. И, вскочив, стал, и начал ходить, и вошел с ними в храм, ходя и скача и хваля Бога. И весь народ видел его ходящим и хвалящим Бога. И узнали его, что это был тот, который сидел у Красных дверей храма для милостыни, и исполнились ужаса и изумления от случившегося с ним. И как исцеленный хромой не отходил от Петра и Иоанна, то весь народ сбежался к ним в притвор, называемый Соломонов. Увидев это, Петр сказал народу: мужи Израильские! Что дивитесь сему или что смотрите на нас, как будто бы мы своею силою или благочестием сделали то, что он ходит?

— Мама, — прошептал Илюша, — я ничего не вижу! Я хочу видеть, кто это говорит!

Доктор Лотосов взял его на руки и посадил себе на плечи.

— Ах, вот! Вот теперь я все вижу! И голову батюшки вижу, и золото! Ах, как красиво!

— Тихо, Илюшенька, — прошептала Таня. — Послушай, что дальше...

Бог Авраама и Исаака и Иакова, Бог отцов наших, прославил Сына Своего Иисуса, Которого вы предали и от Которого отреклись перед лицом Пилата, когда он полагал освободить Его. Но вы от Святого и Праведного отреклись и просили даровать вам человека убийцу, а Начальника жизни убили. Сего Бог воскресил из мертвых, чему мы свидетели. И ради веры во имя Его, имя Его укрепило сего, которого вы видите и знаете, и вера, которая от Него, даровала ему исцеление сие пред всеми вами.

Голос отца Серафима стал громче, и какая-то особенная печальная выразительность наполнила каждое слово:

Впрочем я знаю, братия, что вы, как и начальники ваши, сделали это по неведению. Бог же, как предвозвестил устами всех Своих пророков пострадать Христу, так и исполнил. Итак, покайтесь и обратитесь, чтобы загладились грехи ваши. Да придут времена отрады от лица Господа, и да пошлет Он предназначенного вам Иисуса Христа.

Доктор Лотосов вдруг обнял Таню за плечо, прижал к себе и поцеловал в уголок глаза.

— Ничего дурного не случится с вами... — пробормотал он. — А буду я жив или нет — безразлично... В огне не сгоришь и в воде не утонешь... Ты только не плачь, моя девочка.

Она не заметила, что слезы сами текли из ее глаз, и почувствовала, что плачет, только когда отец обнял ее. Но от того, что он, утешая ее, вдруг так просто сказал о возможности своей смерти, у Тани сжалось и заныло сердце.

Она укоризненно взглянула на него из-под платка и нахмурилась.

— Не хочу, чтобы ты так... Мы вместе всегда, никогда мне не говори... — прошептала она.

— Не бойся, не бойся, — еле слышно отозвался отец. — Ко всему нужно быть готовым. Ты взрослая, сын у тебя...

Бог, воскресив Сына Своего Иисуса, к вам первым послал Его благословлять вас, отвращая каждого от злых дел ваших, — тем же громким и по-особому наполненным голосом закончил митрополит.

За несколько минут до наступления полуночи к церкви со стороны Воздвиженского переулка подъехала машина, из которой в полном праздничном облачении вышел патриарх Тихон. Стоящие на улице обернулись к нему и сдвинулись все в его сторону, как будто бы ветер качнул их в одном направлении. Быстро осеняя людей крестным знамением, патриарх прошел в церковь, и началась пасхальная заутреня.

— *Воскресение Твое, Христе Спасе, Ангелы поют на небесех, и нас на земли сподоби чистым сердцем Тебе славити...*

Многие в церкви заметили, что подошедший к митрополиту Серафиму только что прибывший патриарх Тихон негромко сказал ему что-то как раз в ту минуту, когда Плащаницу возлагали на алтарь. И митрополит ему быстро ответил.

В темноте начали зажигаться огоньки свечей, бережно заслоняемые розовыми от света ладонями. Народ вышел из церкви и, смешавшись с теми, которые стояли на улице, пошел крестным ходом вокруг ее белого здания.

Варя Брусилова подошла к Дине, лицо которой, снизу освещенное огнем, было сосредоточенным и тихим, зажгла свою свечку, которую только что задул ветер, от ее свечи и пошла с нею рядом. С каждым новым ударом колокольный звон становился все радостнее и радостнее, и, дойдя до какой-то почти нестерпимости, она, эта радость, наполнила лица, которые робко, испуганно, словно боясь, что накажут, светились улыбками.

«Да, Господи! — отчаянно думала Таня, поддерживая под руку мелкими и старчески-неуверенными шагами спешащую няню. — Мы терпим и будем терпеть, потому что иначе нельзя, потому что, если бы я никого не любила, я бы и Богу ничего не была бы должна, но ведь это Он хочет, чтобы я так любила и Илюшу, и папу, и Сашу, и, значит... И папа бы так за меня не боялся. И Дина...»

Она не успела додумать того, что ей нужно было додумать о сестре: радость, охватившая ее изнутри, мешала словам, которые все равно не выразили бы и сотой доли того, что поднялось в ее душе. Она увидела, что Дина, идущая впереди, приостановилась, и Варя, держа в одной руке свечу, а другую положивши на Динино плечо, говорит ей что-то. Дина стояла спиной, но Варино лицо, которое Таня увидела в профиль, поразило ее своим выражением.

Капелька воска, сильно пахнущая луговым клевером, упала на Танину руку и обожгла ее. Неизвестно почему, но этот маленький ожог сейчас же напомнил ей мать, которую она никогда не увидит больше. Ей показалось, что, если бы мать ее умерла, она бы сейчас любила ее всем сердцем и все бы простила ей, но то, что мать жива, уехала куда-то, на край земли, и все еще не написала ни ей и ни Дине, мешало любви и особенно той бессознательной радости, которая сейчас переполняла ее.

«Нельзя о ней думать! Не нужно!» — приказала она себе.

Идущая впереди Дина не думала о матери и даже не вспомнила о ней. Она, как всегда, с горечью и тоской думала об Алексее Валерьяновиче Барченко, все интонации которого, и жесты, и голос были впаяны в ее мозг и не покидали его.

— Послушай меня! — Варя, всем телом развернувшись к ней на ходу, коснулась своим огоньком ее свечки. — Послушай! Проси Его вместе со мной! Проси, чтоб Алеша был жив! И он, чтобы смертию смерть... Алеша! Пускай он вернется! Проси, я тебе говорю!

Когда крестный ход подошел к дверям церкви и патриарх Тихон, отечное лицо которого сияло торжественной радостью, начал осенять собравшихся крестным знамением, три машины подъехали к ограде, и люди в кожаных куртках, высыпавшись из них, заслонили выход на улицу. В толпе началось беспокойство. Послышались крики.

— Христос воскресе! — сильным, уверенным голосом сказал патриарх, осеняя толпу.

— Воистину воскресе! — ответила толпа.

— Прекратить служение! — крикнул один из чекистов и направился к крыльцу. — Довольно уже послужили! Церковь закрыта!

Патриарх Тихон побледнел так, что даже стоящие поодаль люди заметили эту бледность.

— Христос воскресе! — громко повторил он.

— Воистину воскресе! — еще слаженнее ответила толпа.

— Гражданин Белавин, прекратите противозаконные действия и сядьте в машину! — приказал чекист, видимо, не до конца уверенный в том, как нужно сейчас говорить с патриархом.

— Христос воскресе! — в третий раз провозгласил патриарх.

— Воистину воскресе! — заревела толпа.

Двое чекистов подхватили патриарха под руки и повели его вниз с крыльца.

— Не трогай его! — закричал звонкий мальчишеский голос из толпы. — Ироды!

— Завтра начнется изъятие церковных ценностей! — в рупор прокричал стоящий на подножке машины чекист. — Нужно заблаговременно освободить помещение! Постановление товарища Ленина и товарища Дзержинского! Изъятые ценности пойдут на помощь голодающим!

— Каким голодающим? — забеспокоились в толпе. — Сначала зерно у людей отняли, по миру пустили, а теперь оклады изымают... Вот сучье отродье!

Митрополит Серафим, оставшийся стоять на крыльце, видимо, угадал, что сейчас произойдет что-то безобразное, что-то такое, чему нет названия на бедном человеческом языке и что только темным, дымящимся ужасом застрянет внутри человеческой памяти.

— Братия мои! — громко произнес митрополит, не спуская глаз с того, как патриарха Тихона заталкивают в машину. — Сказано в книге Пророка Иеремии: «За то, что они оставили Меня, и чужим сделали место сие, и кадят на нем иным богам, которых не знали ни они, ни отцы их, ни цари Иудейские, наполнили место сие кровью невинных и устроили высоты Ваалу, чтобы сожигать сыновей своих огнем во всесожжение Ваалу, чего Я не повелевал и что не говорил, и что на мысль не приходило Мне; за то вот, приходят дни, говорит Господь, когда место сие не будет более называться Тофетом или долиною сыновей Енномовых, но долиною убиения».

Толпа притихла, и слабым шелестом, повторенное многими, проползло по ней слово: *убиения*...

— Сказал Пророк, — продолжал митрополит, — «и сделаю город сей ужасом и посмеянием, каждый проходящий чрез него изумится и посвищет, смотря на все язвы его. И накормлю их плотью сыновей их и плотью дочерей их, и будет каждый есть плоть своего ближнего, находясь в осаде и тесноте, когда стеснят их враги их и ищущие души их».

Чекисты подали знак милиционерам, и те, как ястребы, налетели на собравшихся:

— А ну, расходись! Всё! Закончился праздник! Пошли по домам! Разговляться!

Половина людей отступила и попятилась. Многие быстро, втянув головы в плечи, покидали церковный двор и растекались по темным улицам. Но были и те, которые с по-прежнему горящими свечками придвинулись ближе к крыльцу. Варя Брусилова, высокая и худая, в белом платке на своих черно-синих, маслянисто блестящих волосах, стояла у нижней ступеньки.

— Вот встретили Пасху, — слышалось из толпы. — А сильные, черти! Гляди, налетели... Ведь сказано: душ наших ищут...

Со стороны Плющихи показались движущиеся факелы, послышались крики, повизгивания и звук балалайки. Та самая платформа, идея которой была единогласно принята на совещании в кабинете режиссера Мейерхольда, выплыла из темноты, всем обликом напоминая чудовищ, которыми люди пугают младенцев. Обнаженные рабы, закованные в цепи, с испуганными и замерзшими лицами, с факелами в руках, изображали вековую отсталость. Впереди них, размахивая красным флагом и подпрыгивая то ли от сильного возбуждения, то ли от холода, ехала женщина в белом балахоне, лица которой было почти не разглядеть, но зато хорошо была освещена факелом ее огромная, до самых сосков оголенная грудь. За оцепеневшими рабами и пляшущей женщиной ехала другая платформа, поменьше, чем первая. На ней помещались одни угнетатели. Угнетатели были представлены обычно: толстые, в больших черных рясах попы, которые держали перед собой неправдоподобно огромные кресты и гнусаво пели какие-то якобы молитвы, вставляя в них неприятные слуху ругательства; капиталисты с подложенными под рубахи подушками, очень хорошо напоминающими животы, где веками откладывались продукты прибавочной стоимости; царь в ярко-желтой короне, с руками, густо измазанными в крови угнетенных; царица в растрепанном лиловом парике, — и много, о, много другого, наспех, но пылко придуманного театральными деятелями и работниками культуры, вся кожа которых — с *того* октября — горела и ныла от страха.

Некоторые из собравшихся вокруг церкви начали смеяться и показывать пальцами на быстро приближающийся маскарад, но большинство в ужасе смотрели на отвратительное зрелище.

Митрополит Серафим, прошедший в чине офицера сначала русско-турецкую, а затем русско-японскую войну, имевший несколько ранений, от одного из которых он почти потерял зрение, медленно осенял крестными знамениями то верующих, ждавших, когда можно будет войти обратно в церковь, то этих несчастных — в огне, полуголых, замерзших и пьяных, — которых он не мог толком разглядеть своими больными глазами; но в том, что *тот,* о котором он столько думал, боялся которого и ненавидел, использовав этих людей, переломав им хребты, ослепив, их не пожалеет, долины своих *убиений* устелит и ими, отец Серафим уже не сомневался.

— Они сегодня по всем храмам ходят, — шептались в толпе, — после нас в Новодевичий едут! А в Елоховском, говорят, батюшку арестуют, а православных будут плетками разгонять!

...К часу ночи Лотосовы вернулись домой. Няня, совсем потерявшаяся, опустилась на краешек дивана в столовой и всхлипывала. Белый праздничный платочек сполз с ее головы, и старческая, сухая, с темными пятнами кожа просвечивала сквозь редкие волосы.

— Ольга Васильна! — громко сказал доктор Лотосов, опустившись перед ней на корточки и забрав в свои ладони ее дряхлые руки. — А что ж мы с тобой даже не поцеловались? Ведь праздник сегодня, а? Ольга Васильна!

Он приподнял ее с дивана. Няня была легче ребенка.

— С Пасхой тебя! Христос воскресе!

Она испуганно, по-детски смотрела на него.

— Напугалась? — спросил он. — Наплюй ты на них! Христос воскресе!

— Воистину!.. — залившись слезами, ответила няня и сморщенным старетьким личиком потянулась вверх, к его большому, бородатому лицу, чтобы поцеловаться.

Утром, в воскресенье, товарищ Дзержинский собрал у себя в кабинете несколько человек, включая товарища Блюмкина. Обсуждался состав экспедиции на Тибет.

— Ваше участие, товарищ Блюмкин, согвасовано с товарищем Лениным, — сухо сказал Дзержинский, — но что касается этой актрисы, товарища Форгерер, то я, признаться, не понимаю, какой у нас смысл, чтобы она быва в числе...

Он не договорил и закашлялся.

— Женщины, причем с такой внешностью, как у актрисы Форгерер, могут иметь огромное влияние на то, что происходит в делах государства, — сдержанно, но уверенно ответил Блюмкин. — История знает немало примеров, товарищ Дзержинский. Да и во времена Великой французской революции участие женщин, как мы знаем, весьма подливало масло в огонь...

— Продолжается ли связь актрисы Форгерер с товарищем Барченко? — спросил Дзержинский.

— Мы контролируем их отношения, — заиграв желваками, ответил Блюмкин, и черные глаза его вспыхнули. — Барченко находится, в сущности, под арестом и никуда не выходит без сопровождающего. Он, впрочем, предпочитает никуда и не выходить. Актриса Форгерер не имеет возможности проникнуть к нему без пропуска. Товарищ Барченко, как я понимаю, не стремится к тому, чтобы увидеть актрису Форгерер; она же, напротив, в отчаянье, как я видел сам, все время страдает и плачет.

— Скучает? — усмехнувшись бескровными губами, спросил Дзержинский.

— Скучает, — нагловато ответил Блюмкин и хотел сказать что-то еще, но удержался. — А это нам на руку, товарищ Дзержинский.

— Объясните, — кивнул Дзержинский.

— К актрисе Форгерер пару месяцев назад приехал из эмиграции муж, Николай Михайлович Форгерер, — негромко ответил Блюмкин. — Человек, как мне доложили, очень впечатлительный, известный в артистических кругах и у нас, и *там*. — Блюмкин неопределенно кивнул головой. — У него неплохо шли дела в Берлине, была работа, но он предпочел все бросить и вернуться. Страсть, подтверждающая исключительные, так сказать, качества его супруги...

— Да, странно... — сказал Дзержинский. — Такие, как он, убегают, как крысы, а этот вернулся... И что, они вместе живут?

— Живут в одном доме, — уклончиво сказал Блюмкин. — А там — кто их знает... Она с большим норовом дама. Красавица, впрочем. Таким все прощается!

— Советская власть ничего не прощает! — У Дзержинского посерело лицо, и темные тени проступили с обеих сторон носа. — Я вас попрошу выбирать выражения! Зачем же она нам нужна?

— Пока ни Тибет, ни Индия не перешли на рельсы коммунистической идеологии, — витиевато сказал Блюмкин, — мы не можем гарантировать то, что профессор Барченко, знающий восточные языки, обладающий силой гипнотического воздействия на людей, чему примером может послужить история актрисы Форгерер, — мы не можем гарантировать того, что, оказавшись за пределами советской Родины, он не захочет улизнуть и передать свои знания тем же немцам или даже англичанам.

— При чем же здесь все-таки Форгерер? — сдерживая гнев, спросил Дзержинский.

— Наличие рядом с ним в экспедиции этой женщины, к которой Барченко, уверяю вас, неравнодушен и о которой он заботится с первого дня знакомства с нею, свяжет ему руки. Барченко не захочет поставить под угрозу ни ее жизнь, ни ее свободу.

— Но почему же тогда не взять ее с собою, если он решит перейти к англичанам?

— Вот тут-то он связан! — воскликнул Блюмкин. — У этой дамы куча родных. Она отлично понимает: случись что, и все они окажутся у нас. Особенно ей будет страшно за мужа. Ведь все эти анны каренины, они за мужей своих очень боятся. Не дай Бог, чтоб муж за нее пострадал! О, тут очень тонко...

На лице Дзержинского выразилось сомнение. Он высоко приподнял брови.

— Даю вам неделю, товарищ Блюмкин, на решение всех организационных вопросов. А кстати, от Рериха есть что-нибудь?

— Художник Рерих просил передать через нашего сотрудника, что он собирается через несколько месяцев доставить послания махатм советскому правительству. К тому же он сообщает, что махатмы очень серьезно рассматривают слияние двух учений — коммунизма и буддизма — в одно универсальное космическое учение, на основе которого можно будет приступить к созданию Единой Восточной Республики.

— Под нашим флагом, разумеется? — быстро и гневно оттого, что все время приходилось с трудом удерживать приступы кашля, уточнил Дзержинский. — А он не пытается нас... вокруг пальца?

— Товарищ Дзержинский, — спокойно сказал Блюмкин, — за ним там присматривают.

Начало мая выдалось холодным, ночами нередко шел снег. «Чудо святого Антония» решили выпустить к середине месяца, и режиссер замучил труппу ежедневными репетициями, которые тянулись до глубокой ночи. Актриса Форгерер играла роль Смерти, которая, по замыслу умирающего Багратионыча, которому только что сделали еще одну операцию на желудке, должна была быть не беззубой старухой, а именно юной и хрупкой красавицей. Ее вывозили в коляске на сцену, но она пряталась под кружевами, и никто не видел, какая она. Она была просто младенцем, и ей пели песни. Наконец она вырастала там же, внутри коляски, как князь Гвидон, которому выпало вырасти в бочке и в бочке набраться неслыханной силы. Под звуки веселой и радостной скрипки она поднималась, стряхнув с себя кружево, и тут начинались ее приключения. С ней можно было шутить и договариваться, ее можно было обманывать, как принято обманывать женщину, и даже скандалить, и хлопать ее ниже талии — все можно, как думал тогда, умирая (по-прежнему в шубе, хотя потеплело), с ноздрями, изъеденными «белой феей», с глазами, которым, казалось, неловко быть теми же, прежними, с ярким их блеском, какими и были они до болезни, Евгений Вахтангов. Он тоже желал показать Смерти фокус.

Незадолго до премьеры у Дины произошла неожиданная встреча с товарищем Блюмкиным, который догнал ее на машине, когда, почти бегом, опаздывая, чего не переносил Вахтангов, она торопилась в театр.

— Садитесь! — крикнул Блюмкин, высунувшись из машины и оскалившись на нее своими неровными зубами. — Я вас подвезу! Я ведь тоже в ту сторону!

Она тряхнула головой и ускорила шаги.

— А я говорю вам: садитесь!

Машина остановилась. Она села.

— Я сегодня, как видите, один, без кавалера вашего, без Терентьева! — весело сказал Блюмкин. — И с прекрасной новостью, Дина Ивановна! Нас с товарищем Барченко пригласили на премьеру «Святого Антония». Подумайте только: вчера прихожу к себе в кабинет, а у меня на столе две контрамарки! Вот это действительно нам повезло! Я ведь и сам человек искусства, Дина Ивановна. Если бы не ситуация в стране, когда нужно быть ежесекундно начеку и с этой игрушкой вот не расставаться, — он хлопнул ладонью по кобуре, висевшей на поясе, — я бы тоже занялся каким-нибудь художеством. Нельзя! Дела много!

— Вы будете с ним на спектакле? — потемнев лицом, спросила она.

— И после похитим мы вас, дорогая, и — праздновать... Ну, вот и приехали. Скоро увидимся!

Даже Варе, которая после случившегося во время пасхальной службы была еще больше прежнего занята тем, что вместе с другими, такими же наивными людьми придумывала, как помешать изъятию церковных ценностей, а на самом деле, как теперь понимала Дина, мечтала только об одном: возвращении своего мужа Алеши Брусилова, который уже два года числился в умерших, — даже Варе она не сказала о том, что Блюмкин пообещал привезти Барченко на премьеру. При одной мысли, что она увидит его, вся кровь приливала к сердцу, и страх и восторг охватывали ее с такой силой, что Дина переставала понимать, где она и что с ней. Она не помнила о том, что на спектакле собиралась быть вся ее семья — и муж, разумеется, тоже, — и, стало быть, всем им придется столкнуться.

В особняке Ивана Христофоровича Берга, не так давно национализированном для театра, зрительный зал был набит до отказа. В первом ряду сидели семья режиссера и многочисленные родственники со стороны жены — все чернобровые, горбоносые, с темными ресницами. Женщины смущенно тискали на крупных коленях маленькие носовые платочки. Сам режиссер, потерявший голос от волнения, не в шубе, а в короткой сатиновой рубашке, из рукавов которой жалко и болезненно торчали его очень худые, с перекрученными венами руки, знаками делал последние распоряжения артистам.

Дина Ивановна Форгерер, нарядная, как и подобает Смерти, с румяными щеками и золотым обручем, перехватывающим ее огромные волосы, смотрела сквозь щелку тяжелого занавеса на происходящее в зале. Она видела, как в левую дверь вошел ее муж, Николай Михайлович Форгерер, такой же красивый и статный, как обычно, в прекрасном костюме и бабочке, как он оглядел разношерстную публику и, мягко и неторопливо ступая, протиснулся в свой шестой ряд. Потом вошли Тата с Алисой Юльевной, и Алиса Юльевна вела за руку нарядного Илюшу, а у Таты на ее длинной и хрупкой шее мерцала ниточка жемчуга. Отчим, наверное, должен был приехать прямо из больницы.

Зрительный зал заполнился разнообразными человеческими запахами: от терпких духов до запаха черного хлеба и лука, которыми многие и закусили, готовясь идти на премьеру в театр. Ни Блюмкина, ни Барченко не было.

— Готовимся к выходу! — знаками показал режиссер, и выкаченные глаза его, задрожав, закрылись от волнения.

И тут же она увидела его. Он был один, без сопровождающих. За эти месяцы он похудел так сильно, что пиджак, который она хорошо помнила, висел на нем мешком, и от его прежней грузности не осталось и следа. Лицо его было измученным, но больше раздраженным, с глубокой и неутихающей досадой. Мимо, почти задев его своею золотистой, до пола свисающей шалью, прошла очень тонкая женщина, коротко стриженная, с низкой, до самых глаз, челкой и с такими повадками, как будто она точно знала, что все и всегда перед нею расступятся. Он слегка поклонился, пропуская ее. И тут же ревность к этой незнакомой, не имеющей к нему никакого отношения женщине вонзилась когтями, и так глубоко, что Дина Ивановна чуть не заплакала.

— Да где же вы, Форгерер! — Актер Захава, загримированный столь искусно, что и родные родители не узнали бы его с первого взгляда, налетел на Дину. — Кого вы там ищете? Мы начинаем!

Играли блестяще. И главное, как это казалось молодому умирающему режиссеру, Смерть, которую он должен был отогнать этим спектаклем, действительно отступила, и когда он, шатаясь от слабости, поддерживаемый под руки товарищами, вышел под звонкие аплодисменты кланяться, то первый раз за много месяцев у него не болела и не кружилась голова, а вечно кровящая рана, которою стал его тощий желудок, почти не горела огнем, как обычно.

За кулисами уже накрывали на стол, и ждали прихода Станиславского, и разливали водку по стаканам, и все родственники, включая армянских застенчивых женщин с густыми ресницами, которые отворачивались от предлагаемого им спиртного, бледнели, и темные их, шелковистые губы шептали: «Зачэм? Я нэ пью!» — все родственники и знакомые, имевшие хоть какое-то отношение к чуду святого Антония, беспорядочно толкались вокруг этого стола, восхищаясь игрой и спектаклем. Сам режиссер сидел на своем обычном кресле и пил ледяную воду из кувшина. Жена прикладывала к его лбу мокрое полотенце. Дина Ивановна Форгерер, уже без золотого обруча на голове и не в кружевах, а в простом синем платье, взволнованная, но мрачная, стояла у двери, в которую входили и входили новые люди, и на лице ее было такое выражение, как будто она ждет не дождется, когда можно будет улизнуть.

— Дина Ивановна, а где же ваш муж? — спросил ее кто-то.

Она вышла на сцену и увидела, что в проходе, не зная, что им делать, стоят Алиса и Таня с Илюшей. Отчима не было, и Николая Михайловича тоже не было. Она обежала глазами весь быстро пустеющий зал: Барченко сидел в последнем ряду, прикрывая лицо ладонью.

Она закусила губу и, спрыгнув со сцены, подошла к сестре.

— У Коли мигрень, — сказала сестра, — он побежал в аптеку за порошком.

— У меня тоже мигрень, — пробормотала она. — Сегодня с утра...

— Так, может быть, пойдем домой? — спросила Таня. — Или ты должна остаться?

— Конечно, ведь я...

Дина Ивановна не успела закончить: Блюмкин появился в дверях и махал ей рукой.

— Мне нужно идти, — задохнулась она. — Скажи тогда Коле...

Таня проследила за направлением ее взгляда и встретилась глазами с черными и наглыми глазами Блюмкина.

— Куда тебе нужно идти?

— Мне нужно идти! Ты скажи...

— Но что мне сказать?

— Не знаю, придумай!

Она увидела, что Барченко встал, направляясь к выходу, и, не отвечая сестре, побежала за ним.

Таня опустилась в кресло, Алиса продолжала стоять, держа за руку уставшего Илюшу.

— Что мы скажем Николаю Михайловичу, Алиса?

— Мы скажем, что за ней пришли двое актеров из другого театра, которые были восхищаемы ею, — старательно ответила Алиса, — приглашали ее на свой спектакль, который скоро уже закончится. И она побежала.

Алиса Юльевна всегда делала ошибки в языке от волнения.

— Куда побежала? Зачем?

— Откуда мы знаем, куда и зачем. Но мы с тобой видели этих людей. Могли ведь мы думать, что это актеры?

— Мне иногда кажется, — с отчаянием сказала Таня, — что она и себя погубит, и всех нас! И то, что она все скрывает...

— Для нас это лучше, — перебила осмотрительная и умная Алиса Юльевна. — Какая-то есть же причина. Пускай она лучше скрывает! А если бы мы с тобой знали всю правду?

— Ох, вот он идет! — прошептала Таня.

Николай Михайлович вошел, потирая руки от холода.

— Опять умыкнули перчатки! — сердито засмеялся он. — Не успел опомниться, а перчаток нет! Жена моя где? Все уже за кулисами?

— Дина просила передать вам, Николай Михайлович, — покраснев, выдавила Алиса, — что ее пригласили сегодня на один спектакль, поэтому ей довелось отлучаться... Она побежала совсем ненадолго.

Николай Михайлович широко раскрыл глаза.

— Как? Даже не подождала? Какой же спектакль? И где? С какой стати?

— Коленька, мы ничего не знаем, — всхлипнула Таня. — Она умчалась, мы даже ничего не успели у нее спросить. Наверное, она сама объяснит тебе...

— Не желаю никаких объяснений! — Лицо Николая Михайловича стало жалким, но голос он повысил и высоко поднял голову. — Мы завтра разводимся, я уезжаю!

— Да, Коля, ты прав. — Таня виновато посмотрела на него. — Не знаю, кто бы еще столько вытерпел...

— Я не приду ночевать сегодня, — издевательски поклонился Николай Михайлович, разводя своими покрасневшими без перчаток руками. — Передай своей сестре, что я требую развода!

И сам услышал, как дико и странно прозвучали его слова.

Машина ждала их перед театром. Товарищ Яков Григорьевич Блюмкин сел рядом с шофером, Дина Ивановна Форгерер и товарищ Алексей Валерьянович Барченко устроились сзади.

— Давай в «Метрополь»! — весело сказал товарищ Блюмкин шоферу. — Домой к вам покатим, профессор! Там можно отлично поужинать. Ведь вы не торопитесь, Дина Ивановна?

Этот человек, которого она хотела, но так и не смогла возненавидеть, сидел рядом и не касался ее. Даже рукав своего летнего серого пальто он старательно отодвинул от ее рукава. Глаза его были полузакрыты. Ей показалось, что он тяжело болен, что у него, может быть, даже высокая температура. Мешки под глазами были не темными, как прежде, а лиловато-красными, как будто бы в них из-под нижнего века стекла и застыла ненужная кровь.

— Куда мы едем? — спросила Дина, хотя ей было все равно, куда ехать.

— А я не сказал? — обернулся Блюмкин. — Второй Дом Советов, вернее сказать, «Метрополь». Нам столик заказан, поди, уж накрыли.

— Товарищ Блюмкин, — мертвым и размеренным голосом проговорил Барченко. — Зачем вам сейчас эти игры? Скажите нам просто: к чему вы ведете?

— Дорогой мой профессор! — расхохотался Блюмкин. — Да разве вам было бы не скучно, если бы я усадил вас вместе с Диной Ивановной на мокрую лавочку в сквере и стал бы обсуждать с вами серьезные дела? Неужели вам не было бы скучно? Вот горе-то! Победа социалистической революции досталась нам непростой ценой. Я не говорю о количестве драгоценных человеческих жизней, брошенных на костер борьбы, но я говорю о том, что за эти годы люди уже начали привыкать к скудности быта и даже чашку горячего крепкого чая воспринимают как роскошь. А это ужасно! Нам нужно вернуть и вкус к жизни, и радость застолий, и блеск восхитительных женских улыбок, — он покосился на мрачное, горящее лицо Дины Ивановны, — таких вот, как ваша улыбка...

Барченко обреченно махнул рукой и, не слушая, принялся смотреть в окно.

В ресторанном зале Второго Дома Советов чудом сохранилась былая роскошь гостиницы «Метрополь». Массивные столы белели хрустящими скатертями, развернутые наполовину салфетки, вставленные в тяжелые бокалы, издали напоминали голубей, готовых взлететь высоко в поднебесье, и фрукты своим ароматом и негой, своим золотистым и синим отливом почти затмевали фарфор с хрусталями. Официанты, которые явно не были наспех обученными пролетариями, а принадлежали к той славной касте настоящих умельцев и любителей своего дела, которых почти и в живых не осталось, скользили между столиками, как фокусники, открывая бутылки с шампанским и серебряными половниками разливая по глубоким тарелкам голубовато дымящуюся уху.

— Ах, славно! Люблю это место! — потирая руки, обрадовался Блюмкин.

Людей в черных кожаных куртках было немного, они и смотрелись-то здесь неестественно. Из знаменитых большевиков, которые жили и работали во Втором Доме Советов, спустился поужинать только Николай Иванович Бухарин, а где в это время находились и что ели все остальные, включая Свердлова и Чичерина, так и осталось загадкой. Столик, заказанный Яковом Григорьевичем Блюмкиным, оказался у окна.

— Вот здесь нам никто и не будет мешать, — сказал он. — Садитесь, товарищи.

Они сели, по-прежнему не глядя друг на друга. Лысый, маленького роста, совершенно неуместно похожий на товарища Ленина официант принес меню. Блюмкин деловито прищурился.

— Разговор у нас с вами «сурьезный», — насмешливо сказал он, — так что нужно покушать, сил поднабраться.

У входа послышались шум и пьяные возгласы. Все присутствующие обернулись.

— А, черт их принес! — Блюмкин скрипнул зубами.

Отталкивая официанта, который пробовал удержать его, в ресторанный зал Второго Дома Советов, обнимая за талию высокую и полную, намного выше его, слегка смущенную женщину, вваливался великий поэт Сергей Есенин, со своими русыми, много раз воспетыми кудрями и ангельски-чистым, хотя и опухшим лицом. Одного взгляда на это лицо хватило, чтобы теперь — через столько лет после того, как Дина первый раз увидела его, выкрикивающего частушки под гармонику, совсем молодого, шального и хитрого, — одного взгляда на это лицо теперь, когда Есенин превратился в стройного, превосходно одетого, с ненужною тростью в руке человека, хватило на то, чтобы сразу заметить, что он погибает, погибнет (и, может быть, даже сегодня погибнет!), но то, что он должен был *выполнить*, он уже *выполнил*, уже зацепил в человеческом сердце какую-то кровоточащую нитку, за что его будут любить и повсюду поставят ему на земле монументы. Если бы Дине Ивановне Форгерер было хоть сколько-нибудь интересно или важно что-то еще, кроме

Алексея Валерьяныча Барченко, то в минуту, когда, не отпуская полной талии Айседоры Дункан, Сергей Есенин входил в ресторанный зал, она, с ее взбалмошным сердцем, тотчас угадала бы, отчего Зинаида Райх, похожая телом, осанкой, повадкой на всех уцелевших подводных русалок, вилась, словно пчелка, вокруг «негодяя», как звал его нынешний муж ее, Всеволод. В ангельски-чистом, опухшем лице «негодяя» было почти недоступное людям бескорыстие по отношению к жизни вообще; то бескорыстие, которое прямо говорило, что ему ничего, в сущности, и не нужно, а то, что кажется нужным, то ровным счетом ничего не стоит, поэтому можно хитрить, можно пьянствовать, но лишь для того, чтобы пьяным развратом прикрыть пустоту своего отторжения. Природа этого отторжения, несмотря на то что она одна у всех, испытавших ее, чрезвычайно трудно поддается описанию, и проще всего определить ее как мощное и неотступное понимание того, что в жизни, которую все так старательно и суетливо «прибирают», словно это комната, в которой они поселились навечно, — в этой жизни нельзя дорожить ничем, кроме того единственного, о чем люди все равно или не догадываются вовсе, или догадываются наспех и невпопад. Но то, что это, единственное, существует, пьяный и дикий человек с ангельски-чистым, опухшим от водки лицом угадал почти сразу же и, не имея верных слов, чтобы выразить свою догадку, слова подставлял наугад и случайные, но музыку сразу поймал безошибочно.

— Принесла нелегкая, да еще с танцовщицей! — пробормотал Блюмкин, брезгливо глядя на то, как еле держащегося на ногах поэта усаживают за дальний столик и смущенная иностранка в ярко-красном балахоне, с черным бархатным бантом в волосах поправляет на нем растерзанную одежду и гладит его по золотистому затылку. — Теперь нужно надеяться, что он нас хоть не заметит с пьяных-то глаз!

Между тем похожий на лысого Ленина официант принес водки в запотевшем графине, красного и белого вина в плетеной корзинке, серебряную хлебницу с черным и белым хлебом, хрустальную вазочку с черной икрой, такую же вазочку с красной, янтарное, только что из холодильника, масло, расставил тарелки, придвинул приборы. Блюмкин разлил водку.

— За наши успехи, товарищи! — сказал он и чокнулся с Барченко, вяло приподнявшим свою рюмку над скатертью. — А вы что же, Дина Ивановна?

Дина выпила залпом и сильно побледнела.

— Икорки, икорки! — заторопился Блюмкин. — Здесь знаете какая икорка? Из ваших северных краев, товарищ Барченко! Из Мурмана возят. Отборная!

Барченко не ответил. Официант принес уху, к которой ни Барченко, ни Дина почти не притронулись. Блюмкин подлил еще.

— Поужинаем с вами, дорогие товарищи, — хлопотал и скалился он, — обсудим дела — и по мягким постелькам! Я вам честное слово даю, что всю прошлую ночь не удалось глаз сомкнуть. Работа такая!

— А этот откуда здесь? — вдруг спросил Барченко, показывая на кого-то пальцем.

Дина, уже захмелевшая, обернулась и увидела Мясоедова, который неподалеку от них ужинал с двумя дамами. Мясоедов был так же прекрасно, добротно одет, как все в этом зале, и та же кровавая муха сидела на левом глазу его, тот же пробор делил пополам его черные волосы.

— Славному сотруднику наших доблестных органов товарищу Блюмкину! — Поймав ее взгляд, Мясоедов приподнялся над стулом и высоко вскинул доверху налитую рюмку. — Доблестному первооткрывателю неизвестных земель профессору Алексею Валерьянычу Барченко! — Он быстро выпил и тут же налил еще. — И первой красавице из гимназии контрреволюционеров Алферовых, расстрелянных по законам революционного суда, Дине Зандер!

— Ура! — быстро пискнули дамы и тоже вскочили.

— Садитесь, садитесь! — лениво кивнул им Блюмкин. — Что вы, как куры в курятнике, переполошились?

«Мясоедов следил за ним, а потом остался в Мурмане. И сын Веденяпина тоже остался! Мне нужно спросить у него... — сквозь хмельную пелену подумала Дина. — Спросить... что случилось с Василием... Какой отвратительный сон... Мясоедов...»

— Товарищ Блюмкин, — твердо сказал Барченко, — я что-то неважнецки чувствую себя сегодня. Разрешите мне откланяться.

— Нет, я вам не разрешаю, — нагло отозвался Блюмкин, принимаясь за телячий медальон с жареной картошкой и зеленью. — Боитесь вы этого? — он кивнул в сторону Мясоедова. — Не бойтесь. Пока вы со мной, он ягненок.

— Ну, я ведь и вас тоже очень боюсь, — усмехнулся Барченко.

Блюмкин оскалился:

— А я никого не боюсь. Вот разве что Дины Ивановны. Глаз ее синих...

На сцене появились музыканты, одетые так, как им и подобает, — в черные фраки с бабочками; раскрыли футляры, высвободили свои блистающие инструменты. К роялю сел полный, мучнистый, с глазами навыкате.

— Дорогие товарищи! — сказал он приятным басом. — По случаю болезни Федор Иванович Шаляпин не сможет приехать сегодня. Хотя остается надежда! Через полчаса за ним будет послана машина, и если великий артист почувствует себя в силах, он непременно приедет, чтобы стать украшением нашего вечера! А сейчас, дорогие товарищи, предлагаю вашему вниманию газель Востока, прелестную Тамару Церетели! Похлопаем ей, товарищи!

Чернобровая девочка с неулыбающимся лицом и грустными глазами, одетая в длинное платье, из-под которого видны были ее поношенные черные туфельки, подошла к роялю, кивнула аккомпаниатору и прижала к груди руки:

> Мой костер в тумане светит,
> Искры гаснут на-а лету.
> Ночью нас никто не встретит,
> Мы простимся на-а мосту...

Голос был низким, она пела сдержанно и обреченно, как будто в свои очень юные годы уже испытала любовь и потерю.

> Кто-то мне судьбу предскажет?
> Кто-то завтра, сокол мой,
> На груди моей развяжет
> Узел, стянутый тобой?

Она допела и, опустив длинные ресницы, ждала аплодисментов. В зале захлопали. Есенин уронил голову на руки и тут же поднял ее.

— Красавица! — выкрикнул он.

Встал, погладил свою танцовщицу по голому плечу и, сильно качаясь, подошел к сцене.

— Красавица! — повторил он и в губы поцеловал Тамару Церетели сухим пьяным ртом. — Давай с тобой эту... — И хрипло, но верно запел: — Гори, гори, моя звезда...

— Звезда любви, — низко и сдержанно подхватила Церетели, — приветная-а-а...

— Ты у меня-я одна заветная, другой не будет никогда-а! — вывели они так слаженно и чисто, как будто давно пели вместе.

На столик товарища Блюмкина поставили фрукты, ликеры и кофе.

— Пока нет Шаляпина, — сказал товарищ Блюмкин, — давайте-ка мы приступим к нашим делам. А то еще один гений приедет, и к черту тогда разговор! Тогда уж и я запою... Налить вам ликерчику, Дина Иванна?

Дина кивнула.

— А дело такое, — продолжал Блюмкин, потягивая ликерчик. — Нужно будет вам, Дина Ивановна, забыть на время ваши сценические успехи и составить товарищу Барченко компанию. Поедете с ним на Тибет.

Ей стало страшно от силы того счастья, которое охватило ее.

— Дине Ивановне лучше остаться в Москве и заниматься своим делом, — резко сказал Барченко. — Она не знает нужных для этой экспедиции языков и не имеет необходимых навыков. Мне требуются квалифицированные помощники!

— Ну, я думаю, что недельки за две вы ее достаточно квалифицируете! — так же резко оборвал его Блюмкин. — А что касается языков, так и я ведь поеду. А я восточные языки знаю. Дина Ивановна нам не в качестве переводчика пригодится.

— В каком же она качестве **нам**, — делая ударение на «нам», спросил Барченко, — пригодится в этой экспедиции?

— А то вы не догадались, профессор? — прищурился Блюмкин. — И тут уж вам Дину Иванну никто не заменит!

— Слушайте, вы! — Барченко перегнулся через стол. Чашка задрожала в его руке, и половина ее выплеснулась на скатерть. — Я вам не позволю!

— А вы что-то осмелели, товарищ Барченко, — видимо, сдерживаясь, но с глазами, сузившимися и налившимися кровью, выдохнул Блюмкин. — Что это вы вскочили, как конек-горбунок? Забыли, что вы еле держитесь, а? Ведь нам заменить вас... — Он замолчал, шумно дыша сквозь стиснутые зубы. — И вы это знаете!

— Я знаю, — ответил Барченко.

Дина посмотрела в сторону Мясоедова и увидела, что он отложил еду и прислушивается.

— Ну а если знаете, — уже спокойнее спросил Блюмкин, — чего на рожон-то полезли? Поедете с женщиной, вам только лучше.

— Дина Ивановна Форгерер — не моя женщина, она замужем и должна жить там, где живет ее муж.

Дина Ивановна Форгерер сидела неподвижно, опустив глаза и прижав руку к горлу.

— Водички со льдом? — подскочил лысый официант.

Она покачала головой.

— Оставьте, профессор! — скривился товарищ Блюмкин. — А то мы не знаем... А то мы не следили за вами и вашим родственником и не знаем, какими вы там делами занимались...

Оккультисты! А сколько девочек вам помогали? Хотите, я вам расскажу, какие именно гипнотические приемы вы применяли? И Дина Ивановна не исключение!

Лицо Барченко сделалось страшным. Он открыл рот и несколько секунд хватал воздух этим широко раскрытым, огромным и дрожащим ртом.

— Да хватит вам, здесь не театр! — махнул рукой Блюмкин.

— Отпустите меня, — пробормотал Барченко.

— Я оставляю вас вдвоем, товарищи. — Блюмкин встал. — За ужин заплачено. Экспедиция намечена на конец июля. Все инструкции, товарищ Барченко, вы получите прямо в кабинете товарища Дзержинского. Приятных сновидений!

— Не уходи-и! Побудь со мно-о-о-ю-у! Я так давно тебя люблю-у-у! — страстно и умоляюще пела грузинская девочка в длинном платье. — Тебя я лаской огнево-о-ою и утолю, и опьяню-у-у...

— Вам нужно немедленно, — сказал Барченко Дине Ивановне Форгерер, — вам нужно немедленно вернуться домой.

Она оторвала руку от горла. На шее остались красные следы пальцев.

— Я никуда не пойду, — прошептала она. — Если ты прогонишь меня, я...

Барченко поморщился.

— Дина Ивановна, сейчас не время... Вы не понимаете, что происходит... Вы совсем не понимаете...

— Тогда объясни! Ведь я все открыла... Я все рассказала. И ты мне скажи!

— Не нужно было тебе столько пить! — с досадой пробормотал Барченко. — Он напоил тебя, мерзавец!

— Никто меня не напоил! — передернулась она. — Прогонишь — пойду утоплюсь!

И боком, неловко сползла вдруг со стула и рухнула перед ним на колени.

— С ума ты сошла! — Он крепко подхватил ее под мышками, поднял и с силой посадил обратно.

Все в зале перестали есть, многие от любопытства вскочили. Одна Тамара Церетели продолжала петь, как будто ее ничего не касалось.

— Я правду тебе говорю, — Дина подняла голову и прямо в глаза ему посмотрела своими мокрыми глазами. — А что мне тогда остается?

— Пойдем! — проскрежетал он. — Вставай!

Она сверкнула какой-то дикой, восторженной улыбкой из-под готовых слез и встала с готовностью. Барченко продел ее руку под свой локоть, и, облепленные взглядами, они пошли к выходу. В дверях он пропустил ее вперед, и Дина едва не столкнулась с Шаляпиным, который в расстегнутом пальто и шелковом белом шарфе, с рассерженной миной, входил в ресторан. На бледном и толстом лице его выразилось сильное изумление.

— Как? Вы?

— Не сейчас, не сейчас, Федор Иваныч, — скороговоркой пролепетала она. — Сейчас ни секунды нет времени!

И тут же опять уцепилась за Барченко. У лифта их перехватил Мясоедов.

— Алексей Валерьяныч! — внушительно произнес он. — Вы только не делайте глупостей.

— Подите к черту! — рявкнул Барченко. — Прочь, я сказал!

— Не очень-то вы...

Барченко и Дина вошли в лифт. Тощий мальчик в фирменной фуражке с красным околышком нажал на кнопку. У двери квартиры сидел, как всегда, человек. Барченко прошел мимо, как будто не замечая его. На письменном столе и в открытом бельевом шкафу все было перевернуто, пол в спальне усыпан бумагами.

— Опять! — с отвращением пробормотал он. — Ведь так я и знал!

Дине хотелось лечь, накрыть голову подушкой. Но еще больше ей хотелось снова встать на колени и прижаться лицом к его ногам. Она вспомнила, что муж, Николай Михайлович, часто становился перед ней на колени, и это почему-то вызывало отвращение. Барченко собирал с пола разбросанные бумаги и не обращал на нее внимания.

— Постой, я тебе помогу! — Прыгающими пальцами она принялась помогать ему.

— Не нужно, — сказал он. — Оставь все как есть.

Прошел в спальню и лег на развороченную, засыпанную папиросным пеплом кровать. Она робко посмотрела на него.

— Иди ко мне, — вздохнул он. — Ложись.

Она принялась расстегивать пуговицы на платье, но Барченко остановил ее:

— Не нужно. Ложись, я сказал.

Она осторожно легла.

— Горячая ты, как костер. «Мой костер в тум-а-а-не светит...»

Дина Ивановна почувствовала, что проваливается и летит так, как это бывает во сне, когда падение становится блаженством, от которого замирает душа и, не наталкиваясь на сопротивление страха, старается только как можно полнее черпнуть этой радостной легкости. Перед ее закрытыми глазами мелькали искры, и каждое их прикосновение к телу причиняло легкую боль, но даже и боль была частью блаженства.

...За окном, только что ночным и темным, уже проплывали все смены оттенков, что часто бывает весной. Капризная эта пора, как художник, выдавливающий из своего тюбика то одну, то другую краску, желая добиться особенной точности, меняет вдруг серое на голубое, потом голубое обратно на серое, а то вдруг, размывши все нежные краски, оставит одну белизну. Значит, она спала долго, всю ночь проспала, и он лежал рядом, обнимая ее. Она и проснулась внутри его рук, дыша его запахом. Проснувшись, сейчас же раскрыла горячие губы и ими прижалась к его подбородку.

— Давай разговаривать, — прошептал Барченко и отодвинулся от нее. — Ты способна к разговору?

Она утвердительно промычала.

— Я мог бы с того начать, что принес тебе несчастье, и ничего, кроме несчастья, — медленно и раздельно заговорил он, — но это не так. Суженого на коне не объедешь. Твой этот скоморох, Форгерер, все равно доконал бы тебя своей скоморошьей любовью. И ты бы его вскоре бросила, поскольку безжалостна. Не перебивай! — Барченко повысил голос, хотя Дина Ивановна не собиралась ни перебивать, ни тем более возражать ему. — По рукам бы ты не пошла: страстей в тебе много, но много брезгливости. И, может быть, даже брезгливости больше.

Дина Ивановна молчала так, как будто во всем соглашается с ним.

— Это наш с тобой последний разговор. Утром ты уйдешь отсюда, и мы никогда ни к чему... — Он тяжело вздохнул. — И мы никогда *ни к чему* не вернемся. В утешение твоего самолюбия признаю, что я и не представлял себе, что могу попасться в руки женщины, не говорю уж: полюбить. Но это случилось, к несчастью. Да, это случилось. — Он сердито и вопросительно посмотрел на нее. — Ты слышишь меня?

Она попробовала спрятать лицо на его груди, но он отодвинулся еще дальше.

— Ты слушай хотя бы! Ведь выспалась, трезвая...

И вдруг замолчал, тоскливо посмотрел в сторону, на розовое пятно света, загоревшееся внутри темной поверхности обоев и напоминающее чье-то курносое деревенское лицо с едва очерченными, как это бывает у деревенских людей, чертами.

— Не важно, что ты подписала... — Он поморщился. — Они — существа. Вернее сказать, механизмы. Их всех заразили одною заразой. Не только у нас, а везде. Зараза известная. То это была инквизиция, то французская революция, теперь русская. Но с ними бороться бессмысленно! Пока они крови живой не напьются, они не отвалятся. Я думал: взломаю! А видишь? Не вышло...

— Что значит: взломаю?

— Да весь этот их механизм взломаю! Ключи подберу... Ты думаешь, я очень смелый? Не думай. Я трус от природы и очень боялся. Я боялся, когда они начали прикармливать меня, боялся, когда мне открыли лабораторию, боялся, что они схватят меня за руку и скажут: «Подать сюда Ляпкина-Тяпкина!» Из них — половина больных, остальные — мерзавцы. Не знаю, кто хуже. — Он замолчал и криво усмехнулся. — Поверила, да? Опять ведь соврал. «Боялся»... Да если бы только боялся! Я влез по макушку в дерьмо! Теперь мы друг друга... по запаху... Знаешь? У нас с ними запах-то общий... Вот штука!

— Алеша, не надо. — Дина положила руку на горло, как тогда, в ресторане.

— Ты вспомни меня год назад, — продолжал он. — Вернее, не год — полтора. Каким я тогда был? Уверенным, помнишь? «Машину к подъезду! Гони на Лубянку!» Так чем же я лучше? Я сам — механизм. Кого ты во мне полюбила? Я думал, что все рассчитал. Лишь бы вырваться! Уеду на Север, и там не найдут. Исчезну, и всё. А мне — Мясоедова вместо консервов! «Вот вам наш проверенный старый сотрудник! Любите и жалуйте!» Всё! Песня спета. Уж этот бы сразу прикончил, ручаюсь. Пришлось мне вернуться. В поезде ехал, трясся. Только о том и думал, как с меня кожу будут сдирать, с живого. А тут новый ребус: живите, дышите, но мы вам — конвой у дверей, а в спальню вам — Дину Иванну! — Он блеснул набухшими глазами. — Ведь я же просил: уезжай, пока можно! Зачем ты осталась? Романс не допела?

Дина всхлипнула и хотела возразить, но он перебил ее:

— Прости. Я тебе это уже сто раз говорил. Никак не могу успокоиться. Осталась — так, значит, осталась. Не слушай меня. По гроб жизни тебе обязан и за любовь твою, и за то, что сразу правду сказала. И вышло, что ты-то сильнее меня, честнее, во всяком уж случае. Но даже и это напрасно, ненужно.

Барченко потер лоб.

— Теперь ты куда? — пробормотала Дина. — Теперь на Тибет?

— Честнее, — не отвечая на ее вопрос, повторил он. — Я тебя истерзал, бедную. Если ты даже из этой мясорубки живой выберешься, ведь ты все равно пропадешь. Сопьешься, к примеру. Бедовая больно. И слишком красива. А клоун твой этот... Его самого на коляске катать!

— Не надо о нем! — вспыхнула она, глядя на Барченко исподлобья.

— Не хочешь? Не буду... Ты очень бедовая, Дина. Тебе бы циркачкой! Ходить по канату... А как остальные ты просто не сможешь. Ты это-то хоть поняла?

— С тобой все смогу, — прошептала она.

— Со мной... Таких непослушных, как ты, убивают. — Он засмеялся через силу. — Тебя на Востоке давно бы убили и были бы правы...

— Но ты ведь меня не прогонишь?

Исподлобья, выгнув шею так, чтобы ни одно движение его лица не ускользнуло от нее, она смотрела на него ровно и светло сияющими глазами. Ни страха, ни обиды не было в этих глазах. Она словно бы успокоилась от того, что впервые за все эти месяцы он вновь был так близко и вновь говорил с ней. Барченко не выдержал и, схватив ее за плечи обеими руками, встряхнул:

— Дина-а-а! Я ухожу один! Совсем ухожу, ты меня поняла?

— Куда ты уходишь? А как же Тибет? — кротко спросила она. — Нет, я с тобой вместе поеду. Алеша...

Он привлек ее к себе и, не целуя, прижался губами к ее горячему лбу.

— Нам некуда ехать. Ни вместе, ни порознь.

Она высвободилась из его рук. Красные пятна горели на ее лице и шее, как будто бы кто-то ее искусал.

— Я перед тобой всегда как девочка была. Ты меня приучал, обучал, опыты на мне всякие ставил. Правильно Блюмкин сказал... Но ты самого главного не заметил: ни ты без меня жить не сможешь, ни я без тебя не смогу. — Слезы выступили на ее глазах. — Я знаю, что ты очень умный, великий... Ты маг, ты волшебник... Еще кто? Профессор, известный ученый. Философ, наверное? Ты же философ? А я кто? Ну, кто я? Плохая артистка! Да, очень плохая, без образованья. К тому же и замужем... Муж мой вернулся... Но только никто... Никогда! Ты запомни! Смотри мне в глаза и запомни, Алеша! Любить тебя так... Даже наполовину! Никто никогда не посмеет, не сможет!

— Я от тебя три месяца прятался, — криво усмехнулся он. — Ты этого не поняла?

— Почему? — Дина стиснула зубы, чтобы не разрыдаться, и потом осторожными маленькими порциями перевела дыхание. — Чего не понятно? Все очень понятно. Вот к нам постучат сейчас, что будем делать?

И вдруг просияла сквозь слезы.

— Как ты тогда цыкнул-то на Мясоедова? «Идите вы к черту!» Вот так и мы цыкнем: «Идите вы к черту! Мы вас не боимся!»

Судя по тому, как разглаживалось и смягчалось его лицо, какая-то отрадная и всё разрешившая мысль пришла в голову Алексея Валерьяныча. Он опять привлек к себе Дину Ивановну, истерически, но от души смеявшуюся, и быстро покрыл поцелуями ее лоб, брови, глаза.

— Уедем, и нас не найдут! — задыхалась она, ловя своим ртом его губы. — Уедем, сбежим там к индийцам, ведь правда? Они нас пускай здесь и ищут! Пускай всю Москву разворотят! Весь Кремль по кирпичикам! А мы с тобой... — Она задыхалась от смеха и рыданий. — А нас с тобой — нет! Коляску открыли, содрали все тряпки, а — где мы? Нас нету! Вот вам и цыпленок! Хоть жарьте, хоть парьте! Нас нету!

Он молча, нежно целовал ее.

— А ты во мне не сомневайся! — продолжала она. — Меня не заставят. Повешусь, сопьюсь, но меня не заставят! И я за тобой — на край света, Алеша! Ты мне прикажи! — И всплеснула руками: — Ведь наша-то песня — другая! Другая!

Она просияла счастливой улыбкой:

> Кто-то мне судьбу предскажет?
> Но никто, хороший мой,
> Мне на сердце не-е-е развяжет
> Узел, стянутый тобой!

Барченко обнял ее еще крепче и отпустил.

— Сейчас тебе нужно уйти, — сказал он. — Они там тревожатся дома, наверное.

— Да что мне они! — отмахнулась она. — Ты гипнотизер! С вами, с гип-но-ти-з-зе-ра-ми... — Она еле выговорила это слово от вновь нахлынувшего на нее смеха. — С гип-но-зи-те-ра-ми, так? С вами разве кто справится? Возьмете и зап-но-зи-ти-ру-е-те!

Барченко смотрел и не узнавал ее. Она преображалась на глазах, превращалась в подростка, похожего на птицу, которая с помощью одной, только что выбранной ею мелодии проверяет всю окружающую ее вселенную, и эта вселенная ясно, приветливо вбирает в себя ее радостный голос и ей отвечает такою же радостью:

— Они не найдут нас! Они не найдут!

Через несколько минут, по-прежнему сияющая, с золотыми, словно бы и они только что расцвели, как огромные тропические цветы под залившим их рассветным солнцем, волосами, небрежно запрятанными под шляпу, из-под которой эти золотые узлы их вываливались, наподобие готовых раскрыться бутонов, Дина Ивановна Форгерер стояла у двери, и Алексей Валерьянович Барченко тяжелой рукой поправлял на ней шарфик, поглаживал хрупкое острое плечико, смотря на сияние это со страхом.

— Так мы с тобой прямо отсюда уедем? — прошептала она, быстро целуя его в губы и тонкими пальцами правой руки готовясь повернуть щеколду. — Вернусь к тебе вечером, часиков в восемь. С собой-то что взять?

— Да это неважно, — пробормотал он. — Мы все потом купим. Иди, моя радость...

— Ну, ладно, до вечера! — прошептала она, открывая дверь.

В коридоре было пусто. Человек, дремавший на своем стуле у двери профессора Барченко, открыл осоловевшие глаза. Она усмехнулась в лицо ему странной, загадочной, как у Джоконды, улыбкой и побежала в сторону лифта.

В десять часов утра, когда свежее весеннее утро наполнилось простуженными голосами беспризорников и звоном омытых росою трамваев, в кабинете товарища Блюмкина на Лубянке сидел всю ночь не спавший Алексей Валерьянович

Барченко и на вопросы Якова Григорьевича угрюмо мотал головой.

— Вы провалились, профессор, — равнодушно говорил товарищ Блюмкин, который тоже давно бы свалился от усталости, если бы не сила ярко блистающей пыльцы на его смуглой ладони. — Мы ждали, мы очень надеялись...

Он осторожно втянул ноздрями рассыпающуюся пыльцу. Небритые щеки вдруг порозовели.

— Мы славно вчера вас почистили, славно! — И хлопнул по туго набитому портфелю. — Теперь вы нам и ни к чему. Проваливайте подобру-поздорову!

Барченко недоверчиво взглянул на него:

— Неужто отпустите?

— Слово даю! — быстро сказал Блюмкин и оскалился, как вечером в ресторане. — Зачем вы нужны нам? Одни с вами хлопоты! — Он подбежал к двери и высунул голову: — Зовите сюда Александра Васильича!

Через минуту в кабинет вошел седой, стриженный ежиком, в круглых очках, немного мешковатый, нисколько не похожий на Алексея Валерьяновича человек. Барченко прикрыл глаза ладонью.

— А что закрываться, профессор? Кузен ведь, не дядя чужой из трактира! — удивился Блюмкин. — Мы вас давно предупреждали: будете морочить голову, мы вас в одночасье заменим. Ведь есть на кого заменить! Вы же его сами всему научили! Конечно, Александр Васильевич — не вам чета, вы гений, от ваших, так сказать, прозрений волосы дыбом подымаются... Но с вами трудно работать, вы ведь всех презираете, Алексей Валерьяныч. А родственник ваш не капризный. — Блюмкин говорил так, словно вошедший был глухим. — Вы нам очень напортили своим характером, мы кучу времени потеряли. Теперь у вас, Александр Васильевич, — обратился он к стриженому, в круглых очках, — одна задача: разобраться в изъятых у вашего брата манускриптах, понять там последнюю букву. А то, пока мы с вами лясы точили, немцы да англичане уже, может быть, и овладели секретами бессмертия! Того гляди, и Шамбалу откопают... Прощайте, мечты и надежды!

Черные глаза его с веселым сумасшествием запрыгали по комнате.

— А помните, как написал мой поэт? Не помните? Э-эх, как написано!

> И всем, кто дерзает, кто хочет, кто ищет,
> Кому опостылели страны отцов,
> Кто дерзко хохочет, насмешливо свищет,
> Внимая заветам седых мудрецов!
>
> Как странно, как сладко входить в ваши грезы,
> Заветные ваши шептать имена
> И вдруг догадаться, какие наркозы
> Когда-то рождала для вас глубина!
>
> И кажется — в мире, как прежде, есть страны,
> Куда не ступала людская нога,
> Где в солнечных рощах живут великаны
> И светят в прозрачной воде жемчуга.
>
> С деревьев стекают душистые смолы,
> Узорные листья лепечут: «Скорей,
> Здесь реют червонного золота пчелы,
> Здесь розы краснее, чем пурпур царей!»
>
> И карлики с птицами спорят за гнезда,
> И нежен у девушек профиль лица...
> Как будто не все пересчитаны звезды,
> Как будто наш мир не открыт до конца![1]

Блюмкин перевел дыхание. Прошло не больше минуты, и вскоре он опять заговорил, но уже другим, спокойным и раздраженным голосом:

— Гражданин Барченко, Алексей Валерьяныч! С сегодняшнего дня вы поживете здесь у нас, на Лубянке. Не бойтесь. Пока что мы вас ни пытать, ни расстреливать не собираемся.

---

[1] Отрывок из стихотворения Н. Гумилева «Капитаны».

Вам нужно еще поработать как следует... Товарищ Барченко, Александр Васильевич! Ваша квартира приготовлена и ждет вас. В целях безопасности к вам по личному распоряжению товарища Дзержинского будет приставлена охрана. Ну что? Все понятно?

Лицо его поскучнело и затуманилось.

— Уведите гражданина Барченко, Алексея Валерьяныча! — сказал он, подняв телефонную трубку.

Дина Ивановна Форгерер бродила по улицам. Безмятежный покой царил в ее душе. На улице было тепло, словно летом. Она не замечала ни серых прохожих, ни давки в прозвеневшем мимо трамвае, ни очереди за хлебом, тянущейся вдоль обшарпанных домов. Неизвестно почему Дина Ивановна все время поднимала голову и с умилением смотрела в небо, на котором то рисовались блеклые акварельные цветы, то мягко стелились прозрачные полосы, но цвет оставался спокойным и чистым. На Знаменке, недавно переименованной в Краснознаменную улицу, в церкви Святого Николая Чудотворца только что началась утренняя служба. Дина надвинула шляпу пониже на лоб и проскользнула в приоткрытые двери. Народу было немного, в основном женщины и старики. Дина Ивановна смотрела на иконы, подолгу останавливая зрачки на скорбном лице Богоматери, и тихо глотала соленые слезы. Она почти не слышала того, что произносил священник, но быстро и мелко крестилась.

И вдруг всю ее обожгло.

Святый Ангеле, предстояй окаянной моей души и страстной моей жизни, не остави мене грешного...

«Что? Что такое? — подумала она, широко раскрывая глаза. — Что это он говорит? Моей окаянной души и моей страстной жизни? Ведь он обо мне говорит! Откуда он знает все это?»

Не остави мене грешного, ниже отступи от мене за невоздержание мое. Не даждь места лукавому демону обладати мною, насильством смертного сего телесе, укрепи бедствующую и худую мою руку и настави мя на путь спасения.

634

Лица священника она не видела, только худые стариковские плечи с нависающими над ними редкими голубоватыми прядями. Вид этих старых плеч вдруг странно подействовал на нее: ей стало смертельно, до дрожи во всем ее теле, жаль и этого старика, который, наверное, скоро умрет, и этих собравшихся в церкви людей, и даже того золотистого света, который мерцал в полутьме. Поскольку и он был живым, оголенным, и он трепетал, и молился со всеми.

Ей, святый Ангеле Божий, хранителю и покровителю окаянныя моея души и тела, вся мне прости, еликими тя оскорбив во вся дни живота моего. И аще что согрешив в прошедшую нощь сию, покрый мя в настоящий день...

«Да! — с восторженным ужасом думала она и двигала губами, стараясь поспеть за этими прежде никогда не слышанными ею словами. — Да, Он все знает обо мне! У меня окаянная душа и окаянное тело, и Он знает, что я согрешила сегодня ночью, но Он прощает меня, потому что...»

У нее перехватило горло от рыданий, и вывалившейся из-под шляпы прядью она принялась вытирать глаза.

Покрый мя в настоящий день, и сохрани мя от всякого искушения противного, да ни в коем гресе прогневаю Бога и молися за мя ко Господу. Да утвердит мя в страсе Своем, и достойна покажет мя раба Своея благодати...

«Я здесь хуже всех! — сверкнуло у нее в голове. — На мне одни грехи, я никого не любила, кроме него! И я никого не жалела! И Бог мне послал испытания! Нет, если бы только мне... Он всем нам послал испытания только за то, что я нагрешила и я виновата! Я буду просить Господа, чтобы Он простил меня, чтобы Он не карал за меня никого из них! Ни Тату, ни Алексея Валерьяновича, ни няню, ни Алису! Ни всю нашу бедную эту семью! И маму! И маму пускай не карает! Я хуже ее, я намного всех хуже! Но я все исправлю! Сейчас побегу к ним и все расскажу! И Коле скажу, что ему только лучше, когда он один, без меня, ему лучше...»

Вся мокрая от слез, с опухшим и красным лицом, она еще раз перекрестилась и быстро вышла из церкви, но почему-то побежала не в сторону Арбата, чтобы попасть домой, а к Каменному мосту, который особенно ослепительно сверкал на солнце. Пахнущая свежестью, еще сонная, но уже полностью освободившаяся ото льда река почти не двигалась, и в ней, в звуке ее еле слышного пошлепывающего прикосновения к камню, была какая-то успокаивающая простота. Река эта словно бы понимала то, чего не понимали и никогда не смогли бы понять попавшие на мост люди, которые и не смотрели на нее, поглощенные своими делами и заботами.

Дина Ивановна Форгерер свесилась через перила. Голова у нее слегка закружилась.

— Зачем это я прибежала сюда? — глядя на сонную и величавую воду, спросила она себя. — Ведь я торопилась домой!

Она подставила лицо солнцу, и вдруг в золотой тишине услышала низкий и сдержанный голос:

> Ночью нас никто не-е встретит,
> Мы простимся на-а-а мосту...

СОДЕРЖАНИЕ

Литературно-художественное издание

ЛЮБОВЬ К ЖИЗНИ. ПРОЗА И. МУРАВЬЕВОЙ

Муравьева Ирина

Я ВАС ЛЮБЛЮ

Ответственный редактор *О. Аминова*
Младший редактор *А. Семенова*
Художественный редактор *А. Стариков*
Технический редактор *Г. Романова*
Компьютерная верстка *Е. Джелиловой*
Корректор *О. Степанова*

В оформлении обложки использована фотография:
Andrea Izzotti / Shutterstock.com
Используется по лицензии от Shutterstock.com

ООО «Издательство «Эксмо»
123308, Москва, ул. Зорге, д. 1. Тел. 8 (495) 411-68-86, 8 (495) 956-39-21.
Home page: **www.eksmo.ru**   E-mail: **info@eksmo.ru**

Өндіруші: «ЭКСМО» АҚБ Баспасы, 123308, Мәскеу, Ресей, Зорге көшесі, 1 үй.
Тел. 8 (495) 411-68-86, 8 (495) 956-39-21
Home page: www.eksmo.ru   E-mail: info@eksmo.ru.
Тауар белгісі: «Эксмо»
Қазақстан Республикасында дистрибьютор және өнім бойынша
арыз-талаптарды қабылдаушының
өкілі «РДЦ-Алматы» ЖШС, Алматы қ., Домбровский көш., 3«а», литер Б, офис 1.
Тел.: 8 (727) 2 51 59 89,90,91,92, факс: 8 (727) 251 58 12 вн. 107; E-mail: RDC-Almaty@eksmo.kz
Өнімнің жарамдылық мерзімі шектелмеген.
Сертификация туралы ақпарат сайтта: www.eksmo.ru/certification

Сведения о подтверждении соответствия издания согласно законодательству РФ
о техническом регулировании можно получить по адресу:
http://eksmo.ru/certification/

Өндірген мемлекет: Ресей
Сертификация қарастырылмаған

Подписано в печать 29.07.2015. Формат 84х108$^1/_{32}$.
Гарнитура «TimesET». Печать офсетная. Усл. печ. л. 33,6.
Тираж 3000 экз. Заказ 5504

Отпечатано с готовых файлов заказчика
в АО «Первая Образцовая типография»,
филиал «УЛЬЯНОВСКИЙ ДОМ ПЕЧАТИ»
432980, г. Ульяновск, ул. Гончарова, 14

ISBN 978-5-699-83317-7

16+

ООО «Издательство «Эксмо»
123308, Москва, ул. Зорге, д. 1. Тел.: 8 (495) 411-68-86,8 (495) 956-39-21.
Home page: **www.eksmo.ru** E-mail: **info@eksmo.ru**

Өндіруші: «ЭКСМО» АҚБ Баспасы, 123308, Мәскеу, Ресей, Зорге көшесі, 1 үй.
Тел. 8 (495) 411-68-86, 8 (495) 956-39-21
Home page: www.eksmo.ru E-mail: info@eksmo.ru.
Тауар белгісі: «Эксмо»
Қазақстан Республикасында дистрибьютор және өнім бойынша арыз-талаптарды қабылдаушының
өкілі «РДЦ-Алматы» ЖШС, Алматы қ., Домбровский көш., 3«а», литер Б, офис 1.
Тел.: 8(727) 2 51 59 89,90,91,92, факс: 8 (727) 251 58 12 вн. 107; E-mail: RDC-Almaty@eksmo.kz
Өнімнің жарамдылық мерзімі шектелмеген.
Сертификация туралы ақпарат сайтта: www.eksmo.ru/certification

Оптовая торговля книгами «Эксмо»:
ООО «ТД «Эксмо». 142700, Московская обл., Ленинский р-н, г. Видное,
Белокаменное ш., д. 1, многоканальный тел. 411-50-74.
E-mail: **reception@eksmo-sale.ru**

По вопросам приобретения книг «Эксмо» зарубежными оптовыми
покупателями обращаться в отдел зарубежных продаж ТД «Эксмо»
E-mail: **international@eksmo-sale.ru**
International Sales: International wholesale customers should contact
Foreign Sales Department of Trading House «Eksmo» for their orders.
international@eksmo-sale.ru

По вопросам заказа книг корпоративным клиентам, в том числе в специальном
оформлении, *обращаться по тел.: +7(495) 411-68-59, доб. 2261, 1257.*
E-mail: **ivanova_ey@eksmo.ru**

Оптовая торговля бумажно-беловыми
и канцелярскими товарами для школы и офиса «Канц-Эксмо»:
Компания «Канц-Эксмо»: 142702, Московская обл., Ленинский р-н, г. Видное-2,
Белокаменное ш., д. 1, а/я 5. Тел./факс: +7 (495) 745-28-87 (многоканальный).
e-mail: **kanc@eksmo-sale.ru**, сайт: www.kanc-eksmo.ru

Полный ассортимент книг издательства «Эксмо» для оптовых покупателей:
В Санкт-Петербурге: ООО СЗКО, пр-т Обуховской Обороны, д. 84Е. Тел.: (812) 365-46-03/04.
В Нижнем Новгороде: Филиал ООО ТД «Эксмо» в г. Н. Новгороде, 603094, г. Нижний Новгород, ул.
Карпинского, д. 29, бизнес-парк «Грин Плаза». Тел.: (831) 216-15-91 (92, 93, 94).
В Ростове-на-Дону: Филиал ООО «Издательство «Эксмо», пр. Стачки, 243А. Тел.: (863) 305-09-13/14.
В Самаре: ООО «РДЦ-Самара», пр-т Кирова, д. 75/1, литера «Е». Тел.: (846) 207-55-56.
В Екатеринбурге: Филиал ООО «Издательство «Эксмо» в г. Екатеринбурге, ул. Прибалтийская, д. 24а.
Тел.: +7 (343) 272-72-01/02/03/04/05/06/07/08.
В Новосибирске: ООО «РДЦ-Новосибирск», Комбинатский пер., д. 3.
Тел.: +7 (383) 289-91-42. E-mail: eksmo-nsk@yandex.ru
В Киеве: ООО «Форс Украина», 04073, Московский пр-т, д.9. Тел.:+38 (044) 290-99-44.
E-mail: sales@forsukraine.com
В Казахстане: ТОО «РДЦ-Алматы», ул. Домбровского, д. 3а.
Тел./факс: (727) 251-59-90/91. rdc-almaty@mail.ru
Полный ассортимент продукции издательства «Эксмо»
можно приобрести в магазинах «Новый книжный» и «Читай-город».
Телефон единой справочной: 8 (800) 444-8-444. Звонок по России бесплатный.

В Санкт-Петербурге: в магазине «Парк Культуры и Чтения БУКВОЕД», Невский пр-т, д.46.
Тел.: +7(812)601-0-601, www.bookvoed.ru/

Интернет-магазин ООО «Издательство «Эксмо»
www.fiction.eksmo.ru
Розничная продажа книг с доставкой по всему миру.
Тел.: +7 (495) 745-89-14. E-mail: imarket@eksmo-sale.ru

ИНТЕРНЕТ-МАГАЗИН

shop.eksmo.ru

shop.eksmo.ru

ЭКСМО